# A LITERATURA PORTUGUESA

# Do Autor

*A Literatura Portuguesa*, S. Paulo, Cultrix, 1960; 37ª ed., 2010, 3ª reimpr. 2018.

*A Criação Literária – Poesia e Prosa*, S. Paulo, Cultrix, 1ª ed., 2012. Obra publicada anteriormente pela Melhoramentos, S. Paulo, 1967 e em 3 volumes, pela Editora Cultrix, com os títulos: *A Criação Literária – (Poesia – 19ª* ed., 2011), *A Criação Literária – (Prosa I – 23ª* ed., 2011), *A Criação Literária – (Prosa II – 20ª* ed., 2007); 1ª ed., 1 vol., S. Paulo, Cultrix, 2012.

*Pequeno Dicionário de Literatura Brasileira*, S. Paulo, Cultrix, 1967; 7ª ed., 2008. (Coorganização, codireção e colaboração).

*A Literatura Portuguesa Através dos Textos*, S. Paulo, Cultrix, 1968; 33ª ed., 2012, 34ª ed., 2014.

*A Literatura Brasileira Através dos Textos*, S. Paulo, Cultrix, 1971; 29ª ed., 2012, 2ª reimpr., 2017.

*A Análise Literária*, S. Paulo, Cultrix, 1969; 19ª ed., 2014.

*Dicionário de Termos Literários*, S. Paulo, Cultrix, 1974; 15ª ed. 2011; 16ª ed., 2013.

*Literatura: Mundo e Forma*, S. Paulo, Cultrix/EDUSP, 1982.

*História da Literatura Brasileira*, 5 vols., S. Paulo, Cultrix/EDUSP, 1983-1989; 3 vols., S. Paulo, Cultrix, 2001, vol. I – *Das Origens ao Romantismo*, 4ª ed., 2012; vol. II – *Realismo, Simbolismo*, 2ª ed., 2004; vol. III – *Modernismo*; 2ª ed., 2004.

*O Guardador de Rebanhos e Outros Poemas*, de Fernando Pessoa, S. Paulo, Cultrix/EDUSP, 1988, 9ª ed., 2012. (Seleção e introdução)

*Fernando Pessoa: O Espelho e a Esfinge*, S. Paulo, Cultrix/EDUSP, 1988; 3ª ed., 2009.

*Machado de Assis: Ficção e Utopia*, S. Paulo, Cultrix, 2001.

*O Banqueiro Anarquista e Outras Prosas*, S. Paulo, Cultrix, 1988; 2ª ed. 2008.

*Contos de Machado de Assis*, S. Paulo, 6ª ed., 2009.

MASSAUD MOISÉS

# A LITERATURA PORTUGUESA

Editora
Cultrix
SÃO PAULO

Copyright da 1ª edição © Massaud Moisés 1960.

37ª edição 2010.
5ª reimpressão 2022.

Todos os direitos reservados. Nenhuma parte deste livro pode ser reproduzida ou usada de qualquer forma ou por qualquer meio, eletrônico ou mecânico, inclusive fotocópias, gravações ou sistema de armazenamento em banco de dados, sem permissão por escrito, exceto nos casos de trechos curtos citados em resenhas críticas ou artigos de revistas.

A Editora Cultrix não se responsabiliza por eventuais mudanças ocorridas nos endereços convencionais ou eletrônicos citados neste livro.

**CIP-Brasil. Catalogação na Publicação**
**Sindicato Nacional dos Editores de Livros, RJ**

M724L
37. ed.
Moisés, Massaud.
   A literatura portuguesa / Massaud Moisés. – 37. ed., rev. e atual. –
1ª reimp. – São Paulo : Cultrix, 2013.
   576 p. ; 23 cm.

   Inclui bibliografia e índice
   ISBN 978-85-316-0231-3

   1. Literatura portuguesa – História e crítica I. Título.

| 13-02688 | CDD: 869.09 |
| | CDU: 821.134.3.09 |

**Índices para catálogo sistemático:**
1. Literatura portuguesa : História e crítica  869.09

Direitos reservados.
EDITORA PENSAMENTO-CULTRIX LTDA.
Rua Dr. Mário Vicente, 368 — 04270-000 — São Paulo, SP
Fone: (11) 2066-9000
E-mail: atendimento@editoracultrix.com.br
http://www.editoracultrix.com.br
Foi feito o depósito legal.

*À*
*Memória*
*de*
*Décio Darcie*

# SUMÁRIO

| | | |
|---|---|---|
| Nota à 35ª Edição | | 15 |
| I. | INTRODUÇÃO | 17 |

II.  TROVADORISMO (1198-1418) — 23

Preliminares, 23 A Poesia Trovadoresca, 24 Cantiga de Amor, 25 Cantiga de Amigo, 26 Cantiga de Escárnio e de Maldizer, 28 Acompanhamento Musical, 29 Cancioneiros, 29 Principais Trovadores, 30 Terminologia Poética, 31 Doutrina Trovadoresca, 32 Valor da Poesia Trovadoresca, 33 Novelas de Cavalaria, 34 Cronicões e Livros de Linhagens, 38 D. Pedro, Conde de Barcelos, 38.

III.  HUMANISMO (1418-1527) — 41

Preliminares, 41 Os Cronistas. Fernão Lopes, 43 Gomes Eanes de Azurara, 46 Rui de Pina, 46 A Prosa Doutrinária, 47 D. João I, 47 D. Duarte, 47 Infante D. Pedro, 48 Pêro Menino, 48 A Poesia. O "Cancioneiro Geral", 48 Garcia de Resende, 48 Luís Anriques, 51 Álvaro de Brito Pestana, 51 João Ruiz de Castelo Branco, 52 Garcia de Resende, 52 O Teatro Popular. Gil Vicente, 53 "Escola Vicentina", 60 Afonso Álvares, 60 Baltasar Dias,

8 • A LITERATURA PORTUGUESA

60 Antônio Ribeiro (o Chiado), 60 Antônio Prestes, 60 Simão Machado, 60 Amadis de Gaula, 61.

IV.  CLASSICISMO (1527-1580)                                                                65

Preliminares, 65 A Estética Clássica, 67 Maneirismo, 71 Luís Vaz de Camões, 72 Sá de Miranda, 81 Antônio Ferreira, 85 Diogo Bernardes, 88 Pêro de Andrade Caminha, 91 Frei Agostinho da Cruz, 94 Outros Poetas, 97 Cristóvão Falcão, 97 Bernardim Ribeiro, 97 Jerônimo Corte-Real, 97 A Historiografia. João de Barros, 98 Diogo do Couto, 100 Damião de Góis, 100 Fernão Lopes de Castanheda, 100 Antônio Galvão, 100 Gaspar Correia, 100 Jerônimo Osório, 100 A Literatura de Viagens, 100 Bernardo Gomes de Brito, 101 Jerônimo Corte-Real, 101 Francisco Álvares, 101 Fernão Cardim, 101 Fernão Mendes Pinto, 101 O Conto, 102 Gonçalo Fernandes Trancoso, 102 A Novelística, 103 João de Barros, 104 Jorge Ferreira de Vasconcelos, 104 Francisco de Morais, 104 Bernardim Ribeiro, 105 O Teatro Clássico, 106 Antônio Ferreira, 107 A Prosa Doutrinária, 108 Samuel Usque, 108 Frei Heitor Pinto, 108 Frei Tomé de Jesus, 108 Frei Amador Arrais, 108.

V.  BARROCO (1580-1756)                                                                    109

Preliminares, 109 Francisco Rodrigues Lobo, 110 Francisco Leitão Ferreira, 114 Padre Antônio Vieira, 115 D. Francisco Manuel de Melo, 119 Padre Manuel Bernardes, 122 Cavaleiro de Oliveira, 124 Matias Aires, 125 A "Arte de Furtar", 126 A Poesia Barroca, 126 Francisco Rodrigues Lobo, 127 A "Fênix Renascida" e o "Postilhão de Apolo", 128 Jerônimo Baía, 129 Sóror Violante do Céu, 129 A Historiografia. A Historiografia Alcobacense, 130 Frei Luís de Sousa, 131 A Epistolografia, 132 Sóror Mariana Alcoforado, 132 O Teatro. Antônio José da Silva, 134 A Prosa de Ficção, 136 Sóror Maria do Céu, Francisco Saraiva de Sousa, Pe. Manuel Consciência, 137 Pe. João Batista de Castro, 137 Fernão Álvares do Oriente, 137 Elói de Sá Sotto Maior, 137 Gerardo Escobar, 138 Frei Lucas de Santa Catarina, 138 Gaspar

SUMÁRIO • 9

Pires de Rebelo, 138 Antônio José da Silva, 139 Tomé Pinheiro da Veiga, 140 Frei Simão Antônio de Santa Catarina 142.

VI. ARCADISMO (1756-1825)     143
Preliminares, 143 Luís Antônio Verney, 143 Francisco José Freire, 145 Cândido Lusitano, 145 Padre Teodoro de Almeida, 148 Teresa Margarida da Silva e Orta, 148 Manuel de Figueiredo, 148 POETAS DA ARCÁDIA LUSITANA, 148 Antônio Dinis da Cruz e Silva, 149 Pedro Antônio Correia Garção, 149 Domingos dos Reis Quita, 149 A NOVA ARCÁDIA, 150 Domingos Caldas Barbosa, 150 Padre José Agostinho de Macedo, 150 OS DISSIDENTES, 151 Paulino Antônio Cabral, 151 João Xavier de Matos, 151 Nicolau Tolentino, 153 Filinto Elísio, 153 José Anastácio da Cunha, 154 Marquesa de Alorna, 155 Bocage, 156.

VII. ROMANTISMO (1825-1865)     163
Preliminares, 163 Introdução do Romantismo em Portugal, 164 Origens do Romantismo, 165 Características do Romantismo, 168 O JORNALISMO, 174 A ORATÓRIA, 175 O TEATRO, 176 Garrett, 176 Mendes Leal, 177 Ernesto Biester, 177 João de Andrade Corvo, 177 A POESIA, 177 O CONTO, 178 Francisco Rodrigues Lobo, 178 Júlio César Machado, 179 Rodrigo Peganino, 179 Álvaro do Carvalhal, 179 A NOVELA E O ROMANCE, 179 Francisco Maria Bordalo, 180 Arnaldo Gama, 180 Rebelo da Silva, 181 João de Andrade Corvo, 181 Antônio de Oliveira Silva Gaio, 181 Antônio José Coelho Lousada, 181 Antônio de Oliveira Marreca, 181 D. João de Azevedo, 181 Antônio Pedro Lopes de Mendonça, 181 A HISTORIOGRAFIA, 181 Rebelo da Silva, 182 José Maria Latino Coelho, 182 Simão José da Luz Soriano, 182 O PRIMEIRO MOMENTO DO ROMANTISMO, 183 Garrett, 183 Alexandre Herculano, 191 Castilho, 198 O SEGUNDO MOMENTO DO ROMANTISMO, 200 Maria da Felicidade do Couto Browne, 201 Soares de Passos, 202 Camilo Castelo Branco, 203 O TERCEIRO MOMENTO DO ROMANTISMO, 211 Tomás Ribeiro, 211 Bulhão Pato, 211 Faustino Xavier de Novais, 211 Manuel Pinheiro Chagas, 212 João de Deus, 212 Júlio Dinis, 214.

10 • A LITERATURA PORTUGUESA

VIII.  REALISMO (1865-1890)                                                  219
Preliminares, 219 Origens do Realismo, 226 CARACTERÍSTICAS DO
REALISMO, 229 Alfredo Gallis, 232 Direções do Realismo Portu-
guês, 232 A Poesia. A POESIA REALISTA, 233 Guerra Junqueiro,
234 Gomes Leal, 237 A POESIA DO COTIDIANO. Cesário Verde, 240
A POESIA METAFÍSICA. Antero de Quental, 246 VELEIDADES PARNA-
SIANAS, 254 João Penha, 256 Gonçalves Crespo, 257 Antônio
Feijó, 257 Guilherme de Azevedo, 258 Guilherme Braga, 258
Antônio de Macedo Papança, 258 Antônio Fogaça, Paulino de
Oliveira, 258 Manuel Duarte de Almeida, 258 A PROSA REALISTA.
O ROMANCE, 258 O Romance Realista e o Romance Naturalista,
260 O CONTO, 262 Abel Botelho, 262 Teixeira de Queirós, 262
Trindade Coelho, 263 Eça de Queirós, 263 Fialho de Almeida,
268 A PROSA DOUTRINÁRIA, 271 Eça de Queirós, 271 Ramalho
Ortigão, 271 Fialho de Almeida, 272 A LITERATURA DE VIAGENS,
273 Venceslau de Morais, 273 A HISTORIOGRAFIA. Oliveira Martins, 274 A HISTORIOGRAFIA E A CRÍTICA LITERÁRIA, 276 Teófilo Braga, 276 Moniz Barreto, 276.

IX.  SIMBOLISMO (1890-1915)                                                  279
Preliminares, 279 Origens do Simbolismo, 280. Características
do Simbolismo, 282 Introdução e Evolução do Simbolismo em
Portugal, 284 A POESIA SIMBOLISTA, 287 Alberto de Oliveira, 287
Augusto Gil, 288 Afonso Lopes Vieira, 288 Roberto de Mesquita,
289 Eugênio de Castro, 289 Antônio Nobre, 292 Camilo Pessanha, 297 A PROSA SIMBOLISTA, 301 João Barreira, 303 Manuel Teixeira-Gomes, 303 Jaime de Magalhães Lima, 303 Carlos Malheiro
Dias, 304 Antero de Figueiredo, 305 Manuel Laranjeira, 305 Antônio Patrício, 306 Raul Brandão, 307 O TEATRO, 311 D. João da
Câmara, 312 Marcelino Mesquita, 312 Júlio Dantas, 312.

X.  SAUDOSISMO (1910-1915)                                                   315
Preliminares, 315 Teixeira de Pascoaes, 317 Mário Beirão, 321
OUTROS POETAS E PROSADORES, 322 Visconde de Vila-Moura, 322
Carlos Parreira, 322 Leonardo Coimbra, 322 Álvaro Pinto, 322

Afonso Duarte, 322 Jaime Cortesão, 323 Augusto Casimiro, Américo Durão, 324 Anrique Paço D'Arcos, 324.

XI. ORFISMO (1915-1927)    327
Preliminares, 327 Fernando Pessoa, 330 Mário de Sá-Carneiro, 340 Almada-Negreiros, 344 OUTROS POETAS, 346 Alfredo Guisado, 346 Luís de Montalvor, 348 Ângelo de Lima, 349 Mário Saa, 350 Armando Cortes-Rodrigues, 352 Antônio Ferro, 352.

XII. INTERREGNO    355
Preliminares, 355 Florbela Espanca, 356 Aquilino Ribeiro, 358.

XIII. PRESENCISMO (1927-1940)    361
Preliminares, 361 José Régio, 364 Miguel Torga, 366 Branquinho da Fonseca, 368 Adolfo Casais Monteiro, 369 Antônio Botto, 371 Tomaz de Figueiredo, 372 OUTROS POETAS, 375 Saul Dias, 375 Edmundo de Bettencourt, 376 Alberto de Serpa, 377 Francisco Bugalho, 378 Antônio de Navarro, 379 Carlos Queirós, 380 Cabral do Nascimento, 381 Pedro Homem de Melo, 382 Antônio de Sousa, 383 Fausto José, 384 José Rodrigues Miguéis, 384 Vitorino Nemésio, 386 Irene Lisboa, 387 João Gaspar Simões, 389.

XIV. NEORREALISMO (1940-1974)    391
Preliminares, 391 Ferreira de Castro, 395 Alves Redol, 397 Fernando Namora, 398 Manuel da Fonseca, 400 Carlos de Oliveira, 401 Vergílio Ferreira, 402 OUTROS PROSADORES, 404 Soeiro Pereira Gomes, 405 Romeu Correia, 406 Faure da Rosa, 406 José Marmelo e Silva, 406 Manuel Ferreira, 406 Leão Penedo, 406 Alexandre Cabral, 406 Mário Braga, Antunes da Silva, 406 Rogério de Freitas, 407. Assis Esperança, 407 Alexandre Pinheiro Torres, 407 Aleixo Ribeiro, 407 Afonso Ribeiro, 407 Tomás Ribas, 407 Garibaldino de Andrade, 407 Joaquim Ferrer, 407 Armando Ventura Ferreira, 407 Políbio Gomes dos Santos, 407.

12 • A LITERATURA PORTUGUESA

XV.    SURREALISMO (1947-1974)                                          409
Preliminares, 409 Antônio Pedro, 412 Mário Cesariny de Vas-
concelos, 413 Antônio Maria Lisboa, 415 Alexandre O'Neill, 416
OUTROS POETAS E PROSADORES, 418 Natália Correia, 418 Manuel de
Lima, 420 Virgílio Martinho, 420 Mário-Henrique Leiria, 421
José Viale Moutinho, 421 Luiz Pacheco, 421 Artur de Cruzeiro
Seixas, 421 Henrique Risques Pereira, 421 Antônio José Forte,
422 Fernando Alves dos Santos, 422 Isabel Meyrelles, 423 Mar-
celino Vespeira, 424 Pedro Oom, 424 Carlos Eurico da Costa,
424 Eduardo Valente da Fonseca, Fernando Lemos, 424.

XVI.   TENDÊNCIAS CONTEMPORÂNEAS – I (1950-1970)                        425
Preliminares, 425 POESIA, 425 "A Poesia é Só Uma", 427 Ruy
Cinatti, 427 José Blanc de Portugal, 427 Tomaz Kim, 428 ANOS
50, 430 Antônio Ramos Rosa, 430 Raul de Carvalho, 432 Sebastião da Gama, 433 Albano Martins, 434 Fernando Guimarães,
436 Fernando Echevarría, 437 Alberto de Lacerda, 439 Luís
Amaro, 439 José Terra, 440 Egito Gonçalves, 440 Helder Macedo, 441 POESIA 61, 442 Luísa Neto Jorge, 443 Fiama Hasse Pais
Brandão, 444 Gastão Cruz, 445 Maria Tereza Horta, 447 Casi-
miro de Brito, 448 POESIA EXPERIMENTAL, 450 E(rnesto) M(anuel)
de Melo e Castro, 451 Ana Hatherly, 452 Alberto Pimenta, 453
Salette Tavares, 454 "POESIA ÚTIL" / "POEMAS LIVRES", 457 José
Carlos de Vasconcelos, 457 Fernando Assis Pacheco, 458 Ma-
nuel Alegre, 458 OUTRAS VERTENTES POÉTICAS, 460 José Gomes
Ferreira, 460 Jorge de Sena, 461 Sophia de Melo Breyner Andre-
sen, 462 Eugênio de Andrade, 463 David Mourão-Ferreira, 465
Antônio Manuel Couto Viana, 466 Pedro Tamen, 467 Antônio
Gedeão, 469 Herberto Helder, 470 Ruy Belo, 471 João Rui de
Sousa, 473.

XVII.  TENDÊNCIAS CONTEMPORÂNEAS – II (Geração de 70)                   475
Joaquim Manoel Magalhães, 476 João Miguel Fernandes Jorge,
477 Antônio Osório, 479 Armando Silva Carvalho, 480 Nuno
Júdice, 480 Vasco Graça Moura, 482 Frei Luís de Sousa, 483

José Agostinho Batista, 484 Antônio Franco Alexandre, 485 Manuel Antônio Pina, 487 Helder Moura Pereira, 487 Luís Miguel Nava, 489 OUTROS POETAS, 491 João Pedro Grabato Dias, 492 José Bento, 492 Orlando Neves, 492 Al Berto, 493 Isabel de Sá, 494 Ana Luísa Amaral, 495 Manuel Gusmão, 496 Luís Filipe Castro Mendes, 497 José Jorge Letria, 498 Paulo Teixeira, 500 Pedro Mexia, 501 José Tolentino Mendonça, 501 PROSA, 503 Luís Forjaz Trigueiros, 503 Domingos Monteiro, 503 João de Araújo Correia, 503 Joaquim Paço d'Arcos, 504 Urbano Tavares Rodrigues, 505 José Cardoso Pires, 506 Augusto Abelaira, 507 Ruben A., 507 Almeida Faria, 508 Alfredo Margarido, 509 Artur Portela Filho, 509 Isabel da Nóbrega, 509 Álvaro Guerra, 509 Nuno Bragança, 510 Antônio Rebordão Navarro, 510 João de Melo, 511 Antônio Alçada Baptista, 512 Mário de Carvalho, 512 Paulo Castilho, 513 Gonçalo M. Tavares, 514 PROSADORAS. Maria Archer, 515 Celeste Andrade, 515 Maria da Graça Freire, 516 Pina Graça de Morais, 516 Fernanda Botelho, 516 Agustina Bessa-Luís, 517 Maria Judite de Carvalho, 518 Yvete Kace Centeno, 519 Maria Isabel Barreno, 521 Maria Velho da Costa, 522 Maria Ondina Braga, 524 A FICÇÃO PÓS-25 DE ABRIL, 525 José Saramago, 526 Antônio Lobo Antunes, 528 Mário Cláudio, 530 Dinis Machado, 532 Baptista-Bastos, 532 Américo Guerreiro de Sousa, 532 Lídia Jorge, 533 Teolinda Gersão, 535 Maria Gabriela Llansol, 536 Hélia Correia, 537 Clara Pinto Correia, 538 Luísa Costa Gomes, 539 João Aguiar, 541 Fernando Campos, 541 TEATRO, 543 Fernando Pessoa, 544 Almada-Negreiros, 544 José Régio, 544 Luís Francisco Rebello, 545 Bernardo Santareno, 545 Luís de Sttau Monteiro, 545 Vicente Sanches, Manuel Grangeio Crespo, 546.

| | |
|---|---|
| Bibliografia | 548 |
| Índice de Nomes | 562 |

# NOTA À 35ᴬ EDIÇÃO

Revisto e atualizado onde se fazia necessário acrescentar novas informações ou novos esclarecimentos, notadamente no capítulo referente à atividade literária no século XX, volta este livro a circular mais uma vez. Além da inclusão de autores revelados nos últimos decênios, outros ganharam espaço mais amplo, em consequência da consolidação da sua obra, enquanto uns tantos somente mantiveram o relevo alcançado ou perderam-no com o passar do tempo, graças à perspectiva que os acontecimentos mais recentes suscitaram.

Com o objetivo de oferecer uma visão crítica mais consentânea com os fatos e as correntes em voga ao longo de uma centúria de enorme efervescência criativa, em compasso com as profundas transformações de ordem social operadas por dois acontecimentos de alcance internacional, as guerras mundiais de 1914-1918 e 1939-1945, além do evento de impacto regional, mas altamente significativo, a revolução portuguesa de 25 de abril de 1974 – a matéria literária sofreu uma distribuição mais atenta às mudanças ocorridas a partir da publicação de *Orpheu,* em 1915.

É com prazer que deixo aqui registrado um efusivo agradecimento ao Senhor Embaixador Adriano de Carvalho e ao escritor Luís Amaro, pelas várias sugestões e pelo farto material informativo que amavelmente me enviaram ao longo dos anos, aplainando de forma considerável a tarefa de acompanhar a intensa atividade literária em Portugal nas últimas décadas.

Agradeço vivamente à biblioteca do Real Gabinete Português de Leitura do Rio de Janeiro, na pessoa do seu presidente, Dr. Antônio Gomes da Costa, bem como a Eliane Junqueira Nogueira, bibliotecária da Casa de Portugal de S. Paulo, e aos funcionários da biblioteca central da Faculdade de Filosofia, Letras e Ciências Humanas da Universidade de S. Paulo, pela prestimosa ajuda bibliográfica. E, *last but not least,* cumpre agradecer à Editorial Caminho, na pessoa do seu Diretor Cultural, Dr. Zeferino Coelho, o valioso auxílio bibliográfico posto generosamente à minha disposição.

# I

# INTRODUÇÃO

Portugal ocupa especial posição geográfica no mapa da Europa. Reduzido território de menos de 90.000 km², limita-se com a Galiza ao norte, com a Espanha a leste, e com o Oceano Atlântico ao sul e a oeste. Como empurrado contra o mar, toda a sua história, literária e não, atesta o sentimento de busca dum caminho que só ele representa e pode representar. Tal condicionamento geográfico, enriquecido por exclusivas e marcantes influências étnicas e culturais (árabes, germânicas, francesas, inglesas, etc.), havia de gerar, como gerou, uma literatura com características próprias e permanentes. A "fatalidade" de ser a Língua Portuguesa o seu meio de comunicação ajuda a completar e explicar o quadro.

Diante da angústia geográfica, o escritor português opta pela fuga ou pelo apego à terra de origem, matriz de todas as inquietudes e confidente de todas as dores, centro de inspiração e nutridora de sonhos e esperanças. A fuga dá-se para o mar, o desconhecido, fonte de riqueza algumas vezes, de males incríveis e de emoção quase sempre; ou, transcendendo a estreiteza do solo físico, para o plano mítico, à procura de visualizar numa dimensão universal e perene a inquietação particular e egocêntrica.

Assim, a Literatura Portuguesa oscila entre posições extremas, com certeza porque uma compensa a outra. Ao lirismo de raiz, por vezes carregado de pieguice e morbidez, corresponde um sentimento hipercrítico, exagerado, pronto a agredir, a ofender, a mostrar no "outro" a chaga ou a fraqueza. A sátira, não raro levando ao desbocamento e ao destempero pessoal, dialoga com o culto fetichista da sensação, do sentimento, exacerbado por atitudes de confessionalismo adolescente. Uma atitude esconde a outra, a tal ponto que na base íntima de todo satírico ou erótico se percebe logo o sentimental, o hipersensível, que defende suas tibiezas com o verniz do procedimento contrário. E vice-versa.

Vem daí que seja uma literatura rica de poetas: aquela ambivalência constitui o suporte do "fingimento poético", na expressão feliz, e hoje tornada lugar-comum, de Fernando Pessoa. A poesia é o melhor que oferece a Literatura Portuguesa, dividida entre o apelo metafísico, que significa a vivência e a expressão de problemas fundamentais e perenes (a relação conflitiva com o divino, o ser e o não ser, a condição humana, os valores éticos, etc.), e a atração amorosa da terra (representada por temas populares, folclóricos), ou um sentimento superficial, feito da confissão de estados de alma provocados pelos embates afetivos primários, tendo por fulcro o eterno "eu-te-gosto-você-me-gosta", de que fala Carlos Drummond de Andrade. Não obstante essa derradeira tendência constitua polo permanente, a Literatura Portuguesa ocupa lugar de relevo no mapa literário europeu graças a alguns poetas vocacionados para a contemplação metafísica, como Camões, Bocage, Antero, Fernando Pessoa, entre outros.

Literatura pobre em teatro, eis outra afirmação indiscutível. Decorrência natural do arraigado lirismo egocêntrico e sentimental, a dramaturgia portuguesa só poucas vezes alcançou sair do nível mediano ou razoável. Tirante Gil Vicente, Garrett (sobretudo o de *Frei Luís de Sousa*) e alguma coisa de Antônio José da Silva e Bernardo Santareno, tudo o mais vive no esquecimento. O grande surto teatral operado nos dias que correm, embora prometedor e já realizador de peças notáveis, é ainda muito recente para permitir afirmar que a atividade cênica em Portugal conhece uma época de reviravolta e mudança radical.

O romance, que jamais foi o esteio da Literatura Portuguesa, entrou em depressão após a morte de Eça de Queirós, em 1900. No século XX, notadamente depois de 1940, em razão de confluírem diversas vertentes no campo da ficção, o romance português viveu décadas de florescência, pela quantidade e qualidade de seus cultores. Ao contrário da poesia, que correu mais ou menos ofuscada pelo brilho da obra pessoana, a prosa de ficção tornou-se, na segunda metade da centúria passada, o prato de resistência da Literatura Portuguesa contemporânea. Se isso denuncia alguma transformação profunda na mentalidade do povo português, é um vaticínio que ninguém pode fazer, em sã consciência. Entretanto, a concessão do Prêmio Nobel a José Saramago, em 1998, é um sinal de que a prosa de ficção alcançou, em Portugal, nesse período, altos níveis de elaboração e conteúdo.

A crítica literária, por sua vez, não pode ser o forte duma literatura acentuadamente lírica: as mais das vezes, ou se resolve num historicismo arquivístico mais ou menos superficial, quando não inócuo ou pedante, ou se resolve num impressionismo sentimental e ufanista, extremado no elogio e na ofensa. Atitudes racionalistas, de bom senso, ou de ensaísmo criador, constituem exceções, que só nas últimas décadas se vêm fazendo mais frequentes, mercê da influência da crítica alienígena, a experimentar métodos objetivos de análise, endereçados mais ao cerne estrutural das obras que ao seu envoltório eruditivo.

País europeu, embora de fisionomia peculiarmente voltada para a América e a África, Portugal tem acompanhado as mutações histórico-literárias operadas no resto da Europa, sobretudo na França. Delas deriva a ideia da existência de uma série de lapsos históricos, caracterizados pelo predomínio de certo estilo de vida e de cultura. Os historiadores e críticos têm usado várias denominações, de acordo com a perspectiva e a base ideológica em que se escoram: Humanismo, Classicismo, Barroco, Arcadismo, Romantismo, Realismo, Simbolismo, Decadentismo, Surrealismo, Impressionismo, etc., uma legião de "ismos" com significado nem sempre consensual. Pondo de parte toda a complexa problemática que envolve essa rotulagem um tanto discutível e colocando-nos na perspectiva adotada neste livro, importa frisar que as denominações servem, antes de mais nada, para situar os escritores em épocas históricas, tendências e movimentos literários ou estéticos.

Evidentemente, a simples localização deles na época e no estilo de vida e cultura correspondente não significa que estejam resolvidos todos os problemas correlatos, mas ajuda a sanar elementares e corriqueiras falhas interpretativas. Por outro lado, é preciso alertar o leitor para o erro oposto: há quem julgue, certamente por primarismo ou desinformação intelectual, que todos os problemas relativos a determinado escritor podem ser explicados e interpretados pelo seu mero enquadramento no processo histórico, vale dizer, no con-

20 • A LITERATURA PORTUGUESA

texto sócio-econômico-cultural, como se ele, por viver em certa época, tivesse fatalmente de participar da tendência literária dominante.

Assim sendo, compreende-se que este panorama histórico da atividade literária em Portugal esteja dividido nos seus fundamentais "momentos" evolutivos. No tocante às datas empregadas para os delimitar, constituem somente pontos de referência, pois nunca se sabe com precisão quando começa ou termina um "processo" histórico: funcionam, na verdade, como indício de que alguma coisa de novo está acontecendo, sem caracterizar a morte definitiva do padrão velho até aí em voga. Há uma interpenetração das estéticas literárias no curso dos séculos, e é só por empenho de clareza que as delimitamos com o auxílio de datas. Para escolhê-las, o estudioso usa do seu livre-arbítrio, dado o caráter relativo e provisório da demarcação temporal dos fluxos estéticos.

Entretanto, sob pena de levar à anarquia, dois critérios podem presidir à seleção de datas: o *critério cultural,* que, enfatizando a interdependência das mudanças culturais, se apoia em datas de maior relevância para assinalar o início de épocas histórico-literárias (a Revolução Francesa anunciaria o começo dum novo ciclo de cultura, cujas profundas transformações incluiriam necessariamente a Literatura: o Romantismo literário seria sua consequência imediata); o *critério literário,* que isola o fato literário referente ao aparecimento duma obra, dum escritor ou duma ocorrência tão-somente significativa para a Literatura (o Romantismo francês iniciar-se-ia em 1820, com a publicação de *Les Méditations,* de Lamartine).

Transpondo o exemplo para o caso português, teríamos que a revolução liberal do Porto, em 1820, corresponderia ao despontar de algo novo, da perspectiva cultural, por sua vez ligado à Revolução Francesa: o critério permite ser empregado em vários níveis, conforme a ressonância universal ou nacional do acontecimento em causa. E a publicação de *Camões,* de Garrett, em 1825, inauguraria o Romantismo na sua faceta literária.

Por serem critérios igualmente válidos, pode o estudioso optar por qualquer um deles. No entanto, a opção ganha em manter-se aberta, admitindo-se que um critério não exclui *terminantemente* o outro: em vários casos, é forçoso apelar para aquele que se pôs de parte, a fim de esclarecer aspectos que, de outra forma, permaneceriam obscuros. Por isso, em atenção ao conceito de Literatura que serve de base a este panorama das letras portuguesas – Literatura é a expressão dos conteúdos da imaginação por meio de vocábulos polivalentes, ou metáforas –, adotaremos o critério literário, mas, sempre que possível e necessário, será empregado o cultural. Aliás, o próprio caráter da introdução geral a cada capítulo denuncia o compromisso e a interação existentes, por natureza, entre o contexto sócio-histórico-cultural e a atividade literária, ao longo das épocas em que se costuma desmembrar a Literatura Portuguesa.

Qualquer que seja o critério escolhido, convém que se focalize uma questão básica: quando começou a atividade literária em Portugal? Antes de respondê-la, salientemos que a Literatura Portuguesa, em consequência duma conjuntura histórico-cultural que não vem ao caso discriminar, nasceu quase simultaneamente com a nação onde se enquadra.

Em 1094, Afonso VI, Rei de Leão, um dos reinos em que a Península Ibérica era dividida (os outros: Castela, Aragão e Navarra), casa suas filhas, Urraca com o Conde Raimundo de Borgonha, e Teresa com D. Henrique. Ao primeiro genro, doa uma extensa região de terra correspondente à Galiza; ao segundo, o território compreendido entre o rio Minho e o Tejo, com o nome de "Condado Portucalense". Após a morte de D. Henrique (em 1112 ou 1114), D. Teresa toma as rédeas do governo e estreita relações com os galegos, especialmente com o Conde Fernão Peres de Trava.

O Infante, Afonso Henriques, rebela-se contra a mãe, e enceta uma revolução que culmina em 24 de junho de 1128, na batalha de S. Mamede, nos arredores de Guimarães: os revoltosos vencem e sagram o Infante seu soberano. Ainda não era tudo, pois faltava o reconhecimento de Leão e Castela, que só se efetuou em outubro de 1143, na Conferência de Samora, quando Afonso VII reconhece Afonso Henriques como rei. O País tornava-se autônomo, mas a luta pela sua consolidação levaria muito tempo, sobretudo dedicado à expulsão dos sarracenos.

A data que se tem utilizado para marcar o início da atividade literária em Portugal, é a de 1198 (ou 1189), quando o trovador Paio Soares de Taveirós compõe uma cantiga (celebrizada como "cantiga de garvaia", vocábulo este que designava um luxuoso vestido de Corte), endereçada a Maria Pais Ribeiro, também chamada *A Ribeirinha,* favorita de D. Sancho I.

A cantiga, oscilando entre ser de amor e de escárnio, revela tal complexidade na estrutura e na composição das imagens, que só se justificaria num estágio avançado da arte de poetar. Decerto houve, antes dessa cantiga, considerável atividade lírica, infelizmente desaparecida: no geral, os trovadores memorizavam as composições que interpretavam, fossem suas ou alheias, e só em alguns casos as transcreviam em cadernos de notas, que podiam extraviar-se, perder-se ou ser postos fora.

Por isso, toda uma anterior produção poética – cujo volume e cujos limites jamais poderão ser fixados – desapareceu por completo. Em vista de tal circunstância, compreende-se que se tome a cantiga de Paio Soares de Taveirós como marco inicial da Literatura Portuguesa, pois trata-se do *primeiro documento literário* que se conhece em vernáculo, o que de forma alguma significa negar a existência duma intensa atividade poética antes de 1198.

# II

# TROVADORISMO
## (1198-1418)

### PRELIMINARES

As primeiras décadas dessa época transcorrem durante a guerra de reconquista do solo português, ainda em parte sob domínio mourisco, cujo derradeiro ato se desenrola em 1249, quando Afonso III se apodera de Albufeira, Faro, Loulé, Aljezur e Porches, no extremo sul do País, batendo definitivamente os últimos baluartes sarracenos em Portugal. E apesar de tão absorvente a prática guerreira durante esses anos de consolidação política e territorial, a atividade literária beneficiou-se de condições propícias, e pôde desenvolver-se normalmente. Cessada a contingência bélica, observa-se o recrudescimento das manifestações sociais típicas dos períodos de paz e tranquilidade ociosa, entre as quais a literatura.

Em resultado desse clima pós-guerra, a poesia medieval portuguesa alcança, na segunda metade do século XIII, seu ponto mais alto. A origem remota dessa poesia constitui ainda assunto controvertido; admitem-se quatro fundamentais teses para explicá-la: a tese arábica, que considera a cultura arábica como sua velha raiz; a tese folclórica, que a julga criada pelo povo; a tese médio-latinista, segundo a qual essa poesia ter-se-ia originado da literatura latina produzida durante a Idade Média; a tese litúrgica considera-a fruto da poesia litúrgico-cristã elaborada na mesma época. Nenhuma delas é suficiente, de per

24 • A LITERATURA PORTUGUESA

si, para resolver o problema, tal a sua unilateralidade. Temos de apelar para todas, ecleticamente, a fim de abarcar a multidão de aspectos contrastantes apresentada pela primeira floração da poesia medieval.

Todavia, é da Provença que vem o influxo próximo. Aquela região meridional da França tornara-se no século XI um grande centro de atividade lírica, mercê das condições de luxo e fausto oferecidas aos artistas pelos senhores feudais. As Cruzadas, compelindo os fiéis a procurarem Lisboa como porto mais próximo para embarcar com destino a Jerusalém, propiciaram a movimentação duma fauna humana mais ou menos parasitária, em meio à qual iam jograis e trovadores. Estes, utilizando o chamado "caminho francês", aberto nos Pirineus, introduziram em Portugal e Galiza, por volta de 1140, a nova moda poética.

Fácil foi a sua adaptação à realidade galego-portuguesa, graças a ter encontrado ambiente favoravelmente predisposto, formado por uma espécie de poesia popular de velha tradição. A íntima fusão de ambas as correntes (a provençal e a popular) explicaria o caráter próprio assumido pelo trovadorismo em terras galegas e portuguesas.

A época inicia-se em 1198 (ou 1189), com a "cantiga de garvaia", dedicada por Paio Soares de Taveirós a Maria Pais Ribeiro, e termina em 1418, quando Fernão Lopes é nomeado Guarda-Mor da Torre do Tombo, ou seja, conservador do arquivo do Reino, por D. Duarte.

# A POESIA TROVADORESCA

Na Provença, o poeta era chamado de *troubadour,* cuja forma correspondente em Português é *trovador,* da qual deriva *trovadorismo, trovadoresco, trovadorescamente.* No norte da França, o poeta recebia o apelativo *trouvère,* cujo radical é idêntico ao anterior: *trouver* (achar). Os poetas deviam ser capazes de compor, *achar* os versos e o *som* (melodia), isto é, a sua canção, cantiga ou cantar, e o poema assim se denominava por implicar o canto e o acompanhamento musical.

A poesia trovadoresca apresentava duas espécies principais: a lírico-amorosa e a satírica. A primeira divide-se em cantiga de amor e cantiga de amigo; a segunda, em cantiga de escárnio e cantiga de maldizer. O idioma empregado era o galego-português, em virtude da então unidade linguística entre Portugal e a Galiza.

CANTIGA DE AMOR – Este tipo de cantiga define-se, de acordo com a "Arte de Trovar" que precede o *Cancioneiro da Biblioteca Nacional*, pela circunstância de que "eles falam na primeira cobra" (estrofe). Nela, o trovador empreende a confissão, dolorosa e quase elegíaca, de sua angustiante experiência passional frente a uma dama que parece indiferente, inacessível aos seus apelos, entre outras razões porque de superior estirpe social, enquanto ele era, quando muito, fidalgo decaído. Uma atmosfera plangente, suplicante, de litania, varre a cantiga de ponta a ponta. Os apelos do trovador colocam-se alto, num plano de espiritualidade, de idealidade ou contemplação platônica, mas que se entranham no mais fundo dos sentidos.

O impulso erótico situado na raiz das súplicas transubstancia-se, purifica-se, sublima-se, ou seja, esconde-se sob o véu das convenções: "o trovador teve que propagar a mentira convencional da sua esquiva senhora que não lhe concedera nunca o mais pequeno favor e que o tortura até a morte" (Carolina Michaëlis de Vasconcelos). Tudo se passa como se o trovador "fingisse", disfarçando com o véu do espiritualismo, obediente às regras de conveniência social e da moda literária vinda da Provença, o verdadeiro e oculto sentido das súplicas dirigidas à dama. À custa de "fingidos" ou não correspondidos, os apelos amorosos ganham aura de transcendência: repassa-os um torturante sofrimento interior que se segue à certeza da inútil súplica e da espera dum bem que nunca chega ou parece impossível. É a *coita* (sofrimento) de amor, que, afinal, ele confessa.

Quem usa da palavra é o próprio trovador, sempre manifestando grande respeito e subserviência à dama de seus cuidados (*mia senhor* ou *mia dona*, minha senhora), e rendendo-lhe o culto que o "serviço amoroso" lhe impunha. E este obedecia a um rígido código de comportamento social: as regras do "amor cortês", recebidas da Provença. Segundo elas, o trovador teria de mencionar comedidamente o seu sentimento (*mesura*), a fim de não incorrer no desagrado (*sanha*) da bem-amada; teria de ocultar o nome dela ou recorrer a um pseudônimo (*senhal*), e prestar-lhe uma vassalagem que seguia um ritual em quatro fases: a primeira correspondia à condição de *fenhedor*, de quem se consome em suspiros; a segunda é a de *precador*, de quem ousa declarar os seus sentimentos e pedir; *entendedor* é o namorado; *drut*, o amante.

O lirismo trovadoresco português apenas conheceu as duas últimas fases, mas o *drut* (*drudo* em vernáculo) se encontrava exclusivamente na cantiga de escárnio e maldizer. O trovador dirigia-se à mulher solteira; raras cantigas eram endereçadas à mulher casada. Também a *senhal* era desconhecida em nosso trovadorismo. Subordinando o seu sentimento às leis da corte amorosa, o trovador mostrava conhecer e respeitar as dificuldades interpostas pelas convenções e pela dama no rumo que o levaria à consecução dum bem inacessível. Mais ainda: dum bem (e "fazer bem" significava corresponder aos anseios do trovador) que ele nem sempre desejava alcançar, pois seria pôr fim ao seu tormento masoquista, ou início dum outro maior. Em qualquer hipótese, só lhe restava sofrer, indefinidamente, a *coita amorosa*.

E ao tentar exprimir-se, a plangência da confissão do sentimento que o avassala, – apoiada numa melopeia própria de quem mais suplica em voz baixa do que fala –, o poeta vai num crescendo emocional até a última estrofe (a estrofe era chamada na lírica trovadoresca de *cobra;* podia ainda receber o nome de *cobla* ou de *talho).* Visto uma ideia obsessiva estar empolgando o trovador, a confissão gira em torno dum mesmo núcleo, para cuja expressão o enamorado não acha palavras muito diversas, tão intenso e possessivo é o sofrimento que o avassala.

Ao contrário, a corrente emocional, movendo-se num círculo vicioso, acaba por se repetir monotonamente, apenas mudado o grau do lamento, que aumenta em avalanche até o fim. O *estribilho* ou *refrão*, com que o trovador pode rematar cada estrofe, diz bem dessa angustiante ideia fixa para a qual ele não encontra expressão diversa. E quando o sentimento chegava aos extremos da razão, o trovador exprimia a intensidade dos seus conflitos íntimos por meio de versos e melodias irregulares, e mesmo em várias línguas, compondo o que se chamava *descort* (discordância) em provençal e *descordo* em vernáculo.

Quando presente o estribilho, que é recurso típico da poesia popular, a cantiga chama-se de *refrão*. Quando ausente, a cantiga recebe o nome de *cantiga de maestria,* por tratar-se dum esquema estrófico mais complexo, intelectualizado, sem o suporte facilitador daquele expediente repetitivo.

CANTIGA DE AMIGO – Pela "Arte de Trovar", a cantiga de amigo identifica-se pelo fato de que "elas falam na primeira cobra", mas escrita igualmente pelo trovador que compõe cantigas de amor, e mesmo as de escárnio e maldizer. Este tipo de cantiga focaliza o outro lado da relação amorosa: o fulcro do poema é agora representado pelo sofrimento amoroso da mulher, pertencente às camadas populares (pastoras, camponesas, etc.). O trovador, amado incondicionalmente pela moça humilde e ingênua do campo ou da zona ribeirinha, projeta-se no seu íntimo e desvenda-lhe o desgosto de amar e ser abandonada, em razão da guerra ou de outra mulher. O drama é o da mulher, mas quem ainda compõe a cantiga é o trovador: 1) por ser ele precisamente o homem com quem a moça vive a sua história; o sofrimento dela, o trovador é que o conhece, como ninguém; 2) por ser a jovem analfabeta, como acontecia mesmo às fidalgas.

Embora divisadas no dia a dia mais simples, "com o fuso na mão [...], ocupadas a lavar no arroio, tirando água da fonte, dançando ora debaixo dos pinheiros, ora debaixo das romãzeiras, das avelaneiras, ou caminhando em romaria", as moças do povo se entregavam sem reserva à sua paixão, conforme registram os "múltiplos testemunhos de favor da parte da mulher" (Carolina Michaëlis de Vasconcelos).

O trovador vive uma dualidade amorosa, de onde extrai as duas formas de lirismo amoroso em voga na época: em espírito, dirige-se à dama aristocrática; com os sentidos, à camponesa ou à pastora. Por isso, pode expressar autenticamente os dois tipos de experiência passional, e sempre na primeira pessoa (do singular ou plural), 1) como agente amoroso que padece a aparente falta de correspondência, 2) como se falasse em nome da mulher que por ele desgraçadamente se apaixona.

É digna de nota essa ambiguidade, ou essa capacidade de projetar-se na interlocutora do episódio e exprimir-lhe o sentimento: extremamente original como psicologia literária ou das relações humanas, não existia antes do trovadorismo, e nem jamais se repetiu depois. Por outro lado, radicada que é no "fingimento poético", parece prenunciar a heteronímia de Fernando Pessoa.

No geral, quem ergue a voz é a própria mulher, dirigindo-se em confissão à mãe, às amigas, aos pássaros, aos arvoredos, às fontes, aos riachos. O conteúdo da confissão é sempre formado duma paixão intransitiva ou incompreendida, mas a que ela se entrega de corpo e alma. Ao passo que a cantiga de amor é idealista, a de amigo é realista, veiculando um sentimento espontâneo, natural e primitivo por parte da mulher, e um sentimento donjuanesco e egoísta por parte do homem, que lembra o "amor livre" dos nossos dias.

28 • A LITERATURA PORTUGUESA

Uma tal paixão haveria de ter sua história: as cantigas registram os "momentos" do namoro, desde as primeiras horas da corte até as dores do abandono, ou da ausência, pelo fato de o bem-amado estar no *fossado* ou no *bafordo*, isto é, no serviço militar ou no exercício das armas. Por isso, a palavra *amigo* pode significar *namorado* e *amante*.

A cantiga de amigo possui caráter mais narrativo e descritivo que a de amor, de feição analítica e discursiva. E classifica-se de acordo com o lugar geográfico e as circunstâncias em que decorrem os encontros amorosos, em *serranilha, pastorela, barcarola, bailada, romaria, alba* ou *alva* (focaliza os amantes ao despertar dum novo dia, depois de uma noite de amor). A moça do povo era geralmente solteira; apenas "algumas poucas cantigas do antigo cancioneiro português se dedicam a casadas" (Carolina Michaëlis de Vasconcelos).

CANTIGA DE ESCÁRNIO E DE MALDIZER – A cantiga de *escárnio* é aquela em que a sátira se constrói de modo indireto, por meio da ironia e do sarcasmo, usando "palavras cobertas, que hajam dois entendimentos para lhe lo não entenderem", como reza a "Arte de Trovar" que precede o *Cancioneiro da Biblioteca Nacional* (antigo *Colocci-Brancuti*). Na cantiga de maldizer, a sátira é feita diretamente, com agressividade, "mais descobertamente", com "palavras que querem dizer mal e não haverão outro entendimento senão aquele que querem dizer chãmente", como ensina a mesma "Arte de Trovar".

Essas duas formas de cantiga satírica, não raro escritas pelos próprios trovadores que compunham poesia lírico-amorosa, expressavam, como é fácil depreender, o modo de sentir e de viver peculiares de ambientes dissolutos, e acabaram por ser canções de vida boêmia e marginal, que encontrava nos meios frascários e tabernários o seu lugar ideal. A linguagem em que eram vazadas admitia, por isso, expressões licenciosas ou de baixo calão: poesia "maldita", descambando para a pornografia ou o mau gosto, possui escasso valor estético, mas em contrapartida documenta os meios populares do tempo, na sua linguagem e nos seus costumes, com uma flagrância de reportagem viva.

Visto constituir um tipo de poesia cultivado notadamente por jograis de má vida, era natural propiciasse e estimulasse o acompanhamento de *soldadeiras* (= mulheres a soldo), *cantadeiras* e *bailadeiras,* cuja vida airada e dissoluta fazia coro com as chulices presentes nos versos das canções.

ACOMPANHAMENTO MUSICAL – Como já sabemos, as cantigas implicavam estreita aliança entre a poesia, a música, o canto e a dança. Para tanto, ao entoá-las, os poetas faziam-se acompanhar de instrumentos de sopro (**anafil**, antiga trompeta mourisca, semelhante à charamela, precursora da atual clarineta; **doçaina**, espécie de charamela; **exabeba** ou **axabeba,** espécie de flauta usada pelos árabes; **flauta**; **gaita**, espécie de flauta, pequena e reta; **trompa**, instrumento de metal, de longo tubo cônico terminando em pavilhão largo), corda (**alaúde**; **arrabil** ou **rabil**, rabeca mourisca, espécie de violino, de duas a cinco cordas; **bandurra**, guitarra de braço curto, com quatro ou cinco cordas; **cítola**, instrumento da família do alaúde, com quatro ou cinco cordas; **giga**, instrumento de cordas, semelhante ao bandolim, que se toca com um arco; **guitarra**; **harpa**; **saltério**, instrumento de cordas, de origem oriental, de forma triangular ou trapezoidal; **viola**) e percussão (**adufe**, espécie de pandeiro, com pele retesada dos dois lados; **pandeiro**; **tambor**).

O próprio trovador tangia o instrumento, especialmente quando de corda, enquanto cantava, ou reservava-se para a interpretação da cantiga, deixando a parte instrumental a um acompanhante, jogral ou menestrel. A parte musical recebia o nome de *son* (som), radical do vocábulo "soneto", estrutura poética inventada no século XIII, pelo poeta italiano Giacomo da Lentino.

CANCIONEIROS – Transmitida oralmente, mas tendo como suporte um manuscrito, é natural que muito da poesia trovadoresca acabasse desaparecendo, sobretudo antes de 1198. Os manuscritos consistiam em folhas soltas, "rolos" ou *"rotulus"*, a exemplo do *Pergaminho Vindel*, contendo as sete cantigas de Martin Codax, encontrado na encadernação de um códice do século XIV. Era uma folha enrolada, com quatro colunas verticais, denominada "rótula" por Carolina Michaëlis de Vasconcelos. Com o tempo, vieram a ser recolhidos em compilações individuais, os "cancioneirinhos individuais", no dizer da mesma pesquisadora, como o *Cancioneiro de João Airas de Santiago, Cancioneiro de D. Dinis, Cancioneiro de Estêvão da Guarda.*

Mais adiante, com o objetivo de resguardá-las contra extravios ainda maiores, as cantigas foram postas em *cancioneiros,* isto é, *coletâneas de canções,* sempre por ordem e graça de um mecenas, notadamente o rei. Três cancioneiros subsistiram, fruto da compilação geral, na qual se integram os cancioneiros individuais (na biblioteca de D. Duarte encontrava-se *O Livro de Trovas del-Rey D. Deniz*), relevantes por sua importância numérica e qualitativa:

*Cancioneiro da Ajuda,* composto no reinado de Afonso III (fins do século XIII), o que exclui a contribuição de D. Dinis (reinou entre 1268 e 1325 e foi chamado Rei Trovador); inicialmente denominado *Cancioneiro do Colégio dos Nobres,* passou ao título por que é conhecido em nossos dias, ao ser transferido, em 1832, para a Biblioteca do Palácio da Ajuda, em Lisboa; contém 310 cantigas, a maioria de amor;

*Cancioneiro da Biblioteca Nacional* (também chamado *Cancioneiro Colocci-Brancuti,* em homenagem a seus dois possuidores italianos, Angelo Colocci, humanista que supervisionou a elaboração do códice, e o Conde Brancuti, em cuja biblioteca foi encontrado, em 1875) é uma cópia italiana do século XVI, possivelmente de original do século anterior; contém 1647 cantigas, de todos os tipos, elaboradas por trovadores dos reinados de Afonso III e de D. Dinis;

*Cancioneiro da Vaticana* (o título deriva da circunstância de ter sido localizado, em 1840, na Biblioteca do Vaticano, em Roma), também cópia italiana do século XVI, de original da centúria anterior, inclui 1205 cantigas de escárnio e de maldizer, de amor e de amigo.

PRINCIPAIS TROVADORES – Dos trovadores enfeixados nesses cancioneiros, o mais antigo é **João Soares de Paiva**: nascido depois de 1139, compôs em 1196 a cantiga "mais antiga de quantas foram preservadas pelos cancioneiros trovadorescos galego-portugueses e a única que dele nos chegou" (Oliveira 2001: 80), mas o primeiro de importância é **Paio Soares de Taveirós**, pela "cantiga de garvaia", de 1198. Os principais trovadores foram: **D. Dinis**, que se distingue pela extensão e qualidade de sua obra, escreveu cerca de 140 cantigas líricas e satíricas; **João Garcia de Guilhade**, que deixou 54 composições líricas e satíricas, e foi dos mais originais trovadores do século XIII; **Martin Codax**, trovador da época de Afonso III, meados do século XIII, legou 7 cantigas de amigo, seis das quais detiveram por muito tempo o mérito de constituir as únicas peças da lírica trovadoresca cuja pauta musical se havia preservado, até que, em 1991, viesse a público a notícia da descoberta de sete cantigas de amor de D. Dinis acompanhadas de notação musical. Ainda merecem referência: Afonso Sanches (filho de D. Dinis), João

Zorro, Aires Nunes, Aires Corpancho, Nuno Fernandes Torneol, Bernardo Bonaval, Paio Gomes Charinho, João Soares Coelho, Martin Moxa, Pero Garcia Burgalês e outros.

TERMINOLOGIA POÉTICA – Apesar da aparência primitiva e espontânea, e de ser composta com os olhos voltados para a música e a dança, a poesia medieval utilizava requintados recursos formais, sobretudo na cantiga de amor, que entraram quase por completo em desuso, com o declínio da moda trovadoresca. Não sendo, obviamente, ocasião para tratar de todos, trazem-se para aqui os mais frequentes:

O verso era chamado *palavra*, e quando fosse branco, isto é, sem rima, denominava-se *palavra-perduda*.

A estrofe denominava-se *cobra*, e a forma da estrofe, *talho*.

*Cobras singulares* eram estrofes com rimas próprias. Quando as rimas eram comuns, as estrofes recebiam o nome de *cobras uníssonas*.

A *fiinda* era uma estrofe de estrutura própria, mas ligada pela rima ao resto da cantiga e servindo-lhe de remate.

A *atafinda* era o que modernamente recebe o nome de *encadeamento* (ou "enjambement"): o final de um verso, ou de uma estrofe, liga-se diretamente ao início do seguinte, sem interrupção de sentido ou de ritmo. Denominava-se *cantiga de atafinda* a composição que empregava o recurso de forma sistemática.

O *dobre* e o *mordobre* consistiam na repetição duma palavra ou mais no interior da mesma estrofe, exatamente como tal ou em uma de suas formas derivadas.

Denominava-se *leixa-pren* (deixa-prende) o recurso formal de apanhar o último verso de uma estrofe (que não o refrão) e com ele iniciar a estrofe seguinte, inteiro ou com ligeira variação.

Quando o sentimento poético se mantinha inalterado ao longo das estrofes e, para exprimi-lo, o trovador recorria às mesmas expressões, apenas utilizando sinônimos nas rimas, tínhamos o *paralelismo,* e a cantiga recebia o nome de *paralelística*.

*Tenção* era a cantiga dialogada: as tenções "se podem fazer de amor, ou de amigo, ou de escárnio, ou de maldizer, pero que devem de ser de maestria" ("Arte de Trovar").

A "Arte de Trovar" considerava erros o cacófato e o hiato.

32 • A LITERATURA PORTUGUESA

Por fim, vejamos o sentido hierárquico atribuído às palavras *trovador, jogral, segrel* e *menestrel*. Nem era muito precisa nem imutável a diferença de grau entre eles, pois obedecia a oscilações que dependiam do nível social e do talento dos trovadores e acompanhantes. Simplificando a questão, teríamos que o trovador era o poeta com todas as qualidades que a moda palaciana requeria: compunha, cantava e podia instrumentar as cantigas; era, não poucas vezes, fidalgo decaído.

*Jogral* era uma designação menos precisa: podia referir o saltimbanco, o truão, o ator mímico, o músico, e por vezes aquele que compunha suas melodias; de extração inferior, vivia do pagamento recebido; por seus méritos podia subir socialmente e ser tido como trovador.

O *segrel* não tinha uma situação definida; colocava-se entre o jogral e o trovador, consistindo numa espécie de "jogral trovador", que ia de corte a corte para desempenhar, a troco de soldo, o seu ofício de interpretar cantigas próprias ou alheias.

O *menestrel* exercia as funções de músico e cantor da corte.

DOUTRINA TROVADORESCA – Também chamada "gaya ciência" ou "gay saber", isto é, ciência ou arte de criar alegria, a poesia trovadoresca suscitaria várias tentativas de codificação dos seus princípios fundamentais. Coube, porém, a *Leys d'Amors* tornar-se a obra doutrinária que mais ampla e minuciosamente se ocupou da questão, a ponto de inspirar não poucos tratados similares nos países em que se fez ouvir a voz dos trovadores. A ideia de reunir em volume os conhecimentos que facilitassem a "alegre ciência de escrever versos" surgiu em Toulouse, por volta de 1323. No entanto, foi preciso esperar até 1341 para que se delineasse um primeiro esboço do código trovadoresco, e até 1356, para que Guillaume Molinier coligisse as regras da "gaya ciência" nas *Leys d'Amors*.

A "Arte de Trovar", composta igualmente no século XIV, refletia o espírito de época que estimulava trabalhos no gênero. Como se desconhece a data de redação do manuscrito, não há meio de saber se o seu autor anônimo teria à mão, ou não, aquele código provençal. Copiada no século XVI, juntamente com o *Cancioneiro da Biblioteca Nacional*, a breve arte poética aguardaria até 1880 para vir a público.

O texto apresenta-se truncado, fragmentado e de espinhosa leitura: abre com o capítulo IV da terceira parte, o que significa que não só faltam os capítulos anteriores como também as duas partes iniciais, em que, é de supor, seriam considerados os aspectos gerais da poesia trovadoresca. Seguem-se os capítulos V a IX dessa mesma parte, os capítulos I a VI da quarta parte, os capítulos I e II da quinta parte e, finalmente, os capítulos I a III da sexta parte. Ao longo deles, descrevem-se as espécies de lirismo em voga no tempo e as várias soluções formais empregadas, a começar pela distinção entre a cantiga d'amigo e a cantiga d'amor, seguida pelos recursos de versificação, e a terminar pelos erros que devem ser evitados, como o cacófato e o hiato.

VALOR DA POESIA TROVADORESCA – Grande parte do vasto filão poético trovadoresco encontra-se hoje ultrapassada, envelhecida para o gosto do leitor moderno. Todavia, há que usar de cautela a fim de não se admitir que tudo quanto caracterizou a lírica trovadoresca esteja fadado ao esquecimento: o seu primitivismo, a naturalidade dum lirismo que parece brotar exclusivamente da sensibilidade, constitui nota viva e permanente; e a agudeza analítica da cantiga de amor, com o seu platonismo a encobrir ardentes apelos sensuais, ainda hoje encontra eco entre os leitores desse tipo de poesia.

Os "ingênuos" expedientes de linguagem (que servem de campo fecundo para filólogos e gramáticos) colaboram na formação de uma peculiar atmosfera de espontaneidade, quase totalmente perdida com a Renascença. Por isso, o trovadorismo exige do leitor de nossos dias um esforço de adaptação e um conhecimento adequado das condições históricas em que o mesmo se desenvolveu, sob pena de tornar-se insensível à beleza e à pureza natural que marcam essa poesia.

Aceito nesse mundo poético de estranha sedução, descobrirá algo mais: localizará a fonte primeira de que provém muito daquilo que constitui o patrimônio lírico em Língua Portuguesa. Acabará compreendendo não ser para menos que alguns poetas, brasileiros e portugueses (como, por exemplo, Manuel Bandeira e Afonso Duarte), lá se abeberaram: esses poetas, para exprimir determinada e involuntária consanguinidade lírica, subjacente em certos estados de alma comuns, provocados por motivos diversos, sentiram-se compelidos a voltar à origem, no encalço das formas adequadas de expressão.

É que, para algumas situações e sentimentos amorosos, os trovadores encontraram palavras e soluções formais que ainda continuam a vibrar, por sua novidade, limpidez e precisão, compondo imagens duma beleza achada

34 • A LITERATURA PORTUGUESA

espontaneamente, quase sem dar por isso, antes fruto do instinto, ou da intuição, que do trabalho artesanal. Aí reside o seu valor, ainda hoje.

## NOVELAS DE CAVALARIA

Além dessa magnífica floração lírica, a época do Trovadorismo ainda se caracteriza pelo aparecimento e cultivo das novelas de cavalaria. Originárias da Inglaterra ou/e da França, e de caráter tipicamente medieval, nasceram da prosificação e metamorfose das *canções de gesta* (poesia de temas guerreiros): estas, alargadas e desdobradas a um grau que transcendia qualquer memória individual, deixaram de ser expressas por meio de versos para o ser em prosa, e deixaram de ser cantadas para ser lidas. Dessa mudança resultaram as novelas de cavalaria, que penetraram em Portugal no século XIII, durante o reinado de Afonso III. Seu meio de circulação era a fidalguia e a realeza. Traduzidas do Francês, era natural que sofressem alterações com o objetivo de aclimatá-las à realidade histórico-cultural portuguesa. Nessa época, não há notícia de novelas de cavalaria autenticamente portuguesas: eram todas vertidas do Francês.

Convencionou-se dividir a matéria cavaleiresca em três ciclos: *ciclo bretão* ou *arturiano,* tendo o Rei Artur e seus cavaleiros como protagonistas; *ciclo carolíngio,* em torno de Carlos Magno e os doze pares de França; *ciclo clássico,* referente a novelas de temas greco-latinos. Tratando-se da Literatura Portuguesa, essa divisão não tem cabimento, pois só o ciclo arturiano deixou marcas vivas de sua passagem em Portugal. Sabe-se que os demais ciclos foram conhecidos e exerceram influência, mas apenas na poesia do tempo, visto que não se conhece em vernáculo nenhuma novela de tema carolíngio ou clássico.

Sabe-se, ainda, que na biblioteca de D. Duarte (1391-1438) existiam exemplares de novelas como *Tristão,* o *Livro de Galaaz,* o *Mago Merlim,* o que revela o alto apreço em que eram tidas e o impacto que exerceram sobre os hábitos e costumes palacianos da Idade Média portuguesa.

Excetuando o *Amadis de Gaula,* que será tratado no capítulo do Humanismo, das novelas que então circularam, somente permaneceram as seguintes: *História de Merlim, José de Arimateia* e *A Demanda do Santo Graal.*

A versão portuguesa da *História de Merlim* desapareceu: da novela só temos a tradução espanhola, calcada sobre a portuguesa. O *José de Arimateia* (ms. nº 643 da Torre do Tombo, Lisboa) foi publicado finalmente em 1967, em edição paleográfica: teria sido traduzido no século XIV, mas a cópia existente foi executada no século XVI, pelo Dr. Manuel Álvares; pertence a outra trilogia, no início posta em verso e depois em prosa, formada com a *História de Merlim* e *A Demanda do Santo Graal,* precisamente as novelas que nos restaram.

Um resumo dela pode ser encontrado no *Livro de Vespasiano* (1496). Novela mística, tem começo numa visão celestial de José de Arimateia e no recebimento dum pequeno livro (*A Demanda do Santo Graal*). José parte para Jerusalém; convive com Cristo, acompanha-lhe o martírio da Cruz, e recolhe-lhe o sangue no Santo Vaso. Deus ordena-lhe que o esconda. Tendo-o feito, morre em Sarras. O relato termina com a morte de Lancelote: seu filho, Galaaz, irá em busca do Santo Graal.

*A Demanda do Santo Graal* corresponde, assim, à terceira parte da trilogia. De remotas origens célticas, a lenda foi inicialmente cantada em verso, tendo Perceval como herói. Por volta de 1220, em França, por influxo clerical, opera-se a sua prosificação, presuntivamente graças a Gautier Map, determinando a substituição de Perceval por Galaaz. A lenda, até esse momento de cunho pagão, cristianiza-se, passando seus principais símbolos (o Vaso, a Espada, o Escudo, etc.) a assumir conotação mística. Com isso, em vez de aventuras marcadas por um realismo profano, tem-se a presença da ascese, traduzida no desprezo do corpo e no culto da vida espiritual, e exercida como processo de experimentação das energias físicas e morais de cada cavaleiro no rumo da Eucaristia, fim último ambicionado por todos que saíram do reino de rei Artur em busca do Santo Vaso.

*A Demanda do Santo Graal* constitui, por isso, uma novela de cavalaria mística e simbólica. Os cavaleiros lutam por chegar à comunhão sobrenatural, mas só um, Galaaz, logra atingir o objetivo comum. "Escolhido", dotado dum nome de ascendência bíblica (*Galaad* significa o "puro dos puros", o próprio Messias), simboliza um novo Cristo, ou um Cristo sempre vivo, em peregrinação mística pelo mundo. Próximos dele em grandeza física e moral, situam-se Boorz e Perceval, e mais distantes, embora com o seu quinhão de glória, Lancelote, Tristão, Palamades, Erec, Galvão, Ivam, Estor, Morderet, Meraugis e outros.

Em síntese, *A Demanda do Santo Graal* contém o seguinte: em torno da "távola redonda", em Camaalot, reino de rei Artur, reúnem-se dezenas de

36 • A LITERATURA PORTUGUESA

cavaleiros. É véspera de Pentecostes. Chega uma donzela à procura de Lance-lote do Lago. Ambos dirigem-se a uma igreja, onde Lancelote arma Galaaz cavaleiro e depois regressa com Boorz a Camaalot. Um escudeiro anuncia o encontro de maravilhosa espada fincada numa pedra de mármore boiando n'água. Lancelote e os outros tentam em vão arrancá-la. Nisto, Galaaz chega sem se fazer anunciar e ocupa a *seeda* perigosa, a cadeira perigosa, que estava reservada para o cavaleiro "escolhido": das 150 cadeiras, apenas faltava preen-cher uma, destinada a Tristão. Galaaz vai ao rio e arranca a espada do *pedrão*. A seguir, os cavaleiros entregam-se ao torneio. Surge Tristão para ocupar o último assento vazio. Em meio ao repasto, os cavaleiros são alvoroçados e ex-tasiados com a aparição do Graal, o cálice sagrado, cuja luminosidade sobre-natural os transfigura e alimenta, posto que só por um breve momento. Galvão sugere que todos saiam em demanda, à procura do Santo Graal.

No dia seguinte, após ouvirem missa, partem todos, cada qual por seu lado. Daí para a frente, a narração se entrelaça, se emaranha, a fim de acompa-nhar as desencontradas aventuras dos cavaleiros do Rei Artur, até que, ao cabo, por perecimento ou exaustão, ficam reduzidos a um pequeno número. E Galaaz, em Sarras, na plenitude do ofício religioso, tem o privilégio exclusi-vo de receber a presença do Santo Vaso, símbolo da Eucaristia, e, portanto, da consagração de uma vida inteira dedicada ao culto das virtudes morais, espiri-tuais e físicas. A novela ainda continua por algumas páginas, com a narrativa do adulterino caso amoroso de Lancelote, pai de Galaaz, e de D. Ginebra, es-posa do Rei Artur. Tudo termina com a morte deste último.

Tal excrescência contém o resumo de outra novela, *A Morte do Rei Artur,* ou *La Mort le Roi Artu,* novela francesa do século XIII. Justificaria sua presença como apêndice da *Demanda* o seguinte fato: na intricada selva da matéria cava-leiresca, havia-se formado uma trilogia, intitulada *Lancelote em Prosa,* que conti-nha o *Lancelote,* a *Demanda* e *A Morte do Rei Artur.* Parece evidente que o tradutor português, ao executar sua tarefa, teve diante dos olhos a segunda e a terceira partes do tríptico, e resolveu resumir a última, certamente por considerá-la des-necessária à compreensão do núcleo episódico e dramático da *Demanda.*

A *Demanda* corresponde precisamente à reação da Igreja Católica contra o desvirtuamento da Cavalaria. Os cavaleiros andantes feudais não raro aca-baram por se transformar em indivíduos desocupados, quando não autênticos bandoleiros, vivendo ao sabor do acaso, amedrontando, pilhando, assaltando. A fim de trazê-los à civilização, reconvertendo-os aos bons costumes, o Concílio de Clermont, em 1095, decidiu a organização da primeira Cruzada e a correspondente formação duma cavalaria cristã. Inicia-se uma vasta pregação de ideais de altruísmo e respeito às instituições. A *Demanda*, cristianizando a lenda pagã do Santo Graal, colabora intimamente com o processo restaurador da Cavalaria andante: novela mística, contém uma peculiar noção de herói antifeudal, qualificado por seu estoicismo inquebrantável e o seu anseio de perfeição.

Novela a serviço do movimento renovador do espírito da cavalaria andante, nela o herói também está a serviço, não do senhor feudal, mas de sua salvação sobrenatural: uma brisa de teologismo varre a narrativa de ponta a ponta, o que não impede, porém, a existência de circunstanciais jactos líricos e eróticos, nem alguns traços de fantástico ou de magia, em que o real e o imaginário se cruzam de modo surpreendente. Cenas de superior densidade mística contracenam com outras dum realismo vivo e ardente, em que a fortaleza de ânimo dos cavaleiros é posta à prova, como, por exemplo, o episódio no castelo do Rei Brutos, em que a filha deste, tomada por uma ardente paixão, penetra de noite nos aposentos de Galaaz a fim de consumar os seus propósitos amorosos (capítulos 106-116).

Novela de alto vigor narrativo e de elevada intenção, acabou por ser o retrato definido da Idade Média mística, e o maior monumento literário que a época nos legou no campo da ficção: exprime um utópico ideal de vida numa forma artisticamente elaborada, a ponto de alcançar um raro grau de perfeição estética na prosa do tempo.

A *Demanda* só foi publicada inteiramente (embora com truncamentos propositados, tendo em vista convicções morais do seu editor, Augusto Magne) em 1944, no Rio de Janeiro. Em 1955 e 1970, o erudito sacerdote reeditou o texto, em 3 volumes, restituindo-o à integridade e fazendo-o acompanhar de reprodução facsimilar. O texto voltou a circular numa edição publicada em Lisboa, no ano de 1988, preparada por Joseph M. Piel e Irene Freire Nunes. O manuscrito que lhe serviu de base é o de nº 2594, existente na Biblioteca Nacional de Viena da Áustria, e corresponde a uma das cópias da tradução e adaptação do original francês, levada a efeito no século XIII, certamente refundida em fins do XIV e princípios do XV.

# CRONICÕES E LIVROS DE LINHAGENS

Na época do Trovadorismo, avultam com importância estética e histórica a poesia e as novelas de cavalaria. Outras formas, literárias ou paraliterárias, ainda se cultivam, mas possuem reduzida significação, seja em confronto com aquelas manifestações estéticas, seja quando julgadas isoladamente. Trata-se das *crônicas* (ou *cronicões*), das *hagiografias* e dos *livros de linhagens* (ou *nobiliários*).

Das primeiras, por vezes escritas em Latim, interessam as *Crônicas Breves do Mosteiro de Santa Cruz de Coimbra*, correspondentes a quatro fragmentos publicados por Alexandre Herculano em sua *Portugaliae Monumenta Historica* (1856, 1888). E interessam pelo fato de haverem dado nascimento à historiografia portuguesa; todavia, não encerram mérito literário suficiente para justificar que sobre elas detenhamos por mais tempo a atenção. Em idênticas condições situa-se a *Crônica Geral de Espanha* (1344), provavelmente escrita por **D. Pedro, Conde de Barcelos** (morto em 1354), filho bastardo de D. Dinis.

As *hagiografias* (vidas de santos), redigidas em Latim, ainda menos significado literário ostentam.

Os *livros de linhagens,* insertos em *Portugaliae Monumenta Historica,* eram relações de nomes, especialmente de fidalgos, com o fito de estabelecer graus de parentesco que serviam para resolver dúvidas em caso de herança, filiação ou de *casamento em pecado* (casamento entre parentes até o sétimo grau). A sua elaboração deve-se ao mesmo D. Pedro, Conde de Barcelos. Houve quatro *livros de linhagens:* os dois primeiros, dos começos do século XIII, encerravam na sua maior parte listas de nomes formando árvores genealógicas. O terceiro e o quarto, escritos no século XIV, foram mandados organizar também por D. Pedro, Conde de Barcelos, e revelam veleidades literárias; nas referências às ligações genealógicas intercalam-se, com realismo, colorido e naturalidade, narrativas breves mas de especial interesse, como a da Batalha do Salado, no Livro III.

No Livro IV, acentuam-se as preocupações novelescas, com a inclusão da tentativa (a primeira) de erguer uma história completa de Portugal, iniciada em Adão e Eva e terminada nos reis portugueses da Reconquista, bem como a

"Lenda da Dama Pé de Cabra", que Alexandre Herculano transfundiria num dos contos mais densos e sugestivos de *Lendas e Narrativas* (1851), e "D. Ramiro ou a Lenda de Gaia". Apresentando mais interesse histórico-literário que estético, aqui a História e a Cavalaria se mesclam, preparando o advento de Fernão Lopes, com quem se abre a época seguinte.

# III

# HUMANISMO

## (1418-1527)

### PRELIMINARES

A época do Humanismo principia quando Fernão Lopes é nomeado por D. Duarte, em 1418, Guarda-Mor da Torre do Tombo. Fato relevante por si próprio, denuncia a mudança de mentalidade processada em Portugal desde a ascensão de D. João I ao trono, em 1385, inaugurando a dinastia de Avis, que viria a prolongar-se até 1580. Garcia de Resende deixou expresso, na sua *Miscelânea e Variedade de Histórias, Costumes, Casos e Cousas que em seu tempo aconteceram* (1554), um testemunho do seu tempo, observando, no prólogo, que se ocupou

> "em cuidar
> e recolher a memória
> das muitas e grandes cousas
> que em nossos dias passaram,
> e as novas novidades,
> grandes acontecimentos,
> e desvairadas mudanças
> de vidas e de costumes"

42 • A LITERATURA PORTUGUESA

Os acontecimentos que cercaram tal viragem histórica têm começo na revolução popular de 1383, deflagrada em consequência da morte de D. Fernando e do governo dúbio de sua mulher, D. Leonor Teles, espanhola de nascimento. Esta, mancomunada com o seu patrício, o Conde de Andeiro, trabalhava no intuito de anexar Portugal ao trono espanhol. Descoberta a patranha, o povo rebela-se, liderado pelo Mestre de Avis, filho bastardo de D. Pedro I. A revolução dura dois anos, findos os quais o Conde de Andeiro é assassinado, a massa popular apodera-se do trono e elege herdeiro o seu líder: o Mestre de Avis torna-se então D. João I.

A etapa, que com ele se inaugura, é das mais relevantes da história de Portugal, entre outras coisas porque veio a constituir uma franca e decisiva renovação da cultura portuguesa. Rei culto, determinado, empreendedor, entendeu logo o significado do apoio régio ao desenvolvimento das Letras. Tanto é assim que, além de ele próprio dar o exemplo escrevendo o *Livro da Montaria,* propiciou a formação dum clima mental que, continuado por seu filho, D. Duarte (alçado ao trono em 1433), criou condições para o surgimento de uma figura como Fernão Lopes, que dá início e grandeza à nova época da Literatura Portuguesa.

Esta época se caracteriza fundamentalmente pela humanização da cultura. Na verdade, o século XV português corresponde, em consonância com o resto da Europa, ao nascimento do mundo moderno, na medida em que inaugura um padrão de cultura voltado para o ser humano, seja encarado como indivíduo, seja entrevisto como integrante da coletividade. É certo que a concepção teocêntrica da existência, isto é, tendo Deus como escala de valores, continua vigente, mas já começam a despontar atitudes contraditórias diretamente centradas no homem. Contribui para isso a euforia provocada pelas descobertas e pelas conquistas ultramarinas, iniciadas com a tomada de Ceuta em 1415 e só terminadas no século seguinte.

A cultura torna-se laica em grande parte; e a educação do homem, fidalgo sobretudo, constitui o objetivo da literatura moralista então escrita; nas crônicas de Fernão Lopes, o povo, a massa popular, comparece pela primeira vez. Uma onda de realismo, de terrenalismo, de apego à natureza física, eleva-se para se contrapor ao transcendentalismo anterior: as crônicas, a poesia e especialmente o teatro vicentino documentam à saciedade essa mutação histórica, identificada com o fato de o acento tônico da cultura se transferir para o homem como tal e não para o homem concebido à imagem e semelhança de Deus. Na segunda metade do século, os traços de cultura greco-latina surgidos, por exemplo, em Azurara e Rui de Pina, testemunham a presença desse humanismo em marcha, que vai constituir uma das mais poderosas linhas de força da época literária seguinte.

## OS CRONISTAS. FERNÃO LOPES

De origem humilde e de incerto nascimento (talvez entre 1378 e 1383, em local desconhecido), a primeira data que a seu respeito se conhece é a de 1418, quando D. Duarte, ainda Infante mas encarregado do "conselho, justiça e da fazenda" enquanto reinava D. João I, o nomeia "guarda das escrituras" da Torre do Tombo. Em 1434, D. Duarte, sucedendo a seu pai, incumbe-o de "poer em caronica" a vida dos reis de Portugal, desde D. Henrique até D. João I. Deve ter morrido pouco depois de 1459, pois esta é a última data que se lhe conhece.

Das várias crônicas que teria escrito acerca dos monarcas portugueses da primeira dinastia e do começo da segunda, várias se perderam, só restando três de autoria indiscutível: *Crônica d'El-Rei D. Pedro, Crônica d'El-Rei D. Fernando* e *Crônica d'El-Rei D. João 1* (lª e 2ª partes, até 1411). Quanto às demais, que lhe são atribuídas, nada se decidiu em definitivo. Ainda lhe é atribuída a autoria da *Crônica do Condestável* (publicada em 1526), mas parece que sem fundadas razões.

Como vimos, nos dois primeiros séculos da Literatura Portuguesa, a atividade historiográfica evolui desde o frio e árido rol de nomes até a narração e interpretação dos fatos. Todavia, somente com Fernão Lopes adquire superior relevância, graças ao sentido duplo com que é praticada: o literário e o histórico propriamente dito.

Decididamente vocacionado para a historiografia, Fernão Lopes tem sido considerado o "pai da História" em Portugal, e posto ao par de grandes cronistas medievais, como, por exemplo, o francês Froissart. Seu valor como historiador reside acima de tudo no fato de procurar ser "moderno", desprezando o relato oral em favor dos acontecimentos documentados. O documento escrito é a base em que se apoia para erguer retratos de reis e fidalgos, situações de intensa vibração dramática, e os enredos de incessante dinamismo.

44 • A LITERATURA PORTUGUESA

Como se isso não bastasse, procede à análise da fonte utilizada sempre com o máximo rigor, objetividade, honestidade e imparcialidade, no encalço de reconstituir a verdade histórica e fazer justiça na interpretação dos acontecimentos e das personagens que neles se envolvem. Mais ainda: manuseia copiosa documentação sempre em busca da verdade; para tanto, chega a cotejar três ou quatro versões do mesmo fato, no incansável afã de ser justo e correto.

Já no "Prólogo" da *Crônica de D. João I,* afirma peremptoriamente suas ideias fundamentais acerca da atividade historiográfica, dizendo que "nosso desejo foi em esta obra escrever verdade, sem outra mistura, deixando nos bons aquecimentos todo fingido louvor, e nuamente mostrar ao povo, quaisquer contrárias cousas, da guisa que avieram."

Mais adiante, o cronista repisa a mesma ideia:

"Se outros por ventura em esta crônica buscam fremosura e novidade de palavras, e não a certidão das estórias, desprazer-lhes-á de nosso razoado, muito ligeiro a eles de ouvir, e não sem grão trabalho a nós de ordenar.

Mas nós, não curando de seu juízo, deixados os compostos e afeitados razoamentos, que muito deleitam àqueles que ouvem, antepomos a simples verdade, que a afremosentada falsidade. Nem entendais que certificamos cousa, salvo de muitos aprovada, e por escrituras vestidas de fé; doutra guisa, antes nos calaríamos, que escrever cousas falsas."[1]

Fernão Lopes guia-se por uma concepção a um só tempo regiocêntrica da História, uma vez que gira em torno de reis, a cuja ação se deveriam os principais acontecimentos históricos, e política: num caso e noutro, o historiador enquadra-se nitidamente nas estruturas culturais da Idade Média. Alguns pormenores fazem dele, todavia, um homem avançado para o tempo; quando não, atestam uma inteligência lúcida, independente, atenta para as contradições internas que a sociedade coeva entrava a manifestar. Dentre eles ressaltam-se os seguintes:

1) o cronista confere, pela primeira vez na historiografia portuguesa, grande importância aos movimentos de massa na configuração dos

---

[1] **aquecimento** = acontecimento; **da guisa que avieram** = do modo como sucederam; **certidão** = certeza; **afeitados razoamentos** = enfeitados argumentos; **doutra guisa** = doutro modo.

acontecimentos (como, por exemplo, as festas noturnas de D. Pedro, quando, alucinado pelas saudades de Inês de Castro, vinha às ruas para curar-se da torturante ausência, e a revolta popular de 1383 contra Leonor Teles e o Conde de Andeiro);

2) considera os fatores econômicos e psicológicos do processo histórico. Os dois aspectos constituem novidades que permanecerão vivas e modelares nos séculos seguintes.

Fernão Lopes avulta de importância nos quadros da Idade Média Portuguesa também por suas qualidades literárias. Dotado dum estilo maleável, coloquial, primitivo, saborosamente palpitante e vivo, não escondia o gosto acentuado pelo arcaísmo, talvez em decorrência da sua origem plebeia e do seu amor ao povo, à "arraia-miúda". Com tais recursos estilísticos, nem sempre espontâneos e fáceis como podem parecer à primeira vista, soube imprimir em suas crônicas um movimento que transcende o plano descritivo e narrativo em que se comprazia a historiografia anterior.

Esse dinamismo, essa aliciante vivacidade, Fernão Lopes alcança-a com a utilização de expedientes literários, decerto herdados da novela de cavalaria e transformados por seu especial talento de escritor. Para tanto, lança mão de cortes subitâneos no fluxo narrativo, à maneira cinematográfica, focalizando acontecimentos contemporâneos decorridos em lugares diferentes. Uma verdadeira simultaneidade de ação, desencadeando um entrelaçamento tal das cenas e situações que destrói qualquer perigo de monotonia e cria surpresas a cada passo.

Outras técnicas novelescas podem ser lembradas: Fernão Lopes possui incomum sentido plástico da realidade, evidente no fato de procurar sempre oferecer ao leitor um instantâneo "vivo", "atual", dos acontecimentos. Visualista por excelência, penetra no interior da narrativa, sonda-lhe as camadas mais fundas e alcança com peculiar maestria fazer que o leitor tenha uma viva percepção do que se passa, como se também presenciasse o desenrolar dos acontecimentos: com isso, o passado mais remoto transforma-se em presente. Os retratos psicológicos das personagens, a cerrada cronologia, o hábil manuseio dos diálogos, constituem outras soluções estruturais que trouxe da novela e caldeou com o seu singular dom literário. Tais recursos fazem dele uma das figuras de primeira plana em toda a evolução da Literatura Portuguesa.

# GOMES EANES DE AZURARA

Nascido depois de 1410 e morto entre 1473 e 1474, sucedeu a Fernão Lopes em 1454, nas funções de cronista e guarda-mor da Torre do Tombo, e intentou continuar-lhe o plano de escrever a crônica de todos os reis portugueses até àquela data. Para tanto, acrescentou a 3ª parte à *Crônica de D. João I* (também chamada de *Crônica da Tomada de Ceuta,* certamente sua obra mais importante, à altura das do seu predecessor). Escreveu ainda: *Crônica do Infante D. Henrique* ou *Livro dos Feitos do Infante, Crônica de D. Pedro de Meneses, Crônica de D. Duarte de Meneses, Crônica dos Feitos de Guiné, Crônica de D. Fernando,* Conde de Vila-Real (desaparecida).

Literariamente menos dotado que Fernão Lopes, teve ainda a prejudicá-lo o fato de relatar acontecimentos mais ou menos contemporâneos, socorrendo-se apenas de testemunhos orais, embora os submetesse a escrupuloso exame. Azurara vale sobretudo como iniciador da historiografia da expansão ultramarina, com a crônica acerca da tomada de Ceuta (efetuada em 1415), numa linha ufanista que culminará em *Os Lusíadas* (1572).

O seu método historiográfico difere do de Fernão Lopes em alguns pontos essenciais, e significa, até certo ponto, um retrocesso: preocupa-se com pessoas, individualidades, e não com grupos sociais, atestando uma concepção meio cavaleiresca da História, em que a ação isolada do cavaleiro predomina sobre a da massa popular. Além disso, já se mostra permeável à influência da cultura clássica, visível nas citações e nos torneios fraseológicos. Tal pendor para a erudição, por seu turno nem sempre bebida na fonte originária, e para divisar as suas personagens como "exemplos" morais, acabou por comprometer-lhe as últimas crônicas, até fazê-las descritivas e algo monocórdicas.

Retratando claramente a atmosfera pré-renascentista que se adensava na segunda metade do século XV, Azurara trabalhou cerca de 20 anos. Sucedeu-o Vasco Fernandes de Lucena, que nada escreveu em matéria historiográfica, apesar de ocupar o cargo mais ou menos durante 30 anos.

# RUI DE PINA

Quarto cronista-mor, viveu provavelmente entre 1440 e 1522. Entrou para o cargo em 1497. Deixou nove crônicas em torno de monarcas da 1ª e 2ª dinastias: *Sancho I, Afonso II, Sancho II, Afonso III, D. Dinis, Afonso IV, D. Duarte, Afonso V, e D. João II.* Contudo, é de crer que nem todas lhe pertençam por inteiro: as seis primeiras seriam a refundição duma obra contemporânea cujos originais só muito recentemente foram descobertos (na Biblioteca Pública do Porto e na casa do Cadaval), ou, ainda, calcadas nas crônicas perdidas de Fernão Lopes. É possível, igualmente, que se apoiasse em Azurara para fazer a história de D. Duarte e parte da de Afonso V. De sua autoria exclusiva restariam a última parte da *Crônica de Afonso V* e a *Crônica de D. João II.*

Como se vê, Rui de Pina coloca-se em posição francamente contrária à de Fernão Lopes em matéria de probidade intelectual. Entretanto, suas crônicas valem, do ângulo historiográfico, pelos novos e diferentes dados aduzidos acerca da sociedade portuguesa do tempo e pela sobriedade da linguagem, na qual repercute, ainda mais forte que em Azurara, o impacto da herança clássica.

# A PROSA DOUTRINÁRIA

Ecoando o surto de humanização da cultura e a consolidação do absolutismo régio durante o reinado dos Avises, cultiva-se intensamente, ao longo do século XV, a prosa doutrinal e moralista. Servindo precipuamente à educação da realeza e da fidalguia, com o fito de orientá-la no convívio social e no adestramento físico para a guerra, não estranha que essa prosa pedagógica fosse escrita sobretudo por monarcas. O culto do esporte, sobretudo o da caça, ocupa o primeiro lugar nessa pedagogia pragmática. As virtudes morais também se lembram e se enaltecem, mas sempre visando a alcançar o perfeito equilíbrio entre a saúde do corpo e a do espírito.

Entre as numerosas obras moralistas aparecidas durante o século XV, consoante o sentimento de euforia trazido pelos descobrimentos, destacam-se as seguintes:

*Livro de Montaria*, de **D. João I**, em que se ensina a caça ao porco montês, considerado o esporte ideal para a fidalguia;

*Leal Conselheiro* e *Livro da Ensinança de Bem Cavalgar Toda Sela*, de **D. Duarte**: na primeira, recopila e adapta com independência e novidade, reflexões filosóficas e psicológicas de várias e contraditórias fontes, desde Cícero até

S. Tomás de Aquino; na outra, faz a apologia da vida ao ar livre, sem esquecer de exaltar as virtudes do espírito, especialmente a vontade;

*O Livro da Virtuosa Benfeitoria,* do **Infante D. Pedro, o Regente** (nascido em 1392 e morto em 1449, na batalha de Alfarrobeira, era filho bastardo de D. João I), contém a tradução e adaptação do *De Beneficiis,* de Sêneca, realizada com a ajuda de Frei João Verba, e que trata das numerosas modalidades e virtudes do "benefício", nomeadamente na educação dos nobres;

*Livro de Falcoaria,* de **Pêro Menino**, em que se ensina a tratar das doenças dos falcões.

Contemporaneamente, surgiram obras de devoção e misticismo, de elogio da vida contemplativa, virtuosa e solitária, como, por exemplo, o *Boosco Deleitoso,* com forte influência de Petrarca nos primeiros capítulos, em que se narra a peregrinação da alma em busca da salvação; o *Horto do Esposo,* obra dum monge português anônimo, em que ao encômio da vida mística se misturam histórias para distrair, inspiradas em temas greco-latinos e medievais.

Uma e outras ostentam reduzido valor literário, salvo em algum progresso na expressão de sentimentos para os quais a Língua ainda não estava preparada, com destaque para as duas últimas, em que a diafaneidade do pensamento se casa à ductilidade do estilo.

## A POESIA. O *CANCIONEIRO GERAL*

Mesmo após o declínio do trovadorismo no final do século XIV, a poesia continua a ser cultivada, mas sob a influência da nova atmosfera cultural inaugurada por D. João I. Grande parte da produção poética quatrocentista, compreendendo o reinado de D. João II e D. Manoel, foi recolhida por **Garcia de Resende** no seu *Cancioneiro Geral* (1516), sob inspiração do *Cancionero de Baena* (1445), compilado por Juan Alfonso de Baena, em que colaboram poetas portugueses, e do *Cancionero General* (1511), de Hernando del Castillo. As duas últimas coletâneas poéticas, porque espanholas, explicam o caráter castelhanizante do *Cancioneiro Geral*: enfeixa aproximadamente mil composições, de 286 poetas, das quais 150 são escritas no idioma de Castela.

No prefácio do seu cancioneiro, ao fazer o balanço da atividade literária que ali se registrava, Garcia de Resende chama a atenção para o fato de que "muitos e mui grandes feitos de guerra, paz e virtudes, de ciência, manhas e gentilezas são esquecidos", em razão de que "a natural condição dos portugueses é nunca escreverem cousa que façam, sendo dignas de grande memória". Por outras palavras, era de lamentar que não cultivassem os feitos históricos capazes de suscitar, à semelhança de *El Cid*, a poesia de caráter épico.

A poesia nele contida caracteriza-se, antes do mais, pelo divórcio operado entre a "letra" e a música. Superada a voga da lírica trovadoresca, a poesia desliga-se dos compromissos musicais, e passa a ser composta para a leitura solitária ou a declamação coletiva. A poesia ganha autonomia, com palavras despidas do aparato musical, que a tornava dependente ou, ao menos, lhe condicionava o voo. Em suma, no "mundo novo [...], // vimos rir, vimos folgar, [...] vimos trovar / trovas que eram para ler", enquanto que a música, seguindo linha própria, "vimos chegar / à mais alta perfeição" (Garcia de Resende, *Miscelânea*). O ritmo, agora, é alcançado com os próprios recursos da palavra disposta em versos, estrofes, etc., e não com a pauta musical. A atividade poética entrava a dar sinais da radical mudança processada com a Renascença, mas, diga-se de passagem, não cessará daí por diante de buscar o antigo consórcio por meio de uma série de tentativas, sobretudo a partir da revolução romântica.

Contudo, a libertação desejada acabou provocando verdadeira crise poética: que fazer com as palavras, subitamente postas em liberdade, independentes da música? Alguns procuraram ou encontraram o ritmo que lhes era inerente, especificamente poético, formado pela expressão dos múltiplos e polivalentes conteúdos do "eu" – e fizeram obra perdurável. Outros, constrangidos pelo figurino da nova moda, carentes de talento, ou equivocados com a revolução poética em curso, entendiam que bastava juntar palavras em forma de versos para se criar poesia – e ficavam, não raro, aquém do seu objetivo.

Entende-se, assim, que muitos poetas (praticamente não se fala mais em trovadores) compendiados por Garcia de Resende, em justiça e rigor deveriam ficar à margem: produziram poesia de circunstância, cujo conteúdo se desvaneceu por completo a ponto de hoje soar apenas como "exercício" poético ou puro virtuosismo formal. Basta o enunciado dos títulos de alguns poemas para evidenciar a pobreza de certa parte da poesia do *Cancioneiro Geral*, justamente

50 • A LITERATURA PORTUGUESA

chamada pelo compilador de "cousas de folgar": "De Diogo Fogaça a uma dama muito gorda, que se encostou a ele, e caíram ambos, e ela disse-lhe sobre isso más palavras"; "De Dom Diogo a uma guedelha de cabelos que viu à senhora Dona Beatriz de Vilhena", "Do macho ruço de Luís Freire, estando para morrer", "Cantiga sua a uma dama que lhe tirou com uma pedra", de Luís Silveira, "A senhora D. Joana de Mendonça, sobre uma ave que lhe lançou duma janela", de Simão da Silveira, etc. Tais composições não chegam, porém, a empanar o brilho e a altura emotiva de outras, por vezes situadas no nível das obras-primas da lírica portuguesa.

Para contrabalançar "o vazio lírico" (Eugenio Asensio) deixado pela decadência do lirismo trovadoresco, os poetas quatrocentistas desenvolveram novas técnicas e estruturas poéticas, dentre as quais se podem citar as seguintes:

*a esparsa,* composta de uma única estrofe de 8 a 16 versos; originária da Provença, destinava-se especialmente a comunicar sentimentos de tristeza e melancolia;

*a trova,* composta de duas ou mais estrofes;

*o vilancete,* formado de um *mote* (motivo) composto de 2 ou 3 versos, seguido de *voltas* ou *glosas,* isto é, estrofes em que o poeta retomava e desenvolvia as ideias contidas no mote;

*a cantiga,* formada dum mote de 4 ou 5 versos e de uma glosa de 8 ou 10 versos.

Vale a pena lembrar ainda que o *Cancioneiro Geral* difundiu o emprego do verso *redondilho* (*redondilho menor,* com 5 sílabas, e *redondilho maior,* com 7 sílabas), antes pouco apreciado, mas que gozará de sólido prestígio nas décadas seguintes.

A par dessas novidades formais, o *Cancioneiro Geral* trouxe novidades temáticas. De um lado, a influência clássica (Ovídio), de outro, o influxo italiano (Dante e Petrarca, este, com todo o peso do seu lirismo, centrado no conhecimento do amor e suas contradições internas), e o espanhol (Marquês de Santillana, Juan de Mena, Gómez Manrique, Jorge Manrique), evidente no uso que alguns poetas faziam da língua castelhana, em substituição à galaico-portuguesa dos trovadores.

Registram-se ainda tentativas de poesia épica, a preparar o terreno para Camões, como, por exemplo, o poema "Conquista de Azamor", de **Luís Anriques**, dedicado ao Duque de Bragança. Eis a sua última oitava:

"Sábado seguinte, oit'horas do dia,
na grande cidade o Duque entrou
com grande vitória, que mais não podia,
Deus seja louvado, qu'assim o guiou.
Per toda a terra sa fama soou,
e pôs tal espanto com grande terror,
por ond'Almedina com muito temor
de toda sa gente se despovoou"

Faz-se poesia religiosa. Cultiva-se a poesia satírica, algumas vezes com grosseria, ou, mais raramente, refinando-se em ironia de admirável efeito. É digno de nota o longo poema de **Álvaro de Brito Pestana**, dirigido "A Luís Fogaça, sendo vereador na cidade de Lisboa, em que lhe dá maneira para os ares maus serem fora dela", um vivo documentário do tempo, erguido com impenitente e cortante azedume.

Todavia, o ponto alto do *Cancioneiro Geral* é representado pela poesia lírica. O amor-sofrimento, súplica mortal, continuando igual tendência do lirismo trovadoresco, é tema frequente. Ao retomar o subjetivismo da tradição, os poetas enriquecem-no de espiritualidade e platonismo, de que não é estranho o exemplo de Petrarca, mestre de poesia lírico-amorosa. Algo de novo, porém, se insinua nesse lirismo suplicante e contemplativo: a mulher perde o seu halo ideal, desce à terra, carnaliza-se, adquirindo graças físicas e sensoriais, vedadas antes ao olhar do trovador.

E a relação do poeta com a bem-amada gera duas equações novas, expressas em forma de desafio ou "tenção": logo à entrada da compilação, englobando 3172 versos, encontramos "O Cuidar e Suspirar", processo no qual se envolvem numerosos poetas; no segundo volume da crestomatia, temos as "Trovas que mandaram o Conde de Vimioso e Aires Teles a Senhora Dona Margarida de Sousa sobre uma porfia que tiveram perante ela, em que dizia Aires Teles que não se podia querer grande bem sem desejar, e o Conde dizia o contrário".

## 52 • A LITERATURA PORTUGUESA

Ao mesmo tempo, num movimento psicológico que semelha prenunciar o Romantismo, os poetas quatrocentistas descobrem a Natureza, ainda graças a Petrarca: ela assume o papel de consolo, confidente e refúgio para os males do amor. Um quê de renascentista, e portanto "moderno", mostra-se nessa metamorfose operada no âmbito das convenções lírico-amorosas: os poetas palacianos da Corte de Avis preparam, com os seus paradoxos e indagações acerca do Amor, o Camões lírico e, mesmo, o advento do Barroco.

Alguns poetas merecem especial referência, exceções felizes em meio à trivialidade lírica do *Cancioneiro Geral*. **João Ruiz de Castelo-Branco** representa-se com a "Cantiga sua partindo-se", amplamente conhecida e apreciada, em que a limpidez da linguagem e os achados expressivos servem de coro a uma vívida síntese do lancinante sentimento de amar e ter de partir, num clima de quase elegia, tão mortificante é o sofrimento que no poema se confessa: o ritmo, determinado por uma melopeia propositadamente monótona e plangente qual cantilena, ondulante e reticente, colabora com eficácia para emprestar aos versos um ar de mistério e fugacidade, motivo suficiente para fazê-los de permanente agrado ao leitor de poesia:

"Senhora, partem tão tristes
meus olhos por vós, meu bem,
que nunca tão tristes vistes
outros nenhuns por ninguém.

Tão tristes, tão saudosos,
tão doentes da partida,
tão cansados, tão chorosos.
da morte mais desejosos
cem mil vezes que da vida.
Partem tão tristes os tristes,
tão fora d' esperar bem,
que nunca tão tristes vistes
outros nenhuns por ninguém"

**Garcia de Resende** (Évora, 1470-3 de fevereiro de 1536), o compilador da poesia quatrocentista, também se destaca com as *Trovas à Morte de Dona Inês de Castro,* graças ao forte sentimento de adesão ao caso da amante de

D. Pedro, a ponto de o poema haver estado, possivelmente, na memória de Camões ao narrar o mesmo episódio em *Os Lusíadas*. Embora sem a força da cantiga de João Ruiz de Castelo-Branco, constitui uma das mais densas composições do *Cancioneiro Geral*.

Podiam-se referir ainda outras figuras: Henrique da Mota, Francisco Saraiva de Sousa, Diogo Lopes d'Azevedo, Diogo Brandão, Conde de Vimioso, Aires Teles, Duarte de Brito, Jorge de Aguiar, João Afonso d'Aveiro e outros, sem contar ainda Bernardim Ribeiro e Sá de Miranda, então a iniciar-se na carreira literária.

## O TEATRO POPULAR. GIL VICENTE

Durante a Idade Média, despontou e vicejou um tipo de teatro que recebeu o nome de popular por suas características fundamentais (popular nos temas, na linguagem e nos atores). De remota origem francesa (século XII), iniciara-se com os *mistérios* e *milagres,* que consistiam na representação de breves quadros religiosos alusivos a cenas bíblicas e encenados em datas festivas, sobretudo no Natal e na Páscoa. Inicialmente falados em Latim, mais adiante adotaram o Francês. O local da encenação era o interior das igrejas, o próprio altar, de onde se transferiu para o claustro, e ao fim para o adro. No começo, reduzido era o texto e escasso o tempo de representação, mas três séculos depois, o número de figurantes ascendia a centenas, o texto a milhares de versos, e a encenação podia levar dias. É de crer que aos poucos algumas pessoas do povo passassem a participar de tais espetáculos, e neles introduzissem alterações cada vez maiores.

Com o tempo, o próprio povo entrou a representar suas peças, já agora de caráter não religioso, num tablado erguido no pátio defronte à igreja: daí o seu caráter *profano,* isto é, que fica fora, diante (*pro*) do templo (*fanum*). Abandonando o pátio, o teatro popular disseminou-se por feiras, mercados, burgos e castelos da Europa, e acabou tendo grande acolhida nos reinos ibéricos (Castela, Leão, Navarra e Aragão). E foi por influxo castelhano que esse teatro penetrou em Portugal, pelas mãos de Gil Vicente, seguindo o exemplo de Juan del Encina (1468-1529): este, de vida aventurosa, terminando pelo ingresso na vida sacerdotal aos cinquenta anos, escreveu entre os catorze e os vinte e cinco anos a maior parte de suas obras, especialmente de caráter pastoril e religioso.

54 • A LITERATURA PORTUGUESA

Cabe perguntar: antes de Gil Vicente, houve teatro em Portugal? É possível que sim, em consonância com o que ia no resto da Europa, mas não subsistem provas documentais. Só sabemos da existência de breves representações, de caráter cavaleiresco, religioso, satírico ou burlesco, que receberam o nome de *momos, arremedilhos* e *entremezes,* cujo sentido, originariamente diverso, acabou por se confundir (o *momo* seria o ator mímico e, depois, a cena por ele representada; o *arremedilho* consistiria numa breve farsa ou sátira de costumes; e o *entremez,* qualquer representação que servisse de *intermezzo,* isto é, entreato).

O mais antigo documento referente ao assunto data de 1193, dando notícia do pagamento que D. Sancho I efetuava a dois jograis, Bonamis e Acompaniado, por seus arremedilhos. No *Cancioneiro Geral,* além de várias referências a momos e entremezes, encontram-se peças dialogadas muito próximas do teatro.

Não é de estranhar que Gil Vicente também fosse buscar à tradição incitamento para o seu teatro, mas, pelo menos ao iniciá-lo, teve por modelo a Juan del Encina:

"ele foi o que inventou
isto cá e o usou
com mais graça e mais doutrina, posto que Juan del Encina
o pastoril começou" (Garcia de Resende, *Miscelânea,* p. 66)

A biografia de Gil Vicente anda envolta em dúvidas. Teria nascido em 1465 ou 1466, talvez em Guimarães, e morrido entre 1536 e 1540. Ourives e mesmo *mestre da balança* da Casa da Moeda de Lisboa, começa intempestivamente o seu teatro a 7 de junho de 1502, por ocasião do nascimento do futuro D. João III, filho de D. Manuel e de sua segunda mulher, Maria de Castela, filha dos Reis Católicos, D. Fernando e D. Isabel. Penetrando na câmara real a fim de, em nome dos servidores do paço, saudar o excelso evento, declama em Espanhol o *Monólogo do Vaqueiro* (ou *Auto da Visitação).* Causa tão boa impressão que lhe pedem volte a recitar o monólogo nas festas de Natal. Em lugar de o fazer, encena outra peça, de tema semelhante: *Auto Pastoril Castelhano.* Como o êxito não fosse menor, daí por diante Gil Vicente dedica-se a escrever e representar teatro para o entretenimento da realeza e da fidalguia, concomitantemente com suas outras funções junto à Corte. Leva suas peças em Lisboa e Santarém, até 1536, data relativa à última representação, a *Floresta de Enganos*.

Durante os anos da sua trajetória teatral, Gil Vicente escreveu e representou dezenas de peças de vário tema e estrutura, das quais poucas foram publicadas. Sabe-se que o comediógrafo preparava uma edição de suas obras, mas a morte frustrou-lhe o intento. Luís Vicente, seu filho, levou a cabo a tarefa, em 1562, publicando a *Copilaçam de Todalas Obras de Gil Vicente*. Todavia, procedeu defeituosamente, não só omitindo peças que devem ter existido (e das quais duas foram descobertas em nossos dias, e uma no século XIX), como também alterando o manuscrito em mais de um ponto. Portanto, restam, ao todo, 46 peças, das quais uma em Castelhano e 16 bilíngues.

O teatro vicentino percorreu algumas fases, tantas e quantas conforme o critério escolhido. O mais acertado talvez seja considerar três fases: a primeira, de 1502 a 1514, em que é notória a influência de Juan del Encina, sobretudo nos primeiros anos, atenuando-se depois de 1510; a segunda, de 1515 a 1527, começa com *Quem tem farelos?* e termina com o *Auto das Fadas*: corresponde ao ápice da carreira dramática de Gil Vicente, com a encenação de suas melhores peças, dentre as quais a *Trilogia das Barcas* (1517-1518), o *Auto da Alma* (1518), a *Farsa de Inês Pereira* (1523), o *Juiz da Beira* (1525); e a terceira, de 1528, com o *Auto da Feira,* até 1536, com a *Floresta de Enganos,* fase em que o dramaturgo, sob o impacto do classicismo renascentista, entra a intelectualizar o seu teatro.

Quanto ao tema, o teatro vicentino pode ser dividido em *tradicional* e *de atualidade*. O primeiro diz respeito àquilo que é de evidente e dominante inflexão medieval: são as peças de caráter litúrgico, como o *Auto da Fé* (1510), o *Auto da Alma* (1518), filiadas ao teatro religioso de Juan del Encina e remotamente aos *milagres* e *mistérios* franceses; as de assunto bucólico, como o *Auto Pastoril Castelhano,* o *Auto Pastoril Português* (1523); e as de assunto inspirado nas novelas de cavalaria, como *D. Duardos* (1522), o *Auto de Amadis de Gaula* (1533).

O teatro de atualidade caracteriza-se por conter o retrato satírico da sociedade do tempo, em seus vários estratos, a fidalguia, a burguesia, o clero e a plebe, como na *Farsa de Inês Pereira* e em *Quem tem farelos?* (ou *Farsa do Escudeiro*), ou pelo teatro alegórico-crítico, como a *Trilogia das Barcas*.

56 • A LITERATURA PORTUGUESA

É óbvio que não se trata de tipos estanques de peças: além de haver pontos de contacto entre elas, há peças de caráter misto, intermediário, de oscilante classificação, como, por exemplo, o *Auto dos Quatro Tempos* (1511).

Na *Copilaçam*, Luís Vicente sugere a seguinte divisão: 1. Obras de devoção (*Monólogo do Vaqueiro, Auto Pastoril Castelhano, Auto da Alma, Auto da Feira, Trilogia das Barcas*, etc.); 2. Comédias (*Comédia do Viúvo, Comédia de Rubena, Divisão da Cidade de Lisboa, Floresta de Enganos);* 3. Tragicomédias (*Exortação da Guerra, Cortes de Júpiter, Frágoa de Amor, D. Duardos, Templo de Apolo*, etc.); 4. Farsas (*Quem tem farelos?, Auto da Índia, O Velho da Horta, Inês Pereira, Juiz da Beira, Farsa dos Almocreves*, etc.).

É uma classificação arbitrária e, portanto, discutível: mistura o teatro pastoril com o religioso, o cavaleiresco com o alegórico, separa as tragicomédias (aliás, rótulo descabido) das comédias, considerando *D. Duardos* entre as primeiras, e desprezando o que há de comum entre elas; faz crer numa diferença nítida entre a comédia e a farsa, quando, na verdade, só existe em grau. Gil Vicente, num documento com a data provável de 1522, certamente com o pensamento na organização de suas peças, classifica-as em três categorias, *comédias, farsas* e *moralidades,* o que parece mais consentâneo com a verdade dos fatos.

Em última instância, porém, inclusive tais rótulos continuariam sendo arbitrários, pois constituíam meras designações com vistas a distinguir uma peça de outra e não propriamente títulos. Assim, do mesmo passo que dizemos hoje em dia que determinada peça gira em torno deste ou daquele assunto (por exemplo, *Entre Quatro Paredes,* de Sartre, é uma peça acerca do inferno da incomunicabilidade), Gil Vicente engendrava o *Auto da Alma*, em que o termo *auto* era empregado como vocábulo genérico, equivalente a *peça,* e *da Alma* seria o motivo dela, e não um componente do título.

De onde a conotação variável assumida pelas palavras *farsa, comédia* e outras. E cada uma dessas peças ou *autos* representaria algo como uma das muitas sessões de arte cênica que o engenho vicentino criou para o prazer estético da fidalguia do tempo: parece que, em verdade, o comediógrafo compôs uma única peça, dividida em 46 atos (*autos),* uma espécie de ampla *Comédia Humana* dos fins da Idade Média e princípios do Renascimento.

O teatro de Gil Vicente caracteriza-se, antes de tudo, por ser primitivo, rudimentar e popular, embora tenha surgido e se tenha desenvolvido no ambiente da Corte, para servir de entretenimento nos animados serões oferecidos pelo Rei. Graças ao amparo deste, o comediógrafo não precisou comercializar o seu talento para o ver frutificar. Mais importante do que isso é o fato de ele fugir das concessões que favorecem, mas empequenecem, e ter-se guiado sobranceiramente por suas convicções, numa independência de caráter apenas limitada pelo bom senso e pelas naturais coerções do meio palaciano.

Essas determinantes são fundamentais para compreender o precoce despontar, historicamente falando, de um teatro tão rico, denso e variado. Escrevendo para um público exigente e que detinha nas mãos as rédeas do poder, nem por isso Gil Vicente deixou de impor-se como teatrólogo e impor o seu gosto pessoal. E se por vezes parece haver obedecido às injunções do meio social em que vivia e em que representava o seu teatro, jamais se rebaixou a ponto de se desmerecer, ainda que, para defender a sua autonomia moral, tivesse de camuflá-la com o emprego de disfarces, truques, símbolos, alegorias e mesmo o cômico mais desopilante. Graças a tais condições de trabalho, legou obra volumosa, fruto duma persistente ebulição interior, e diversa nos seus ingredientes e recursos cênicos.

Teatro baseado na espontaneidade e tendo em mira divertir a Corte, organizava-se sob a lei do improviso, de que o texto atual nos oferece pálida imagem: as representações progrediam ao sabor da invenção do momento, quer por causa dos atores, quer pelo conteúdo das peças. É de supor que Gil Vicente esboçava um roteiro básico, apenas para ordenar a encenação numa sequência verossímil. O resto ficaria ao sabor do momento, e de toda sorte de alterações impostas pela lei do acaso.

A pobreza do texto no que diz respeito à "marcação" teatral é índice desse amor primitivo ao improviso; aliás, o próprio cenário seria convencional ou mesmo ausente, visto as representações se desenrolarem no salão de festas do paço real: uma cortina, uma cadeira, quando muito, e o resto era imaginado. A mímica desempenharia papel importante nesse teatro de entretenimento e edificação.

Por outro lado, o grande mérito de Gil Vicente reside no fato de ser, antes de tudo, um poeta, e poeta dramático. O excepcional talento cênico vem-lhe a seguir, pois naquela fase da história do teatro não se poderiam entender as coisas de modo diverso. Como poeta, o seu valor manifesta-se numa fluência e elasticidade expressivas que abarcam todos os matizes, líricos, satíricos, mitológicos, alegóricos, religiosos, sem perder a sua peculiar fisionomia. O verso brota-lhe simples e contínuo numa cadência natural e espontânea, seja nas cantigas intercaladas na ação das peças, seja na fala das personagens.

Enquanto comediógrafo, Gil Vicente destaca-se como o mais inspirado autor de teatro em toda a história da Literatura Portuguesa. Servindo de ponte de trânsito, traço de união, entre a Idade Média e a Renascença, fixou em suas peças o momento em que as duas formas de cultura se defrontavam, uma, para terminar (ou melhor, para diminuir o seu influxo e domínio), a outra, para começar. Daí o seu duplo (quando não triplo ou quádruplo) caráter, como apontamos ao tratar dos tipos de peças: é um teatro que tem, na exata medida do tempo, olhos voltados para trás, contemplando o mundo que morria (e a que Gil Vicente pertencia por ideologia e formação), e para a frente, na intuição feliz do novo rumo tomado pelo embate das ideias.

É em consequência disso que o teatro vicentino se mostra lírico ou cômico (ou, ainda, cômico-lírico): a predominância de temas e duma visão medieval das coisas se revela por uma simplicidade característica de quem sofre, sem o perceber, da nostalgia de um mundo perdido. Nesse tipo de teatro, Gil Vicente realiza-se mais pelo núcleo ideológico ou sentimental que pelas qualidades propriamente cênicas, elementares de todo, como é sabido. Podia-se dizer que, em tal caso, o poeta, o homem cheio de sentimento lírico da vida, ultrapassa o teatrólogo (a este respeito, vejam-se *D. Duardos* e o *Auto da Alma*). Para arquitetar o melhor do seu teatro, dramaticamente falando, precisou debruçar-se na paisagem humana dos primeiros decênios do século XVI, e analisá-la com impiedoso e causticante realismo.

Por outro lado, quer o teatro de costumes (*Inês Pereira*), quer o religiosamente alegórico (*Trilogia das Barcas: da Glória do Inferno, do Purgatório*), atestam um dramaturgo compromissado, que coloca sua poesia e seus predicados a serviço dum espetáculo mais exigente e, por conseguinte, de uma causa: respirando a atmosfera renascentista e dando expansão às virtualidades pessoais, Gil Vicente faz de suas peças uma arma de combate, de acusação, de moralidade.

Teatro de sátira social, não perdoa qualquer classe, povo, fidalguia ou clero. Obra de moralista, põe em prática o lema do *castigat ridendo mores* (rindo, corrige os costumes), realizando o princípio de que a graça e o riso, provocados pelo cômico baseado no ridículo e na caricatura, exercem ação purificadora, educativa e purgadora de vícios e defeitos. O vigor com que Gil Vicente empreende a tarefa de livre análise e crítica social, destacadamente na parte relativa ao seu anticlericalismo, tem permitido lembrar as ideias de Erasmo de Rotterdam (1469-1536), expostas sobretudo no *Elogio da Loucura* (1509). Parece tratar-se, contudo, antes de coincidência que de influência do pensador holandês sobre o dramaturgo português.

A sátira vicentina, contundente e dissolvente porque toca fundo nas feridas sociais do tempo, é contrabalançada por um elevado pensamento cristão, expresso nas peças de inspiração medieval, como o *Auto da Alma,* e embora subterraneamente, mesmo nas de caráter satírico. Nessa bipolaridade e no que ela implica de realização cênica, reside a maior concentração de forças do teatro de Gil Vicente, suficiente para justificar a criação duma "escola vicentina", em voga durante o século XVI e seguintes, e a sua atualidade ainda hoje.

Quando, sobre a sátira, se acumularam influências clássicas (notadamente a mitologia e a linguagem refinada), o vigor vicentino começou a ceder à moda e, consequentemente, a perder altura. A esse trânsito para o Classicismo corresponde um certo enrijecimento da estrutura das peças (*Cortes de Júpiter,* 1521; *Jubileu de Amores,* 1527). Até então, os autos eram compostos ao sabor da inspiração, desobedientes a cânones fixos, verossimilhanças estereotipadas ou princípios dogmáticos. O à-vontade na correlação das cenas, evidenciando a ausência de preconceitos ou ideias admitidas sem exame, dava espontaneidade e vivacidade ao entrecho, no uso pessoalíssimo de recursos plásticos, na movimentação desenvolta das personagens e dos quadros, no uso de uma linguagem que registrava com flagrância as linhas de força mentais da sua época.

Primitivo, utilizando recursos fáceis, mas teatro de primeira grandeza pelo que exibe de originalidade, verdade e valores permanentes. Quando, ao fluxo do espontâneo primitivismo, se sobrepôs o desejo de acompanhar o sinal de mudança que a sua veia satírica fazia anunciar e erigir; quando, em coerência com as suas inclinações moralistas, experimentou novos expedientes cênicos, ainda se podia admirar a presença do talento originário, mas um tanto quanto sufocado. É que, de tanto observar o seu tempo, na face cada vez mais proeminente das antinomias derivadas da coexistência de resíduos medievais e padrões renascentistas, Gil Vicente não podia deixar de impregnar-se da cultura greco-latina, posto que a aceitasse com reservas.

## "ESCOLA VICENTINA"

À "escola vicentina", formada pelos seguidores do autor da *Farsa de Inês Pereira*, pertencem Camões, Afonso Álvares, Baltasar Dias, Antônio Ribeiro Chiado, Antônio Prestes e Simão Machado. De Camões, tratar-se-á no lugar próprio. Quanto aos outros: **Afonso Álvares** (c. 1470-1540), mulato e mestre-escola, escreveu peças de cunho religioso, hagiográfico, "a rogo dos mui honrados e virtuosos cônegos de São Vicente", e antes de 1531: *Auto do Bem-Aventurado Senhor Santo Antônio, Auto do Bem-Aventurado Senhor São Vicente, Auto de São Tiago Apóstolo, Auto de Santa Bárbara.*

**Baltasar Dias**, cego e natural da Madeira, talvez nascido nas primeiras décadas do século XVI, que em 1537 buscava as licenças necessárias à publicação de sua obra, é quanto se sabe a seu respeito. Além de várias obras perdidas, escreveu: *Auto Breve da Paixão de Cristo, Auto da Feira da Ladra, Auto de Santo Aleixo, Auto de Santa Catarina, Auto do Nascimento de Cristo, Tragédia do Marquês de Mântua, Obra da Famosa História do Príncipe Claudiano, História da Imperatriz Porcina, Conselhos para Bem Casar, Auto da Malícia das Mulheres, Auto do Príncipe Claudiano.*

**Antônio Ribeiro**, de apelido **Chiado**, nasceu por volta de 1520, em Évora, e morreu em 1591, em Lisboa: padre franciscano, tendo conseguido a anulação dos votos, passou a levar vida dissoluta, embora ainda vestindo o hábito clerical. Escreveu: *Prática de Oito Figuras, Auto das Regateiras, Prática dos Compadres, Auto da Natural Invenção, Auto de Gonçalo Chambão* (desaparecido), reunidas, com fixação de texto, ensaio introdutório e notas, por Cleonice Berardinelli e Ronaldo Menegaz, em *Teatro* (1994), nas quais o apego ao modelo vicentino serve para o autor focalizar os tipos populares do tempo.

As sete peças de **Antônio Prestes** (viveu na segunda metade do século XVI) foram publicadas em 1587, na *Primeira Parte dos Autos e Comédias Portuguesas: feitas por Antônio Prestes e por Luís de Camões e por outros autores portugueses: Auto da Ave-Maria, Auto do Procurador, Auto do Desembargador, Auto dos Dois Irmãos, Auto da Ciosa, Auto do Mouro Encantado e Auto dos Cantarinhos:* além das marcas vicentinas, hesitam entre a sátira à influência italiana e as sugestões da comédia latina.

**Simão Machado** (Torres Novas, c. 1570-c. 1634), autor da *Comédia do Cerco de Diu* e *Comédia da Pastora Alfea*, reunidas nas *Comédias Portuguesas* (escritas em vernáculo e castelhano; publicadas em 1601), marca o fim do teatro vicentino, não só pelo emprego de estruturas poéticas em voga com o Renascimento (oitava-rima, decassílabo), como também de assuntos inspirados nos feitos de guerra dos portugueses, características a que não era estranho o influxo do teatro espanhol quinhentista.

# AMADIS DE GAULA

Para terminar o exame da literatura quatrocentista em Portugal, é necessário demorar a atenção sobre o *Amadis de Gaula* (1508), uma das mais inspiradas novelas de cavalaria escritas na Península Ibérica, se não a mais relevante de todas, excetuando o *Dom Quixote*, e cuja autoria continua a ser um intrincado problema. Quem a escreveu? Em que língua?

Desde cedo, a sua paternidade envolveu-se de mistério, dando origem a três correntes de opinião: a primeira, que ligava a novela à Literatura Francesa, está hoje inteiramente posta de lado; a segunda, defende a tese de que a sua autoria se deve a um português; e a terceira, advoga a tese espanhola. Militam em favor da tese portuguesa alguns argumentos, dos quais se apontam os seguintes: Azurara, em sua *Crônica do Conde D. Pedro de Meneses* (1454, 1. I, cap. 63), refere o nome de Vasco de Lobeira, tido por um dos autores da obra, juntamente com João de Lobeira; nos *Poemas Lusitanos* (1598), de Antônio Ferreira, incluem-se dois sonetos alusivos ao episódio de Briolanja, personagem do *Amadis* (1. I, cap. 40), o qual, por sua vez, interessa pelas recusas de Amadis às solicitações da donzela, por fidelidade a Oriana, apesar da interferência de D. Afonso, irmão de D. Dinis, em favor da solicitante; o *lais* dedicado a Leonoreta, inserido no *Amadis,* escrito em Português, teria sido composto por João de Lobeira, trovador do tempo de Afonso III e de D. Dinis. Assim sendo, o trovador teria escrito também os dois livros iniciais da novela, a que mais tarde Vasco da Lobeira teria acrescentado o terceiro, o que explicaria a menção de Azurara ao seu nome.

Fundamentam a tese espanhola os seguintes argumentos: a primeira edição da novela é de 1508, em Espanhol, feita por Garci-Ordóñez de Montalvo, que lhe teria acrescentado o 4º livro e emendado os anteriores; as mais remotas referências à novela devem-se a autores espanhóis, como a do Canciller Ayala em seu *Rimado de Palacio* (cerca de 1380); no século XIV, Pedro Ferrús, poeta do *Cancionero de Baena,* refere o *Amadis* em 3 livros; no século XV, é mencionado por vários escritores espanhóis.

Não há, porém, argumentos cabais que permitam decidir acerca das duas teses citadas. Falta ainda encontrar provas mais concludentes para dar por solucionado o problema, se bem que alguns pormenores internos façam pender a balança para o lado português, como foi notado inclusive por espanhóis, dentre os quais Menéndez Pelayo (*Orígenes de la Novela,* 1943, vol. 1: 345-46).

Acresce que se encontrou, na segunda metade do século XX, prova que parece suficiente para considerar resolvido o problema: "existe um fragmento do romance na nossa língua, do século XIII ou XIV, no arquivo dum aristocrata castelhano residente em Madrid. [...] Está, creio bem, desde agora, encerrada a velha questão do *Amadis de Gaula* [...] Podemos portanto dizer que as duas mais altas expressões do gênio literário galego-português são o *Amadis de Gaula* e *Os Lusíadas;* e talvez não seja por mero acaso que essas duas obras-primas, surgidas com intervalo de três séculos, tenham como autores dois portugueses de origem galega: João de Lobeira e Luís de Camões" (Lapa 1970: 14-18).

A novela, reeditada algumas vezes e continuada ao longo do século XVI, formando o *ciclo dos Amadises,* em 12 livros, filia-se ao trovadorismo amoroso. Amadis é um perfeito cavaleiro andante, amoroso e sentimental, vivendo em plena atmosfera do "serviço" cortês, identificado pela dedicação constante e obsessiva à bem-amada, a fim de lhe conseguir os favores. Esse traço francamente medieval é equilibrado com a recorrente sensualidade. Dessa forma, ao platonismo amoroso acrescenta-se "um grande e mortal desejo", que incendeia o par de namorados: Amadis e Oriana. É uma nota de primitivismo erótico, desobediente a leis ou a convenções sociais e morais.

O cavaleiro humaniza-se, desce à realidade cotidiana, a ponto de, no livro 4º (distinto dos demais, pelo entrecho, pobre e monótono, e pelo estilo, cheio de "agudezas" forçadas), casar-se sacramentalmente, embora em segredo, para oficializar a antiga relação amorosa com Oriana. Nascem daí os conflitos que agitam Amadis, não os padronizados pela tradição mas os dum ser humano complexo, denso psicologicamente: o homem medieval começava a ceder vez ao homem concebido segundo os valores renascentistas, que então entravam a predominar. Amadis anuncia o herói moderno, de largo curso e influência

HUMANISMO • 63

no século XV e no XVI, servindo de elo de ligação entre um mundo que mergulhava no ocaso, a Idade Média, e o outro que despontava, a Renascença.

O *ciclo dos Amadises* compõe-se dos seguintes livros, todos em Castelhano: *Sergas de Esplandián* (1510), escrito por Garci-Ordóñez de Montalvo; *Florisando* (1510), por Páez de Ribera; *Lisuarte de Grecia* (1514) de autor desconhecido; *Lisuarte de Grecia* (1526), por Juan Díaz; *Amadis de Grecia* (1530), por Feliciano de Silva; *Don Florisel de Niquea* (1532), pelo mesmo autor; *Don Florisel de Niquea,* 3ª e 4ª partes (1535 e 1551), pelo mesmo autor; *Don Silves de la Selva* (1546), por Pedro de Luján.

# IV

# CLASSICISMO
## (1527-1580)

## PRELIMINARES

Quando Gil Vicente encenava a derradeira peça (1536), ia alto o processo histórico que levou o povo português a posições jamais alcançadas, antes ou depois: o Renascimento. Antecedeu-o e preparou-o um movimento de cultura que estremeceu as últimas décadas medievais – o Humanismo – caracterizado pela descoberta dos monumentos culturais do mundo greco-latino, de modo particular as obras escritas, em todos os recantos do saber humano, e por uma concepção de vida mais centrada no conhecimento do homem que de Deus. À descoberta, decifração, tradução e anotação desse rico espólio de civilização e cultura, parcialmente esquecido ou confinado em conventos durante a Idade Média, seguiu-se o desejo de fazer ressuscitar o espírito da Antiguidade Greco-Latina. Tal estado de coisas, ligado aos acontecimentos históricos, bem como às novidades e às mudanças operadas ao longo desse tempo (descobertas científicas, invenções, o progresso no campo do saber filosófico, artístico e literário, a Reforma luterana, a Contrarreforma, etc.), veio a constituir o Renascimento.

As circunstâncias históricas e uma peculiar situação geográfica determinaram que o povo lusitano desempenhasse papel de relevo na evolução do Renascimento. Portugal, por intermédio de alguns estudiosos e, particularmente,

66 • A LITERATURA PORTUGUESA

graças aos descobrimentos marítimos, colaborou de modo direto e intenso no processo renascentista: letrados portugueses, como os irmãos Gouveia (André, Antônio, Diogo), Aquiles Estaço, Aires Barbosa e outros, disseminavam as novas ideias em universidades estrangeiras, entre elas a de Paris. Todavia, foi o alargamento do horizonte geográfico, com as suas consequências econômicas e políticas, que conferiu relevância histórica ao povo português, no período que corre desde os fins do século XV até meados do século XVI.

Com efeito, a descoberta do caminho marítimo para as Índias, empreendida em 1498 por Vasco da Gama, seguida pelo "achamento" do Brasil em 1500, cercou-se duma série de semelhantes e felizes cometimentos, que permitiram a Portugal gozar de momentânea mas intensa euforia, sobretudo enquanto reinou D. Manuel, entre 1495 e 1521: a conquista de Ormuz, em 1507, de Safim, em 1508, de Goa, em 1510, de Azamor, em 1513, a viagem de circum-navegação realizada por Fernão de Magalhães, em 1519-1520, etc. Sobrevém extraordinária prosperidade econômica: Lisboa transforma-se em centro comercial de primeira grandeza; na Corte, impera um luxo desmedido; a maioria da população acredita cegamente haver chegado Portugal a uma inalterável grandeza material.

Enfim, um quadro de ilusão coletiva, fruto de um otimismo ufanista, que aos poucos se vai atenuando, até à derrocada final em Alcácer-Quibir, em 1578, quando morre D. Sebastião e o exército português se dobra, fragorosamente vencido, à malícia e ao poderio da cavalaria sarracena. A atividade literária em Portugal reflete esse ambiente de exaltação épica e desafogo financeiro que cruza os decênios iniciais do século XVI, mas não deixa de refletir também o desalento dos lúcidos perante a dúbia e provisória hegemonia: a fala do Velho do Restelo e o epílogo de *Os Lusíadas* constituem índices do pensamento dominante no âmbito duma minoria cônscia do perigo que ameaçava a Pátria.

Foi no ímpeto revolucionário da Renascença, e como desenvolvimento natural do Humanismo, que o Classicismo se difundiu amplamente, por corresponder, no plano literário, ao geral e efêmero complexo de supremacia histórica. Ao teocentrismo medieval, que concentrava na transcendência religiosa todo o esforço de compreensão da vida, opõe-se uma concepção antropocêntrica do mundo, em que o "homem é a medida de todas as coisas", no redivivo dizer de Protágoras. Em lugar do teologismo de antes, entram em voga correntes de índole pagã, fruto duma sensação de pleno gozo da existência, provocada pela vitória do homem sobre a Natureza e seus "assombramentos": não mais a volúpia de *ascender* para as alturas, mas sim de *estender* o olhar até os confins da Terra. O saber concreto, "científico", voltado para a realidade material, tende a valorizar-se em detrimento do abstrato; notável avanço opera-se no campo das ciências experimentais; a mitologia greco-latina, despojada de significado religioso ou ético, passa a funcionar como símbolo ou ornamento. Em síntese o humano prevalece ao divino.

Em 1527, depois de ausente seis anos, Sá de Miranda regressa da Itália, onde convivera com estudiosos peninsulares impregnados das novas ideias, levando-as para Portugal. Introduziu, ou colaborou para que fossem difundidos, o verso decassílabo, o terceto, o soneto, a epístola, a elegia, a canção, a ode, a oitava, a égloga, a comédia clássica (escreveu *Os Estrangeiros* em 1526). Tornou-se o principal divulgador da estética clássica em Portugal, mas o papel de teórico do movimento caberia a Antônio Ferreira, mais adiante posto em destaque. Estando o solo preparado há muito tempo, pouco demorou para alcançar êxito o empenho de Sá de Miranda em transmitir aos confrades as novidades literárias de origem italiana. Desse modo, os ideais clássicos predominam em Portugal até à morte de Camões e à passagem de Portugal para o domínio espanhol, em 1580. Na verdade, tais ideais vigoraram, de algum modo, até o século XVIII, sob formas diversas, paralelas, quando não opostas, às tendências em moda, ou incongruentes.

A ESTÉTICA CLÁSSICA – O Classicismo consistia, antes de tudo, numa concepção de arte baseada na *imitação* ou *mimese* dos clássicos gregos e latinos, considerados modelos de suma perfeição estética. Imitar não significava copiar, mas, sim, a procura de criar obras de arte segundo as fórmulas, as medidas, empregadas pelos antigos. Daí a observância de *regras,* estabelecidas como suportes, leis ou pressupostos da obra literária, aceitas como verdades absolutas: os escritores não tinham mais que observá-las, acrescentando-lhes a força do talento pessoal. Conquanto fossem apriorísticas, não impediam o despertar e a manifestação das qualidades peculiares de cada um.

As demais características decorrem dessa obediência a regras e modelos preestabelecidos. A arte clássica é racionalista por excelência: "Haja a Razão

# 68 • A LITERATURA PORTUGUESA

lugar, seja entendida", como afirma Antônio Ferreira (*Carta X*, a D. Simão da Silveira). O racionalismo clássico não significa ausência de emoção e sentimento; apenas pressupõe que a Razão exerce sobre eles uma espécie de controle, de vigilância, a fim de evitar que tombem no exagero. Estabelece-se, ou deseja-se, um equilíbrio entre Razão e imaginação, com vistas a criar uma arte universal e impessoal. A universalidade e a impessoalidade implicavam, no entanto, uma concepção absolutista de arte: esta, deveria expressar verdades eternas e superiores, visando a aproximar-se dos arquétipos, ou seja, os modelos greco-latinos.

Daí que os clássicos renascentistas (a rigor, neoclássicos) procurassem a Beleza, o Bem e a Verdade, com maiúsculas iniciais, em virtude dessa concepção absolutista e idealista de arte. Embora não entendessem que a arte fosse utilitariamente empregada para fins de instrução moral, – o que seria rebaixar-lhe a categoria, estavam longe de aceitar a "arte pela arte" ao modo parnasiano (fins do século XIX). Um alto objetivo ético, o do aperfeiçoamento do homem na contemplação das paixões humanas postas em arte (a *catarse* dos gregos), tendo em mira o Belo, o Bem e a Verdade – é o que tencionavam alcançar com as suas obras.

Isso tudo pressupunha conferir superior papel ao intelecto na compreensão do Cosmos: o clássico quer-se intelectual antes de sensitivo, com a inteligência voltada para fora de si, para o Cosmos, e não para dentro, na sondagem do próprio "eu". O clássico procura entender a harmonia do Universo, e dela participar, utilizando o único meio possível para isso, a Razão ou a inteligência. É a estética do Cosmos, em contraposição à dos românticos, que, como se verá na altura própria, defendiam uma arte que lhes exprimisse o microcosmos, o "eu" interior.

Constitui natural corolário o culto extremado da forma: os clássicos são formalistas, no duplo sentido de aceitarem os modelos preestabelecidos e de valorizarem a suprema perfeição formal em prosa e em poesia: logicidade na ordenação do pensamento, limpeza e vernaculidade gramatical, rigor no que diz respeito à cadência, à cesura, à estrofação, à ordem interna do poema, etc. Imitam-se os torneios sintáticos dos antigos, mas sem perder de vista o caráter próprio da Língua: numa espécie de "defesa e ilustração da Língua Portuguesa", os clássicos preconizam ardorosamente a pureza da linguagem. Como diz Antônio Ferreira, na *Carta III,* a Pêro de Andrade Caminha:

"Floresça, fale, cante, ouça-se, e viva
A Portuguesa língua, e já onde for
Senhora vá de si soberba, e altiva"

Para melhor compreensão da época clássica em Portugal, é preciso levar em conta que, em paralelo com a cultura europeia do tempo, o ideário medieval não foi totalmente abandonado. Ao contrário, a sua presença se faz sentir de modo patente, lado a lado com as novas ideias: o século XVI português constitui época bifronte, justamente pela coexistência, e não raro interinfluência, das duas formas de cultura, a medieval e a clássica. Do ângulo da expressão poética, a primeira seria a "medida velha", e a segunda, a "medida nova". Tal dicotomia, lugar-comum nos escritores quinhentistas portugueses, é indispensável à compreensão das aparentes ambivalências de sua proposta estética.

Explica-se a dualidade quinhentista do seguinte modo: para alguns homens, moldados conforme os padrões medievais ainda vigentes, não era fácil aceitar de pronto e integralmente a nova moda. Em consequência, só lhes restava a tentativa de assimilar o novo ao velho, formando um rosto de dupla face: uma, voltada para o passado medieval, a outra, para a antiguidade clássica, fundindo-a com a atmosfera trazida pelas descobertas e pelas invenções. De outro modo, não se compreende como a novela de cavalaria, medieval por excelência, tenha alcançado o ápice e tivesse sido cultivada com apaixonante interesse precisamente no século XVI.

Mais ainda: as notas medievais quinhentistas contêm um impulso que se tornará presente, subterraneamente ou não, ao longo de toda a Literatura Portuguesa, cruzando os séculos e fazendo-se tradição. Ao correr das épocas e períodos literários, o lirismo tradicional, caracterizado por ser popular, sentimental e individualista, dialogará sempre com as novas modas, e sobreviverá: a própria força da terra portuguesa, chamando os escritores para o seu convívio, explica a permanência desse remoto lirismo no curso dos séculos.

As novas formas literárias introduzidas pelo Classicismo logo foram absorvidas, entre outras razões porque, sendo notadamente poéticas, vinham corresponder às mais íntimas preocupações do português letrado dessa época. Ao mesmo tempo, acusam a tendência segundo a qual as formulações poéticas são fácil e espontaneamente assimiladas pelo português, ao passo que as novi-

# 70 • A LITERATURA PORTUGUESA

dades da prosa romanesca custam a deitar raízes fundas e produzir obras de relevante sentido.

Compreende-se, assim, por que a época do Classicismo apresenta um grupo notável de poetas, encimado por Luís Vaz de Camões, e que a poesia se coloque à frente das outras manifestações literárias coevas, não obstante estas, em sua específica área de ação e interesse, hajam atingido por vezes nível de primeira grandeza. Aliás, diga-se de passagem, os teóricos antigos (especialmente Aristóteles, com a *Poética,* e Horácio, com a *Epístola aos Pisões)* e seus comentadores ou seguidores quinhentistas autorizavam e estimulavam o ardor posto na criação de poesia.

Decorre disso que o Classicismo português principia e termina com um poeta: Sá de Miranda e Camões. Numa visão de conjunto, este último é o grande poeta, enquanto os demais se colocam em plano inferior, naturalmente ofuscados pelo seu brilho. A explicação do fato reside na circunstância de serem poetas de menor talento e de haverem tomado ao pé da letra os postulados clássicos. Imitaram, copiaram, parafrasearam os antigos, não raro friamente, sem acrescentar-lhes novidades nascidas da experiência ou dos recursos pessoais, sensibilidade, inteligência, etc. Faltava-lhes o sopro que, animando o perfilhamento dos axiomas estéticos, sugere a criação de obras originais.

Os seus textos reduzem-se, com frequência, a exercícios de *arte* (técnica poética), a que está faltando o *engenho* (inspiração, talento): a reunião de ambos resulta bem, mas a arte, sem o engenho, consiste no trabalho artesanal destituído de inspiração ou talento. De passagem, recordemos que Camões esperava contar com a sua ajuda, como diz no prólogo de *Os Lusíadas*:

> "Cantando espalharei por toda parte,
> Se a tanto me ajudar engenho e arte"

pois não ignorava que os dois requisitos devem estar inextricavelmente associados para que vingue o intento poético. Os poetas menores do tempo, os chamados epígonos, agarraram-se às regras clássicas como se bastasse conhecê-las e aplicá-las para criar arte. Não compreendiam que os cânones deviam ser usados como meio de expressão de sua mundividência (necessariamente existente na base de todo artista, pequeno ou grande), e não como válidos por si próprios.

MANEIRISMO – Quando Camões entra em cena com todo o fulgor do seu gênio poético, já ia alto o sol clássico, apontando para uma mudança de rumo que veio a constituir o que, mais tarde, se convencionou chamar de Maneirismo: tendência intervalar, entre o modelo clássico e a estética barroca, perduraria até o início do século XVII. Os primeiros sinais dessa metamorfose podem ser vistos na emergência da fantasia, da imaginação, como faculdade relevante na criação literária, e "a crescente importância atribuída aos *afetos*", tendo em vista deleitar e comover, como pedia o velho ensinamento de Horácio, "pelo patético" (Aníbal Pinto de Castro 1973).

Daí que o seu cultivo passasse a ser entendido como afetação, ou seja, uma *maniera*, vocábulo italiano em uso no século XVI, entre os cultores das artes plásticas, como sinônimo de "estilo". O designativo "maneirismo", que dele provém, teria sido inventado no século XVII, pelo historiador italiano Luigi Lanzi, para designar a nova corrente híbrida da segunda metade do Quinhentismo. E da palavra original decorre não só "maneira", mas ainda os termos que gravitam ao redor da ideia de "afetação", como "amaneirado" e "amaneiramento". Ainda que escape, como todas as correntes intervalares, a uma configuração plena e decisiva, o Maneirismo pode ser entendido como a estética que busca unir os extremos, representados pelos padrões clássicos ainda vigentes e pelos anúncios de transição no rumo da estética barroca.

Período de crise, caracteriza-se pela tensão "entre classicismo e anticlassicismo, naturalismo e formalismo, racionalismo e irracionalismo, sensualismo e espiritualismo, tradicionalismo e inovação, convencionalismo e revolta contra o conformismo". Concebe o mundo como labirinto, distingue a dissimulação como princípio condutor da arte, enaltece o formalismo, o artificialismo, o difícil, o obscuro, o oculto, situados nas vizinhanças da magia e dos reptos místicos. Dando as costas à Natureza, os seus adeptos acreditam que o diálogo deva ser travado com outros artistas, de modo a desenvolver-se como um estilo que se nutre de outros estilos, um espetáculo somente acessível a iniciados. Para se converter na estética do paradoxo é um passo e, na sua cola, erige-se como estética do ornamento, do individualismo, do fragmento, da "falta de senso de proporção, unidade e ordem"; "a essência das coisas tornou-se instável e inconstante, e tudo se encontra em estado de fluxo e mutação perpétua", com "a mistura do real e do irreal, a predileção pelos contrastes marcantes e pelas contradições insolúveis, e o gosto pelo difícil e paradoxal" (Hocke 1974; Hauser 1976).

72 • A LITERATURA PORTUGUESA

Os críticos portugueses que se interessaram pela vertente maneirista, embora possam concordar em que a poesia de Camões é um dos mais altos exemplos dessa estética paradoxal, divergem quanto aos autores que nela se enquadram, chegando alguns a relacionar uma série de nomes quinhentistas, entre os quais incluem Pêro de Andrade Caminha, e cujo mais distante aficionado seria D. Francisco Manuel de Melo, já em plena época barroca.

# LUÍS VAZ DE CAMÕES

Pouco se conhece da vida de Luís Vaz de Camões. Teria nascido em 1524 ou 1525, talvez em Lisboa, Alenquer, Coimbra ou Santarém. Entroncado numa possível família aristocrática da Galiza, teria tido acesso à vida palaciana durante a juventude, da qual recebera estímulos para sua formação intelectual. Nesses anos, talvez acompanhasse algum curso escolar. Homero, Horácio, Virgílio, Ovídio, Petrarca, Boscán, Garcilaso constituem alguns dos seus autores preferidos. Talentoso e culto, naturalmente provocaria paixão em damas da Corte, dentre as quais a Infanta D. Maria, filha de D. Manuel e irmã de D. João III, e, sobretudo, D. Catarina de Ataíde. Por causa desses amores proibidos, é "desterrado" algum tempo para longe da Corte, até que resolve "exilar-se" em Ceuta (1549), como soldado raso. Perde um olho, e regressa a Lisboa. Em 1552, na procissão de *Corpus Christi,* fere Gonçalo Borges, servidor do Paço. Preso, logo mais é liberto sob a condição de engajar-se no serviço militar ultramarino.

Com efeito, em fins de 1553, chega às Índias. Em 1556, dá baixa, e é nomeado "provedor mor dos bens de defuntos e ausentes", em Macau. Ali, teria escrito parte de *Os Lusíadas.* Acusado de prevaricação, vai a Goa defender-se, mas naufraga na foz do rio Mecon: salva-se a nado, levando *Os Lusíadas,* como quer a lenda, e perdendo a sua companheira, Dinamene. Finalmente, chega a Goa, é encarcerado e solto pouco depois. Está-se em 1563. Quatro anos depois, em Moçambique, dá outra vez com os costados na cadeia por causa de dívidas. Posto em liberdade, arrasta uma vida miserável, até que Diogo do Couto o encontra e se empenha em recambiá-lo para a Pátria, aonde chega a 23 de abril de 1569. Em 1572, publica *Os Lusíadas* e recebe como recompensa uma pensão anual de 15 000 réis, que, porém, não o tira da miséria em que vive até o fim. Morre pobre e abandonado, a 10 de junho de 1580.

Escreveu teatro ao modo vicentino (*Auto de Filodemo* e *El-Rei Seleuco*) e ao clássico (*Anfitriões*), mas sem alcançar maior nível, relativamente à sua poesia e aos comediógrafos do tempo. A sua correspondência encerra valor biográfico ou histórico-literário.

Camões é grande, dentro e fora dos quadros literários portugueses, por sua poesia. Esta, divide-se em duas maneiras fundamentais, conforme as tendências predominantes ou em choque no século XVI: de um lado, a maneira medieval, tradicional, a "medida velha", expressa nas redondilhas; de outro, a maneira clássica, renascentista, a "medida nova", subdividida em lírica, vazada em sonetos, odes, elegias, canções, églogas, sextinas e oitavas, e em épica (*Os Lusíadas*, 1572).

Tendo permanecido viva, no decorrer do século XVI, a poesia medieval de cunho popularesco ou folclórico, o lirismo tradicional exprime-se notadamente em redondilhas (nome genérico dos poemas formados do verso *redondilho maior,* isto é, de sete sílabas, ou *redondilho menor,* de cinco sílabas). Camões empresta ao velho popularismo ingênuo, o das cantigas de amigo, dimensões mais vastas, fruto de suas experiências pessoais e do singular talento que possui. Ultrapassando as limitações formais das redondilhas, insufla-lhes uma problemática nova, que o exemplo da poesia amorosa de Petrarca e do *Cancioneiro Geral de Garcia de Resende,* estruturada sobre antíteses e paradoxos, ajuda a compreender.

Daí resultam quadros de aliciante beleza em torno de cenas da vida diária, protagonizadas, não raro, por alguma mulher do povo, a quem o poeta conheceria muito de perto. Quase que apenas compostas para durar o tempo de sua enunciação murmurante, essas redondilhas deixam no ar uma sonoridade e uma "atmosfera" que perduram indefinidamente, como ressonância dentro dum búzio. É o caso, por exemplo, da obra-prima, em matéria de redondilha, que tem por mote o seguinte terceto:

> "Descalça vai pera a fonte
> Lianor pela verdura;
> Vai fermosa, e não segura"

Quando não, uma gravidade tensa, dramática, ocupa o lugar dessa jovialidade distendida, manifesto duma alegria de viver meio pagã. É o caso de "Sôbolos

74 • A LITERATURA PORTUGUESA

rios que vão", ou "Babel e Sião": numa solenidade quase litúrgica, trágica, o poeta plasma em versos, cujo ritmo vai num crescendo sufocante, toda a angustiosa escalada para o plano das transcendências. Seguindo na esteira de Platão, o poeta considera-se "caído" no plano humano, o mundo "sensível", esmagado pelas "reminiscências" do mundo "inteligível", onde moram as "ideias", a verdadeira realidade, de que as coisas deste mundo são apenas lembranças ou sombras.

Para alcançar o seu desígnio, Camões apela para o auxílio da Graça, "que dá saúde" (salvação), mas o seu Deus não deve ser confundido com o Deus do Catolicismo. Tratar-se-ia duma espécie de "para além do Bem e do Mal", síntese dum absoluto estético-filosófico-religioso, atingido ou atingível em uníssono pela inteligência e pela sensibilidade, sem qualquer mediação preestabelecida (isto é, religiões, sistemas filosóficos ou estéticos). Chegado a esse ponto, Camões transitava da poesia tradicional para a clássica.

As excepcionais faculdades criativas de Camões encontram plena realização na poesia de inspiração clássica. De certa forma, Camões seria clássico mesmo sem que existisse o Classicismo; por isso, aderiu vivamente à nova moda (e superou-a em mais de um aspecto, com isso tornando-se um poeta de permanente valia e precursor da poesia barroca), visto ela conter meios de alcançar resposta às suas inquietantes interrogações de homem culto e ultrassensível, vivendo uma quadra de profunda crise na história da cultura ocidental.

Nasce daí uma poesia que espelha a confissão duma tormentosa vida interior, repassada de paradoxos e incertezas, a reflexão em torno dos magnos problemas que lhe assolavam o espírito, não só provocados por suas vivências pessoais, mas também pela tomada de consciência dum desconcerto universal em que todos os seres humanos estivessem imersos.

Convocando saber, experiência, imaginação, memória, razão, sensibilidade e tudo o mais que lhe confere a romântica aura de gênio e de "maldito" (pela vida desgraçada que levou e o quanto sofreu na carne o drama da condição humana), Camões entra a sondar o sombrio mundo do "eu", da mulher, da Pátria, da vida e de Deus. É uma ascensão, ou descensão: o poeta penetra num labirinto, descortinado pela sondagem no próprio "eu", marcada por estágios de angústia crescente, à medida que progride a viagem interior.

De onde o tom permanente de dor, mas de dor cósmica, no sentido em que é mais do que o sofrimento individual do poeta, é o universal ecoando nele e nele encontrando meio de expressão. Por conseguinte, o resultado dessa incursão nos escaninhos da alma consiste numa confissão ou autobiografia moral, assinalada pela "ânsia de infinito".

Assim, à proporção que avança em sua peregrinação interior, o poeta vai desintegrando o próprio "eu" a fim de erguer o retrato do "Eu", ou do "Nós", composto da soma de todos os "eus" alheios que lhe ficaram impressos na inteligência e na sensibilidade. Serve de exemplo a canção "Junto de um seco, fero e estéril monte", obra-prima de autoanálise realizada num plano de vastidão cósmica. Dessa perquirição no "eu" nasce a dúvida em que se debate Camões: *ser* e *não ser*. O dilema, que mais adiante se universaliza na figura simbólica de Hamlet, já se revela em Camões, como obsessiva e nuclear questão. No terreno amoroso, o conflito atroz faz que o poeta abstraia a mulher, ou as mulheres, em favor da Mulher.

Partindo das várias criaturas que amou, Camões pinta, com o auxílio da Razão, o retrato da Mulher, formado da reunião de todas e de nenhuma em particular, porque subordinado a um ideal de beleza perene e universal. Adotando uma concepção racionalista e platônica da bem-amada, ama a mulher não por ela própria mas por encontrar nela refletido o sentimento do Amor em grau absoluto; amor do Amor, e não do ser que o inspirou. Amor, portanto, mais pensado que sentido, ou, ao menos, submetido ao crivo da Razão.

O poeta procura conhecer, conceituar o Amor, o que só consegue realizar lançando mão de antíteses e paradoxos (cf. o soneto "Amor é fogo que arde sem se ver"). Mas pensá-lo é sofrê-lo duplamente; de onde a dualidade em que imerge o poeta, expressa, de um lado, pelo sentimento do bem perdido que não mais se alcança e, por isso, mais desejado e, de outro, pela presença da morte, revelando o plano transcendente para onde emigrou a bem-amada, deixando-o sentir-se "bicho da terra, tão pequeno". O conhecido soneto a Dinamene é exemplo típico desse idealismo amoroso de base racionalista:

"Alma minha gentil, que partiste
Tão cedo desta vida, descontente
Repousa lá no Céu eternamente
E viva eu cá na terra sempre triste.

Se lá no assento etéreo, onde subiste,
Memória desta vida se consente,

Não te esqueças daquele amor ardente
Que já nos olhos meus tão puro viste.

E se vires que pode merecer-te
Alguma cousa a dor que me ficou
Da má mágoa, sem remédio, de perder-te,

Roga a Deus, que teus anos encurtou,
Que tão cedo de cá me leve a ver-te,
Quão cedo de meus olhos te levou"

A dicotomia interna da poesia lírico-amorosa camoniana resolve-se numa espécie de contraditória *esperança,* porquanto só lhe resta a morte como refrigério à dor provocada pela ausência da mulher. À longa e dramática meditação acerca dos mistérios do Amor, Camões acrescenta idêntica reflexão a propósito da condição humana. A vida, tema muito mais vasto que o da mulher e o amor, é que agora lhe interessa. Para tanto, somente conta com o recurso da auto-sondagem, pois em si encontra a súmula da tragédia humana espalhada pelos quatro cantos do mundo. E à proporção que aprofunda a análise, vai reparando que uma espécie de fatalismo, o "fado", o impede mesmo de recorrer ao desespero. A mente debate-se num mar de paradoxos e pensamentos desencontrados, e não pode interromper o processo nem com a ajuda do desalento, pois "que até desesperar se (lhe) defende". Então onde a salvação? Na morte?:

"Não cuide o pensamento
Que pode achar na morte
O que não pôde achar tão longa vida"

Aí o núcleo da poesia reflexiva de Camões: a vida não tem razão de ser, e descobri-lo e pensá-lo é inútil, além de perigoso, uma vez que acentua a consciência da irremediável miséria inerente à condição humana. O poeta vive num beco sem saída, e só lhe resta submeter-se ao desespero e viver conscientemente a dor de pensar, ou alçar voo para outras regiões, transmigrando para longínquos horizontes a sua angústia existencial: a Pátria é o passo seguinte, de que nascem *Os Lusíadas,* e depois Deus, ou a razão primeira e última da sem-razão da vida, e fonte dum consolo inacessível ao poeta enquanto estiver enclausurado no plano sensível.

Essa poesia de reflexão, que é também de confissão no mais alto sentido da palavra, exprime-se notadamente nos poemas longos, em especial as canções, como, dentre outras, "A Instabilidade da Fortuna", "Junto de um seco, fero e estéril monte", "Manda-me Amor que cante docemente". Identificado com a melhor tendência cultural do tempo, Camões confessa, ao longo de sua torturada reflexão, um pronunciado amor e respeito pelo Homem, o que confere a tal espécie de poesia indiscutível permanência.

*Os Lusíadas* representam a faceta épica da poesia camoniana. Publicaram-se em 1572, em duas edições simultâneas, uma delas falsa, a que traz o pelicano do frontispício voltado para a direita do leitor. Considerada o "Poema da Raça", "Bíblia da Nacionalidade", etc., a epopeia teve o condão de constituir feliz retrato da visão de mundo própria dos quinhentistas portugueses, e, ao mesmo tempo, sincera e comovida reportagem do momento em que Portugal atingia o ápice de sua progressão histórica.

O poema tem como núcleo narrativo a viagem empreendida por Vasco da Gama a fim de estabelecer contacto marítimo com as Índias (a frota portuguesa levantou âncora a 8 de julho de 1497, e arribou a Calicut, fim da viagem, a 24 de maio de 1498).

Contém 10 cantos, 1102 estrofes ou estâncias e, portanto, 8816 versos; as estâncias estão organizadas em oitava-rima (compõem-se de oito versos com o seguinte esquema rímico: abababcc); os versos são decassílabos heroicos (com cesura na 2ª sílaba, ou 3ª, ou 4ª, na 6ª e na 10ª).

Divide-se em três partes: 1ª, *Introdução* (18 primeiras estâncias), subdividida em *Proposição* (estâncias 1-3): o poeta se propõe a cantar as façanhas das "armas e os barões assinalados", isto é, os feitos bélicos de homens ilustres (barões, varões); *Invocação* (estâncias 4-5): o poeta invoca as Tágides, musas do rio Tejo; *Oferecimento* (estâncias 6-18): o poema é dedicado a D. Sebastião, a cujas expensas se deve a sua publicação; 2ª, *Narração* (Canto I, estância 19 – Canto X, estância 144); 3ª, *Epílogo* (Canto X, estâncias 145-156).

Quando a ação do poema começa (estância 19), as naus estão navegando em pleno Oceano Índico, a meio da viagem. Enquanto isso, no Olimpo reúnem-se os deuses em concílio, a deliberar acerca dos navegantes. De um lado, Júpiter, que lhes é favorável; de outro lado, Baco, defendendo posição contrária. Com a

78 • A LITERATURA PORTUGUESA

adesão de Vênus e Marte a Júpiter, o concílio desfaz-se a bem dos navegantes. Chegam a Moçambique; Vasco da Gama desce à terra; Baco prepara-lhe uma cilada, mas o comandante da frota triunfa e segue viagem. Chegada a Mombaça; não atraca, graças à ajuda de Vênus, que percebera outra armadilha de Baco. Indignada, reclama a Júpiter maior proteção aos portugueses, e consegue-a.

Chegada a Melinde, onde são magnificamente recebidos. O Rei de Melinde vem a bordo e pede ao Gama que lhe conte a história de Portugal. O Gama descreve a Europa e inicia o relato desde Luso, fundador da Lusitânia, passa por D. Henrique de Borgonha, e prossegue com uma série de episódios históricos: o de Egas Moniz, Inês de Castro, a batalha de Ourique, a batalha do Salado, a batalha de Aljubarrota, a tomada de Ceuta, o sonho profético de D. Manuel, os aprestos da viagem, a fala do Velho do Restelo e a largada. A seguir, o Gama narra a primeira parte da viagem, detendo-se nas peripécias mais palpitantes: o fogo de Santelmo, a tromba marinha, a aventura de Veloso, o episódio do Gigante Adamastor, chegada a Melinde.

Partida. Baco desce ao fundo do mar para incitar os deuses marinhos contra a frota. Éolo, deus dos ventos, decide soltá-los. Enquanto dura a calmaria, conta-se o caso dos "doze da Inglaterra". Desata pavorosa tempestade, mas Vênus envia as ninfas amorosas para abrandar o furor dos ventos.

Cessada a tormenta, chegam a Calecut. O Gama desembarca e é recepcionado pelo Samorim. Enquanto isso, Paulo da Gama recebe o Catual a bordo da nau capitânia, a quem comunica o significado das figuras desenhadas nas bandeiras; uma última tentativa de Baco é desfeita.

Regresso à Pátria. Chegada à Ilha dos Amores, onde os navegantes são favorecidos pelas ninfas em recompensa do heroico feito. Depois do banquete, Tethys conduz Vasco da Gama ao ponto mais alto da ilha e desvenda-lhe a "máquina do mundo" e o futuro glorioso dos portugueses. Partida. Chegada a Portugal.

*Os Lusíadas* representam, com rara fidelidade e alto nível ideativo, o espírito novo trazido pela Renascença, de modo tal que as suas características marcantes resultam em ser um tanto heterodoxas quando postas em face da epopeia clássica (*Odisseia* e *Ilíada,* de Homero, e *Eneida,* de Virgílio). A começar do herói, que não é Vasco da Gama, salvo como porta-voz dos que levaram a cabo a ousada empresa, ou símbolo do povo português em sua temerária arremetida contra os mares, no encalço de amplos horizontes geográficos e humanos. Os navegantes como uma unidade, ou mesmo Portugal

CLASSICISMO • 79

como terra eleita de "armas e barões assinalados", é que representam o papel de herói no poema.

Mais ainda: a viagem às Índias carecia de força dramática, como episódio histórico e motivação literária, para justificar por si só uma epopeia de tão alto sentido e intenção. Além de ser então muito recente para se tornar mito (condição básica da epopeia), não ostentava o porte heroico requerido neste caso, isto é, faltava-lhe instituir-se num cometimento que, transcendendo o plano humano, se aproximasse do divino (o herói clássico resultava do consórcio entre um deus e uma mortal: daí o seu caráter de semideus, e as façanhas sobrenaturais que operava; o seu flanco humano revelava-se numa imperfeição, como o calcanhar de aquiles). Só assim a viagem poderia ser admitida como base da obra-padrão do povo português.

Na verdade, o poeta viu-se obrigado a colocar mais ênfase naquilo que era excrescente ou marginal ao eixo central da epopeia, como se pode observar na fisionomia de alguns episódios fundamentais: a Ilha dos Amores, os Doze de Inglaterra, Inês de Castro, o Gigante Adamastor, a fala do Velho do Restelo. Tais inovações, e outras que se lhes poderiam juntar, significam a edificação duma epopeia renascentista, moderna, desobediente aos ensinamentos dos antigos ("Cessem do sábio grego e do troiano / As navegações grandes que fizeram,") e inclinada a espelhar a nova idade do homem.

Eis por que se apresenta marcada de contradições e dualidades, como, por exemplo, a coexistência do *maravilhoso* (intervenção de seres sobrenaturais no poema) pagão e do cristão, quando seria de esperar que o segundo predominasse. Tal dualismo, como sabemos, é francamente renascentista. Outro exemplo dentro da mesma tendência: poema de exaltação patriótica, verdadeiro hino de ufania, como a Proposição declara, *Os Lusíadas* deveriam manter-se coerentes até o fim, mas não é o que acontece, visto o Epílogo conter uma nota depressiva e melancólica. O poeta dá-se conta de que tem a lira

"destemperada e a voz enrouquecida,
E não do canto, mas de ver que venho
Cantar a gente surda e endurecida"

O Epílogo da epopeia camoniana traduz o instante em que o vate se dá conta de que vinha de cantar um povo tristemente inebriado com as glórias

# 80 • A LITERATURA PORTUGUESA

conquistadas no ultramar, de modo a transformar as estâncias finais numa desalentada confissão de visionário alquebrado pelo panorama decadente da Pátria. Essa nota pessoal do Epílogo, identificando o poeta ao seu povo de uma forma altamente profética, contrapõe-se ao caráter "objetivo", histórico, coletivo, da poesia épica. Em poucas palavras: estamos diante duma escancarada atitude subjetiva, como se o poeta desabafasse os seus conflitos íntimos no momento em que chegava ao fim de uma trágico processo histórico, representado pela simultaneidade patente entre a sua desventurada existência num longo desterro e os anos mal-afortunados vividos pela Pátria após o período de grandeza delirante nas primeiras décadas do século XVI.

Por fim: ao longo de todo o poema, percebe-se a presença de Camões, diluída, indireta, dramática (isto é, transferindo para os protagonistas da ação os seus próprios sentimentos e frustrações), mas plena de verossimilhança subjetiva e particular. Assim se explica que tenha posto o máximo de inspiração poética nos episódios líricos (Inês de Castro, a Ilha dos Amores, o Gigante Adamastor, os Doze de Inglaterra, apenas para citar os principais): continham não a verdade própria do achamento dum caminho marítimo às Índias, mas a *sua* verdade mais íntima, de homem e de poeta.

Contradizendo o caráter narrativo, heroico-guerreiro do poema, os momentos líricos constituem o que há de melhor, esteticamente, em Os Lusíadas. Sabe-se que os interlúdios líricos são comuns às epopeias clássicas, mas é preciso considerar que eram obra do herói ou heróis, e não das personagens secundárias à fabulação central do poema, como ocorre no caso camoniano. Basta ver que é no episódio da ilha dos Amores que os navegantes – protagonistas da heroica empresa – ganham o seu quinhão de experiência amorosa, e, ainda assim, transfigurada pelo halo mítico que envolve o contato com as ninfas que habitavam uma ilha imaginária.

Tudo isso, já o dissemos, constitui uma epopeia renascentista, moderna. E é dentro desse caráter que devemos compreender Os Lusíadas, a fim de evitar que reduzamos o alcance do poema ao mero gozo estético oferecido por esses episódios líricos. Simbolizando a conquista dos mares pelo navegante português, representa igualmente o domínio pelo homem novo, da Renascença, sobre os elementos da Natureza. Numa época de sulcado antropocentrismo, é imensurável o significado dum poema que fixa um dos raros momentos em que o homem experimenta com êxito a magnitude de sua força física e moral num embate de proporções cósmicas.

Neste sentido, a obra ultrapassa o século XVI, e adquire valor universal e perene, pois contém a imagem do homem de sempre, ansioso de conquistas novas que lhe deem a impressão de superar a certeza da própria pequenez, dependência e efemeridade, identificada com a sensação ao mesmo tempo de angústia e de assombro, que acompanha o ato de contemplar os múltiplos e variados aspectos da natureza oriental e contracenar com os povos que ali viviam. Daí não estranhar que Camões, pela representação universal do seu pensamento, fruto de um singular poder de transfiguração poética, típica do visionário e do gênio, seja considerado um dos maiores poetas de todos os tempos.

## SÁ DE MIRANDA

Francisco Sá de Miranda nasceu em Coimbra, no ano de 1481, e faleceu na Quinta da Tapada, província do Minho, em 1558. Formou-se em Leis, mas preferiu dedicar-se aos trabalhos literários. Em 1521, viajou para a Itália, vivendo em Roma e outras cidades italianas, onde se deixou impregnar dos ideais clássicos ali dominantes. De regresso a Coimbra, em 1527, pôs-se a divulgar o cânone clássico. Com o casamento, pouco tempo depois, recolheu-se à Quinta da Tapada, entregue inteiramente à sua obra poética, até o fim dos dias. As suas *Obras* foram editadas inicialmente em 1595; e uma nova edição, com acréscimos, veio à luz em 1614. Carolina Michaëlis de Vasconcelos preparou uma edição crítica, publicada em 1885, edição essa reproduzida em fac-símile no ano de 1989.

Apesar do empenho em favor da estética clássica, ou "medida nova", Sá de Miranda também cultivou a poesia à maneira antiga, mais precisamente à século XV, a chamada "medida velha", numa bipolaridade que também seria praticada por outros poetas do tempo, inclusive Camões, de certo modo espelhando o quadro cultural do Renascimento, oscilante entre os vestígios medievais e os valores da Antiguidade greco-latina.

Entretanto, as suas trovas, cantigas, vilancetes, em vernáculo e em língua castelhana, sob a influência de Jorge Manrique, já transpiravam as qualidades e as características que o realçariam no cenário da poesia quinhentista em Portugal. Essa dualidade fica evidente no uso do paradoxo e da antítese, em torno

82 • A LITERATURA PORTUGUESA

do amor e dos graves problemas existenciais, centrados na desconfortável sensação da passagem fugaz das horas ("Tudo passa como um vento"), numa tensão permanente entre contrários desavindos, que ora lhe inspiram a conhecida trova iniciada pela seguinte quadra:

"Comigo me desavim,
sou posto em todo perigo;
não posso viver comigo
nem posso fugir de mim"

ora lhe ditam os seguintes versos, em que a angústia existencial se manifesta como experiência viva, de que o poeta, dando mostras de ser uma das vozes mais sonoras do seu tempo, extrai um lirismo de superior inventividade:

"A minha alma não repousa
nem de noite, nem de dia;
dentro nela contraria
toda cousa e toda cousa;
o cuidado, que mais ousa
e que mais confia em si,
ora é assi, e ora assi"

A aparente dissociação entre estruturas tradicionais e uma problemática nova, decorrente da renascença do gosto clássico, atenua-se quando Sá de Miranda adota a clave que ajudou a disseminar em Portugal. Ao início, é a poesia bucólica que serve de cenário para as suas incursões, conduzido pelos mesmos componentes dicotômicos já observados na "medida velha": as églogas, como "Alexo", "Célia", "Nemoroso", "Encantamento", "Epitalâmio Pastoril", "Montano", dentre as quais se destaca "Basto", porventura a sua obra-prima no gênero, estão impregnadas de reflexão doutrinária, suscitada pelas questões éticas ou pelo sentimento amoroso, não raro em forma de binômios formados pela saudade, os apelos do coração e os ditames da Razão.

A inquietante dicotomia, composta pelos vestígios medievais, em especial a musicalidade cantante e sentimental, e pela faceta clássica da sua formação, regida por princípios que o convívio diuturno com os mestres antigos e a Razão comandam e engendram, não é exclusividade sua, mas também do ambiente social à sua volta, como se o "eu" do poeta e o mundo renascente constituíssem espelhos paralelos:

"emudece a fantasia
ver tanta contradição;
perde a verdade a valia,
anda corrida a razão"

Como a tirar uma ilação desse quadro dissonante, diz ele: "este mundo é tal / que é melhor cá nos desertos / sofrer e calar o mal / que descobrir os secretos deste nosso Portugal". A escolha da Quinta da Tapada como refúgio em que pudesse devotar-se tranquilamente às lides poéticas parece uma coerente opção e, de resto, a única alternativa oferecida pelo panorama que o poeta divisava ao redor e dentro de si: o desconcerto universal.

A estrutura formal em que melhor vaza esse conflito, num jogo dialético incessante, jamais resolvido, é o soneto, que ajudara a difundir em Portugal. Com os olhos postos no modelo de Petrarca, que emprestara grandeza à novidade descoberta na Idade Média italiana, e no magistério de Horácio, buscaria decerto uma conciliação quase impossível entre as tendências estéticas que um e outro representavam. Focalizando o tema do amor, exercita uma casuística que revela um clima de refrega sem descanso: o

"desarrezoado amor, dentro em meu peito,
tem guerra com a razão. [...]
Não espera razões, tudo é despeito, tudo soberba e força [...]
Doutra parte, a Razão tempos espia,
espia ocasiões de tarde em tarde,
que ajunta o tempo"

Não estranha que se volte para temas mitológicos, à semelhança da trágica história de Leandro e Hero, e para as fontes clássicas da filosofia, dentre as quais ressalta a melancolia banhada pelas águas de Heráclito, fruto de uma identificação de raiz, como evidencia o soneto justamente célebre, em que a inspiração alcança os níveis mais altos a que subira o lirismo quinhentista: "O

# 84 • A LITERATURA PORTUGUESA

sol é grande, caem co'a calma as aves". Imerso numa "clara locura", como diz num soneto em Espanhol, sentindo que estava com o "siso abalado", não dissimula a lancinante nostalgia de um tempo imemorial em que teria ocorrido o milagre do equilíbrio entre o Amor, como o sentimento humano mais complexo e mais fundo, e a Razão, logo convertida em funda melancolia.

A elegia torna-se o meio expressivo mais adequado para comunicar esse estado de espírito melancólico, resultante da escassa valia da Razão, ou do siso, quando em face das "grandezas do Amor". Vendo-se sujeito ao "cruel fado", avassalado pela certeza de ser o "mundo, tudo vento e tudo enganos", somente lhe resta o estoicismo, a resistência a um mal sem remédio, como lhe ensina a visão da Natureza – "Muda o tempo costume, muda as leis / humanas, está firme o natural", – e o regresso à sabedoria dos Antigos: "a fortaleza louvada / anda em braços com a prudência" e "põe-na avante a experiência", pois que "tudo sem governo é nada [...]; todo o mal jaz nos extremos, / o bem todo jaz no meio". Em suma:

> "Homem dum só parecer,
> dum só rosto e duma fé,
> d'antes quebrar que volver,
> outra cousa pode ser,
> mas de corte homem não é"

senhor de uma rara integridade moral, governado por um entendimento das coisas e um talento poético que o distinguem como mestre e guia dos outros poetas quinhentistas. E também servido por um aforismo de onde extrai o claro pensamento inscrito na sua alta voltagem lírica – "quem muito sabe duvida", – no qual se diria esboçar-se a dúvida metódica que faria de Descartes um divisor de águas na história do pensamento filosófico.

Coerente como pensador e poeta, Sá de Miranda ainda cultivou o teatro, não na linha de Gil Vicente, senão de Plauto e Terêncio. Escreveu duas comédias, *Os Estrangeiros* e *Os Vilhalpandos,* a primeira das quais abre com as seguintes palavras: "A comédia qual é, tal vai, aldeã e mal ataviada. Esta só lembrança lhe fiz à partida, que se não desculpasse de querer às vezes arremedar Plauto e Terêncio [...] A comédia, tão estimada nos tempos antigos, que al disseram aqueles grandes engenhos que era, senão uma pintura da vida comum?"

# ANTÔNIO FERREIRA

Nasceu em Lisboa, no ano de 1528. Em Coimbra, formou-se em Leis. De volta a Lisboa, tornou-se desembargador do Tribunal da Relação, então chamado de Casa do Cível. Faleceu em 1569, vitimado pela peste que então grassava, deixando uma obra poética que somente foi publicada em 1598, graças ao empenho do seu filho mais velho, Miguel Leite Ferreira, sob o título de *Poemas Lusitanos*. Em 1587, viria à luz a *Tragédia mui Sentida e Elegante de Dona Inês de Castro*, mais conhecida por *Castro,* e em 1622 seriam publicadas duas comédias, *Bristo e Cioso.*

Enquanto Sá de Miranda introduziu a moda clássica em Portugal, a Antônio Ferreira couberam as funções de teórico. Em Horácio foi buscar os fundamentos da "medida nova", como bem deixa patente na oitava-rima, intitulada *"Aos Bons Engenhos"*, que serve de prólogo aos *Poemas Lusitanos*. O seu verso inicial não pode ser mais significativo dessa filiação: "A vós só canto espritos bem nascidos", diz ele, retomando o *"odi profanum vulgus"* horaciano (Ode I, liv. III), recorrente, de várias maneiras, ao longo dos poemas, como "ama o seguro / Silêncio, fuge o povo e mãos profanas", "Fuja daqui o odioso / Profano vulgo", "Fuge o vulgo profano". Nas epístolas, com destaque para as endereçadas a Pêro de Andrade Caminha, Diogo Bernardes e Simão da Silveira, demorou-se na explanação dos princípios que, norteando a arte poética de Horácio, regiam a poesia latina digna de ser imitada.

Sob o império da Razão, prega o culto à "doutrina, arte, trabalho, tempo e lima", para que "haja juízo e regra e diferença / Da prática comum ao pensamento", "haja Razão lugar, seja entendida", e defende o vernáculo: "Floresça, fale, cante, ouça-se e viva / A portuguesa língua, e já onde for / Senhora vá de si soberba e altiva". Nessa parelha, formada pela doutrina horaciana e pelo acentuado amor à língua portuguesa, assenta a teoria que preconizava.

Antônio Ferreira seguiu coerentemente os postulados da "escola nova": dessa coerência é que provêm, nas qualidades e nos desacertos, os limites da sua obra poética. Cultivou as estruturas poéticas trazidas pela Renascença – o soneto, a ode, o epigrama, a elegia, a égloga, o epitalâmio, o epitáfio, a epístola – e recusou-se a praticar a "medida velha". Como era voga no tempo, mirou-se no exemplo de Petrarca, cuja presença se faz sentir de vários modos nos seus poemas. Em meio a confidências pessoais, comunica os transes amorosos que lhe geram tris-

# 86 • A LITERATURA PORTUGUESA

teza ante a indiferença da mulher amada, numa equação corriqueira no tempo, mas que, em suas mãos, ganha uma fluência nem sempre visível nos poetas da época. Exceto Camões, obviamente, como se pode observar no soneto que parece uma versão do célebre poema que o autor de *Os Lusíadas* dedicou a Dinamene:

> "Ó alma pura, enquanto cá vivias,
> Alma lá onde vives já mais pura,
> Por que me desprezaste? quem tão dura
> Te tornou ao amor, que me devias?
>
> Isto era, o que mil vezes prometias,
> Em que minh'alma estava tão segura,
> Que ambos juntos uma hora desta escura
> Noite nos subiria aos claros dias?
>
> Como em tão triste cárcere me deixaste?
> Como pude eu sem mim deixar partir-te?
> Como vive este corpo sem sua alma?
>
> Ah! Que o caminho tu bem mostraste,
> Por que correste à gloriosa palma?
> Triste de quem não mereceu seguir-te!"

Aí o binômio que constitui o fulcro da melhor poesia de Antônio Ferreira: amor e tristeza, amor e lágrimas, as mais das vezes em antíteses que lhe povoam a memória. Habitado por "pura mágoa", "desfeito em fogo e em água", ou seja, desfeito em paixão ardente e em pranto por ela desencadeado, lidou mais eficientemente do que Pêro de Andrade Caminha com a influência de Petrarca. Compensaria, porventura, a rigidez formalista do ideário clássico, deixando aflorar as emoções experimentadas no trato amoroso com a bemamada, que se lhe afigura, ao mostrar-se plena de "divina fermosura, alma divina", o retrato acabado da perfeição feminina, uma vez que "tais graças raramente o Céu reparte". Fundia, desse modo, num só golpe de vista, os dois planos encarnados na mulher, o físico e o transcendental, que, à época, solicitavam os espíritos mais ávidos de perenidade.

Se a forma determina ou configura o conteúdo, ou se este requer uma forma específica, é nos sonetos que o lirismo amoroso de Antônio Ferreira e de outros poetas coevos ganha lugar de eleição, em decorrência, quem sabe, da musicalidade, do "son", que está na raiz do vocábulo. Era como se a "medida velha", vingando-se por não ocupar espaço no horizonte estético do poeta, o impelisse a cultivar uma forma tipicamente medieval. É certo que o soneto entrou em uso no bojo da reforma do gosto instaurada por Sá de Miranda, mas também é verdade que a estrutura de catorze versos, inventada no século XII, pelo poeta siciliano Giacomo da Lentino, estava associada aos modelos em voga na Idade Média. Acresça-se que o *dolce stil nuovo*, a que pertenciam Dante, Petrarca e outros poetas, e que tão larga influência exerceu no século XVI português, era caudatário, de algum modo, da lírica trovadoresca provençal.

Eis por que as demais estruturas poéticas empregadas por Antônio Ferreira oferecem outro panorama, o da vitória do ideário clássico, a "verdadeira / doutrina": nas odes, após confessar que ao "brando Amor só sigo / Levado do costume", concentra-se na defesa e ilustração da língua portuguesa, na sugestão aos confrades para se lançarem na poesia épica, a fim de cantar os feitos históricos dos compatriotas, e na exaltação do bucolismo como ideal de vida, da "santa, rústica vida", em "louvor da vida campestre". Diferentemente de Pêro de Andrade Caminha, o tom, nas elegias, é o funéreo, mesclado por vezes de apologia ao morto, embora as antíteses, como "saudade e alegria" ou "contente e triste", lembrem Petrarca. Nas églogas, intervém o tema funéreo (há mesmo uma égloga dedicada à morte de Sá de Miranda: "Ah, meu bom mestre, ah, Pastor meu amigo"), em mistura com recordações do "Amor cruel, Amor tirano", sob a égide frequente de Virgílio.

As duas comédias de Antônio Ferreira seguem de perto o modelo das peças de Plauto e Terêncio, o que lhes tira autonomia e brilho próprio. É na tragédia *Castro* que o seu engenho teatral alcança um dos raros momentos de plenitude exibidos pela dramaturgia quinhentista de viés clássico. Glosando um tema medieval, que Camões exploraria com todo o seu gênio poético em *Os Lusíadas*, como que reeditava o clima em que transcorrera o seu culto ao soneto: se não era a "medida velha" que se impunha, com todo o peso de uma tradição secular, era, pelo menos, um tema que vinha da Idade Média, aureolado por um fascínio lírico amoroso e um sentido trágico que não podiam escapar à sua sensibilidade. Aqui, liberta-se da camisa de força clássica para

88 • A LITERATURA PORTUGUESA

exercer a liberdade criativa de um genuíno poeta e teatrólogo, a partir do retrato de Inês de Castro, "juntamente leda e triste". Se as intervenções do coro e do Secretário encerravam advertências e conselhos objetivos, sensatos, em respeito às leis da cultura clássica, as falas de Inês, nos momentos que precedem o seu suplício às mãos dos algozes, e as de D. Pedro, destacadamente nas cenas posteriores, são das mais belas que o teatro trágico português motivou. A tal ponto que será preciso aguardar a chegada de Garrett, com a tragédia *Frei Luís de Sousa*, para presenciarmos algo de semelhante a versos como os seguintes, em que a tensão trágica extravasa um sentimento que beira o sublime:

"Nunca mais tarde para mim que agora
Amanheceu. Ó Sol claro e fermoso,
Como alegras os olhos, que esta noite
Cuidaram não te ver! ó noite triste!
Ó noite escura, quão comprida foste!
Como cansaste est'alma em sombras vãs!"

## DIOGO BERNARDES

Nasceu em Ponte da Barca, por volta de 1530, e faleceu em Lisboa, cerca de 1595. Chamado "o poeta do Lima", porque era da região banhada por esse "claro e fresco rio", situado no extremo norte de Portugal (o Lima nasce na Galiza e deságua no Atlântico, em Viana do Castelo). Em sua obra, dividida em três volumes, é nota permanente o rio Lima: *Várias Rimas ao Bom Jesus e à Virgem Gloriosa Sua Mãe e a Santos Particulares* (1594), *O Lima* (1596), *Rimas Várias, Flores do Lima* (1597).

Como tantos outros poetas quinhentistas, cultivou a "medida velha", expressa em vilancetes e trovas, e a "medida nova", vazada em sonetos, cartas, elegias, canções, églogas. Vária é a influência recebida, tanto numa como noutra vertente. Além da tradição medieval, desde a poesia trovadoresca até a lírica palaciana compilada no *Cancioneiro Geral de Garcia de Resende* (1516), deixa transparecer leitura assídua dos antigos, sobretudo de Virgílio e Horácio, e dos italianos seguidores do *dolce stil nuovo*, especialmente Petrarca e Dante. Daqueles, recebeu o estímulo para a sua poesia bucólica, que a vizinhança do rio Lima

CLASSICISMO • 89

inspirava, como bem acusa o título de 1596, constituído totalmente de églogas; destes, herdou o gosto pelo soneto, que ocupa grande parte do livro de 1594. E foi discípulo confesso de Sá de Miranda, "o mor cantor destas montanhas".

Na esteira de Petrarca, os sonetos giram em torno dos "efeitos contrários do amor" (Marques Braga), expressos em antíteses ou paradoxos que vão aflorando à medida que o poeta se embrenha na casuística amorosa. Os olhos da bem-amada, espelho que são da alma, ganham o privilégio de ser o alvo, uma vez que o seu tormento é provocado pelo entrechoque de sentimentos opostos, experimentados ante a indiferença da mulher, manifestos em "suspiros tristes, prova d'amor raro":

"Se lágrimas d'amor e saudade
Poderão abrandar o reino duro;
Das minhas, que procedem d'amor puro,
Como vos não moveis a piedade?"

Êmulo de Camões, neste e noutros aspectos, Diogo Bernardes nem sempre é feliz na expressão dos transes amorosos, sobretudo quando se dispõe a vasculhar o âmago do sentimento puro: a experiência viva e sincera do amor, consegue referi-la com segurança e verossimilhança. Mas quando se propõe a teorizar o sentimento, como a subir do plano dos sentidos para o plano intelectual, em degraus constituídos de inferências plausíveis, trai a incapacidade de pensar o seu objeto. Ainda que recorra a Petrarca e outros mestres, o resultado não convence; tanto assim que alguns estudiosos chegaram a duvidar que determinados sonetos fossem produto do seu talento e não de Camões, como é o caso do conhecido soneto incluso nas *Flores do Lima*:

"Horas breves de meu contentamento,
Nunca me pareceu, quando vos tinha,
Que vos visse tornadas tão asinha,
Em tão compridos dias de tormento.

Aquelas torres, que fundei no vento,
O vento as levou já que as sustinha,
Do mal, que me ficou, a culpa é minha,
Que sobre cousas vãs fiz fundamento.

# 90 • A LITERATURA PORTUGUESA

Amor com rosto ledo e vista branda
Promete quanto dele se deseja,
Tudo possível faz, tudo segura:

Mas dês que dentro n'alma reina e manda,
Como na minha fez, quer que se veja,
Quão fugitivo é, quão pouco dura"

A razão de se duvidar que compusesse sonetos dignos de Camões demora em que os seus versos fluem melhor quando o poema é descritivo, sobretudo se o Lima lhe serve de cenário ou de inspiração, ou quando emprega soluções formais da "medida velha", em que o sentir prevalece sobre o pensar. É que a sua dialética amorosa, ao contrário da que congeminava o autor de *Os Lusíadas*, raramente atinge profundidade, limpidez de forma e tensão dramática. Decerto porque mais literária ou sujeita aos clichês em moda no tempo, não alça voo às paragens platônicas, em que Camões desenvolvia a sua casuística amorosa, sempre calcada num "saber de experiências feito". Quando Bernardes parece caminhar na mesma direção, o seu horizonte é menos o plano inteligível que o plano sensível, evidente no fato de a mitologia ou a descrição de cenários pastoris, sugerida pela herança clássica, preencher o espaço que seria ocupado pelo pensamento:

"Se quando viu as deusas no monte Ida
O troiano pastor, também vos vira,
Vênus dali tão leda não partira
Co'o preço, por quem foi Troia perdida"

A poesia bucólica, as mais das vezes inspirada no rio da aldeia natal, é o seu forte, seja a que lhe vinha do passado medieval, seja a que remontava aos clássicos greco-latinos. As suas trovas e vilancetes pulsam dum ritmo e dum sentimento que resiste à comparação com os outros poetas contemporâneos, e o mesmo se pode dizer das suas églogas. Se ali a fluência nasce de versos populares e cantantes, aqui, os padrões cultos, e os ocasionais preciosismos maneiristas de linguagem, são manuseados com o tirocínio de um poeta, dotado de "voz, arte e destreza", que teve o infortúnio de viver num século em que Camões dominava com a sua sombra de poeta incomum, situado entre os mestres de sempre.

# PÊRO DE ANDRADE CAMINHA

Nasceu por volta de 1520, no Porto, e faleceu em 1589, em Vila Viçosa, onde teria desempenhado funções junto aos Duques de Bragança, depois de servir a D. João III e exercer atividades diplomáticas. A sua copiosa atividade poética ficou inédita até 1781, quando a Academia das Ciências de Lisboa publicou uma parte, sob o título de *Poesias*. Em 1898, J. Priebsch editou, em Halle, dois códices, encontrados na Biblioteca Nacional de Lisboa e no Museu Britânico de Londres, contendo 545 composições, das quais 452 inéditas, sob o título de *Poesias Inéditas*. Uma edição em fac-símile desta coletânea veio a público em Lisboa, pela Imprensa Nacional-Casa da Moeda, no ano de 1989.

Na esteira de Sá de Miranda e de Antônio Ferreira, e do que estava em voga no século XVI, cultivou a "medida velha", em cantigas, vilancetes, trovas, romances, esparsas, glosas, e a "medida nova", por meio de odes, églogas, epigramas, sonetos, epístolas, canções, balatas, elegias, endechas, sextinas, não só em vernáculo como em espanhol. Nos sonetos, a grande influência é de Petrarca, assim como na maioria dos poetas renascentistas em Portugal, inclusive Camões (soneto LXXXVI):

> "Cantei; agora choro, e mais doçura
> Acho no choro da que achei no canto;
> Pode isto a quem o ouvir causar espanto,
> Não a quem vir a vossa fermosura.
>
> Troquei em vossos olhos a ventura,
> Não cuidei que a trocava para tanto;
> Enchi d'amor o peito, olhos de pranto,
> A alma d'opinião e de brandura.
>
> Vivia livre e todo descuidado
> De ver cousa que tanto a alma prendesse;
> Cantava de prazer co'a liberdade.
>
> Choro de mais prazer, vendo já atado
> O meu entendimento a esta verdade
> Que minha sorte quis que me vencesse"

Apesar da habilidade com que Pêro de Andrade Caminha estrutura os sonetos, a dialética amorosa neles expressa fica desfavorecida no cotejo com os poemas do cantor de Laura, que ele imita, parafraseia, segue, glosa, e mesmo no confronto com o lírico de Natércia, ainda que também sujeito ao magistério de Petrarca. À diferença de Camões, o seu lirismo de feição clássica parece vibrar uma corda só: é certo que a antítese constitui a figura-chave da poesia do tempo, mas Pêro de Andrade Caminha parece menos sentir que pensar o seu conflito íntimo, pela simples razão de se tratar de um conflito de ordem puramente sentimental, em que o pensamento reflexivo pouco ou nada colabora, ou estar vinculado à imanência duma situação insolúvel ou impossível, em vez de alçar-se às esferas platônicas do mundo inteligível.

Talvez o tom monocórdico explique por que razão os versos da "medida velha" parecem mais bem realizados, uma vez que se observa coerência entre a forma, o tom e o conteúdo, além da melodia. E também os poemas da "medida nova" giram em torno de situações em que o conflito ocorre entre os extremos do sentimento – sofrer ou não sofrer, esquecer ou não esquecer, amar ou não amar –, em vez de ser o embate entre o Amor e a Razão, como no vilancete II, que abre com o seguinte mote:

> "Como viverei sem ver-vos,
> Senhora, se com vos ver
> Posso inda mal viver?"

ou como o primeiro terceto do soneto LXXI, que bem exemplifica essa modulação poética voltada para o sentimento:

> "Não sinto pena sem sentir descanso,
> Nem tristeza sem ver nela alegria;
> De vós mesma nasce uma e outra cousa"

Sendo a dialética amorosa comum às duas linhagens poéticas, a impressão que se tem é que a "medida nova" alcança melhores resultados quando recorre à equação própria da "medida velha": o ser o amor o cerne do lirismo de Pêro de Andrade Caminha aproxima-o dos trovadores medievais, ao exprimir uma espécie de "coita d'amor", não apenas em cantigas, mas ainda por meio das formas importadas com o Renascimento. Fosse o Amor como conceito o seu objeto, inclinaria o talento poético e a mente na direção do conflito entre ele e a Razão, como fez Camões, atingindo, desse modo, a grandeza que todos lhe reconhecem.

Em suma: importam-lhe os estados d'alma gerados pelo sentimento amoroso, e não a sua análise, inextricavelmente presa à Razão como o seu contrário necessário. O amor enquanto sentimento permite-lhe dizer-se "mil e mil vezes com razão ditoso", sem que lhe passe pela mente o conflito entre o sentimento e a Razão, que é inerente ao amor como conceito. A ponto de concluir que

> "Razão e Amor me mostram nisto claro
> Que da ventura queixar-se não devo
> Pois em ti contra a dor me deu reparo"

Conhecendo o amor como um sentimento sem mistério, sem complexidade, ou composto de fáceis antinomias, não lhe resta senão colocá-lo no mesmo plano do seu polo oposto, ou divisar ambos em parceria. "Amo-te, e basta para engrandecer-me", confessa ele, a modo de conclusão, agregando-lhe, logo a seguir, nos versos do arremate da elegia II, um desenvolvimento explicativo:

> "Venha quanto vier, não desespero
> De sofrer bem do Amor a dura guerra,
> Antes tudo por ti contente espero,
> Fílis, a mais fermosa que há na terra!"

Nesta e nas demais elegias, onde o esperado clima funéreo é substituído pelo lamento amoroso, típico das velhas cantigas de amor, o poeta logra atingir tonalidades e fluência nem sempre visíveis nos poemas breves, neles incluídos os sonetos. E a Razão é somente invocada como guia para que se exaltem as qualidades de Francisca de Aragão, a quem é dedicada a primeira parte das *Poesias Inéditas*, ou seja, para "os espíritos [...] cantarem noite e dia / Seus grandes e raríssimos louvores".

Pêro de Andrade Caminha poetou nas duas línguas ibéricas, sem nenhuma diferença de monta, chegando mesmo a experimentar soluções formais que parecem antecipar o gosto barroco pelo poema figurado, como nos epigramas XLVIII e XLIX, ou nas trovas III, "que se leem de muitos modos", e no epigrama de número 480, "que se lê de quatro modos", como palíndromos, ou na estrutura dos versos finais das estrofes que integram a cantiga LIV:

"Mas logo a dor se lhe tira
Ouvindo a voz que soou:
Ou! Vira!
Ou!"

# FREI AGOSTINHO DA CRUZ

Irmão de Diogo Bernardes, Agostinho Pimenta (Ponte da Barca, 1540-Setúbal, 1619) entrou para a Ordem dos Capuchinhos aos vinte anos, adotando o sobrenome pelo qual se tornou conhecido. O seu espólio literário foi recolhido, pela primeira vez, por José Caetano de Mesquita, com o título de *Várias Poesias do Venerável Padre Fr. Agostinho da Cruz, Religioso da Província da Arrábida,* em 1771. Mendes dos Remédios republicou essa edição, acrescentando-lhe alguns códices existentes nas bibliotecas de Coimbra, Évora e Porto, em 1918, sob o título de *Obras de Frei Agostinho da Cruz.* A crítica textual mostrou que alguns poemas, em verdade, não lhe pertenciam ou que ao acervo poético faltavam outras composições de sua autoria, reveladas por Vítor Manuel de Aguiar e Silva, em *Maneirismo e Barroco na Poesia Lírica Portuguesa* (1971). Posteriormente, a edição dos seus sonetos e elegias, publicada por Antônio Gil Rafael, em 1994, com acurado estudo, estabelecimento crítico de texto e notas elucidativas, avançou ainda mais na questão ecdótica deixada pelo legado poético do capuchinho.

Como tantos outros poetas quinhentistas, cultivou a "medida velha" e a "medida nova", tendo sempre por motivo central a poesia ao divino, ao "divino amor" ou "amor divino", que a sua condição sacerdotal, vivida na Serra da Arrábida, inspirava. Nesta especificidade encontra-se a razão suficiente para se duvidar dos versos profanos que lhe eram atribuídos, uma vez que abraçara precocemente o isolamento a fim de entregar-se por completo à vocação eclesiástica.

Dono do seu ofício, Frei Agostinho da Cruz maneja com proficiência os instrumentos da versificação. Pouco ou nada se distingue, nesse particular, dos homens de letras contemporâneos, mas, sim, pela temática religiosa, fruto do voto assumido e de um temperamento de crente guiado por inabalável fé. Todas as estruturas poéticas lhe serviam para manifestar a sua religiosidade, fossem as clássicas, introduzidas por Sá de Miranda, fossem as remanescentes da tradição medieval.

O desengano ou a desesperança é a nota marcante da sua visão do mundo, expressa por meio de metáforas que buscam nas antíteses ou nos paradoxos o seu arcabouço mais consistente, como ao conceituar o amor num soneto de camoniana ressonância, intitulado "Voto de ardente amor divino" ("Amor, que tudo quer, nada consente, / Amor que se não vê, sendo luz clara, / Amor, que do céu vem, e no céu para, / Amor, que quem o sente, não se sente"), ou no soneto que se diria uma primeira versão (sacra) do poema "Dispersão", de Mário de Sá-Carneiro (que abre com os seguintes versos: "Perdi-me dentro de mim / Porque eu era labirinto"):

"Perdi-me dentro em mim, como em deserto,
Minha alma está metida em labirinto,
Contino contradigo o que consinto,
Cem mil discursos faço, em nada acerto.

Vejo seguro o dano, o bem incerto;
Comigo porfiando me desminto,
O que mais atormenta, menos sinto,
O bem me foge, quando está mais certo.

E se as asas levanta o pensamento
Àquela parte, onde está escondida
A causa deste vário movimento,

Transforma-se por não ser conhecida,
Porque quer apesar do sofrimento
Pôr as armas da morte em mão da vida"

Para alcançar o seu objetivo, o poeta lança mão de todos os recursos disponíveis, numa variedade estrófica e métrica que não teme burilar pacientemente a linguagem, visando a dar forma, com o máximo de beleza, ao complexo sentimento religioso que o habita. Exemplo dessa harmonia estética e anímica pode-se colher no poema em que, para melhor louvar Nossa Senhora, promete: "Comporei outros versos mais aceitos / Fazendo [...] / Do amor língua e das lágrimas conceitos!". As antíteses ou paradoxos remetem para a dualidade fundamental na poesia de Frei Agostinho da Cruz: o sacerdote tem convicção de que a vida é desespero, e a morte é trânsito para a vida autêntica junto a Deus, não sem advertir "Que não há luz sem Deus, nem Deus sem lágrimas", ou exclamar, entre lágrimas, "Meu Senhor, / Que morre por amor de quem o mata!".

Tudo é mudança, efemeridade e desengano: "O tempo que, fugindo / Com tamanhas mudanças, / Desengana quem nele se confia, / Abatendo e subindo / Diversas esperanças". A saudade do Céu torna-se o ambíguo desejo de morrer: sinônimo de padecimento, a vida humana cessa quando tem fim o sofrimento, ou vice-versa. Mas, enquanto dura, a visão de Cristo ou a sua imagem gravada na mente preservam a transcendência simbolizada na cruz:

"Quisestes vós morrer na cruz despido,
Sendo vós senhor meu, eu servo vosso,
Não pago vossa morte com morrer.

Que, pois, por mim já tendes padecido,
Nem com morrer por vós pagar-vos posso,
Pois o morrer por vós é mais viver"

Fosse o engajamento religioso de Frei Agostinho da Cruz movido por um impulso ideológico, e a sua poesia não passaria de pura apologia. Sendo, como é, um cristão em agonia, no sentido em que Miguel de Unamuno empregou o termo, os seus versos expressam o sofrimento próprio do cristão em perene dúvida, hesitante entre a repulsa pela vida e o apelo à transcendência como prêmio que somente a morte pode oferecer. É dessa densidade que brota a força da sua poesia: se abraçasse o Cristianismo na certeza de encontrar nele a paz desejada, a sua poesia não exibiria a intensa pulsação decorrente dum conflito que não se interrompe jamais.

Situada entre as matrizes clássicas e as tendências que aos poucos iam pondo em causa o ideário renascentista, ou entre o racionalismo clássico e a irrup-

CLASSICISMO • 97

ção da religiosidade cristã, a obra poética de Frei Agostinho da Cruz inscreve-se no Maneirismo, corrente estética em voga na segunda metade do século XVI e nas primeiras décadas do século XVII, a anunciar o advento do Barroco.

## OUTROS POETAS

Um pouco porque ofuscados pelo brilho da poesia camoniana, um pouco porque faltos de talento para superar as limitações do ideário clássico, os demais poetas quinhentistas colocam-se em plano esteticamente inferior a Camões, não obstante exibam significado histórico-literário próprio. **Cristóvão Falcão** (Portalegre, 1515-1553 ou 1557?) é o presuntivo autor da égloga *Crisfal* (1554), graças ao fato de o seu título ser formado das primeiras sílabas do nome e o sobrenome do poeta. Atribuível ainda a Bernardim Ribeiro, ou considerada de autor desconhecido, essa égloga é das mais bem realizadas composições no gênero durante o século XVI, sobretudo pelo caráter anticonvencional em matéria de lirismo pastoril.

**Bernardim Ribeiro** (nada se conhece de sua vida) vale mais por sua novela, *Menina e Moça* (ou *Saudades)*, estudada mais adiante, do que por sua poesia: além de doze poemas incluídos no *Cancioneiro Geral de Garcia de Resende*, deixou cinco églogas, publicadas em 1554, como apêndice à novela, que constituem as primeiras manifestações do bucolismo em Portugal.

**Jerônimo Corte-Real** (Lisboa, c. 1530-Évora, 1588), autor de *Sucesso do Segundo Cerco de Diu* (1574), *Vitória de Lepanto*, título abreviado de *Felicíssima Victoria concedida del Cielo al Señor Don Juan d'Austria, en el Golfo de Lepanto de la Poderosa Armada Otomana* (1578), *Naufrágio e Lastimoso Sucesso da Perdição de Manuel de Sousa de Sepúlveda e Dona Leonor de Sá, sua Mulher, e Filhos* (1594), *Auto dos Quatro Novíssimos do Homem* (1768).

Os dois primeiros títulos enquadram-se no capítulo da poesia épica, anterior a Camões, enquanto o terceiro, apesar de escrito em versos de ardor heroico e numa estrutura épica, se insere no capítulo da literatura de viagens, que enfeixa os relatos dos naufrágios ocorridos durante a aventura nos mares. Como poeta épico, foi justamente aplaudido, graças à força das imagens, que pareciam transmitir ao vivo as cenas de guerra, ou a expressar com vivacidade o sentimento entre os protagonistas, como nos momentos em que Manuel de

Sousa de Sepúlveda se dirige, num tom entre elegíaco e épico, a Leonor de Sá. O *Auto dos Quatro Novíssimos do Homem,* entroncado no exemplo de Gil Vicente, focaliza "o tema da viagem da alma, da visão da morte física até a contemplação celeste" (Hélio J. S. Alves).

O domínio do verso, nas várias modalidades em curso no século XVI, com realce para o decassílabo solto, é outro fator do seu mérito, numa fluência de poeta inspirado, que lhe permitiu fosse apreciado mesmo quando, com o surgimento de Camões, começou a perder fama. Com a passagem de Portugal para o domínio espanhol, aumentou, em vez de diminuir, o prestígio que gozava entre espanhóis, chegando a ser considerado lado a lado com Camões, e mesmo com Homero e Virgílio. Caiu no ostracismo com a vitória da doutrina barroca, não obstante o reconhecimento da sua valia estética por parte de confrades espanhóis.

Em nossos dias, a sua obra mereceu reedição em 1979, organizada e prefaciada por Manuel Lopes de Almeida, e em 1998, veio a público uma antologia, precedida de uma introdução, de autoria de Hélio J. S. Alves, que chama a atenção, com justiça, para a "maestria imitativa, riqueza expressiva, variedade de conceitos e profundidade analítica suficientes para a considerarmos, em si mesma, uma das mais dignas de leitura e estudo na literatura portuguesa do Renascimento".

## A HISTORIOGRAFIA. JOÃO DE BARROS

O gigantesco painel que Camões erguera, para fixar a presença histórica do povo português, correspondia a um anseio comum que ia crescendo à medida que se tornavam visíveis os sinais de estar próximo do fim o período de grandeza e de esplendor trazido pelo alargamento do horizonte geográfico e econômico. Tal anseio não era exclusivo da poesia, embora ali encontrasse o seu meio comunicante mais adequado. A onda de euforia compeliu muitos letrados do tempo a enfileirarem na apologia da Pátria.

A historiografia, apta a refletir, graças à sua natureza e ao seu método, esse estado de coisas, entregou-se à mesma faina de construir uma obra que veiculasse o sentimento dominante, capaz de exprimir, com os instrumentos próprios, o que Camões plasmara esteticamente. Era preciso cimentar, com documentos verídicos e fatos observados, o chão onde se apoiava o otimismo que se difundia pelo País.

Se esse era o papel reservado à historiografia, nela coube a **João de Barros** (Viseu?, l496?-Pombal, 1570) lugar proeminente. Formado na atmosfera renascentista de pronunciada marca humanista, planejou atuar em vários campos do saber, sempre movido pelo intuito de colaborar na empresa patriótica em curso no século XVI: *Crônica do Imperador Clarimundo,* novela de cavalaria (1520), *Ropicapnefma* ("mercadoria espiritual"), obra filosófica, de caráter satírico (1532), *Gramática da Língua Portuguesa* (1540).

Mas foi à historiografia que destinou o melhor do seu talento e o mais de suas forças: concebeu uma História de Portugal de caráter monumental, conforme os moldes renovadores da época. O plano previa a distribuição da matéria em três partes: *conquista, navegação* e *comércio.* A primeira se esgalharia em tantas partes quantas tinham sido as regiões geográficas pelas quais se estendera o domínio lusitano: Europa, África, Ásia, América Portuguesa (Brasil). Só chegou a compor a secção referente à Ásia, que dividiu em períodos de dez anos, ou *Décadas,* como são vulgarmente conhecidas, das quais em vida publicou três (1552, 1553 e 1563); as quatro restantes apareceram postumamente. Várias de suas obras se perderam.

João de Barros afasta-se do exemplo de Fernão Lopes e aproxima-se dos modelos latinos, dentre os quais sobressai Tito Lívio. Norteava-se por uma concepção da História caracterizada pela preocupação de contribuir, com o exemplo moral e superior dos heróis, para a elevação do nível mental dos leitores. Ao mesmo tempo que se impõe objetivos éticos, a sua obra histórica orienta-se pelo desejo de fazer apologia ufanista da Pátria, então mergulhada na enganosa euforia dos descobrimentos marítimos. O sentido apologético pode significar sensível recuo em face de Fernão Lopes, mas o documento continua a servir de base, embora restrito às ocasiões em que se prestava como fundamento ao desígnio principal que o historiador tinha em mira.

É consequência imediata a preocupação pelo estilo, pela construção da narrativa como obra literária, pela adesão entusiástica ao propósito. Tudo isso não só permite fazer restrições ao historiador que elaborou um plano desmesuradamente ambicioso e ousado, como também pôr em relevo o escritor, que trabalha uma linguagem já prenunciadora da desenvoltura e do aticismo caracterizadores da prosa seiscentista. E é por esse lado que a sua obra tem merecimento, além de ser reflexo da Renascença em Portugal.

**Diogo do Couto** (Lisboa, 1542-Goa, 10 de dezembro de 1616) continuou a obra interrompida de João de Barros, escrevendo seis *Décadas,* da 4ª à 10ª. Ao contrário do predecessor, situa obstinadamente a verdade acima de tudo, o que lhe acarretou sérios atritos com a Inquisição, instaurada em Portugal no ano de 1547. Escreveu ainda *O Soldado Prático* (publicado em 1790), relevante como libelo contra a corrupção reinante no tempo e como documento da expansão ultramarina.

**Damião de Góis** (Alenquer, 1502-30 de janeiro de 1574) enfrentou adversidades análogas às de Diogo do Couto. Humanista de porte internacional, viajado e lido, amigo de Lutero, Erasmo, Melanchton e Alberto Dürer (que lhe pintou o retrato), também pagou caro o amor à independência de pensamento que instilou na *Crônica do Felicíssimo Rei D. Manuel* (1566-1567), mandada escrever por D. Henrique, e na *Crônica do Príncipe D. João* (1567). Em razão do seu caráter franco, lúcido, irritou a realeza e o tribunal da Inquisição, a ponto de ser preso e processado no fim da vida.

Outros historiadores, de menor relevância literária, são: **Fernão Lopes de Castanheda** (1500-1559), autor da *História do Descobrimento e Conquista da Índia* (1551-1561), **Antônio Galvão** (1492-1557), autor do *Tratado dos Descobrimentos Antigos e Modernos* (1563), **Gaspar Correia** (1495-1565), autor de *Lendas da Índia* (1860-1931), e **Jerônimo Osório** (1506-1580), humanista ilustre, de nível internacional, autor de *De Rebus Emmanuelis Gestis* (1571), traduzida por Filinto Elísio, sob o título de *Da Vida e Feitos de El-Rei D. Manuel* (3 vols., 1804-1806), além de várias obras doutrinárias, em Latim, e das *Cartas Portuguesas* (1819).

# A LITERATURA DE VIAGENS

Como seria de esperar, o clima ideológico da Renascença portuguesa, destacadamente no que se refere à ufania patriótica, teria ainda de atingir outras esferas da atividade literária, visto ser a tendência que dava o *tonus* da época. Enfileiram-se nela a literatura de viagens e a novela de cavalaria e sentimental, além dos rastros que deixou em outras formas de expressão literária, como o teatro e a literatura moralista.

À impressão de assombro deixada pelas descobertas de povos exóticos e novas paisagens, sucedeu o desejo de fixá-las para transmiti-las a toda a gente. Nascem os relatos de viagens, roteiros, diários ou equivalentes, reportagens do mundo que se ampliava em todas as direções. Representam-na, por exemplo, a *História Trágico-Marítima,* coletânea de relatos e naufrágios ocorridos nos séculos XV, XVI e XVII, organizada por **Bernardo Gomes de Brito** (1688-?), em dois volumes, publicados em 1735-1736: é a principal obra no gênero; o *Naufrágio e Lastimoso Sucesso da Perdição de Manuel de Sepúlveda* (1594), relatado por **Jerônimo Corte-Real** (1530?-1590?); as crônicas de viajantes como **Francisco Álvares** (1470-1540), autor da *Verdadeira Informação das Terras do Preste João* (1540), isto é, da Abissínia; **Fernão Cardim** (1548-1640), autor dos *Tratados da Terra e Gente do Brasil* (publicados, na totalidade, em 1925), etc.

# FERNÃO MENDES PINTO

Nascido em Montemor-o-Velho, por volta de 1510, e falecido em Almada, em 1583, sem dúvida o mais importante de todos os representantes do gênero, é autor de uma das obras mais significativas do século XVI e de toda a literatura de viagens de qualquer tempo: *Peregrinação* (1614), como é abreviadamente conhecida. Seu longo título, como era moda naquele tempo, contém um resumo das aventuras relatadas no curso da obra: *Peregrinaçam... Em que dá conta de muitas e muito estranhas cousas que viu e ouviu no Reino da China, no da Tartária, no do Sornau, que vulgarmente se chama Sião,* etc. Tudo começara em águas portuguesas continentais, quando a caravela, em que ia o narrador de Lisboa a Setúbal, é aprisionada por piratas franceses. Daí para a frente, segue um rol de complicadas e pitorescas aventuras pelo Oriente.

Fernão Mendes Pinto escreveu a obra no fim da vida, como herança aos filhos, "para que eles vejam nela estes meus trabalhos e perigos da vida que passei no decurso de vinte anos". Com efeito, viajou entre 1537 e 1558 por várias partes da África e Ásia (Abissínia, Arábia Feliz, Malaca, Sumatra, Java, Pegu, Sião, China, Índia, Japão), sempre com acentuado sentido aventuresco. Viveu episódios de extrema curiosidade e perigo, tendo sido "treze vezes cativo e dezessete vendido". E ao visitar estranhos e exóticos mundos, contribuiu para que se tornassem conhecidos das gentes europeias.

102 • A LITERATURA PORTUGUESA

Decorrem daí seus méritos: relato pretensamente sincero, vivo, realista, fruto das próprias experiências, atrai o leitor pelo pitoresco, pelos episódios em torno de variadas aventuras, dando-lhe a sensação de estar lendo uma novela rica de surpresas, peripécias e movimentação.

Além deste lastro de vivência pessoal, que torna a *Peregrinação* um raro documento humano da época em que maior foi a sedução do Oriente, outro aspecto fascina o leitor: a interpenetração do plano real com o ideal ou imaginário, numa simbiose perfeita, que impede saber onde termina um e onde começa o outro: tal o caráter inverossímil de algumas passagens, parece que estamos ante a fantasia mais desenfreada. Esse lado mentiroso, imaginário ou inventado, autorizou a formação dum trocadilho com o nome do autor *Fernão!, Mentes? Minto!*.

E a impressão, aliás, falsa, de que escrevia à medida que ia vivendo a sua "peregrinação", mais vivifica a narrativa, vazada num estilo descuidado, impressionista, construído hora a hora, ao sabor das circunstâncias e do estado de espírito do escritor. Mas, por isso mesmo, traduz com fidelidade e buliçosa imaginação a crônica de sua vária fortuna, a ponto de aproximá-la da novela. Certamente por não ter pretendido "fazer literatura", Fernão Mendes Pinto deixou um relato ainda vivo e saboroso duma irrepetível e quase mítica experiência por terras e povos da África e Ásia.

# O CONTO

O conto, de remota e vaga origem, cujas primeiras manifestações se localizam nas *Mil e Uma Noites,* foi menos apreciado em Portugal antes do Romantismo. O primeiro nome que merece ser lembrado historicamente é o de **Gonçalo Fernandes Trancoso**: de obscura biografia (nascido entre 1515 e 1520, e falecido por volta de 1596), sabe-se que, estando em Lisboa durante a "peste grande" de 1569, para espairecer da perda da mulher, de dois filhos e de um neto, pôs-se a escrever breves narrativas de fundo moral, logo publicadas sob o título de *Contos e Histórias de Proveito e Exemplo* (1575). O êxito que de pronto conheceu não se alterou durante o século XVII, inclusive no Brasil, especialmente no Nordeste, onde passaram a chamar-se de "estórias de Trancoso" as narrativas populares de imaginação e exemplo moral.

Numa prosa desataviada, coloquial, ingênua, Trancoso mistura o sobrenatural com o real sem medo à inverossimilhança, aproveitando-se da tradição oral e do magistério de contistas espanhóis, como D. Juan Manuel (1282-1349), autor de *Conde Lucanor* (coleção de 50 contos escritos em 1335 e publicados em 1575), e italianos, como Boccaccio (1313-1375), autor do conhecido *Decamerone* (1348-1353), Matteo Bandello (1485-1561), autor de *Le Novelle* (escritas entre 1510 e 1560), Giambattista Cinzio Giraldi, mais conhecido por G. Cinthio (1504-1573), autor da *Ecatommiti* (publicada em 1565), Gianfrancesco Straparola (1480? 1500?-1557?), autor de *Le Piacevoli Notti* (1550-1553). Ao lado do inglês Geoffrey Chaucer (1340-1400), autor de *The Canterbury Tales* (escritos entre 1380 e 1400), e a francesa Margarida de Navarra (1492-1549), autora de 72 contos reunidos sob o título de *L'Heptaméron* (1558-1559), por influência de Boccaccio – esses contistas, embora sejam os mais importantes da Idade Média e início do Renascimento, não exerceram maior influxo em Portugal.

Ainda vale a pena referir uma narrativa vinda à luz em nossos dias: *Naceo e Amperidónia*. De autor anônimo e sem título no original, escrita na primeira metade do século XVI, permaneceu ignorada até a sua descoberta por Eugenio Asensio em 1983. Publicada em 1985, por David Hook, mereceu nova edição no ano seguinte, preparada e prefaciada por Luiz Fagundes Duarte. Trata-se mais propriamente de um conto do que novela, não só por sua brevidade (20 fólios do códice), como pela trama amorosa protagonizada pelo par que figura no título.

De caráter sentimental, composta de cartas entremeadas de diálogos entre os amantes e de comentários do narrador, insere-se na linhagem da prosa sentimental a que pertence *Saudades ou Menina e Moça*, com alusões que poderiam abrir espaço para digressões de natureza erótica. A ação transcorre numa geografia encoberta por anagramas de fácil decifração: *Jeto* (Tejo), *Solbia* (Lisboa), *Tanseram* (Santarém), etc.

# A NOVELÍSTICA

Fernão Mendes Pinto, como era frequente no tempo, deve ter-se deslumbrado com a atmosfera cavaleiresca que ainda teimava em subsistir em Portugal, tão fortemente impregnados estavam os contemporâneos com a sua presença,

104 • A LITERATURA PORTUGUESA

como se pode ver em *Os Lusíadas,* por exemplo, e na arremetida quixotesca de D. Sebastião em Alcácer-Quibir, onde encontrou a morte precisamente porque se deixara guiar pelo ideal de cavaleiro andante que sozinho se lança contra o adversário, isolado ou em grupo.

A matéria cavaleiresca, que tinha sido cultivada na Idade Média, por meio de traduções do francês, agora se nacionaliza, se aportuguesa, uma vez que surgem novelas de autores e padrões portugueses. Está-se na época áurea da Cavalaria em Portugal, explicável pelo bifrontismo cultural característico do século XVI.

**João de Barros**, não fugindo à sua influência e à guisa de afiar a pena para a ambiciosa obra planejada acerca da expansão portuguesa no mundo, escreveu a *Crônica do Imperador Clarimundo* (1520), novela reveladora dos novos ares da Renascença: gravita ao redor de casos amorosos e do elogio aos feitos pátrios e não mais de *justas* cavaleirescas. Nessa mesma linha se situam outras narrativas, como *O Memorial das Proezas da Segunda Távola Redonda* (1567), de **Jorge Ferreira de Vasconcelos** (1527-1584 ou 1585), e o *Palmeirim de Inglaterra* (1544), de **Francisco de Morais** (1500-1572), além de outras inéditas e de várias continuações do *Amadis de Gaula,* formando um extenso ciclo no decorrer da centúria quinhentista (o "Ciclo dos Amadises").

Caracteriza-as todas o esforço por manter vivo um ideal de vida próprio da Cavalaria medieval, mas que se faz cada vez mais estranho à nova mentalidade criada com o Renascimento: além de soar falso, pois correspondia a dar energia a um organismo agonizante, tal empenho acabou por absorver ingredientes heterodoxos, trazidos pelo Classicismo, pelas conquistas de povos alienígenas e pelas descobertas ultramarinas. A presença do mouro, os componentes clássicos, a geografia fantasiosa, a figuração emprestada pela mitologia greco-latina, os episódios da vida no mar, etc. constituem novidades.

Entretanto, releva de todos eles o aspecto lírico, hipertrofiado a ponto de colocar em perigo aquilo que compunha o recheio típico da novela cavaleiresca: o encontro entre cavaleiros, em *justas* predeterminadas, ou por acaso. O individualismo bélico cede lugar à guerra coletiva, aos torneios, em flagrante concessão ao aprimoramento operado no fabrico de armas e ao avanço em matéria de tática militar. Já não se considerando como valoroso e digno de admiração o cavaleiro que luta, mas o que ama, pois assim passa a ser entendida sua condição de ser afetivo, deixava a Cavalaria impregnar-se de elementos

CLASSICISMO • 105

estranhos que lhe preparavam a desintegração, pouco depois culminada no *Dom Quixote* (1605, 1615).

Embora de larga circulação na Espanha e Itália, em Portugal a novela bucólica e sentimental é apenas representada por *Menina e Moça* (ou *Saudades*, 1554), de **Bernardim Ribeiro**. Ao mistério que envolve a vida do escritor, é preciso acrescentar a dúvida que ainda paira sobre a identidade da novela. A narrativa divide-se em duas partes, a primeira com trinta e um capítulos, a segunda, com cinquenta e oito. A disparidade estilística entre ambas parece evidenciar que Bernardim Ribeiro não é o autor de toda a obra, e talvez houvesse dividido com outro escritor a sua redação; ou, igualmente possível, como sofresse das faculdades mentais, teria alterado substancialmente a matéria e a expressão da novela na segunda parte.

Os estudiosos do assunto divergem ainda quanto a saber-se até que capítulo a obra pertence realmente a Bernardim Ribeiro, apontando ora o 11º, hipótese de Álvaro Júlio da Costa Pimpão, ora o 17º, hipótese de Carolina Michaëlis de Vasconcelos, ora o 25º, hipótese de Antônio Salgado Jr., da segunda parte, como o ponto onde começaria o auxílio indébito de terceiros. Parece que, sejam de quem for, os capítulos finais devem ser levados em conta, até solução definitiva do caso.

O seu caráter bucólico e sentimental revela-se pelo tom melancólico e pessimista que varre toda a narrativa, de quem vive a chorar, sempre em comunhão com a Natureza. Perpassa-a um lirismo comovente e dorido, que resulta de jamais se alcançar o bem esperado em vão – a pessoa amada. Duas são as interlocutoras, a Menina e Moça, que funciona como narradora, e a Senhora idosa. Ao contrário das novelas de cavalaria, em que o protagonista é sempre o cavaleiro, a narrativa de Bernardim tem como centro de interesse a mulher e sua psicologia amorosa: evidente prenúncio da estética romântica.

Nisto reside a sua primeira qualidade: o ficcionista, além de conhecer de perto a psicologia feminina, soube registrá-la com rara felicidade, sobretudo quando se tem em vista o convencionalismo clássico, que reduzia a mulher a padrões fixos e ideais. Aqui, a mulher parece viva, real, de carne e osso, o que constitui outro mérito da novela: é digno de nota o caráter *humano e social* das relações e dos sentimentos das personagens; não mais o mítico, o sobrenatural, como nas novelas de cavalaria, mas o terrestre. Daí que o perfil anticonvencional e antiartificial da novela, embora o exagero das lágrimas, dos soluços e da tristeza permanente, possa evocar o contrário. Essas manifestações da emotividade tornam-se plausíveis quando nos lembramos do antropocentrismo que atravessa a época, integrando o homem no seu próprio mundo físico e permitindo-lhe usufruir da agridoce sensação de ser homem em toda a sua extensão.

Eis por que os incidentais episódios cavaleirescos não perturbam a atmosfera pastoril e lamurienta em que a novela decorre. Mais: salta aos olhos que nela se estampa a deliquescência gradativa da instituição cavaleiresca, sobretudo a partir do capítulo 17º da 2ª parte, quando o caráter sentimental cede ao cavaleiresco. Não esquecer, porém, que a predominância do ingrediente cavaleiresco apenas denota que a Cavalaria é posta em ridículo, é caricaturada (v. caps. XX, XXIX e LI da 2ª parte).

Outro aspecto digno de referência diz respeito ao caráter caótico da linguagem e da construção da novela. De fato, Bernardim Ribeiro escreveu-a como se pretendesse realizar uma "escrita automática", transmitindo ao papel as pulsões de sua fantasia de psicopata, aparentemente sem interferência da vontade ou do consciente. Aquilino Ribeiro, no prefácio a uma edição da novela, considera negativa essa desinibição do subconsciente do escritor. Sem forçar a nota, pode-se admitir exatamente o contrário: nesse automatismo de linguagem e de criação, que lembra o Futurismo de Marinetti e o Surrealismo, reside uma das maiores virtudes da *Menina e Moça*.

Graças ao processo de automatismo, o novelista desvenda com invulgar penetração os meandros da psicologia amorosa da mulher e pinta-nos dela retratos duma evidente atualidade. Há que esperar muito (Sóror Mariana Alcoforado, Mário de Sá-Carneiro e Florbela Espanca) para se encontrar algo de semelhante a essa flagrância primitiva, espontânea, destravada, de linfa pura brotando das profundezas da imaginação, sem as coerções da moda ou das conveniências literárias. É, sem favor, das obras marcantes da época clássica em Portugal.

# O TEATRO CLÁSSICO

O teatro clássico é capítulo secundário dentro do Quinhentismo português, sobretudo quando comparado com o vigor, o brilho e a espontaneidade do teatro vicentino, ao qual se opôs voluntariamente, indo buscar inspiração na Antiguidade Greco-Latina, especialmente em Plauto, Terêncio e Sêneca. A comédia clássica foi introduzida por Sá de Miranda: *Os Estrangeiros,* escrita em 1526 e publicada em 1559, vem precedida dum "Prólogo" em que o autor confessa, alegoricamente, estar realizando algo de novo em Português ("sou uma pobre velha estrangeira, o meu nome é Comédia; mas não cuideis que me haveis por isso de comer, porque eu nasci em Grécia, e lá me foi posto o nome, por outras razões que não pertencem a esta vossa língua"); *Os Vilhalpandos,* escrita provavelmente em 1538 e publicada em 1560.

Ainda escreveram comédia clássica: Antônio Ferreira (*Bristo* e *Cioso,* ambas publicadas em 1622) e Jorge Ferreira de Vasconcelos (*Aulegrafia,* publicada em 1619; *Eufrósina,* publicada em 1555; *Ulissipo,* de cuja primeira edição se desconhece a data, e a segunda é de 1618). Tomando ao pé da letra os ingredientes das comédias plautinas e terencianas, essas peças acabaram por esvaziá-las de sentido e por incorrer no defeito do convencional e esquemático das personagens e situações. A falta dum autêntico talento cênico ajuda a compreender a pobreza desse teatro.

A tragédia clássica só entrou tardiamente em Portugal, embora já em 1536 Henrique Aires Vitória fizesse a tradução para o vernáculo da *Electra,* de Sófocles. Todavia, é em Latim, e no âmbito fechado da Universidade de Coimbra, que se representavam algumas peças.

*A Castro,* ou, com o título por inteiro, *Tragédia de D. Inês de Castro* (publicada em 1587), de **Antônio Ferreira**, distingue-se por ser a primeira tragédia clássica em vernáculo e praticamente única, além de ser verdadeira obra-prima no gênero. Com características de peça sem igual, ao mesmo tempo alcança uma concentração dramática, uma verossimilhança psicológica na pintura dos caracteres, especialmente o da protagonista, um hábil emprego das partes fundamentais da tragédia clássica, numa linguagem poética fluente e apropriada ao ritmo ascendente da trama, – que a distinguem como uma das obras fundamentais da dramaturgia portuguesa de todos os tempos. De Sêneca talvez Antônio Ferreira recebesse o altivo estoicismo que atribui às suas personagens, sobretudo a D. Pedro.

# A PROSA DOUTRINÁRIA

Para uma visão completa, ainda que resumida, do Quinhentismo português, faltará dizer qualquer coisa da literatura doutrinária. Diferente da que se produziu na época anterior, dispersa-se em várias direções e reflete tendências nem sempre ortodoxas ou aristocráticas. Pode ser dividida em dois tipos: laica e religiosa. A primeira é representada, notadamente, pela *Consolação às Tribulações de Israel* (1553), do judeu português **Samuel Usque** (nada se conhece de sua vida). À segunda, caracterizada por misticismo, pensamento escolástico e não raro senso agudo das realidades sociais e psicológicas do homem do tempo e do homem em geral, pertencem **Frei Heitor Pinto** (1528?-1584?), com *Imagem da Vida Cristã* (1563, 1572), **Frei Tomé de Jesus** (1529-1582), com *Trabalhos de Jesus* (1602-1609), **Frei Amador Arrais** (1530?-1600), com *Diálogos* (1589).

Sendo de si pouco significativas do prisma estético, pois o seu objetivo não ficcional situa-as fora do terreno literário propriamente dito, só encerra interesse, pondo de parte o valor documental, doutrinal ou estilístico, a primeira dessas obras. Samuel Usque impregna a obra de forte comoção, mercê de sua origem judaica, aliada à sentimentalidade e sensualidade de raiz estética. Essas qualidades servem de base a um escritor apaixonado, que se coloca integralmente na obra, com o objetivo de retratar os horrores da perseguição a seus irmãos de sangue e religião.

E, assim, fecha-se o Classicismo português, não sem deixar saldo credor para a época seguinte, graças às linhas cruzadas que lhe formaram a estrutura, e o conteúdo ideológico que transmite para o século XVII, época do Barroco.

# V

# BARROCO
## (1580-1756)

### PRELIMINARES

Quando, em 1578, D. Sebastião desaparece em Alcácer-Quibir, era chegado o fim melancólico das grandezas arduamente conquistadas a partir da tomada de Ceuta (1415), graças à abertura do caminho marítimo para as Índias (1498), à descoberta do Brasil (1500), e a outros cometimentos semelhantes. Indo para a regência o Cardeal D. Henrique, tio do malogrado rei, durante dois anos se debateu a magna questão sucessória, até que, em 1580, Filipe II da Espanha, herdeiro mais próximo da Coroa, anexa Portugal a seus domínios. E ao longo de 60 anos, até 1640, dominou o Espanhol. No mesmo ano de 1580, falece na miséria o visionário cantor das glórias perdidas e o intuitivo que pressentira a desastrosa situação de inconsciência coletiva – Luís Vaz de Camões: dois acontecimentos tragicamente simultâneos, a marcar o crepúsculo de um mundo e a aurora de outro. Termina a Renascença em Portugal e principia a extensa época do Barroco, que se espraiará pelo século XVII, atingindo os meados do século XVIII.

Extenso mas não intenso lapso de tempo: na fileira de uma turbulência geral, provocada pelo senhorio castelhano e pelo movimento europeu das ideias em torno da Reforma e da Contrarreforma, a cultura portuguesa baixa de tom, vela-se, hiberna, envergonhada ou ensimesmada, a remoer pensamentos de revolta ou de misticismo, algumas vezes traduzidos em ação, coerente ou não.

110 • A LITERATURA PORTUGUESA

De duvidosa etimologia, o vocábulo "barroco" designava originalmente um tipo de pérola de forma irregular, ou, de acordo com a filosofia escolástica, um esquema mnemônico que servia para facilitar a memorização de um dos chamados silogismos da segunda figura.[1] Com o tempo, passou a significar todo sinal de mau gosto, e, por fim, a cultura própria do século XVII e princípios do século XVIII.

O movimento barroco, iniciado na Espanha e introduzido em Portugal durante o reinado filipino, é de instável contorno, por corresponder a uma profunda transformação cultural, cujas raízes constituem ainda objeto de polêmica. Quem nele procure apenas o aspecto literário, facilmente encontrará no Renascimento algumas de suas formas embrionárias, destacadamente no final do século XVI, quando já se percebem as palpitações da discórdia interna que iria transformar-se em Barroco, enfeixada no chamado Maneirismo, que se caracteriza pela tensão entre as correntes estéticas e ideológicas que cruzam aquele século, expressa pelo acúmulo de metáforas, antíteses, trocadilhos, a mescla do real e do irreal. Lembre-se, apenas como exemplo, o soneto camoniano iniciado pelo verso "Amor é fogo que arde sem se ver", em que já se observam antecedentes barrocos no jogo dos paradoxos que levam aos conceitos, uma das bases daquela tendência estética.

Ainda no tocante às suas origens em Portugal, é preciso levar em conta o papel representado por **Francisco Rodrigues Lobo** (Leiria, 1573?-rio Tejo, 24 de novembro de 1621): não só serviu de nexo entre o magistério camoniano e o Barroco, tendo de permeio o Maneirismo, como também colaborou para a

---

[1] Os silogismos da 2ª figura consistem em silogismos hipotéticos, em que a premissa menor é sempre particular e negativa, e a conclusão sempre negativa.

*b* A Todos os alunos do 2º ano fizeram exame.   (premissa maior)

*r* O Aquele aluno não fez exame.   (premissa menor)

*c* O Logo, aquele aluno não é do 2º ano.   (conclusão)

No pensamento escolástico, o A designava julgamentos universais afirmativos, e o O, particulares negativos. O caráter hipotético desse tipo de silogismo reside no seguinte: a conclusão nega que o aluno pertença ao 2º ano apenas na hipótese de não ter feito exame, quando por outras circunstâncias era fácil chegar à mesma conclusão. Com isso, descreve-se um circuito desnecessário e complicado. Por dar margem a uma série de tortuosas combinações, este gênero de raciocínio não raro se transforma em silogismo imperfeito ou falso.

divulgação da estética barroca com as suas ideias acerca da arte literária e do diálogo, estampadas em *Corte na Aldeia* (1619), a exemplo do passo em que se formula, porventura pela primeira vez em Portugal, o conceito de *agudeza*, nevrálgico para a compreensão da literatura ao longo dos séculos XVII e XVIII:

"Os ditos agudos consistem em mudar o sentido a uma palavra para dizer outra coisa, ou em mudar alguma letra ou acento à palavra para lhe dar outro sentido, ou em um som e graça com que nas mesmas coisas muda a tenção do que as diz".

E, como não podia deixar de ser, o Barroco sofreu mudanças em solo português, já por causa de tais antecedentes, já porque a novidade espanhola correspondia a uma forma de perturbação da serenidade clássica, que só uns poucos letrados aceitaram em bloco, e foram os menos talentosos. A linha tradicional, engrossada pelo magistério poético de Camões, funcionava como barreira contra a invasão das águas vizinhas, e acabou dando um toque de identidade especial ao Barroco português.

No entender de alguns estudiosos, o Barroco tornou-se a arte da Contrarreforma, visto as características básicas do movimento estético servirem aos desígnios doutrinários e pedagógicos da Igreja na luta antirreformista. A Contrarreforma teria absorvido a estética barroca, fazendo dela uma espécie de estratégia da sua ação catequizadora; de onde o caráter pragmático assumido pelas expressões da arte literária barroca, particularmente as em prosa. Por outro lado, a fusão de propósitos e tendências nem sempre coerentes explica as múltiplas facetas apresentadas pelo Barroco.

Posto isso, pergunta-se: quais as características fundamentais da estética barroca? Primeiro que tudo, corresponde à tentativa de fundir, numa unidade ambiciosa de simbolizar a suma perfeição, as duas linhas de força que conduziram o pensamento europeu ao longo do século XVI: o Barroco procurou conciliar numa síntese utópica a visão do mundo medieval, de base teocêntrica, e a ideologia clássica, renascentista, pagã, terrena, antropocêntrica. No amálgama entre orientações tão opostas e à primeira vista mutuamente repulsivas, haveria inevitável troca de posições, de forma que se operaria a espiritualização da carne e a correspondente carnalização do espírito. Em resumo, punha-se todo o empenho em conciliar o claro e o escuro, a matéria e o espírito, a luz e a sombra, visando a anular, pela unificação, a dualidade do ser humano, dividido entre os apelos do corpo e os da alma.

# 112 • A LITERATURA PORTUGUESA

Esse embate entre os dois polos, de resultado sempre negativo, pois a antinomia persiste ao fim e ao cabo, radica no problema do conhecimento da realidade. Entendendo-se que *conhecer é identificar-se com,* assimilar o objeto ao sujeito, parece evidente que a dicotomia barroca (corpo e alma, luz e sombra, etc.) corresponde a dois modos de conhecimento. Primeiro, consistiria na descrição dos objetos, num estado de espírito que induziria a pensar-se num delírio cromático, em que se procurava saber o *como* das coisas. Conhecer seria descrever, como se observa nestes poucos versos extraídos do "Lampadário de Cristal", de Jerônimo Baía:

> "Lâmpada soberana,
> Digníssima do templo da Diana.
> Mas se nele tivera
> Vossa luz sua esfera,
> Com tal excesso brilha,
> Brilha tão sem exemplo,
> Que fora mais estranha maravilha
> A lâmpada que o templo;
> Que fora o templo emulação do polo
> De Diana por si, por vós de Apolo"

Visto o processo descritivo implicar a utilização de metáforas e imagens para todos os sentidos (a chamada *sinestesia),* e a poesia se exprimir sobretudo por meio de metáforas e imagens, resulta que essa tendência se manifesta notadamente em poesia. E recebe o nome de *Gongorismo,* por ser o poeta espanhol Gôngora o seu principal representante. Os seus adeptos procuram cultivar uma linguagem rebuscada, preciosa, ornamental. E, para alcançá-la, consideram de bom tom o emprego de neologismos, hipérbatos, trocadilhos, dubiedades e todas as demais figuras de sintaxe que tornam o estilo pesado, tortuoso e alambicado.

O segundo modo pressupunha a análise dos objetos no encalço de lhes conhecer a essência, ou melhor, saber o que *são,* chegar aos conceitos que os definem. Para tanto, utilizam-se da inteligência e da Razão, sem prejuízo dos sentidos. Ao caos plástico que resulta da descrição gongórica, opõe-se a ordem racionalista, lógica, discursiva, própria de quem procura estabelecer silogis-

BARROCO • 113

mos a respeito da vida e das coisas. Trata-se, pois, duma corrente expressa acima de tudo em prosa, de vez que a logicidade (entenda-se: a lógica formal) não constitui atributo inerente à poesia. Recebeu a denominação de *Conceptismo*, e o seu representante típico foi Quevedo. Sirva de ilustração este fragmento do "Sermão da Sexagésima", de Antônio Vieira:

"Para um homem se ver a si mesmo são necessárias três coisas: olhos, espelho e luz. Se tem espelho e é cego, não se pode ver por falta de olhos; se tem espelho e olhos, e é de noite, não se pode ver por falta de luz. Logo há mister luz, há mister espelho, e há mister olhos"

Convém que se entenda, porém, que Gongorismo e Conceptismo constituem tendências interinfluentes e contemporâneas, inclusive num mesmo escritor: ao mesmo tempo que o Gongorismo utiliza por vezes o processo conceptual, o Conceptismo lança mão dos recursos figurados de linguagem que fazem o apanágio da poesia gongórica. Em muitos casos, torna-se mesmo difícil estabelecer distinção nítida entre os dois procedimentos.

Ambos os "ismos" obedecem a uma concepção pragmática de arte: o primeiro, enaltecendo as sinestesias, procura criar um clima de ludismo verbal com o objetivo de entreter; o Gongorismo não raras vezes se propõe como espetáculo para o gozo dos sentidos; forma inferior, discutível ou requintada, de pragmatismo, não há dúvida que está longe da "torre de marfim" simbolista: os gongóricos parecem pressupor sempre a existência dum auditório – formado ao menos de seus pares – ao qual necessariamente suas obras deveriam dirigir-se.

Poesia e prazer lúdico se confundem no Gongorismo, ao passo que o Conceptismo serve-se da dialética e serve como dialética, uma vez que organiza logicamente as ideias com o fito de convencer e ensinar. Compreende-se a aliança do Barroco e da Contrarreforma, quando atentamos para o fato de que o processo conceptista se prestava plenamente aos objetivos ecumênicos, evangelizadores e pedagógicos daquele movimento clerical. Não é para menos que se estabeleceram vínculos entre o Barroco e o jesuitismo: a Companhia de Jesus, nascida no Concílio de Trento (1545-1563), organizava-se como uma verdadeira milícia, armada poderosamente dum corpo de doutrina, por sua vez informada pela retórica escolástica, ou seja, conceptista.

114 • A LITERATURA PORTUGUESA

Por outro lado, cumpre atentar para o fato de o Barroco ter começado nas artes plásticas. A pintura, a escultura e a arquitetura traduzem, mais a primeira que as outras, a busca de conciliação que vai no interior do Barroco. O belo-feio, a linha torta, o excesso de pormenor, o desenho que foge do ponderado, do "razoável", o jogo do claro-escuro em que a sombra ocupa lugar preponderante, são, a par de outras novidades formais, meios de exprimir a procura da síntese das tendências opostas no homem e na cultura. Desse ângulo, é das épocas mais vibrantes no terreno das artes plásticas, embora não o seja para Portugal, onde poucas vezes alcançaram maior nível, relativamente aos demais países europeus, incluindo a Espanha, onde a arte barroca atingiu graus de primeira grandeza.

Enquanto literatura, o Barroco europeu implica um complexo problema, que extravasa dos limites deste livro. Atenhamo-nos ao caso português. Do ângulo literário, o Barroco em Portugal não apresenta o brilho do século anterior: será preciso aguardar o advento do Romantismo para a Literatura Portuguesa sair da depressão. Na quadra seiscentista, encontramos figuras de relevante porte, mas o todo, ou está impregnado de preocupações limitadamente literárias, isto é, doutrinárias, filosóficas ou de feição mística, ou composto de escritores isolados.

Falta à época uma "atmosfera" comum, tão dispersos estão os intelectuais, guiados por clichês, ou padrões estéticos de alambicamento e de forçado sentido literário. Falta à época a conexão entre os homens de letras, guiados por clichês ou padrões estéticos de alambicamento, de forçado sentido literário, e apenas aproximados por coincidência, as mais das vezes de precário poder aglutinador, embora as academias literárias, históricas e científicas, das quais a primeira foi a *Academia dos Singulares* (fundada em Lisboa, em 1628), e uma das mais importantes, a *Academia dos Generosos* (fundada em 1647 por D. Antônio Álvares da Cunha), procurassem sanar essa falta. Somente ultrapassa o ramerrão uma que outra figura, e, ainda assim, não raro presa a compromissos políticos ou religiosos, a significar a existência de ligações pouco literárias.

Não obstante, a doutrina do Barroco suscitou, em Portugal, um amplo tratado, escrito por **Francisco Leitão Ferreira** (1667-1735), sob o título de *Nova Arte de Conceitos* (2 vols., 1718, 1721), num total de 934 páginas, fruto de 30 preleções feitas ao longo de seis anos, na *Academia dos Anônimos de Lisboa,* fundada em 1714, e ainda em atividade depois de 1728.

# PADRE ANTÔNIO VIEIRA

O Padre Antônio Vieira é a mais alta personalidade, humana e cultural, dessa época, a que a sua estatura invulgar deu nível e serviu de símbolo perfeito. Nele se encontram reunidas, em estranho compósito, as linhas de força que norteiam o complexo quadro do Barroco português.

Nasceu em Lisboa, a 6 de fevereiro de 1608. Aos seis anos, é trazido para o Brasil. Ingressa no colégio jesuítico da Bahia. Em 1623, entra na Companhia de Jesus, ordenando-se em 1634. Em pouco tempo, granjeia fama de orador eloquente e culto, sobretudo ao ocupar-se da guerra contra os holandeses. Liberto Portugal do jugo espanhol, a 1º de dezembro de 1640, segue para a Metrópole com a delegação que vai hipotecar lealdade ao novo rei, D. João IV. Seu talento oratório atinge então o apogeu. Ganha prestígio junto à Corte, de que resulta ser enviado em missão diplomática a Haia, Paris e Roma, mas sem alcançar êxito. Em 1652, está no Maranhão, em trabalho de catequese e conversão dos indígenas, ao mesmo tempo que denuncia os desmandos de colonos e administradores, provocando-os a ponto de se rebelarem.

Em consequência disso, retorna à Metrópole, em 1661. D. João havia morrido cinco anos antes. Por acreditar em sua ressurreição e vaticinar para Portugal o Quinto Império, no qual o poder temporal caberia ao rei português, e o espiritual, ao Papa, é acusado de heresia pela Inquisição. Oito anos decorrem, ao fim dos quais o internam numa casa jesuítica e lhe cassam o direito de pregar. Posto em liberdade, segue para Roma, onde alcança que o processo condenatório seja revisto, e torna-se conhecido como orador do salão da Rainha Cristina, da Suécia.

Em 1675, de volta a Lisboa, o desalento dele se apodera, ao sentir infrutíferas todas as tentativas para anular o tratamento excessivamente rigoroso dado pela Inquisição aos cristãos-novos. Em 1681, regressa definitivamente ao Brasil, e no recolhimento entrega-se à faina de ultimar a redação e publicação dos sermões e de outras obras em preparo. Morre a 18 de julho de 1697, na Baía.

Assistido por inquebrantável dinamismo, o Padre Vieira pensou todas as questões candentes em seu tempo e procurou agir praticamente para lhes dar rumo compatível com aquilo que julgava correto, numa linha de coerência que por si só explica a vastidão da sua obra e da sua ação mental e política. Neste segundo aspecto, destaca-se a campanha em favor dos escravos, dos indígenas e, por fim, dos judeus, bárbara e desumanamente torturados pela

116 • A LITERATURA PORTUGUESA

Inquisição. É alto o mérito que lhe advém dessa luta travada acima das limitações sacerdotais e pondo a humana condição antes de qualquer verdade pragmática ou dogmática. Tudo isso lhe valeu fortes e fatais dissabores, mas tornou-o a estrela de primeira grandeza do Barroco luso-brasileiro.

Contudo, à crítica e à historiografia literárias interessa a obra escrita, e não a atuação política, apesar de intimamente associadas. Escreveu, além de mais de quinhentas cartas, algumas delas em torno de importantes questões (como as endereçadas ao Marquês de Nisa, representante português na França, a respeito dos judeus), obras de profecia: *História do Futuro* (1718), *Esperanças de Portugal* (1856-1857) e *Clavis Prophetarum* (escrita em latim, ficou incompleta e inédita), em que, na linha do sebastianismo,[2] vaticina para Portugal o destino de Quinto Império, já previsto na Bíblia, no Livro de Daniel. É um ingrediente desconcertante, mas necessário para compreender o caráter do Padre Vieira, se bem que, literariamente, tenha interesse inferior ao dos *Sermões* (15 vols., 13 publicados entre 1679 e 1690, e 2 entre 1710 e 1718), nos quais concentrou o melhor do seu talento e saber.

Para bem se compreender os sermões do Padre Vieira, é preciso ter em mente as características fundamentais do movimento barroco. De contorno dilemático, contraditório, feito de antíteses e oposições, instável como o próprio ondular das ideias no esforço de orientar e persuadir, os sermões vieirianos correspondem à preocupação de anular a dicotomia radical existente no ser humano, formado que é de corpo e alma. Entenda-se, todavia, que o singular orador jesuíta era barroco mas não gongórico, porquanto propugnava pela dialética conceptista e insurgia-se contra os excessos gongóricos. No "Prólogo do Autor", que abre os *Sermões,* declara-o franca e brilhantemente:

> "Se gostas de afetação e pompa de palavras, e do estilo que chamam culto, não
> leias. Quando este estilo mais florescia, nasceram as primeiras verduras do meu
> (que perdoarás quando as encontrares), mas valeu-me tanto sempre a clareza, que

---

[2] As trovas do sapateiro Bandarra, "profeta" falecido em 1545, ao mesmo tempo que imprecavam contra a corrupção que minava a sociedade coeva, obscuramente prediziam para Portugal a conquista de Marrocos e o Quinto Império. Com a morte de D. Sebastião em África e a esperança de sua volta, as predições entraram a ser tidas na conta de "iluminadas": havia nascido o mito do sebastianismo, em que se misturavam a crença hebraica no retorno do Messias e resíduos da lenda do mago Merlim.

BARROCO • 117

só porque me entendiam comecei a ser ouvido; e o começaram também a ser os que reconheceram o seu engano, e mal se entendiam a si mesmos."

E o *Sermão da Sexagésima,* no qual o orador descreve as razões pelas quais se apartou "do mais seguido e ordinário" e que "por isso se põe em primeiro lugar, como prólogo dos demais", serve perfeitamente de exemplo, modelo e confirmação dessas ideias. Espécie de profissão de fé da oratória conceptista, nele o pregador examina as condições indispensáveis para que faça fruto a palavra de Deus. O processo empregado e defendido é o conceptista, mas a linguagem procura soluções clássicas, como equilíbrio, justeza, verdade e clareza. No entanto, de um lado, ataca os gongóricos:

> "Vemos sair da boca daquele homem, assim naqueles trajos, uma voz muito afetada e muito polida, e logo começar com muito desgarro, a quê? A motivar desvelos, a acreditar empenhos, a requisitar finezas, a lisonjear precipícios, a brilhar auroras, a derreter cristais, a desmaiar jasmins, a toucar primaveras, e outras mil indignidades destas"

e, de outro, utiliza uma que outra de suas afetações, além de recriminar a tendência conceptista para o retorcido e a agudeza do pensamento: "Ah pregadores! os de cá, achar-vos-ei com mais paço; os de lá, com mais passos".

Barroco, conceptista e não gongórico, o Padre Vieira parte sempre de um fato real, observado ou de flagrante presença (veja-se o *Sermão pelo Bom-Sucesso das Armas de Portugal Contra as de Holanda)* para, de pronto, galvanizar o ouvinte, chamando-o ao dever de pensar e de reagir. Processo de eletrização para despertar as consciências, de imediato o pregador liga o presente vivo ao texto evangélico, a procurar analogias e correspondências. Cria-se, desse modo, uma forma de parentesco alegórico entre ambos. A impressão que deve causar o peso da Escritura (logo posta em linguagem corrente para o fácil entendimento dos espectadores), faz-se acompanhar das consequências psicológicas de o problema ser colocado de modo claro, direto, lógico, contundente.

E o orador desfia-o, num jogo dialético que não cessa e não baixa de tom, enredando os ouvintes, mas atingindo o objetivo: impressioná-los, traumatizá-los, para levá-los à ação evidenciadora de virtudes. A tensa dialética, com descortinar paradoxos, ambiguidades, sentidos ocultos, mistérios, ingredien-

118 • A LITERATURA PORTUGUESA

tes sobrenaturais, leva às conclusões implícitas nas premissas. Tendo sempre objetivos morais, como declara no "Prólogo do Autor", o Padre Vieira procura convencer para ensinar e orientar, excitando os fiéis no entendimento das mensagens evangélicas que pretende transmitir. Examinando as ideias feitas ou dogmáticas diante do auditório, enfrenta dificuldades incríveis de raciocínio, que o poderiam levar a becos sem saída; no entanto, vence-as com brilho e lucidez, atingindo o seu alvo com invulgar eloquência e força de persuasão.

Estamos em face da parenética conceptista, em que o racionalismo se casa com uma forma de idealismo dogmático, representado pelos textos evangélicos, e que cumpre fazer vivos aos assistentes. Tudo isso confere ao orador o papel de "iluminado", convicto das ideias que prega, usando processos insinuantes para as divulgar, num ardor que não esmorece, numa estrutura silogística que convence o mais arguto espectador. A linguagem, de recorte clássico, apoia-o eficazmente, graças a um vocabulário seleto e a uma sintaxe riquíssima, aliada ao poder de revelar insuspeitadas conotações lógicas ou afetivas no interior das palavras.

Faz-se claro e profundo ao mesmo tempo, lógico e convincente, explorando suas especiais qualidades de tribuno e de escritor. Por esta razão, o Padre Vieira tornou-se verdadeiro modelo de purismo de linguagem e fonte de conhecimento dum conjunto de expressões que pôs em uso, adaptou ou fixou pela primeira vez. Representa, assim, o melhor do Barroco português, época em que a prosa dava amplos e consistentes sinais de maturidade.

Os sermões vieirianos seguem a estrutura clássica tripartite: *introito* (ou *exórdio),* em que o orador declara o plano a utilizar na análise do tema em pauta; *desenvolvimento* (ou *argumento),* em que se apresentam os prós e os contras da proposição e os exemplos que os abonam; *peroração,* em que o orador finaliza a prédica conclamando os ouvintes à prática das virtudes que nela se enaltecem. Uma que outra vez, o Padre Vieira entra *ex-abrupto* no assunto, como no *Sermão da Primeira Dominga do Advento,* pregado na Capela Real, em 1650:

"Dou princípio a este sermão sem princípio, porque já disse Quintiliano que as grandes ações não hão mister exórdio: elas por si mesmas, ou supõem a atenção ou a conciliam"

ou deixa de fazer a peroração, como é o caso do *Sermão da Primeira Sexta-Feira da Quaresma,* pregado na Capela Real, em 1651:

"Mas este meu Sermão hoje será a primeira oração evangélica, que, contra todas as leis da retórica, acabará sem peroração."

Quando, no fim da vida, o Padre Vieira se dispôs a ordenar os sermões para publicação, teve de redigir a maior parte deles, porquanto só alguns haviam sido publicados, em folhas volantes, ao passo que doutros só existiam breves apontamentos, que o senso improvisador do jesuíta ia desenvolvendo conforme as circunstâncias do momento. Considerando ainda que a oratória pressupõe a presença física do orador, com todo o aparato que lhe é inerente (estatura, vestimenta, voz, gesto, postura, entonação, etc.), o texto dos sermões só corresponde precariamente ao que foi dito e ao modo empregado para o dizer.

De um lado, constituem redação posterior aos eventos, efetuada no recolhimento claustral; e de outro, mesmo as peças porventura publicadas contemporaneamente ao fato resultam numa espécie de petrificação: a oratória, como o teatro, reside menos no texto, que na ação exercida na tribuna, púlpito, ou palco. O fato de o Padre Vieira apenas se amparar num roteiro para a elaboração de suas peças o diz claramente; doutra forma, o sermão sairia falso e artificial, como, até certo ponto o é, por ter sido redigido depois da sua elocução.

Os principais sermões, além dos já citados, referem-se às questões sociais que discutiu: a questão dos escravos (sermões da série "Rosa Mística": nº XIV, vol. V; nº XX, vol. VI; nº XXVII, vol. VI); a questão da reação contra o invasor holandês (*Sermão de Santo Antônio*, vol. VIII, também chamado *Sermão dos Peixes);* a questão dos indígenas (*Sermão da Primeira Dominga da Quaresma, Sermão da Quinta Dominga da Quaresma).*

O Padre Antônio Vieira, apesar de tudo, permaneceu insulado. Se outros pregadores de nomeada houve (e houve-os, em Portugal e no Brasil, como Antônio de Sá, Eusébio de Matos), nenhum dos que lhe aproveitaram a lição foi capaz de equiparar-se com ele no talento, nos transes da vida, na atuação em favor dos desprotegidos e na relevância da obra: é, com toda a justiça, a figura mais exponencial do Barroco português. E também do Barroco brasileiro, sem favor nenhum.

# D. FRANCISCO MANUEL DE MELO

De origem nobre, como indica o *dom* que lhe antecede o nome, ligado às casas reais de Espanha e Portugal, nasceu em Lisboa, a 23 de novembro de 1608.

Vida agitadíssima e aventuresca: depois dos estudos sob a orientação dos jesuítas, entra no serviço militar e vai combater os turcos; de volta, é armado cavaleiro e frequenta a Corte madrilenha, ao mesmo tempo que se bate na Corunha, em Málaga e na Flandres (1639). Liberto Portugal a 1º de dezembro de 1640, é preso e levado a Madrid, mas não somente se exime de qualquer culpa como alcança ser nomeado para missões diplomáticas na Inglaterra e na Holanda. Em 1644, por motivos ainda ignorados, está preso na Torre de Belém. Onze anos dura o processo, findos os quais é desterrado para o Brasil (Bahia), onde fica de 1655 a 1658. De regresso a Lisboa, torna-se figura central da Academia dos Generosos, e, reabilitado moralmente, é enviado em missão diplomática ao estrangeiro. Ao regressar, consegue nomear-se deputado, mas falece a 13 de outubro de 1666, em Lisboa.

A sua obra literária segue-lhe de perto a vida acidentada de espadachim e homem mundano, uma espécie de vasto e multímodo depoimento de suas andanças de vária fortuna, bem como de sua larga e viva cultura aristocrática e jesuítica. A abundante produção, jamais interrompida, mesmo quando o infortúnio o lança na prisão e no desterro baiano, abrange espécies e gêneros vários: a poesia, a historiografia, o teatro, a polêmica, a biografia, a literatura moralista, a epistolografia, nas duas línguas ibéricas.

A poesia de D. Francisco Manuel de Melo está reunida nas *Obras Métricas* (1665), divididas em quatro partes, "Panthéon. A la Inmortalidad Del Nombre Ithade", "Las Tres Musas del Melodino", "Segundas Três Musas do Melodino", "El Tercer Coro de Las Musas del Melodino", das quais só a terceira escrita em vernáculo. Esta, subdividida em "Tuba de Calíope", "Sanfonha de Euterpe" e "Viola de Tália", interessa-nos mais de perto: nela ecoam vozes poéticas quinhentistas, Camões à frente, ao mesmo tempo que reflete viva adequação à mentalidade barroca.

Dotado duma sensibilidade inquieta, saltitante, D. Francisco Manuel de Melo entrega-se, em poesia, à euforia no jogo das imagens, que progressivamente vai cedendo ao gosto do Conceptismo. Seu talento parece coartado pelas imposições barrocas: poucas vezes conseguiu romper as conveniências e produzir obra em que pulsasse uma vívida experiência das coisas e dos homens. Assim fez em alguns sonetos e églogas, apesar da tendência para o rebuscamento vocabular e conceptual.

A historiografia não era o forte de D. Francisco Manuel de Melo, posto lhe reflita o talento, a cultura e a existência aventuresca. Escreveu a biografia de *D. Teodósio II* (publicada em 1944), o *Tácito Português - Vida e Morte, Ditos e Feitos de El-Rei D. João IV* (publicada em 1940, pela Academia Brasileira de Letras), mas a sua obra historiográfica mais importante são as *Epanáforas de Vária História Portuguesa* (1660), divididas em cinco partes: a "Epanáfora Política", que narra os acontecimentos relacionados com o motim de Évora, de 1637; a "Epanáfora Trágica", que trata do naufrágio da armada de D. Manuel de Meneses, ocorrido em 1627, e no qual foi dos poucos que conseguiram salvar-se; a "Epanáfora Amorosa" é a mais sugestiva de todas, do ponto de vista literário: num estilo brilhante, D. Francisco Manuel de Melo conta-nos a lenda acerca do descobrimento da ilha da Madeira, levado a efeito por dois amorosos ingleses, Roberto Machin e Ana d'Arfet; ainda no século XVII, esta "epanáfora" foi traduzida para os idiomas francês e inglês; a "Epanáfora Bélica" relata dois combates navais havidos entre a frota espanhola e a holandesa no Canal da Mancha, em 1639, dos quais D. Francisco Manuel de Melo foi espectador; a "Epanáfora Triunfante", que nos comunica os sucessos determinados pela restauração de Pernambuco, em 1654.

Para o teatro, D. Francisco Manuel de Melo escreveu em castelhano várias peças que se perderam, e o *Auto do Fidalgo Aprendiz* (que se publicou apenso às *Segundas Três Musas,* em 1665). Composta provavelmente antes de 1646, a peça combina a influência do teatro popular vicentino com a comédia greco-latina, italiana e espanhola. Quer-se crer que haja inspirado a Molière o *Le bourgeois gentilhomme.* Uma graça nova e a movimentação incessante dos protagonistas, criando ardis, enganos e quiproquós, conferem interesse à peça, sobretudo quando nos lembramos da escassez de teatro durante o século XVII.

Todavia, é na epistolografia e nos escritos morais que D. Francisco Manuel de Melo atinge o máximo de inventividade. Escreveu cerca de vinte mil cartas, a maior parte delas na prisão, de cuja experiência são registro fiel. Dois anos antes de morrer, em 1664, publicaram-se em Roma as suas *Cartas Familiares,* de caráter confessional e documental, mas o escritor fala menos de si do que das gentes e acontecimentos contemporâneos, mantendo sempre compreensível reserva.

Redigindo-as com evidente intuito literário, submeteu-as a rigoroso polimento estilístico, sem, contudo, desfazer o ar de angústia irônica em que se encontrava quando preso, visível no tom sentencioso, conceptista e vagamen-

122 • A LITERATURA PORTUGUESA

te filosofante. O aspecto moralista, amparado no emprego duma linguagem que mescla expressões populares, arcaísmos e neologismos, explica o interesse dessa epistolografia como retrato duma singular inteligência e dum século contraditório.

Nessa mesma ordem de ideias situa-se a *Carta de Guia de Casados* (1651), uma espécie de manual do casamento, escrito com graça, humor e vivacidade, ao surpreender os meandros tortuosos das relações matrimoniais, por alguém que, paradoxalmente, morreu solteirão. Aqui também a sua prosa ganha acentos coloquiais, graças à importância conferida aos modismos populares e às "sentenças" e conceitos carregados dum filosofismo ligeiro, sorridente e pragmático, como de resto também já fizera em *Feira de Anexins* (publicada em 1875). Não obstante haverem transcorrido mais de trezentos anos, a *Carta de Guia de Casados* encerra muita atualidade: com rara argúcia, o moralista surpreendeu na sociedade do tempo facetas ainda hoje vivas em matéria de casamento.

Idêntica atmosfera moralista repassa os *Apólogos Dialogais* (1721), em número de quatro: "Relógios Falantes", "Visita das Fontes", "Escritório Avarento" e "Hospital das Letras". Aqui está o melhor de quanto escreveu D. Francisco Manuel de Melo, pela feliz união de invulgares dotes de percuciente e satírico observador das gentes do Seiscentismo, com um estilo vivo, gracioso, pitoresco e comunicativo. Dos *Apólogos,* em que perpassam reminiscências da novela picaresca, o último apresenta especial interesse histórico-literário: imaginando-se em diálogo com Justo Lípsio (1547-1606), humanista belga, Boccalini (1556-1613), italiano, e Francisco de Quevedo (1580-1645), espanhol, D. Francisco Manuel de Melo passa em revista, elogiosamente, a literatura barroca.

A polêmica, que também cultivou (*A Aula Política, Cúria Militar,* 1720; *Manifesto de Portugal,* 1647), embora ostente as peculiares qualidades de escritor polimórfico, constitui aspecto menos relevante.

## PADRE MANUEL BERNARDES

Nasceu em Lisboa, a 20 de agosto de 1644. Aos trinta anos, abraça a Congregação do Oratório de S. Filipe Néri, imergindo no silêncio claustral até o fim dos seus dias, entregue à meditação e a compor a sua obra de moralista. Enlouqueceu dois anos antes de falecer, a 17 de agosto de 1710.

A sua existência, apenas assinalada por duas datas, e a sua obra opõem-se diametralmente às do Padre Antônio Vieira. Infenso à vida ativa e ao atrito social, era um contemplativo e místico por natureza, e as obras que legou, refletem nitidamente essa condição. Dotado de inquebrantável fé religiosa, que o recolhimento conventual estimulava e nutria, escreveu as suas obras com os olhos voltados para o plano transcendente, embora não esquecesse de os dirigir igualmente para os seus semelhantes, dentro e fora dos mosteiros.

Por isso, ao comunicar-se com o leitor, no afã pedagógico de guiá-lo na estrada que levaria à bem-aventurança, não esquece jamais de molhar a pena com a ungida contemplação espiritual em que se compraz. Quer ensinar o homem a encontrar Deus pelo culto das virtudes morais mais autênticas nele, precisamente as que lhe conferem a marca de criatura humana.

A numerosa obra, em que se espelham relevantes qualidades de escritor e pensador cristão, construiu-a com esse único destino: *Nova Floresta* (5 vols., 1706, 1708, 1711, 1726, 1728), *Pão Partido em Pequeninos* (1694), *Luz e Calor* (1696), *Exercícios Espirituais* (1707), *Últimos Fins do Homem* (1726), *Armas da Castidade* (1737), *Sermões e Práticas* (2 vols., 1711), *Estímulo prático para seguir o bem e fugir do mal* (1730).

A *Nova Floresta* é a obra mais conhecida, entre outras razões porque nela o escritor atingiu o ápice de suas faculdades literárias. Ao mesmo tempo, assinala a realização plena do seu processo: os tópicos de que trata estão dispostos em ordem alfabética: Alma Racional, Amizade, Amor Divino, Apetites, Armas, Astúcia, Avareza, etc., por vezes reunindo num só tópico matérias afins: Abstinência: Jejum; Alegria. Tristeza; Anos. Idade. Tempo; etc.

Cônscio do poder insinuativo e transformador das palavras, como bom conceptista que era, o Padre Manuel Bernardes procura atingir o máximo de efeito com o mínimo de recursos: baixa até o leitor, conta-lhe um "caso", um "exemplo", de origem religiosa, ou bíblica, histórica ou mesmo popular, e dele extrai as ilações que julga fundamentais para a formação moral do verdadeiro cristão.

Para consegui-lo, despoja a linguagem de tudo quanto lhe parece supérfluo, como quem procurasse um andamento e um tom próximos da fala confessional, mas sem perder dignidade, altura e brilho. Utilizando rico vocabulário e uma sintaxe direta, clara, clássica, em que raramente despontam

124 • A LITERATURA PORTUGUESA

hipérbatos e semelhantes recursos barrocos, simplifica a doutrina a fim de que o leitor comum possa senti-la, interpretá-la e assimilá-la. Ajuda-o, nessa tarefa de falar aos simples, a ingenuidade crédula com que atribuía foros de verdade a meras lendas e ficções. Por outro lado, certas notações "realistas" denunciam um sacerdote interessado na vida exterior, embora por vias indiretas, como o confessionário.

Pela fluência e clareza da linguagem, em que não é estranho o influxo conceptista e latino, pela elegância, espontaneidade, precisão e casticismo verbal, o Padre Manuel Bernardes tornou-se um autêntico modelo da prosa literária seiscentista. Pelo estilo, realizou um anseio geral no tempo, e pela reclusão claustral, um ideal de vida contemporâneo, qual seja, a ascese de tipo medieval.

## CAVALEIRO DE OLIVEIRA

Dessa forma assinava suas obras Francisco Xavier de Oliveira, uma das figuras humanas e literárias mais curiosas do tempo, quer pela aventurosa vida que levou, quer pela obra em que caldeou os produtos de uma vária e complexa experiência dos homens e do mundo. Nascido em Lisboa, a 21 de maio de 1702, recebeu esmerada educação. Encaminhando-se para o emprego público, gasta o tempo em estroinices; casa-se, mas logo perde a mulher, o mesmo acontecendo ao pai, então em Viena, junto à representação diplomática. Abandona a Pátria para sucedê-lo. Daí por diante, é um rol de aventuras de toda ordem, amorosa, administrativa, diplomática, financeira, etc., em Viena, Amsterdã, Londres, e usando os expedientes mais à mão, num maquiavelismo sem limite. Jamais voltou a Portugal, e faleceu em Londres, a 18 de outubro de 1783.

O Cavaleiro de Oliveira enquadra-se no capítulo da literatura moralista barroca, apesar de ter vivido em pleno século XVIII. Tendo escrito quase todas as obras em francês, só incidentalmente cabe na Literatura Portuguesa. Escreveu sempre obras de observação e com propósitos definidos e pragmáticos: realizar conquistas amorosas sobretudo por meio de cartas, defender-se dos ataques que lhe eram dirigidos, e satirizar os usos e costumes do tempo. Pretendeu, mas não conseguiu, viver da pena.

O seu espólio literário consta dos seguintes títulos: *Mémoires de Portugal* (1741), *Memórias das Viagens* (1741), *Mille et une observations* (1741), *Cartas Familiares*, 2 vols. (1741-1742), *Amusement périodique* (1751), *Discours pathétique* (1756), *Suite do Discours pathétique* (1757), *Reflexões de Félix Vieyra Corvina dos Arcos* (1751) e *Le Chevalier d'Oliveyra brûlé en effigie* (1762).

Todas elas, especialmente as *Cartas Familiares* e o *Amusement périodique* (traduzido para o vernáculo com o título de *Recreação Periódica),* constituem documentos de primacial importância para o conhecimento da sociedade lisboeta e europeia do século XVIII. Se o estilo deixa a desejar por vezes, o conteúdo das observações tem sabor de coisa viva, enriquecido dum travo picante emprestado pela narração de aventuras galantes mais ou menos autobiográficas.

## MATIAS AIRES

Nascido em São Paulo, a 27 de março de 1705, muito novo ainda segue para Coimbra, onde estuda Artes e Direito. Termina a formação escolar em França. De volta a Portugal, herda grande fortuna e o cargo de Provedor da Casa da Moeda. Falece a 10 de dezembro de 1763, em Lisboa.

Escreveu o *Problema de Arquitetura Civil* (editado postumamente, em 1770, e suscitado pelo terremoto de Lisboa de 1755) e as *Reflexões sobre a Vaidade dos Homens* (1752), nas quais, a par da influência do pensamento moralista de La Rochefoucauld (1613-1680), autor das *Máximas* (1665), se observa um espírito que encontra forte identidade entre suas ideias e as do *Eclesiastes*. Pessimista, mas dum pessimismo estoico, porque corresponde à consciência do mal e ao desejo de o repelir, admite a vaidade como centro de todas as ações humanas: "vaidade das vaidades, tudo é vaidade".

O seu moralismo é de raiz teleológica: faz crer nas compensações advenientes da superação da vaidade, e do cultivo da vida simples. Esse corpo de pensamento, de que não é estranho o paradoxo e a concisão sintática, permite ver em Matias Aires um digno representante do Barroco, inclusive pelo estilo, preso àquilo que então era moda, sobretudo dentro da ala conceptista. Entretanto, aceita, embora parcialmente, o que o Iluminismo francês trazia de novo com a sua típica atitude racionalista, e assume posturas mentais antecipadoras do Pré-Romantismo.

# A "ARTE DE FURTAR"

Importante obra dentro da prosa doutrinária barroca, publicada pela primeira vez em 1652, e escrita por um "Português mui zeloso da Pátria", que preferiu manter-se anônimo. Quem seria ele? Vários nomes têm sido lembrados: Padre Antônio Vieira, João Pinto Ribeiro, Tomé Pinheiro da Veiga, Duarte Ribeiro de Macedo, Antônio da Silva e Sousa, D. Francisco Manuel de Melo, Antônio de Sousa de Macedo, Pe. Manuel da Costa. Embora os três últimos nomes tenham merecido, desde os princípios do século passado, investigação acurada e com indícios de probabilidade, a questão continua aberta.

Como o título sugere, notadamente se o tomarmos na integridade (*Arte de Furtar, Espelho de Enganos, Teatro de Verdades, Mostrador de Horas Minguadas, Gazua Geral dos Reinos de Portugal*), trata-se duma impiedosa sátira das trapaças, grandes e pequenas, cometidas por baixos funcionários e por ministros de Estado, e generalizadas na Corte e nos escalões administrativos, durante o reinado de D. João IV, isto é, nos anos seguintes à reconquista da autonomia portuguesa, em 1640. O seu valor reside no fato de ser documento precioso da situação burocrática e fidalga daquela época, graças ao sentimento patriótico que leva o satírico a auscultar com fidelidade os mínimos pormenores da coletiva decomposição moral.

Referindo-se a situações e homens contemporâneos, é explicável que procurasse o anonimato para mais livremente retratá-los. Tem menor interesse literário: sobejam na obra os tipismos expressivos barrocos (antíteses, hipérbatos, etc.) que, à custa de repetidos, revelam despreocupação de criar estilo e atribuem certa monotonia à narrativa. O seu conteúdo satírico, todavia, é ainda hoje incrivelmente válido e vivo, como se nada houvesse mudado ao longo de séculos: o autor poderia encontrar em nossos dias, por toda a parte, ainda mais farta quantidade de exemplos merecedores da sua violenta diatribe.

# A POESIA BARROCA

Diverso da literatura doutrinária e moralista é o caminho seguido pela poesia. O próprio afeiçoamento ao ideário barroco, especialmente na vertente gongórica, limita o alcance e o sentido da poesia escrita ao longo do século XVII e primeira metade do século XVIII. Considerada poesia para entreter, valia pelo caráter lúdico, pelo divertimento verbal, expresso no malabarismo das imagens e das correlações sintáticas, que acabou sendo princípio, meio e fim. Por outras palavras, a poesia barroca corresponde mais ao culto da forma, do verso, que do conteúdo, do sentimento, da emoção lírica.

Esse gosto pela pirotecnia vocabular, sintática e versificatória, explica-se pelo aproveitamento indiscriminado e mecânico daquilo que nas artes plásticas contemporâneas era o gosto dos cromatismos, dos volumes, das soluções imprevistas, da aproximação de contrastes, o jogo de claro-escuro, etc. Tudo quanto, ao fim de contas, constitui o arsenal poético gongórico. Nessas circunstâncias, é fácil compreender que só raramente o lirismo barroco supera a mediocridade e ganha interesse estético, muito embora valha por seu lado estilístico e linguístico. Na verdade, somente raras composições alcançam dizer-nos alguma coisa: tudo o mais pereceu com o tempo que lhe deu causa e razão de ser.

A poesia barroca em Portugal apresenta-se em figuras isoladas e em antologias organizadas com intuito idêntico ao que presidiu à compilação dos cancioneiros medievais. Quanto aos primeiros, sobressaem D. Francisco Manuel de Melo e Francisco Rodrigues Lobo, os mais representativos do século XVII português, em que se cultivam a poesia lírica, a satírica e a épica. No último tipo se enquadram poemas heroicos, obedientes sobretudo ao modelo camoniano, como *Ulisseia ou Lisboa Edificada* (1636), de Gabriel Pereira de Castro (1571-1632), *Afonso Africano* (1611), de Vasco Mouzinho de Quevedo Castel-Branco, *Malaca Conquistada* (1634), de Francisco de Sá de Meneses (morto em 1664), *Ulissipo* (1640), de Antônio de Sousa de Macedo (1606-1682), etc.

## FRANCISCO RODRIGUES LOBO

Nasceu por volta de 1573, em Leiria, cuja beleza natural lhe inspirou parte da obra. Talvez cristão-novo, morreu afogado no Tejo, a 24 de novembro de 1621. Sua obra poética é formada pelo *Romanceiro - Primeira e Segunda Parte dos Romances* (1596), as *Églogas* (1605), o poema épico *O Condestabre* (1610) e pela *Jornada... que Dom Filipe II hizo a Portugal* (1623), e pelos poemas esparsos em suas novelas pastoris: *A Primavera* (1601), *O Pastor Peregrino* (1608), *O Desenganado* (1614).

128 • A LITERATURA PORTUGUESA

Francisco Rodrigues Lobo serve de elo de ligação entre a poesia quinhentista, notadamente na parte relativa a Camões, de quem foi autêntico seguidor, e a poesia barroca. Esse caráter precursor vem documentado no melhor que realizou sua inspiração poética: as composições inseridas na trilogia pastoril.

Como prosador, evitou maiores contatos barrocos. Ainda escreveu *Corte na Aldeia e Noites de Inverno* (1619): a obra compõe-se de dezesseis diálogos em prosa, travados em noites sucessivas por homens de letras, numa aldeia próxima de Lisboa, debatendo assuntos relacionados com a educação do homem de sociedade, fidalgo ou não. Nos diálogos V, IX, X e XI, especialmente, faz-se a súmula duma teoria literária do Barroco, na qual se inscreve o mais antigo conceito de conto em vernáculo, o que mais acentua o caráter precursor de Francisco Rodrigues Lobo, inclusive em relação à boa prosa cultivada no século XVII.

## A "FÊNIX RENASCIDA" E O "POSTILHÃO DE APOLO"

Estas são as duas antologias mais importantes da poesia seiscentista em Portugal, sobretudo a primeira. A *Fênix Renascida ou Obras Poéticas dos Melhores Engenhos Portugueses* publicou-se em cinco volumes, entre 1716 e 1728, e com acréscimos em 1746, por Matias Pereira da Silva. A par da influência camoniana, revelada na glosa a sonetos de Camões e a *Os Lusíadas,* nota-se o cultivo das típicas "agudezas" barrocas. Além dos temas lírico-amorosos e épicos, interessavam os mitológicos, os satíricos, os religiosos. Dentre os poetas ali reunidos, destacam-se: Jerônimo Baía, Sóror Violante do Céu, Antônio da Fonseca Soares (Frei Antônio das Chagas), D. Tomás de Noronha, Diogo Camacho, Antônio Barbosa Bacelar.

O *Postilhão de Apolo,* como é mais conhecido um cancioneiro de longo e serpentuoso título (*Ecos que o Clarim da Fama Dá / Postilhão de Apoio montado no Pégaso...*), foi publicado em dois volumes (*Eco I* e *Eco II*), em 1761 e 1762, por D. José Ângelo de Morais. Nesta coletânea, composta igualmente de poesia de vária temática, desde a mais jocosa até a mais grave, o influxo de Gôngora atenua-se a olhos vistos. Além dos poetas já referidos como participantes da *Fênix Renascida,* colaboraram no *Postilhão de Apolo,* dentre outros: Eusébio de Matos, Bernardo Vieira Ravasco, Francisco Rodrigues Lobo, D. Francisco Xavier de Meneses.

Apesar da sua importância, **Jerônimo Baía** (Coimbra, c. 1620-Viana do Castelo, 1688) ainda não mereceu que fossem recolhidos em volume os seus poemas publicados nas referidas coletâneas. Parte considerável da sua contribuição para a *Fênix Renascida* foi estampada num volume, organizado por Filipe Diez, sob o título de *Poesia de Jerónimo Baía n'"A Fênix Renascida"* (1999).

Jerônimo Baía é um barroco típico, seja na variedade das formas (oitavas, décimas, sonetos, madrigais, canções, silvas, romances), seja na inconstância do tom, que gravita entre o jocoso e o sério, tendo de permeio os temas mitológicos, comemorativos, satíricos, ora na clave lírica, em torno do amor, ora tentando a poesia épica em *Alfonseida*, ou o idílio panegírico em Latim (*Elisabetha Triumphans*). O "Lampadário de Cristal", mencionado acima, é o poema mais representativo do seu estro poético e da própria estética barroca.

**Sóror Violante do Céu** (Lisboa, 1601-21 de janeiro de 1693), Violante Silveira Montesinos de nome, professou na Ordem Dominicana em 1630, continuando a escrever poesia, dispersa pelos dois cancioneiros referidos e pelo *Parnaso Lusitano de Divinos e Humanos Versos* (2 vols., 1733), reunida em vida nas *Rimas Várias*, em 1646, e reeditada, com introdução, notas e fixação do texto de Margarida Vieira Mendes, em 1994.

Constituída de sonetos, madrigais, canções, romances, silvas, caracteriza-se acima de tudo pelo caráter laico. Escrita em vernáculo e em espanhol, contém panegíricos e poemas de circunstância, a par de poemas amorosos, que constituem a faceta mais relevante em densidade e número. Inclinada ao Conceptismo, engenhosa, gira em torno dos transes da experiência amorosa, mais do que da casuística do amor, tendo como extremos os nexos entre a vida e a morte:

> "Não quero sem Silvano já ter vida,
> pois tudo sem Silvano é viva morte,
> já que se foi Silvano venha a morte,
> perca-se por Silvano a minha vida"

A "métrica ciência", voltada às vezes para a "retórica muda" ou o "retórico silêncio" da pintura, revela mestria, "engenho e arte", acionada por conceitos

# 130 • A LITERATURA PORTUGUESA

típicos da cultura barroca, não sem deixar margem a uma força inventiva que distingue Sóror Violante do Céu entre as escritoras do tempo.

## A HISTORIOGRAFIA
## A HISTORIOGRAFIA ALCOBACENSE

No setor da historiografia seiscentista, observa-se flagrante regressão. Cessadas as causas que justificaram o fervor ufanista dum João de Barros, em vão tentaram os historiadores da época barroca escrever obra otimista e de teor épico. É o caso, por exemplo, dum D. Fernando de Meneses, Segundo Conde de Ericeira (1614-1699), autor da *História de Tânger* (publicada em 1732), dum Manuel de Faria e Sousa (1540-1594), autor de *Ásia Portuguesa, África Portuguesa e Europa Portuguesa* (publicadas entre 1666 e 1681), de D. Luís de Meneses, Terceiro Conde de Ericeira (1632-1690), autor da *História de Portugal Restaurado* (primeira parte, 1679-segunda parte, 1698), ou de Jacinto Freire de Andrade (1597-1657), autor de *Vida de D. João de Castro, quarto vizo-rei da Índia* (1651).

No geral, a atividade historiográfica recolheu-se a certo servilismo aristocrático, ou, refugiando-se nos mosteiros e conventos, tornou-se enfarruscada, introvertida, subjetivista e retrógrada. Por fim, derivou para o campo da erudição, pacientemente acumulada sem outro propósito que o de colecionar dados segundo uma concepção ultrapassada e fantasista da História.

É o que se nota no caso da "historiografia alcobacense", assim chamada porque enfeixava o labor intelectual de gerações de sacerdotes do Mosteiro de Alcobaça. A obra coletiva que escreveram, *Monarquia Lusitana* (publicada entre 1597 e 1727), distribui-se por oito partes, em cuja feitura participaram os seguintes monges: Frei Bernardo de Brito (1568-1617), autor das duas primeiras partes, Frei Antônio Brandão (1548-1637), autor das duas seguintes, Frei Francisco Brandão (1601-1680), autor da quinta e da sexta, Frei Rafael de Jesus (1614?-1693), autor da sétima, e Frei Manuel dos Santos (1672-1748), autor da oitava.

O lapso de tempo abrangido pela *Monarquia Lusitana* corresponde aos séculos que medeiam entre o nascimento do mundo e o reinado de D. João I. Estribando-se numa concepção medieval e imaginosa da História, seus autores não temeram recolher tudo quanto era fábula e mitologia relacionada com a história de Portugal, a começar de Adão e Eva, ao mesmo tempo que davam por verdadeiros documentos apócrifos, ou inventavam-nos quando necessários ao panorama que pretendiam oferecer. Não obstante redigida com mestria nalgumas partes, a obra sofreu compreensível descrédito como expressão da verdade ou como interpretação historiográfica. Relevância maior exibe Frei Luís de Sousa.

## FREI LUÍS DE SOUSA

Antes de entrar para a vida religiosa, chamava-se Manuel de Sousa Coutinho. Nasceu em Santarém, por volta de 1555, e faleceu em 1632, em Lisboa. Depois de prestar serviços a Felipe II em Espanha, regressa a Portugal e casa-se, em 1583, com D. Madalena de Vilhena, viúva de D. João de Portugal, desaparecido em Alcácer-Quibir com D. Sebastião. Anos mais tarde, quer a lenda que um peregrino foi ter a Lisboa para dizer a D. Manuel que o primeiro marido de D. Madalena ainda era vivo em Jerusalém. A morte da filha do casal apressa a execução dum propósito anterior, e ambos tomam hábito, ele, no Convento de S. Domingos de Benfica, onde assume o nome por que é conhecido, e ela, no do Sacramento. Tais fatos é que inspiraram a Garrett a tragédia *Frei Luís de Sousa,* obra-prima no gênero.

De Frei Luís de Sousa resta-nos pouco: *Vida de D. Frei Bartolomeu dos Mártires* (1619), com base nos apontamentos deixados por Frei Luís de Cácegas, *História de São Domingos Particular do Reino e Conquistas de Portugal* (1623, 1662 e 1678), ainda aproveitando material levantado por Frei Luís de Cácegas, e *Anais de D. João III* (publicados em 1844), além de outras obras, que se perderam para sempre. Contrariamente aos processos empregados em Alcobaça, Frei Luís de Sousa via de regra põe rigor e severidade na interpretação dos fatos e documentos, o que desde logo o recomenda como historiador, em que pese o caráter apologético e edificante das observações. O seu mérito, para nós mais significativo, reside no estilo: pela linguagem castiça, fluente, plástica, apropriada ao andamento psicológico, moral ou factual das cenas, tornou-se verdadeiro mestre, ao lado do Padre Vieira e do Padre Bernardes. Evitando os excessos barrocos, procurou sempre a sobriedade na variedade, e acabou sendo um modelo da melhor prosa do século XVII.

132 • A LITERATURA PORTUGUESA

# A EPISTOLOGRAFIA

Durante o século XVII, a epistolografia ganhou fisionomia literária autônoma. Não se trata da *epístola* em verso, tão remota quanto Horácio, seu criador, mas da carta viva, em prosa, com função específica de informar acerca da vida pessoal ou alheia, e fazer comentários, a modo de crônica ou reportagem da vida diária. Embora desde o Renascimento já se escrevam cartas desse tipo (por exemplo, as cinco de Camões e as nove de Jerônimo Osório, intituladas *Cartas Portuguesas*), é só no decurso do Barroco que aparecem numa profusão e com uma categoria poucas vezes atingidas, antes ou depois.

O grande modelo no tempo é Madame de Sévigné, com seus oito volumes de *Lettres*, escritas a partir de 1671, e apenas publicadas no século XVIII. No caso, a carta faz as vezes do jornal, então ainda raro mesmo nas mais adiantadas metrópoles europeias. Aos poucos a carta se tornou exercício literário, chegando até a prescindir de destinatário certo; o epistológrafo imaginava um qualquer ou dirigia-se a uma audiência fictícia.

A moda foi seguida em Portugal por escritores de nomeada, entre os quais o Padre Antônio Vieira, D. Francisco Manuel de Melo, Frei Antônio das Chagas, Cavaleiro de Oliveira e, de modo muito especial, Sóror Mariana Alcoforado.

# SÓROR MARIANA ALCOFORADO

Nasceu em Beja, em 1640. Cedo professa no Convento de Nossa Senhora da Conceição em sua cidade natal. Em 1663, conhece Chamilly, oficial francês servindo em Portugal durante as guerras da Restauração. Enamoram-se. Um dia, porém, o militar regressa à França, impelido por chamado superior. Está-se em 1667. Teriam trocado cartas, das quais só ficaram as escritas pela religiosa, que falece a 28 de julho de 1723, após longa e dolorosa penitência.

Em 1669, publicam-se, em Paris, pela primeira vez, as *Lettres Portugaises traduites en français*, sem declarar o nome do destinatário e do tradutor. Naquele mesmo ano, sai nova edição em Colônia, com o título de *Lettres d'Amour d'une religieuse écrites au Chevalier de C., Officier Français en Portugal*, declarando quem era o seu destinatário e o seu tradutor: o primeiro, Chevalier de Chamilly, o segundo, Guilleragues. No texto das cartas vinha o nome da remetente: Mariana.

BARROCO • 133

Dali para a frente, foram lidas e traduzidas em várias línguas, sempre com progressivo interesse. Em 1810, Filinto Elísio traduziu-as para o vernáculo.

O problema que as cinco cartas de amor levantam não parece de todo resolvido, tal o volume das conjecturas e indagações: quem realmente as escreveu? Mariana Alcoforado? Guilleragues? Aceita a autoria da freira de Beja, quantas cartas teriam sido enviadas? cinco ou mais, ou menos? em que língua? se em português, o tradutor não as teria alterado como bem lhe aprouvesse? ou, mesmo, não as teria refundido, quem sabe escrevendo algumas delas? os originais, onde param? quanto à ordem das cartas, não seria arbitrária, arranjada?

De qualquer modo, é fora de dúvida que as cinco cartas amorosas possuem real importância e densidade. E, não obstante certos preciosismos que poderiam ser postos na conta do tradutor, o seu *tonus* identifica-se perfeitamente com a índole literária portuguesa. Perpassa-as um sopro de paixão incontrolada, insana, superior às inibições e convenções e ao impulso da vontade e da consciência moral. Paixão e não amor, pois o sentimento expresso contém na raiz um avassalador ímpeto carnal, explicável inclusive pelo quadro barroco em que o caso amoroso se desenrola. Realmente digno de nota, por sua altitude e invulgaridade, o fato de conterem as cartas a sincera, franca e escaldante confissão duma mulher que se desnuda interiormente para o amante cínico, ingrato e ausente, com fúria de fêmea abandonada, sem qualquer rebuço ou pudor.

Ao longo das missivas, a epistológrafa mergulha cada vez mais num jogo dilemático, paradoxal, como pede a típica psicologia feminina e a própria essência do Barroco: de um lado, o anseio de esquecer definitivamente o perjuro, visto não merecer mais que desprezo e indiferença – é o aspecto racional; de outro, a súplica que nasce do mais fundo de si própria, visceral, para que ele volte ou ao menos escreva, a fim de permanecerem os tormentos agridoces provocados por sua lembrança, ao mesmo tempo desejada e odiada – é o aspecto sentimental, carnal. Essa dualidade permeia todas as cartas, e quase de linha a linha Sóror Mariana muda de atitude:

> "Tua injustiça e ingratidão são demais. Mas ficava desesperada se disso te proviesse qualquer dano, pois antes quero que não recebas castigos, do que ver-me eu vingada. Resisto a todas as mostras que em demasia me convencem de que me não estimas já, e sinto mais vontade de entregar-me cegamente à paixão do que às razões que me dás de me lamentar do teu pouco-caso"

Claro, a linha evolutiva terminará pela solução natural, fruto do bom senso vitorioso ou do cansaço de esperar e lutar em vão. A autenticidade da confissão, o surpreendente poder de expressão do caos interior feito de apelos desencontrados, a ausência de trava moral, o ar de paganismo superior aos preconceitos e convenções a exprimir o impulso primário dos sentidos, a tensão dramática e eloquente que a missivista imprime às suas confissões – são algumas das notas novas e ainda vivas das *Cinco Cartas de Amor.*

Escritas por uma mulher, que alcança dizer com rara precisão os transes íntimos (via de regra mantidos ocultos ou disfarçados pelo comum das mulheres), as *Cartas* ganham maior relevo ainda como documento "humano" e literário, precisamente por não visarem à publicação, nem a serem encaradas como peça literária: ressalve-se, contudo, a contribuição do tradutor francês. Pelo conteúdo e pela forma de comunicação, as *Cartas* são obra sem igual, e em nosso idioma é preciso aguardar o aparecimento de Florbela Espanca, no século XX, para que uma voz de angústia passional se erga tão alto e tão dolorosamente arranque da carne a confissão amorosa logo transformada em sonetos de primeira grandeza. Embora distanciadas no tempo e vivendo situações amorosas específicas, a epistológrafa e a poetisa assemelham-se no estadeamento dum sentimento erótico mais poderoso que a vida e a morte.

As *Cartas de Amor* da Sóror Mariana Alcoforado constituem um dos pontos altos do Barroco português: numa época de prosa "dirigida" e poesia preciosa, tornam-se, com o teatro de Antônio José da Silva, ilhas de sol e espontaneidade. Largamente lidas no século XVIII – decerto por conterem ingredientes psicológicos agradáveis à nova sensibilidade que se ia constituindo –, tiveram o condão de colaborar na preparação do movimento romântico.

Dispostas da forma como se apresentam, as *Cartas* descrevem uma curva senoide cujo ápice é marcado pela terceira carta: ali o sofrimento atinge o limite máximo, graças à concentração de efeitos e sensações, apoiada numa linguagem escorreita, concisa, apta a detectar, mercê da sua plasticidade, o ziguezague da paradoxal confissão.

## O TEATRO. ANTÔNIO JOSÉ DA SILVA

Depois de Gil Vicente e seguidores, o teatro entra em decadência ao longo do século XVII, apesar das obras e do empenho de alguns interessados no gênero.

Exceto o *Fidalgo Aprendiz,* de D. Francisco Manuel de Melo, tudo o mais possui categoria inferior: ou imita-se o autor de *Inês Pereira,* ou as suas peças são representadas em ambientes fechados e restritos (especialmente mosteiros e conventos), ou se escrevem e se encenam peças religiosamente pedagógicas em vernáculo e em latim, para servir à ecumênica preocupação catequética dos jesuítas. Entrado o século XVIII, o panorama altera-se com o surgimento de Antônio José da Silva.

Antônio José da Silva, alcunhado "o Judeu", nasceu no Rio de Janeiro, a 8 de maio de 1705, duma família judaica. Aos oito anos, segue para Lisboa com a mãe, acusada de judaísmo. Faz os primeiros estudos, e em Coimbra segue o curso de Cânones, interrompido em 1726 pela Inquisição. Condenado a abjurar publicamente o judaísmo, põe-se a escrever para teatro, e em 1733 encena a primeira peça, *A Vida do Grande D. Quixote de la Mancha e do Gordo Sancho Pança.* Casa-se. Em 1737, denunciado por uma escrava, é novamente levado às barras da Inquisição, em companhia da mulher e da filha. Ao fim de dois anos, é sentenciado a morrer degolado e queimado em auto-de-fé, a 18 de outubro.

Como se vê, escassos anos durou a carreira teatral de Antônio José da Silva, o que explica ter deixado poucas peças; não obstante, conseguiu elevar-se acima da mediocridade reinante após o declínio do teatro vicentino. Escreveu ainda: *Esopaida ou Vida de Esopo* (1734), *Encantos de Medeia* (1735), *Anfitrião ou Júpiter e Alcmena* (1736), *Labirinto de Creta* (1736), *Guerras do Alecrim e da Manjerona* (1737), *Precipício de Faetonte* (1738), além de outras peças que lhe têm sido atribuídas, como a *Ninfa Siringa,* e a novela *Obras do Diabinho da Mão Furada.*

Antônio José deu às suas peças o nome de *óperas,* pois eram acompanhadas de música e de canto. Caracterizavam-se ainda por utilizar títeres, bonifrates ou "marionettes", com o intuito de divertir por meio da comicidade. Esta, não raro assumia a forma da farsa vicentina, derivando para um tipo de chalaça que autorizava o emprego de expressões de baixo calão, provocadoras do riso fácil.

Sendo comédia, e comédia de caráter popular, era de esperar que Antônio José se ativesse ao modelo vicentino exclusivamente. No entanto, não foi o que aconteceu: recebeu influência da comédia clássica bem como do contemporâneo teatro espanhol, italiano e francês. Tal ecletismo, evidente a partir do título escolhido para as *óperas,* vinha contudo assimilado e transfigurado por seu inquestionável e superior talento de dramaturgo.

Embora pequem pela falta de unidade entre as partes, como se o comedió-grafo pensasse nelas isoladamente, as peças denotam um agudo observador do seu tempo. Daqui decorrem as superiores qualidades do teatro de Antônio José, dentre as quais cumpre salientar o domínio do cômico, o jogo entrelaça-do das cenas e situações, os "equívocos" momescos, a movimentação constan-te das personagens, que não permitia ao comediógrafo erguer-lhes retratos em profundidade, mas apenas pintar-lhes sutilezas de caráter e temperamento.

Antônio José escreveu em prosa, o que constituía novidade em relação ao teatro anterior, desde Gil Vicente, fundamentalmente em verso. Movido pela intenção de provocar o riso, recorria inclusive à sátira de costumes: para tanto, emprega "graciosos ou "graciosas", figuras que funcionam como agentes de li-gação entre os protagonistas e como uma espécie de *deus ex-machina* da ação. A linguagem revela contágio dos expedientes formais do Barroco (antíteses, trocadilhos, quiproquós, etc.), mas duma forma a desencadear o riso no es-pectador, o que autoriza a ver em Antônio José as primeiras manifestações do ocaso da estética barroca.

Pelo uso equilibrado dos recursos cênicos, pela atualidade do cômico e pela espontaneidade do diálogo, ágil, vivo e apropositado, *Guerras do Alecrim e da Manjerona* é a peça mais acabada de Antônio José da Silva: num emara-nhado episódico, narram-se as peripécias de dois caça-dotes (Gilvaz e Fuas) no encalço de duas irmãs casadoiras e ricas (Clóris e Nize), utilizando como intermediário um criado (Semicúpio), por sua vez apaixonado pela criada das donzelas (Sevadilha). Tudo termina pelo casamento entre os pares, contrarian-do a Dom Lancerote, tio das moças, que defendia o partido de seu sobrinho, D. Tibúrcio. O título da comédia provém dum costume difundido na Lisboa mundana do tempo, os *ranchos:* agrupando em partidos as meninas frívolas e namoradeiras, cada um deles tinha por insígnia uma flor; Clóris pertence ao do Alecrim, Nize, ao da Manjerona. Antônio José satiriza tal costume e, através dele, a sociedade lisboeta nos começos do século XVIII.

# A PROSA DE FICÇÃO

O quadro do Barroco português não ficaria completo sem uma referência, por breve que fosse, à prosa de ficção. Não obstante atividade menos brilhante, as mais das vezes enfeudada às contingências doutrinais da época, acusa a persistência, em clave própria, de uma corrente que vinha do século XVI.

A narrativa breve, nem sempre inscrita com nitidez no perímetro do conto, inclinava-se mais para o "exemplo" ou "ilustração", não raro de cunho alegórico ou apologal: pedia-se aos leitores que não tomassem o conto "como fábula, senão como exemplo", de vez que a ficção serve ao propósito doutrinal e as "metáforas são traslados dos exemplos" (Sóror Maria do Céu). Cultivaram-na, além de Manuel Bernardes, **Sóror Maria do Céu** (1658-1753), em *Aves Ilustradas em avisos para as Religiosas servirem os ofícios dos seus mosteiros* (1734), contos alegóricos para servirem de guia espiritual e moral às religiosas em sua prática diária; **Francisco Saraiva de Sousa**, em *Báculo Pastoral de Flores e Exemplos* (1634); **Pe. Manuel Consciência** (1669-1739), autor da *Floresta Novíssima* (2 vols., 1735, 1737), na esteira da *Nova Floresta,* de Manuel Bernardes, *Academia Universal de Vária Erudição* (1732) e *A Mocidade Enganada e Desenganada* (6 vols., 1729-1738); **Pe. João Batista de Castro**, com *Hora de Recreio, nas férias de maiores estudos e opressão de maiores cuidados* (2 partes, 1742, 1743).

**Sóror Maria do Céu** ainda seria autora de *A Preciosa* (1731), uma novela de "alegoria moral" e pastoril, centrada na antítese entre o amor humano, que merece repúdio, e o amor divino, que deve ser exaltado, além de *Enganos do Bosque, Desenganos do Rio* (1736), com as mesmas características e o mesmo intuito pedagógico, e *A Preciosa. Obras de Misericórdia,* novela (1733). É de 1607 a *Lusitânia Transformada,* de **Fernão Álvares do Oriente** (c.1530 – c.1600), novela pastoril, com laivos de novela sentimental e de cavalaria, focalizada no *locus amoenus* da tradição bucólica, como uma espécie de "paraíso terreal", símbolo "de um desejo de regresso ao mundo da infância e da inocência, para sempre perdido", no curso de uma "longa e penosa jornada iniciática [...], em busca de Deus, de bens espirituais" (Antônio Cirurgião, introd. à edição de 1985; *Leituras Alegóricas de Camões*), tendo como cenário a vasta geografia descortinada pelos navegantes portugueses ao longo dos séculos XV e XVI.

Em suma, "a estrutura da novela aponta claramente para uma visão essencialmente espiritual e escatológica da vida" (idem). E de 1623 é a novela pastoril de **Elói de Sá Sotto Maior**, *Ribeiras do Mondego*, composta de "diálogos" entre pastores, intercalados de poemas, narrada por um pastor que, "arrazando os olhos de água, entre mil suspiros, deu lugar a estas palavras".

Ao culto da novela, de fundo sentimental e vazada em linguagem pomposa, como pedia o decálogo gongórico, dedicaram-se **Gerardo Escobar**, nome literário de Frei Antônio de Escobar (1618-1681), autor de *Doze Novelas* (1674), e **Frei Lucas de Santa Catarina** (1660-1740), autor do *Serão Político, abuso emendado, dividido em três noites para divertimento dos curiosos* (1704), uma diatribe contra a estética barroca, a um só tempo utilizando os instrumentos retóricos que a caracterizavam e propondo a ficção como subsídio do bom senso, inclusive na elaboração da obra literária: o seu caráter barroquizante é cismático, pois é do interior dos dogmas estéticos que pretende combater os excessos barrocos. No curso de cada um dos serões é dada a conhecer uma narrativa de estrutura novelesca, a primeira, em prosa, a segunda, em prosa e verso, e a terceira, em verso.

**Gaspar Pires de Rebelo** (c.1585 – c.1650) merece destaque: publicou *Tesouro de Pensamentos Concionatórios sobre a Explicação dos Mistérios e Cerimônias do Santo Sacrifício da Missa...* (1635), em função da atividade religiosa como membro da Ordem de São Tiago, mas o seu renome se deve às *Novelas Exemplares* (1650), vinculadas à linhagem espanhola que tinha Cervantes como seu mais ilustre membro, e, acima de tudo, aos *Infortúnios Trágicos da Constante Florinda* (2 partes, 1625, 1633). As duas obras literárias tiveram várias reedições no século XVII, sendo que a segunda voltou a público recentemente (2005), numa edição organizada e prefaciada por Nuno Júdice.

Os *Infortúnios da Constante Florinda* ostentam nítido arcabouço de novela, não no sentido de narrativa curta, entre o conto e o romance, que toma erroneamente por base o número de páginas, como ainda pretendem alguns críticos em nossos dias. Mas de narrativa estruturada à maneira das novelas de cavalaria medievais e das novelas sentimentais ou pastoris, em voga no século XVI, para não mencionar as narrativas greco-romanas, como *Satyricon*, de Petrônio, do século I a.C., ou *Dom Quixote* e as quilométricas obras de ficção circulantes no século XVII, notadamente na literatura francesa, como é o caso, por exemplo, de *Clélie, Histoire Romaine*, de Mlle. de Scudéry, em dez volumes, publicados entre 1654 e 1661. Aliás, o próprio Gaspar Pires Rebelo parece ter disso consciência, como se pode ver no "prólogo ao leitor" da primeira parte da obra: "Vão mais algumas histórias extravagantes metidas em o enredo da que contém o livro [...], histórias com que recebe deleitação o entendimento".

O motivo que desencadeia a peregrinação da heroína e, portanto, a sequência linear de células dramáticas, é o amor. Tudo começa em Zaragoza, quando Florinda, ao saber da morte de Arnaldo, seu bem-amado, resolve fugir, com trajes masculinos e sob o nome de Leandro, dando início a uma longa provação. Conduzindo a narrativa com suma habilidade, caldeada numa rica e profusa bagagem cultural, o autor nunca perde o domínio dos sucessivos episódios alinhados na ordem do tempo e do espaço (Portugal, Espanha, França, Itália, Grã-Bretanha, etc.). Tanto assim que, não se contentando simplesmente em acompanhar o entrelaçamento das peripécias, acrescenta-lhes comentários e reflexões, não raro em torno do seu motivo central. Daí que pareçam compor uma teoria do amor, ou antes, uma dialética do amor, na linha dos pensadores quinhentistas filiados ao ideário platônico, de intuito moralizante.

Convém observar que o autor escreveu a segunda parte da novela, como informa no seu prólogo, a pedido dos leitores, atraídos pelas "moralidades proveitosas" e pelos "entendimentos curiosos" que encontravam nas "aventuras" e desventuras de Florinda. É que a obra, esgotando-se em dois anos, voltaria a imprimir-se "se não fora a falta que havia de papel". Como a primeira parte havia culminado pelo casamento de Florinda e Arnaldo, que na verdade sobrevivera aos ferimentos mortais, tornava-se determinante que a segunda parte findasse com a morte do casal: visando à edificação dos leitores, a dialética do amor assim o aconselhava, ao mostrar as duas faces da paixão, a paixão que perde e a paixão que salva.

Seria exagerado divisar, nesses extremos do sentimento amoroso, a longínqua prefiguração da novela camiliana? Se mais evidências não houvesse, bastaria este aspecto para conferir relevância à narrativa de Gaspar Pires de Rebelo na história da prosa de ficção em Portugal, além do seu peso nos quadros da literatura seiscentista, como, aliás, Nuno Júdice deixa assinalado na substanciosa apresentação da obra.

Durante muito tempo, atribuiu-se a **Antônio José da Silva** a autoria das *Obras do Diabinho (Fradinho) da Mão Furada*, mas a crítica inclina-se, em nossos dias, a acreditar que é de autor ignorado, não obstante algumas incidências lembrarem passagens das peças de "o Judeu". A narrativa foi publicada pela primeira vez em 1861, graças a Manuel de Araújo Porto Alegre, com base em um dos quatro manuscritos remanescentes, todos posteriores a 1743.

140 • A LITERATURA PORTUGUESA

Embora haja quem a classifique de conto, a narrativa estrutura-se como novela, à semelhança das que estavam em voga no século XVII. A divisão em cinco "folhetos" é um indício concreto dessa filiação, confirmada nitidamente pelo arranjo interno, composto de uma série de episódios, encadeados no curso linear do tempo, que marcam a peregrinação alentejana, iniciada em Évora e terminada em Lisboa, passando por Montemor, Vendas Novas, Pegões e Montijo. Duas personagens centralizam a ação: o "Diabinho da Mão Furada", assim chamado por ter "as mãos tão rotas de liberalidades", que aparece "em figura de fradinho, de pequena estatura, mas de disformes feições, os narizes rombos e ascorosos de moncos, a boca formidável com colmilhos de javali e os pés de bode", e "um soldado da milícia de Flandres, em tempo de Filipe II, chamado André Peralta, aflito e maltratado da guerra, tão pobre como soldado e tão desgraçado como pobre", a quem o fradinho pretende aliciar com dinheiro farto, "uma panela com quinhentos cruzados em ouro".

Sem nada que se possa considerar resíduo da novela picaresca, a intriga, composta de sucessivas cenas alegóricas, sustenta-se em questões morais, geralmente tratadas num tom joco-sério, em que a sátira, como se guiada pelo velho *ridendo castigat mores,* ganha timbres amenos para melhor atingir o alvo. O autor teria em mira algo mais do que o entretenimento: é a moralidade, de fundo católico, o seu horizonte, disposta nos capítulos em que se levantam questões de monta, não raro com a presença dos pecados capitais em forma de alegoria, como a Soberba, a Inveja, a Gula, a Mentira e assim por diante.

Todo o organismo social é passado criticamente em revista (astrólogos, médicos, sapateiros, etc.), incluindo os poetas, condenados "por darem epiteto às belezas humanas, chamando-lhes divinas, angélicas, idolatradas e soberanas, com outras semelhantes loucuras, que, por mais que se quiseram desculpar, dizendo que eram ornato e exaltação da poesia as hipérboles daquelas lisonjas, lhes não foi aceita a descarga" . É patente que o retrato desses "pensativos [...], desatinados, buscando conceitos no entendimento para um certame poético que Plutão ordenou sobre o roubo que fez de Prosérpina", insere-se no rol das obras voltadas para a crítica aos excessos do gongorismo, ainda praticados na primeira metade do século XVIII.

Ainda merece referência **Tomé Pinheiro da Veiga** (Coimbra, 1570-Lisboa, 1656), Turpin de pseudônimo, autor de *Fastigimia,* ou, mais precisamente, *Fastiginia,* derivado de *"fastos geniais".* A obra circulou em numerosas cópias manuscritas até que se publicasse uma delas, na *Revista de España,* em 1884, e pouco depois (1911), numa edição que anos mais tarde (1988) viria de novo a público, em fac-símile, com prefácio de Maria de Lourdes Belchior. Nela, o autor narra uma viagem que fez entre Valladolid e Lisboa, em 1605. Embora procurasse alertar o leitor para os propósitos da obra:

> "Não vos ofereço aqui história, senão retrato, nem comédia aprazível, senão pintura natural; porque a história, quanto mais estranha e nova, tanto mais alvoroça e recreia, mas o retrato, quanto é mais de pessoa conhecida e tratada, tanto mais afeiçoa e deleita"

o relato oscila entre uma tentativa de verossimilhança e o estuar da imaginação, posta em funcionamento à medida que os acontecimentos se enfileiram na ordem do tempo. Procura ser fiel à verdade dos fatos e dos cenários, mas o modo como os exibe aos leitores evidencia um compromisso tácito com os instrumentos da criação literária. E reside nesse mesmo binômio, nessa mesma contradição entre o empenho consciente e o que lhe salta da pena sem maior censura, e uma linguagem marcada pelos signos da oralidade, o caráter estético que distingue a obra.

O próprio autor parece trair-se ao dizer que prefere o "retrato" e a "pintura natural": julga-se "pouco modesto nas histórias", decerto porque as inventa no curso do relato, ou, ao menos, empresta-lhes toques de ficção, por ser "solto nas palavras", ou seja, inventivo, tendente ao humor ou à ironia, numa fluência que explica por que a obra, posto andasse inédita, gozava de larga e notória repercussão. Além da intercalação de histórias no fluxo do relato e das minuciosas descrições, abre espaço para a inserção de poemas, como era usual na ficção do tempo. O reconto da viagem desenrola-se, por isso, como saborosa narrativa, cheia de graça, uma espécie de peregrinação terrestre, semelhante à de Fernão Mendes Pinto (que, por sinal, é citado em determinada altura), por vezes fruto de uma franqueza sem limite, sempre bem-humorada, visando menos a demolir os alicerces sociais que a entreter e edificar o leitor.

Em suma: Tomé Pinheiro da Veiga põe a imaginação a serviço do relato, seja por divisar coisas incríveis ao longo da viagem, seja porque sente haver uma camada de insólito submersa nas cenas que presencia. A um só tempo testemunha e ficcionista, age como um repórter dos nossos dias. Do contrário, não poderia fazer-nos crer que as situações e os diálogos focalizados se passaram exatamente como os descreve, pois é inconcebível que registrasse, palavra a palavra, as conversas entre os figurantes e que narrasse os episódios e desenhasse os cenários com realismo fotográfico. De onde lhe vem, por exemplo, a certeza de que avistara "250 pessoas de libré", se mais adiante fala em "muito número de lacaios de calças, couras e chapéus de tafetá verde, vermelho e amarelo em girões e 40 trombetas e atabales do mesmo", – senão por deixar que as palavras soltas lhe deem asas à fantasia ou que esta se materialize num estilo nada comum no século XVII?

Em 1977, veio a público, em edição com prefácio e notas de Nuno Júdice, a *Novela Despropositada*, de **Frei Simão Antônio de Santa Catarina**, monge jerônimo, de alcunha "o Torto de Belém", que teria vivido entre os fins do século XVII e o começo do XVIII. Até então inédito, o breve enredo, de escassas 50 páginas, entremeadas de poemas, como era moda desde o quinhentismo, e espaçosa diagramação, é mais propriamente um conto. Gira em torno dos disparatados amores de dois jovens, que terminam no altar, em meio a um clima grotesco, satírico e demencial, que o título da narrativa bem denota e o prólogo do autor sublinha, com dirigir-se ao "basbaque leitor", dizendo-lhe – "bem mereces este epíteto, pois que empregas o tempo em ler tais disparates" – como a prenunciar o teatro do absurdo que o brasileiro Qorpo Santo, em pleno século XIX, viria a cultivar.

Vazada numa linguagem desabrida, que pende entre exageros barrocos e o gosto pelas tentações da obscenidade e dos atos e vocábulos dum realismo sem freio, grosseiros, de baixo calão, a história sentimental de Maricas e do Moço representa, graças ao humor meio circense ou à maneira das comédias dos irmãos Marx, uma das facetas do ludismo barroco. Daí que as hipérboles empregadas pelo casal de namorados façam pensar que o monge de S. Jerônimo estaria, na verdade, satirizando os excessos barrocos, numa fase em que, de resto, a estética seiscentista entrava no ocaso: a moça, considerada pelo namorado "ídolo amante da minha idolatria, suspirada lisonja da minha alma", leva para o casamento um dote composto, entre outras coisas, de "dez rodilhas [panos de cozinha] que estão no fundo de uma arca e umas abas de um gibão", "uma prateleira usada; um arco de um caldeirão de cobre"; e "o Moço trouxe uma muleta que andava há muito (...) na casa: não sei se foi de algum avô barqueiro ou de algum bisavô manco como o pai".

# VI

## ARCADISMO

## (1756-1825)

### PRELIMINARES

Grandes transformações em toda a Europa, sobretudo na França, agitaram a segunda metade do século XVIII. No campo das ideias, assinala-se como acontecimento de fundamental relevância a instalação do pensamento enciclopédico de D'Alembert, Diderot e Voltaire, ocorrida em 1751, quando o primeiro publicou o *Discours Préliminaire de l'Encyclopédie,* dando início a um processo que culminou com a Revolução Francesa (1789). Esta, como é sabido, veio a ser o símbolo acabado duma nova era na história da Humanidade. O Iluminismo francês, baseado no culto das ciências, da Razão e do progresso, impregnou larga audiência de intelectuais pelos quatro cantos do mundo.

Portugal, malgrado o peso morto duma tradição ideológica fundada em dogmas e princípios imutáveis, não raro de estrutura medieval, conseguiu acompanhar o fluxo dessas mudanças. Primeiro que tudo, graças ao apoio dado por D. João V (que reinou entre 1707 e 1750) a **Luís Antônio Verney** (Lisboa, 23 de julho de 1713-Roma, 20 de março de 1792): de ascendência francesa, depois de graduado em Teologia pela Universidade de Évora, vai à Itália seguir cursos semelhantes, levado por objetivos que logo se revelam na obra pedagógica, em dois volumes, que publica anonimamente, em 1746: *Verdadeiro Método de Estudar.* Dividida em 16 cartas, nesta obra Verney propõe

144 • A LITERATURA PORTUGUESA

a reforma geral do ensino superior em Portugal com fundamento nas ideias iluministas. Ao programa ali expendido, seguir-se-ia a elaboração de manuais e compêndios redigidos segundo o novo credo, dos quais alguns chegam a sair, como *De Re Logica* (1751), *De Re Metaphysica* (1753), *Gramática Latina* (1758), *De Re Physica* (1769). Com Verney, entra em crise o ensino religioso e medieval então predominante nas escolas portuguesas.

Em consequência, a Universidade transforma-se: a partir de 1759, com a expulsão dos jesuítas, a escolaridade aos poucos laiciza-se e abre-se às ideias novas que circulavam além-Pireneus, rompendo um cerco que durava quase dois séculos, nos quais era marcante a influência espanhola.

É o Marquês de Pombal (1699-1782) quem centraliza o empreendimento: ministro de D. José I (que sucede a D. João V e reina até 1777), promove numerosas medidas tendentes a colocar Portugal no nível da cultura europeia, especialmente a francesa, e incrementa a instalação do ideário iluminista, ainda que adaptado às suas diretrizes individualistas e ditatoriais, na linha do chamado "déspota esclarecido". Para colaborar no movimento, em lugar de Verney coloca o pedagogo Antônio Nunes Ribeiro Sanches (1699-1783), mas limitando-lhe a influência e a projeção. Com a importação de professores estrangeiros, a Universidade conhece uma fase de agitação e intensa atividade científica e filosófica. Por outro lado, o terremoto de Lisboa (1755), destruindo parte considerável da cidade, permite a Pombal demonstrar capacidade e tino administrativos, que doravante ficarão associados ao seu nome: uma cidade nova, moderna, ampla, arrojada para os padrões do tempo, a "Lisboa pombalina", surge dos escombros.

Com a queda de Pombal, toma a dianteira dos acontecimentos um grupo de homens mais ou menos emudecidos até à data, dentre os quais o Duque de Lafões, que funda, em 1780, a Academia Real das Ciências, segunda academia oficial portuguesa (a primeira foi a Academia Real de História, fundada em 1720), centrada no propósito de equiparar-se, já em seus princípios, já em suas realizações, às similares espalhadas pela Europa.

Respira-se um clima de efervescência cultural, no qual imerge a estética literária do Arcadismo. As primeiras manifestações antibarrocas vêm de longe: já na *Fênix Renascida* começaram a aparecer notas satíricas contra exageros barrocos (é o caso da poesia dum Tomás de Noronha e dum Diogo Camacho). Idêntico sentimento se observa no *Serão Político* (1704), de Frei Lucas de Santa

Catarina; na tradução que D. Francisco Xavier de Meneses (1673-1743), 4º Conde da Ericeira, publicou, em 1697, da *Art Poétique* (1674) de Boileau; no *Exame Crítico* (1739), de José Xavier Valadares e Sousa, centrado no elogio da Razão, da verdade e da imitação da Natureza; e nos escritos de Verney.

Pouco a pouco, vai crescendo a onda de neoclassicismo, graças à renascença das doutrinas literárias ensinadas pelos antigos, notadamente Aristóteles, Horácio e Quintiliano. Para tanto, colabora eficazmente o labor teorizante de **Francisco José Freire** (Lisboa, 1719-Mafra, 1773), ou **Cândido Lusitano** de pseudônimo, autor de uma *Arte Poética* (1748), um *Dicionário Poético* (1765) e *Reflexões sobre a Língua Portuguesa* (1842), obras em que, a par das ideias daqueles escritores greco-latinos, divulga doutrinas de pensadores modernos, dentre os quais Boileau, Muratori, Castelvetro, Escalígero, Addison e Pope.

Até que, em 1756, se funda a Arcádia Lusitana (similar à Arcádia Romana, instaurada em Roma, em 1690), por iniciativa de Antônio Dinis da Cruz e Silva, Manuel Nicolau Esteves Negrão e Teotônio Gomes de Carvalho. Apesar de numerosos percalços, dissensões internas, ataques, afastamento de sócios, etc., a Arcádia Lusitana vingou até 1774. Além dos já referidos, pertenciam à agremiação os seguintes letrados: Pedro Antônio Correia Garção, Domingos dos Reis Quita, Francisco José Freire e Manuel de Figueiredo. Regiam-se pela doutrina arcádica, ou neoclássica, expressa em boa parte pelos estatutos da academia e pelas orações que Correia Garção proferiu em algumas de suas sessões.

Tendo por norte a divisa *inutilia truncat*, desejam testemunhar o repúdio às "coisas inúteis" que adornavam pesadamente a poesia barroca. E julgando que esta tendência estética correspondera ao desequilíbrio e à decadência dos valores clássicos, propõem-se a restaurar a supremacia da autêntica poesia clássica. Para consegui-lo, empreendem uma viagem no passado mais remoto, em busca das fontes originárias do Classicismo. Desprezando o Barroco, detêm-se no século XVI e dele aceitam o pastoralismo e a poesia camoniana, visto coincidirem com o ideal que eles, os árcades, pretendem alcançar. Saltando por sobre os séculos medievais, que a seu ver tinham lançado no esquecimento a literatura clássica, chegam à Antiguidade greco-latina, fim da viagem: na ideal, mitológica Arcádia, região grega de pastores e poetas vivendo em meio a uma Natureza sempre idílica, localizam os seus anseios de plenitude poética.

É com base no mito da Arcádia que erguem suas doutrinas: destruindo a "hidra do mau gosto", que se havia apoderado da poesia barroca, procuram realizar obra semelhante à dos clássicos antigos. Daí que a *imitação* dos modelos greco-latinos seja a primeira característica a considerar numa sinopse da estética arcádica. O mais vem por desenvolvimento dessa ideia-matriz: elogio da vida simples, sobretudo em face da Natureza, no culto permanente das virtudes morais; fuga da cidade para o campo *(fugere urbem)*, pois a primeira é considerada foco de mal-estar e corrupção; desprezo do luxo, das riquezas e das ambições que enfraquecem o homem; elogio da vida serena, plácida, pela superação estoica dos apetites menores; elogio da velhice como exemplo desse ideal tranquilo da existência, da *aurea mediocritas;* apologia da espontaneidade primitiva, pré-civilizada; por outro lado, o gozo pleno da vida, minuto a minuto, na contemplação da beleza e da Natureza, pressupõe epicurismo, que equilibra as tendências estoicas do movimento; por fim, a incidental presença da Virgem Maria explica-se pelo fato de que os seguidores do Arcadismo assumiam a condição de neoclássicos católicos.

Quanto à orientação literária propriamente dita, ainda seguem os modelos antigos (defendem a separação dos gêneros, a abolição da rima, o emprego de metros simples, o despojamento do poema, a importância da mitologia), ao mesmo tempo que procuram suporte nos teóricos do tempo, Muratori, Luzán entre outros, Boileau à frente. Adotam pseudônimos pastoris para tornar mais verossímil o "fingimento poético" e imaginam-se vivendo num mundo habitado por deuses e ninfas, em meio a uma Natureza e um tempo fictícios, utópicos.

A revalorização do estilo de vida preconizado pelos antigos vai dar azo, graças ao princípio reinante da *imitação*, ao cultivo duma poesia de pose, artificial, demasiado literária, porque em flagrante contraste com o clima histórico-cultural duma época em que, ao desenvolvimento das ciências, se adiciona o franco progresso urbano por via da industrialização, para apenas referir dois aspectos relevantes do século XVIII europeu. Constitui uma forma de exílio voluntário, uma vida em "torre-de-marfim", ideologicamente regressiva, oposta à ideia de progresso que o Iluminismo defendia, idêntica à de outros homens de letras em condições semelhantes, no século XVI e na Antiguidade, ao fugirem para as "vilas" nos arredores das grandes cidades, por aborrecê-las e julgá-las imagem da decadência e devassidão.

Para bem compreender esse quadro histórico, convém que tenhamos em conta que o século XVIII, talvez mais do que qualquer outro, é *sui generis* por sua complexidade cultural e estética, marcada pela confluência de vertentes antagônicas: primeiro, em razão de o Barroco permanecer vigente até a metade dessa centúria, como evidencia o fato de que não só as suas coletâneas poéticas mais representativas, a *Fênix Renascida* e o *Postilhão de Apolo*, foram publicadas respectivamente em 1716-1728 e 1761-1762, mas também a obra de autores barrocos, como Tomás Pinto Brandão, Sóror Maria do Céu, Sóror Violante do Céu, Frei Antônio das Chagas, ou de um gongorizante como Francisco de Pina e Melo (*Rimas*, 1727), veio à luz quando a estética barroca parecia tombar no crepúsculo. Não menos expressiva dessa persistência é o surgimento, no primeiro quartel setecentista, das principais compilações da doutrina barroca, de Francisco Leitão Ferreira (*Nova Arte de Conceitos*, 2 vols., 1718, 1721) e de Manuel da Fonseca Borralho (*Luzes da Poesia descoberta no Oriente de Apolo*, 1724).

É ainda muito significativo que algumas das academias barrocas continuassem atuantes até o terremoto de 1755, como a Academia dos Ocultos, de que ficaram seis códices com o registro das suas sessões, um "fabuloso repositório da atividade literária do século XVIII português, porventura uma das mais ricas coleções que possuímos" (João Palma-Ferreira), a Academia dos Anônimos, na qual Francisco Leitão Ferreira expôs as "lições acadêmicas" reunidas na *Nova Arte de Conceitos*, a Academia Problemática, a Academia dos Aplicados, a Academia dos Escolhidos, além de outras menos expressivas, em Guimarães e Santarém.

Acrescente-se que a estética iluminista também exerceu influência nessa época, não raro em coexistência com a doutrina arcádica ou neoclássica, o mesmo ocorrendo com as manifestações estéticas vinculadas ao estilo Rococó, resultantes do Barroco em declínio. Ou de outras ambivalências estéticas que anunciavam o advento da revolução romântica, constituindo o chamado Pré-Romantismo.

Por fim, assinale-se que as características da estética arcádica dizem respeito exclusivamente à poesia: quando se fala em Arcadismo no sentido de um corpo de doutrina literária da segunda metade do século XVIII, está-se pensando tão somente em poetas, e em grande profusão. É certo que se cultiva muita prosa (histórica, filosófica, científica, pedagógica, etc.), mas fora dos quadros doutrinários rigorosamente arcádicos.

148 • A LITERATURA PORTUGUESA

Em terreno mais próximo da estrita atividade literária, observa-se, contudo, a tentativa de construir uma ficção de estrutura novelesca, segundo os moldes iluministas, como é o caso do **Padre Teodoro de Almeida** (Lisboa, 7 de janeiro de 1722-18 de abril de 1804), autor do *Feliz Independente do Mundo e da Fortuna* (3 vols., 1779), longa narrativa moralizante em torno dum episódio da história da Polônia passado no século XIII, e que seria largamente lida e difundida até meados do século XIX; e de *Recreação Filosófica, ou Diálogo sobre a Filosofia Natural...* (10 vols., 1751-1799), *Sermões* (3 vols., 1787), *Lisboa Destruída*, poema (1803).

Ou de **Teresa Margarida da Silva e Orta**, nascida em S. Paulo (1711) e falecida em Portugal (1793), para onde se mudou em tenra idade. Irmã de Matias Aires, publicou em 1752 uma novela alegorizante, intitulada *Máximas de Virtude e Formosura, com que Diófanes, Climeneia e Hemirena, Príncipes de Tebas, venceram os mais apertados lances da desgraça...*, sob o pseudônimo de Dorothea Engrassia Tavareda Dalmira. Com o título mudado para *Aventuras de Diófanes*, sai em 1777 a segunda edição, ainda encoberta pelo mesmo anagrama. Passados treze anos, republica-se pela terceira vez, e agora se indicava, erroneamente, o nome de Alexandre de Gusmão como o seu autor. Dividida em seis livros, e mesclando valores cristãos à mitologia greco-latina, a novela tem objetivos nitidamente pedagógicos, doutrinais: colaborar na formação moral e política do herdeiro ao trono português. Tendo por modelo as *Aventures de Télémaque* (1699), de Fénelon, como aliás declara o título da segunda edição, a narrativa oscila entre o Iluminismo emergente e o Barroco agonizante.

Maior atenção merece o teatro, seja pela tradução e adaptação de peças francesas e clássicas, seja pela criação de peças nacionais, mas sem lograr êxito. Esforço digno de nota, embora infecundo, o realizado por **Manuel de Figueiredo** (1725-1801) em primeiro plano (*Teatro*, 13 vols., 1804-1815), seguido por Correia Garção e Domingos dos Reis Quita, visando a dotar o palco português dum teatro à altura dos novos tempos.

## POETAS DA ARCÁDIA LUSITANA

Ortodoxamente adeptos do novo credo literário, e dotados de limitada respiração lírica, os poetas da Arcádia Lusitana, como de resto não poucos fora dela, são figuras menores que só de raro em raro oferecem momentos de maior interesse.

**Antônio Dinis da Cruz e Silva** (Lisboa, 4 de julho de 1731-Rio de Janeiro, 5 de outubro de 1799), cujo pseudônimo arcádico era Elpino Nonacriense, tem sido tristemente lembrado por seu papel de juiz durante o inquérito em torno da Inconfidência Mineira. A estada no Brasil deixou marcas em suas *Metamorfoses,* parte das quais compôs quando, em 1792, esteve entre nós, e que só seriam publicadas postumamente, com o mais de sua obra: *Poesias* (6 vols., 1807-1817). À semelhança de Ovídio, compôs doze *Metamorfoses,* em que, mitificando a natureza brasileira, mistura realidade observada com imaginação e lenda. Todavia, o melhor de sua produção reside em *O Hissope* (1802), poema herói-cômico sem par em vernáculo, em que faz a sátira do espírito feudal, escolástico e clerical.

**Pedro Antônio Correia Garção** (Lisboa, 29 de abril de 1724-10 de novembro de 1772), ou Córidon Erimanteu na Arcádia, mesclando a influência clássica com a quinhentista, a francesa e a inglesa, vale acima de tudo como excelente versejador. Em suas composições (reunidas postumamente no volume *Obras Poéticas,* 1778), notam-se talentosas soluções expressivas, posto que de sabor clássico. Mais importância ostentam os seus *Discursos Acadêmicos,* proferidos nas reuniões da Arcádia Lusitana e em que expõe suas principais ideias acerca das doutrinas arcádicas. No entanto, o primeiro plano é ocupado pelo teatro, para o qual escreveu a comédia *Teatro Novo,* e especialmente a comédia de costumes intitulada *Assembleia ou Partida,* na qual se inclui a célebre "Cantata de Dido", inspirada no livro IV da *Eneida,* e duas comédias (*Régulo* e *Sofonisba),* que se perderam.

**Domingos dos Reis Quita** (Lisboa, 6 de janeiro de 1728-26 de agosto de 1770), ou Alcino Micênio na Arcádia, constitui um caso invulgar e curioso: de origem humilde, barbeiro de profissão, autodidata, conseguiu chegar a bibliotecário do Conde de São Lourenço e sócio da Arcádia Lusitana. A obra poética, publicou-a um pouco antes de morrer, tuberculoso (*Obras Poéticas,* 2 vols., 1766). Fundamentalmente lírico, elegíaco, a confessar em poesia um magoado sentimento de incorrespondido no amor por uma dama lisboeta, Quita filia-se à tradição portuguesa, especialmente a do bucolismo quinhentista. O melhor de sua produção está no drama pastoril *Licore,* animado pela força do idílio entre a heroína e Amintas, pela tensão interna mantida até o desenlace, e pela

150 • A LITERATURA PORTUGUESA

singeleza e espontaneidade que acompanha o fluxo dos acontecimentos. Ainda escreveu para o teatro outras peças, *Astarto, Mégara, Hermíone* e *A Castro*, mas sem alcançar nível semelhante.

## A NOVA ARCÁDIA

Em 1790, Domingos Caldas Barbosa funda, com o auxílio de Belchior M. Curvo Semedo, J. S. Ferraz de Campos e Francisco J. Bingre, a Academia das Belas-Artes, logo depois chamada Nova Arcádia, que se reunia na casa do Conde de Pombeiro. Ao novo grêmio associaram-se Bocage, José Agostinho de Macedo, Luís Correia França e Amaral, Tomás Antônio dos Santos e Silva, e outros. Academia de oratória e poesia, em 1793-1794 publica quatro breves coletâneas poéticas dos seus membros, sob o título genérico de *Almanaque das Musas*. Entretanto, divergências internas entram a surgir, notadamente entre Macedo e Bocage, e em 1794 a "guerra dos vates" acaba provocando o afastamento de Bocage. Apesar do grande abalo sofrido pela agremiação, continuaram as sessões acadêmicas, agora no castelo de São Jorge, até 1801.

**Domingos Caldas Barbosa** era brasileiro e mulato, nascido no Rio de Janeiro, em 1740, e falecido em Lisboa, a 9 de novembro de 1800, para onde seguira por volta de 1770. Granjeou fama nos salões aristocráticos do tempo como intérprete e compositor de modinhas e lunduns, que introduziram no rigorismo arcádico uma nota de dengue e emoliência tropical. Suas composições, reunidas sob o título de *Viola de Lereno* (2 vols., 1798-1826) em razão do seu pseudônimo arcádico (Lereno Selinuntino), contêm um sopro de informalismo e brejeirice um tanto quanto estranho ao clima afetado da poesia arcádica. Apesar disso, o caráter demasiado popular de suas quadrinhas talvez explique o injusto desapreço em que o autor é tido pela crítica erudita.

**Padre José Agostinho de Macedo** (Beja, 11 de setembro de 1761-Lisboa, 2 de outubro de 1831): precocemente ganhou fama de briguento, a ponto de ser expulso da Ordem de Santo Agostinho em 1792, onde professara em 1778. Travou polêmica poética com Bocage, em que este, a fim de retrucar-lhe, tem ocasião de compor um dos seus poemas satíricos mais conhecidos, a "Pena de Talião". Verrinoso, atrabiliário, usava da poesia e do folhetim para satirizar (*Os Burros*, 1827; *A Besta Esfolada*, 1828-1829; *O Desengano*, 1830-1831; *Tripa*

*Virada, Tripa por Uma Vez,* etc.). Cultivou ainda uma espécie de ensaísmo ameno e coloquial (*Motim Literário em Forma de Solilóquios,* 4 vols., 1811; *Cartas Filosóficas a Ático,* 1815).

Embora secundário como poeta (*A Meditação,* "poema filosófico em 4 cantos", 1812; *Newton,* 1813), o seu longo poema épico *O Oriente* (2 vols., 1814) exibe interesse histórico-literário: escrito em 12 cantos, seguindo à risca *Os Lusíadas,* com ele pretendia ultrapassar Camões e emendar-lhe os "erros principais". Alto demais o propósito e baixo o resultado: o poema é fastidioso, monótono, próprio de quem assimilou a receita épica sem possuir assunto e, menos ainda, sem talento para executá-la.

## OS DISSIDENTES

Além das duas principais Arcádias, outras, de vaga existência e escassa importância, teriam sido organizadas, como a Arcádia (ou Academia) Portuense, criada por volta de 1740, a Arcádia Conimbricense e os Árcades de Guimarães, sem contar a possível Arcádia Ultramarina, constituída em Minas Gerais, em 1768, por Cláudio Manuel da Costa.

Ao mesmo tempo, alguns poetas renegaram a Arcádia (como Bocage) ou fundaram agremiações similares para combatê-la (como Filinto Elísio, líder do Grupo da Ribeira das Naus), enquanto outros criaram obra autônoma, de onde serem globalmente considerados "dissidentes" ou "independentes". Não raro exaltados, polêmicos, abalados por uma tensão indicativa dum espírito novo, rebelde e insatisfeito, neles encontramos o melhor que a poesia do tempo produziu, ou pelo exemplo camoniano que vários respeitam e seguem, ou porque revelam contradições prenunciadoras do Romantismo. Tais antinomias, justificáveis pelo tom pessoal, emocional e confessional que atribuem aos poemas, permitem rotulá-los de pré-românticos, especialmente José Anastácio da Cunha, a Marquesa de Alorna e, com mais realce ainda, Bocage.

À Academia Portuense pertenceram Teodoro da Silva Maldonado, **Paulino Antônio Cabral**, Abade de Jazente (Amarante, 6 de maio de 1719-20 de novembro de 1789), e **João Xavier de Matos** (nascido provavelmente em Lisboa, entre 1730 e 1735, e falecido em Vila de Frades, a 3 de novembro de 1789), dos quais o primeiro não apresenta interesse.

152 • A LITERATURA PORTUGUESA

Paulino Cabral viu publicadas suas *Poesias* em dois volumes, em 1786 e 1787, que voltaram a circular, numa edição integral, em 1985, com um ensaio introdutório de Miguel Tamen. Vazadas quase que totalmente em sonetos e tendo como fundo o panorama aberto pelo terremoto de Lisboa, em 1755, refletem um "homem cheio de bonomia, que não oculta as suas fraquezas e não alimenta grandes ambições, um homem que só visou à circunstância, e por isso não limou o estilo", e deixam uma "subjugante impressão de autenticidade humana, de confissão ingênua" (Jacinto do Prado Coelho). De onde os assuntos de seus poemas, além de variados, seguirem diversas claves, ora neoclássicas, ora barrocas e ora avançadas para o tempo.

O desleixo que punha na elaboração e sobrevivência dos seus versos, como se pouco lhe importasse a fama literária, presente ou futura, evidencia-se num "realismo burguês" que, na verdade, corresponde à irrupção da prosa no espaço da poesia. Faz lembrar um livro de conta-corrente diária, um "livro dos desassossegos", pulsante de uma vida intensamente vivida, em que o abade, sem dar-se conta disso, registrasse os trabalhos e os dias, desde os amorosos até os que vinham marcados pela antevisão da morte. Nem faltava, nesse espectro sem limite, a inflexão satírica, não raro derivando para um humor imprevisto, às vezes a coroar versos de (aparente) gravidade, num claro prenúncio da maneira que se tornaria, um século mais tarde, característica do parnasianismo de João Penha:

"Às vezes se não durmo, o pensamento
Deixando o corpo sobre a cama quente,
Me leva mais ousado, que prudente,
Dos Astros a medir o movimento. [...]
Contemplo os Turbilhões, e finalmente
Me transporto até sobre o Firmamento. [...]
Descartes lá descubro [...]
E eis que vem com mais certa Geometria
Uma Pulga, e me morde no cachaço;
Vou-me arranhar, e adeus Filosofia"

Quanto a João Xavier de Matos, as suas *Rimas* foram publicadas em três volumes, datados de 1770, 1775 e 1783: ambos introduzem matizes novos em temas velhos. Paulino Cabral transpõe em verso a sua desigual existência, ora epicurista, ora sentimental, ora sensualista, ora trivial, mas sempre ensombrada por traços de melancolia e tristeza pré-românticos. Ainda que epígono camoniano, Xavier de Matos era senhor de um timbre próprio, moldando em poesia uma ardente experiência do amor e dos seres humanos, em tons de melancólica confidência, na qual já é possível identificar presságios do egocentrismo romântico. Tanto quanto o confrade, deixou-se contagiar, na primeira fase da sua trajetória, pelos vestígios barrocos reinantes em meados do século XVIII.

**Nicolau Tolentino** (Lisboa, 10 de setembro de 1740-23 de junho de 1811) difere substancialmente dos anteriores. As suas *Obras Poéticas* (2 vols., 1801), seguidas de um volume de *Obras Póstumas* (1828), compõem-se de sonetos, odes, memoriais ou epístolas e sátiras, mas foi pelas últimas que se tornou justamente conhecido e apreciado. Humorista fino, espírito mordaz sem indignação nem fel, agudíssimo e certeiro no retrato de cenas e costumes da época, escreveu sátiras de evidente atualidade e poder comunicativo, tal é o caso por exemplo, de "A Função", "O Velho", "O Bilhar", "O Passeio Público", "Os Amantes". Cronista da sociedade do tempo, pioneiro do caricaturesco na Literatura Portuguesa, do humor feito de ironia e chalaça, Nicolau Tolentino provoca o riso com facilidade ainda hoje, e coloca-se ao lado de Bocage no culto da sátira, embora dele se diferencie em muitos aspectos.

**Filinto Elísio**, pseudônimo arcádico do Pe. Francisco Manuel do Nascimento (Lisboa, 23 de dezembro de 1734-Paris, 25 de fevereiro de 1819), é um tanto quanto retardatário em relação ao movimento neoclássico, mas nem por isso menos importante. Chefiou o Grupo da Ribeira das Naus, composto de figuras secundárias, contra a Arcádia Lusitana, teimando em seguir à risca o ideário arcádico, especialmente naquilo em que as doutrinas de Correia Garção pregavam a volta aos antigos greco-latinos e aos clássicos portugueses, Camões e Antônio Ferreira à frente, seguidos de Vieira, Bernardes e outros. Preceptor da futura Marquesa de Alorna e de sua irmã, cai na desgraça da Inquisição e evade-se para Paris, em 1778, onde vive até o fim da vida e publica sua obra poética (*Versos de Filinto Elísio,* 8 vols., 1797-1802, reeditados e acrescidos sob o título de *Obras Completas de Filinto Elísio,* 11 vols., 1817-1819; postumamente, saiu em Lisboa outra edição com igual título, em 22 vols., 1836-1840).

Versejador de sólida base clássica, propugnava pelo casticismo da linguagem (cf. "Epístola – Da Arte Poética Portuguesa", dirigida a Francisco José Ma-

154 • A LITERATURA PORTUGUESA

ria de Brito), de que veio a ser mestre consumado, mas faltavam-lhe o "sopro" e a fluência que evidenciam o poeta autêntico. Vazou em poemas de variada forma (odes, epigramas, epístolas, epicédios, sonetos, etc.) muito da amargurada experiência de exilado no estrangeiro e da paixão platônica pela Marquesa de Alorna, tudo contrabalançado pela assimilação e manifestação franca dos ideais iluministas ainda vigentes. Pré-romântico pelo tom confessional de alguns poemas, exerceu notável influência em vida e depois da morte, inclusive em Garrett e em poetas brasileiros.

## JOSÉ ANASTÁCIO DA CUNHA

Nascido em Lisboa, a 15 de maio de 1744, e lá falecido a 1º de janeiro de 1787, era militar e estudioso da Física, da Matemática e de línguas estrangeiras, sobretudo a inglesa. Por suas ideias avançadas, colhidas em leitura de autores franceses e ingleses (Voltaire, Rousseau, Hobbes, dentre outros), acabou sendo preso por algum tempo a mando da Inquisição. Parte de sua poesia foi reunida por Inocêncio Francisco da Silva, em 1839, sob o título de *Composições Poéticas,* a que se juntaram inéditos na edição de 1930, preparada por Hernâni Cidade.

Parece incrível que um homem dado às ciências e às ideias tidas por libertinas e coerentemente postas em prática, fosse também um lírico apaixonado e vibrante. Abandonou de vez o alambicamento mitológico do Arcadismo e desobedeceu às limitações impostas pelo neoclassicismo: sua poesia é de acentos novos, dum homem moderno e lúcido. Nela confessa experiências pessoais, a da prisão e a do amor por Margarida Lopes, ou Marfida, como pedia o costume literário do tempo, decerto graças ao contato íntimo com a literatura alemã e inglesa contemporânea, já de fisionomia romântica. Seu lirismo amoroso expressa-se com veemência eruptiva, delirante, num ritmo frenético que pretende abarcar o próprio dinamismo da avassaladora paixão:

"Céus! que fogo sutil meu peito inflama,
E as faces me incendeia!
Rói as entranhas solapada chama:
Salta de veia em veia

Em giro impetuoso o sangue ardente
E o coração o incêndio estranho sente!"

Noutras vezes expõe, com não menor intensidade, dúvidas filosófico-religiosas. Libertando a poesia do seu aristocratismo postiço, Anastácio da Cunha tornou-se poeta vincadamente pré-romântico, mesmo antes de Bocage, como se pode ver, por exemplo, nos longos poemas em que com mais flagrância plasmou seu drama interior: "A Noite sem Sono", "O Abraço", "Notícia Infausta", "A Despedida".

## MARQUESA DE ALORNA

Em posição semelhante coloca-se a Marquesa de Alorna (Leonor de Almeida de Portugal Lorena e Lencastre; Lisboa, 31 de outubro de 1750-12 de outubro de 1839), nomeada arcadicamente de Alcipe. Relevante pela vida que levou e pela atividade sócio-literária que exerceu, a sua obra poética tem sido considerada de segundo plano. Passou a infância e a adolescência no Convento de Chelas (1758-1777), por motivos de ordem política: desses anos ficou-lhe vigorosa formação literária, sobretudo na parte dos clássicos; casou-se em 1779 com o Conde de Oeynhausen, e seguiu para Viena; conheceu Metastásio, Madame de Staël e outros. E em 1793, enviuvando, voltou a Portugal, mas foi obrigada a exilar-se em Londres (1803-1814); de volta à Pátria, entrou a exercer ampla influência, inclusive sobre Alexandre Herculano: tudo isso fez dela figura quase única na Literatura Portuguesa.

Publicada em 1844 (*Obras Poéticas,* 6 vols.), a sua poesia acompanha-lhe de perto os transes da existência e da variada formação cultural que recebeu: divide-se entre o culto dos clássicos, alguns dos quais traduziu (Horácio e Pope), e dos românticos, o que lhe confere nítido caráter pré-romântico. O lado clássico parece dominar, talvez porque se coadunasse melhor com o seu caráter, sensato e racionalista. O lado romântico resulta da magoada experiência de reclusa no Convento de Chelas e da influência alemã e inglesa bebida nos próprios meios de origem, e por meio das traduções e adaptações de Gray, Young, Goethe, Wieland, Ossian, Buerger, e outros, realizadas com muita empatia e rigor.

156 • A LITERATURA PORTUGUESA

Alguma coisa desse contato com a cultura anglo-saxônica e dessa amarga experiência de "emparedada" reflui-lhe nos sonetos, apólogos e cantigas, mas logo o comedimento, a racionalização, atenua o voo da inquietação subjacente:

"Que quereis que vos diga d'alegria,
Se vítima da negra desventura
Sirvo sempre a cruel melancolia?!".

Todavia, é já romântico o sentimento que, insinuando-se por entre as malhas da vigilância racional, alcança manifestar-se livremente. A Marquesa de Alorna trouxe menos novidades que José Anastácio da Cunha, embora valha muito como evidência das novas correntes literárias românticas, e sirva, por isso, de vaso comunicante entre a estética em que se educou e aquela que foi conhecendo pela vida fora.

# BOCAGE

O mais renomado poeta do século XVIII português foi Manuel Maria de Barbosa du Bocage, êmulo de Camões na vida e na obra. Nasceu em Setúbal, a 15 de setembro de 1765. Cedo, apaixona-se por Gertrudes (que aparece como Gertrúria em sua poesia), mas resolve alistar-se na Marinha de Guerra, em 1783. Três anos depois, embarca na nau "Senhora da Vida", em viagem para Goa. Faz escala no Rio de Janeiro, onde se regala em festins e amores tropicais. Chegado à Índia, o tempo começa a correr-lhe bem: é promovido a tenente e mandado a Damão, mas deserta, arrastado por baixos amores. Em 1789, segue para Macau e, no ano seguinte, para Lisboa. Ao chegar, sabe com tristeza que Gertrudes se casara com o seu irmão. Desgostoso, entrega-se a uma vida desregrada e boêmia, ao mesmo tempo que frequenta a Nova Arcádia. Em 1797, é preso e condenado a receber doutrina dos oratorianos. Livre, passa a viver de traduções e tarefas similares, mas novas desgraças o espreitam, como a doença, paixões infelizes, tormentos da sensibilidade; recolhe-se ao leito, à espera do fim, que chega a 21 de dezembro de 1805. Morre na miséria e arrependido. Seu pseudônimo arcádico era Elmano Sadino, formado com as letras do prenome e do rio Sado, que banha Setúbal.

Em vida, Bocage publicou *Idílios Marítimos recitados na Academia das Belas-Artes de Lisboa* (1791) e as *Rimas* (3 vols., 1791, 1799, 1804). Postumamente, com o título de *Obras Poéticas,* saíram mais dois volumes (1812 e 1813), e de *Verdadeiras Inéditas Obras Poéticas,* um volume (1814). Em 1853, Inocêncio Francisco da Silva publicou-lhe as *Poesias,* em seis volumes, considerada a melhor edição do seu espólio poético. A sua *Opera Omnia,* em 6 vols., sob a direção de Hernâni Cidade, veio a público entre 1969 e 1973.

Existem dois Bocages: o que o vulgo fixou através de anedotas, verdadeiras algumas e falsas outras, mas todas raiando na obscenidade grosseira, e o que a tradição literária nos legou. Este é que importa, pois o primeiro segue trajetória secundária e infensa a qualquer configuração, visto o povo atribuir-lhe todos os ditos picantes que, não tendo paternidade conhecida, devem forçosamente pertencer a alguém. Desse ângulo, o seu nome tornou-se mítico ou ao menos proverbial, decerto representando um tipo de chocarreiro universal.

Sem levar em conta a poesia pornográfica (em que foi mestre), o segundo Bocage escreveu vasta obra poética, distribuída por dois setores fundamentais: o satírico e o lírico. Quanto ao primeiro, alcançou ser estrela de primeira grandeza, ao lado dum Gregório de Matos, graças ao temperamento agressivo, impulsivo, cortante, amparado no dom da improvisação feliz e certeira. A sátira, porém, ocupa lugar menos relevante em sua obra, seja porque de cunho pessoal e bilioso, seja porque dura tanto quanto o acontecimento que lhe dá causa e sentido. Exemplo característico do seu poderio satírico é a "Pena de Talião", em resposta a José Agostinho de Macedo.

Contudo, é na poesia lírica que o talento bocageano se realizou de modo particular. Cultivou a lírica elegíaca, a bucólica e a amorosa, exprimindo-as em idílios, odes, epigramas, cantatas, elegias, canções, epístolas, cançonetas, sonetos, etc. Nos poemas longos, salvo contadas exceções, Bocage não se realiza plenamente: talvez porque, neles, fosse compelido a enquadrar-se no convencionalismo neoclássico, ou porque exigissem fôlego muito mais amplo do que lhe era permitido pela baixa rotação do seu mundo interior. De qualquer forma, tais composições inibiram, em vez de estimularem, o voo poético de Bocage: as normas arcádicas enrijeciam-lhe o verso e coartavam-lhe a inspiração.

Os sonetos contêm, na verdade, o mais alto sopro do seu talento lírico, a tal ponto que Bocage vem sendo invariavelmente considerado um dos três maiores sonetistas da Língua, ao pé de Camões e Antero. Do primeiro, aprende a lição referente ao corte do soneto, acrescentando-lhe novos dados de pessoal e singular intuição lírica: certo irracionalismo; estertores, confissões dramáticas de experiências vivas na sensibilidade, utilizando uma adjetivação subjetiva, diabólica, teatral, próxima da alucinação ("negras fúrias", "baça tristeza", "voraz dente", "mortíferos venenos", etc.); um ar antidiscursivo, por vezes descambando no prosaísmo ou em soluções cotidianas e coloquiais.

Com efeito, Bocage desembaraça a poesia, notadamente o soneto, das peias que a sufocavam antes, emprestando-lhe uma dicção fluente, vizinha da fala diária, obediente a uma lógica da emoção, que organiza os versos em ordem direta, natural, com ares de espontaneidade, em oposição à sintaxe arrevesada e tortuosa que florescia anteriormente, inclusive na pena de Camões. Nítido rasgo de autonomia, aglutina-se com perfeição à tendência para exprimir uma sensibilidade encravada na "reportagem" do dia a dia, mas fascinada pela contemplação das alturas.

Dessa polaridade nasce a tensão que torna o lirismo bocageano o mais original e forte do seu tempo, e prelúdio da modernidade romântica. Mais do que o restante da obra, os sonetos documentam-lhe a vida por dentro e por fora: testemunhos de suas andanças e tormentos de alma, constituem autênticas páginas de um diário íntimo, peculiaridade que os torna predecessores dos sonetos metafísicos de Antero, pelo pessimismo intrínseco e pela constante presença da morte.

Daqui decorre a primeira nota marcante da poesia lírica de Bocage: o pessoalismo. Com efeito, superando as regras e as coerções literárias e sociais aliadas ao movimento arcádico, a poesia bocageana identifica-se por um rebelde libertarismo emocional, às vezes violento e gritante, às vezes calmo e idealista. Esse timbre de impulsiva originalidade, fruto de especiais condições de temperamento, educação e vida, guarda indiscutível novidade para o tempo: Bocage anuncia o fim dos falsos pressupostos de nobreza artística, o estertor da hipocrisia em arte, evidente na cultura anterior, dissociada do homem em particular e em geral, e escrava de regras fixas e farisaicas, proibindo que indivíduo e artista se integrassem na mesma pessoa.

Entretanto, como era inevitável, Bocage deixou-se contagiar pelo movimento literário vigente, mas com uma sinceridade de tal modo autêntica e convicta que lhe permitirá mudar de rumo no instante preciso. Por ser uma adesão de dentro para fora, quando foi o momento de buscar novos caminhos, não titubeou em fazê-lo, embora tanto lhe custasse, pois assumiu atitudes desabusadas que acabaram provocando impactos avassalantes nos padrões burgueses do tempo. Em resultado dessa metamorfose, pode-se falar em duas fases, ou maneiras, percorridas pela poesia lírica de Bocage.

A primeira fase, ou maneira, da poesia bocageana marca-se pelo influxo mais acentuado das regras e convenções trazidas pelo neoclassicismo arcádico, sintetizadas no culto do Fingimento e da Dependência, como o próprio poeta declara no soneto "Incultas produções da mocidade", que utilizou como uma espécie de prólogo às *Rimas*. Amargando, nesse período, amores infelizes, além do desgosto de ver Gertrudes casada com o seu irmão Gil, o poeta cerca-se de imagens mitológicas e clássicas, numa flagrante transposição de seus infortúnios: o mundo povoa-se de alegorias e o poeta arcadiza os seus sentimentos:

"Olha, Marília, as flautas dos pastores

Que bem que soam, como estão cadentes!
Olha o Tejo, a sorrir-se! Olha, não sentes
Os Zéfiros brincar por entre as flores?"

Simultaneamente, vão-se evidenciando longos, intensos, debates entre a Razão (que o conduziria a uma mundividência bafejada pelo signo da harmonia) e o Sentimento (que o arrastaria a cometer desatinos), num movimento oscilatório que resulta, a um só tempo, de profundos transes pessoais e da conjuntura de época, uma vez que o gélido artificialismo arcádico começava a destoar dos novos ares culturais que, permeados de brisas iluministas, sopravam dos países anglo-saxônicos.

Não há dúvida que muito da contensão interior própria desse primeiro Bocage vem de ele, impelido pelo Fingimento e pela Dependência, ter aceitado o jugo do racionalismo clássico: não obstante o fizesse com sinceridade, enganara-se ao fazer ouvidos moucos às suas vozes interiores, e disso se penitenciará no futuro. Mostra-o, já nesse estágio, a "dilaceração" permanente em que anda, agitado por uma angústia emocional que provém não só do seu caso amoroso, mas também da luta empreendida para romper a crosta da afetação clássica e, com isso, permitir que viesse à tona o seu alanceado mundo interior.

Apesar dos ingredientes clássicos, já petrificados e assumindo função mais decorativa, observa-se que o "eu" do poeta se impõe, tumultuoso e ardente,

160 • A LITERATURA PORTUGUESA

contra a impessoalidade, e mesmo contra a teatralidade e o fingimento, do lirismo arcádico. É que o Fingimento e a Dependência se referem à sujeição fortuita de Bocage ao doutrinal arcádico: nos sonetos em que celebra Marília (por exemplo: "Marília, nos teus olhos buliçosos"), o "festival contentamento", provindo do amor pela musa e pelo encontro com a Natureza, esconde ou adia o sofrimento íntimo e autêntico do poeta, expresso noutros poemas, alguns deles endereçados à Marília, como o que se inicia com o seguinte verso – "Minha alma se reparte em pensamentos" – em que a pose arcádica se dissipa em favor duma confissão atormentada, depressiva e lúgubre.

Superadas as tênues sujeições neoclássicas, Bocage põe-se diante dum espelho, sozinho, fazendo-se espetáculo de si mesmo. Poesia da confissão e da emoção, eis o que emerge da nova equação armada: surgem agora as notas mais agudas e os temas carregados de mais dramaticidade na trajetória literária bocageana. Ao sentimento de desamparo por falta de afetos seguros e de certezas filosóficas ou religiosas para substituir o Fingimento da juventude, soma-se a tragédia da solidão em face do "outro" e da realidade do mundo.

A desolação existencial do gênero humano é agora nota constante, a cuja dolorosa especulação se acrescenta a sondagem no mistério da morte. Esta, converte-se em ideia fixa e tema recorrente em sua poesia; e a ela se acrescenta a descoberta e fruição do mundo tenebroso dos horrores, novidade que a dramática sondagem interior desvenda, num misto de sentimentos desencontrados, como se observa no soneto "Insônia", de que se transcrevem os versos iniciais:

"Ó retrato da Morte!, ó Noite amiga
Por cuja escuridão suspiro há tanto!
Calada testemunha de meu pranto,
De meus desgostos secretária antiga!"

Poesia noturna e soturna, correndo na esteira de igual tendência da poesia inglesa contemporânea, na qual avultava Young como figura de primeira plana, liga-se a temas de pessimismo e fatalismo: para Bocage, o Fado, entendido como irracional predestinação, determinou-lhe uma vida inteira de sofrimentos morais e físicos.

É agora, nessa poesia madura e de autoanálise, que Bocage logra o máximo do seu potencial lírico, graças ao singular poder transfigurador que não recorre às ficções mitológicas, nem às regras clássicas, mas, sim, procura expressões novas para transmitir os achados interiores que dramaticamente vai efetuando no correr do tempo. Tem-se a poesia da confissão, da carpidação, do arrependimento, resultante da contemplação do "eu" a si próprio. Aqui, Bocage atinge acentos típicos da mais elevada poesia, pela depuração da sensibilidade, pela tensão dramática, pela sinceridade autobiográfica de transfundir em arte o sofrimento moral, pela sondagem interior processada quase sem os entraves da consciência, e, por fim, pelo encontro de soluções expressivas que não ficaram totalmente desconhecidas ao longo do século XIX. A grandeza dessa poesia demonstra-se pelas epístolas a Gertrúria, a Josino e a Ursulina, e nomeadamente pelos sonetos, dos quais valia a pena lembrar os dois que levam o título de "Adeus, ó mundo, ó natureza, ó nada".

Note-se, ainda, que o lirismo de Bocage se nutre de duas forças complementares: o subjetivismoególatra, que o arrasta a revelar eruptivamente o "eu" angustiado, e o universalismo, que não advém de influências clássicas, senão do desenvolvimento, da amplificação em nível cósmico, dos conflitos íntimos. Neste polo, o "eu" volve-se "Eu" ou "Nós", à custa de levar a autossondagem ao limite extremo. De onde Bocage permanecer lírico, embora de superior envergadura, quando apenas oferece ao leitor o espetáculo tenebroso do "eu", e ascender para a dimensão de épico quando universaliza, por meio da reflexão, da máxima que coroa os sonetos, os conteúdos de sua individualidade encarcerada. A segunda faceta assinala a presença da Razão, a primeira, do Sentimento: como este vence aquela, a excursão épica somente se realiza até certo ponto, e o poeta avança para o Romantismo.

O Bocage dessa fase ou maneira é todo ele o anúncio da visão romântica do mundo, em curso nas literaturas anglo-saxônicas, e é assim que deve ser considerado. Para ser integralmente romântico, faltou-lhe caminhar um passo mais e libertar-se por inteiro da formação neoclássica: ter-lhe-ia sido possível? E progredindo ainda um pouco, não significaria a superação dos transes interiores e a redução da temperatura dramática e mesmo trágica de sua poesia? Não resultará a densidade lírica *também* dos paradoxos em que mergulhava o poeta? Não incidirá no dilema de quem sabe que abandona um mundo sem poder aceitar totalmente o outro, a marca da poesia bocageana? Em qualquer hipótese, êmulo de Camões ("Camões, Grande Camões, quão semelhante / Acho teu fado ao meu, quando os cotejo!") Bocage alcançou ser dos maiores poetas da Língua Portuguesa.

E um confronto entre ambos deveria fatalmente acusar os seguintes aspectos: Bocage é o primeiro poeta da Literatura Portuguesa que traz a poesia lírica para o plano terreno, cotidiano e burguês. De pés cravados no solo, agitava-o uma doença cultural que principiava a contagiar os letrados mais sedentos de novos caminhos: a angústia metafísica. Com efeito, era um sequioso de transcendência impossibilitado de neutralizar o fascínio que, em sua cerebração e sensibilidade, exerciam os estímulos da vida física. Ao contrário, Camões singrava esferas platônicas, incapaz de ajustar-se ao mundo contingente; na verdade, mesmo quando se sentia "bicho da terra tão pequeno", a sua óptica permanecia voltada para o plano inteligível.

Assim, a poesia de Bocage irrompe das vísceras, do sangue, dos ossos, apoiada em sentimentos que procuram escapar do seu círculo de fogo e ascender para regiões abstratas. Em suma: para Camões a terra significava a dimensão do existir, ou do não ser; para Bocage, o seu território próprio e quase único; e para o primeiro, os espaços do mundo das ideias constituíam a morada do ser, enquanto para o outro se afiguravam o símbolo perfeito do inatingível.

Quando Bocage morreu, o solo já estava preparado para o advento das novidades trazidas pelo Romantismo. Se o seu ensinamento não foi imediatamente aproveitado, se a obra que deixou não foi de pronto erguida ao plano em que se encontra hoje, é porque a sua língua afiada havia ganho vários inimigos, e o despeito, a inveja e a calúnia tinham feito o resto. No entanto, o legado bocageano tornou-se a grande ponte de ligação entre o melhor da poesia quinhentista, a de Camões, e a que vingaria no Romantismo, caracterizada pelo signo da revolta e da mais ostensiva insatisfação, de que ele, Bocage, foi o primeiro a dar sincera medida e exemplo.

# VII

# ROMANTISMO
## (1825-1865)

### PRELIMINARES

O primeiro quartel do século XIX presencia a diluição do Arcadismo e o simultâneo aparecimento de atitudes anunciadoras dum movimento contrário: é o período chamado de Pré-Romantismo. Portugal, estreitamente vinculado ao que se desenrola nos outros países da Europa, espelha a radical metamorfose cultural e histórica operada em seguida aos acontecimentos relacionados com a Revolução Francesa (1789), em consequência dos quais entra em crise o sistema das monarquias absolutistas, dando lugar ao liberalismo como corpo de doutrinas de índole sociopolítica e à ascensão da Burguesia.

A transladação da Corte de D. João VI para o Brasil, em 1808, constitui a chama do estopim atado a uma nação de súbito transformada em verdadeiro barril de pólvora, como decorrência da invasão napoleônica. Eletrizados os ânimos, inicia-se um processo de reação que intenta livrar Portugal da constrangedora situação em que se encontrava e fazê-lo acertar o passo com as demais nações europeias. Em 1817, já expulsos os franceses e estando as rédeas do governo nas mãos de Beresford, general inglês que combateu Napoleão em terras portuguesas, Gomes Freire de Andrade articula uma conspiração de caráter liberal, mas é denunciado, preso e enforcado. Três anos depois, estala no Porto uma revolução com idêntico propósito, e torna-se vitoriosa, graças à

164 • A LITERATURA PORTUGUESA

adesão de Lisboa e do resto do País. Em 1822, elabora-se a Constituição, de acordo com o novo credo político, ao mesmo tempo que se proclama a independência do Brasil. Seguem-se anos turbulentos, a começar pelo fim do Vintismo (como veio a chamar-se a revolução de 1820) e passando pela revolta em Vila Franca de Xira (inícios de 1829), que recebeu o nome de Vilafrancada.

A luta pelo poder entre D. Miguel e D. Pedro 1 (IV de Portugal) ocupa os anos seguintes: vitorioso o primeiro, o segundo arma-se, na Ilha Terceira, para depor o irmão. Em princípios de 1833, o bem armado exército de D. Pedro invade Portugal pelo norte, em Mindelo, enquanto o Duque da Terceira desembarca no Algarve. A Convenção de Évoramonte, em 1834, obrigando D. Miguel a abandonar o trono e o País, dá por findas as lutas pela implantação do Liberalismo em Portugal. D. Pedro I aponta sua filha, Maria, para ocupar o trono, mas o clima de desordem interna continua até 1847, quando se inicia o período conhecido como Regeneração.

É no interior dessa conturbada atmosfera que se deve compreender o aparecimento do Romantismo, expressão literária do recém-inaugurado ciclo ideológico. Enquadrado em momento tão crítico para a história de Portugal, entende-se por que a aceitação da reforma romântica não foi pronta nem calorosa: só a acalmia trazida pela Regeneração permitirá o florescimento do ideário romântico entre os letrados portugueses.

INTRODUÇÃO DO ROMANTISMO EM PORTUGAL – Em 1823, Garrett exila-se na Inglaterra, onde trava contato com a obra de Byron e de Walter Scott, e, portanto, com o Romantismo inglês, e enfronha-se no teatro de Shakespeare. No ano seguinte, está no Havre (França), onde concebe escrever um poema acerca de Camões, mas interrompe-o para se dedicar à elaboração de *Dona Branca*. Em 1825, ultima e publica o longo poema narrativo *Camões*, dividido em 10 cantos e vazado em decassílabos brancos. No prefácio, revela o quanto tinha consciência de que a sua obra encerrava novidades:

"A índole deste poema é absolutamente nova: e assim não tive exemplar a que me arrimasse, nem norte que seguisse *Por mares nunca dantes navegados*.

Conheço que ele está fora das regras; e que se pelos princípios clássicos o quiserem julgar, não encontrarão aí senão irregularidades e defeitos. Porém declaro desde já que não olhei a regras nem a princípios, que não consultei

Horácio nem Aristóteles, mas fui insensivelmente depós o coração e os sentimentos da natureza, que não pelos cálculos da arte e operações combinadas do espírito. Também o não fiz por imitar o estilo de Byron, que tão ridiculamente aqui macaqueiam hoje os franceses a torto e a direito (...). Não sou clássico nem romântico."

Mais adiante, referindo-se ao eixo do poema, declara que "a ação do poema é a composição e publicação de Os Lusíadas". Todavia, a trama dramática é motivada pela vida sentimental do poeta, especialmente o amor por Natércia, de onde o poema acabar sendo uma espécie de biografia sentimental de Camões: ao ver de Garrett, o épico teria sido um romântico perfeito em sua odisseia amorosa.

Em *Camões,* observa-se a presença de elementos clássicos, fruto da formação filintista de Garrett: os decassílabos brancos, o vocabulário, as figuras, a síntese de Os Lusíadas (cantos VII e VIII), a par de inovações românticas: subjetivismo, culto da saudade, o sabor agridoce do exílio, a melancolia, a solidão, as ruínas, etc.

Graças a essas últimas características é que o poema passou a ser considerado introdutor do Romantismo em Portugal. Em 1865, com a *Questão Coimbrã,* finda a hegemonia romântica e tem início o Realismo em Portugal.

ORIGENS DO ROMANTISMO – De modo genérico, o ideário clássico entra em colapso logo à entrada do século XVIII, quando irrompem na França as primeiras manifestações contra o culto dos antigos e o dogmatismo das regras, em consequência da "Querela dos Antigos e Modernos" (iniciada em 1687 e terminada em 1715) e da difusão do pensamento cartesiano.

Contudo, as origens do Romantismo devem ser procuradas na Inglaterra e na Alemanha, uma vez que à França coube não só o papel de coordenação, mas também de caixa de ressonância e difusão do movimento.

Como se sabe, a Escócia está geograficamente separada da Inglaterra pelas montanhas Cheviots, as chamadas "highlands" (terras altas) do sul. Até a segunda metade do século XVI, a separação fora também linguística e cultural, sem contar as lutas entre os dois países vizinhos, que só se consideram terminadas no reinado da Rainha Ana, a 1º de maio de 1707. Nesse intervalo, a Inglaterra exporta para a Escócia os produtos do Classicismo francês, em tudo

166 • A LITERATURA PORTUGUESA

contrário à literatura popular escocesa, que existira até fins do século XVI, e que agora se reduzia à transmissão oral.

Tudo, razões políticas e literárias, convidava a uma rebelião que visasse a instaurar o prestígio dessas velhas lendas, baladas e canções que corriam na voz do povo. O primeiro a erguer-se contra a referida poesia clássica foi o escocês Allan Ramsay (1686-1758), a partir de 1724, quando publica uma antologia de velhos poemas escoceses, sob o título de *The Evergreen,* a que se segue outra coletânea de velhas canções, *The Teatable Miscellany* (1724-1727), e, por fim, *The Gentle Shepherd* (1725), anunciando o aparecimento da poesia baseada no sentimento da natureza.

O exemplo não ficou sem eco: daí por diante, surgem numerosos escritores, escoceses e ingleses, tangidos pela "escola do Sentimento" contra a "escola da Razão". Vejamos alguns deles: James Thomson (1700-1748), autor de *The Seasons* (1726-1730), enformadas por uma visão clássica do mundo na qual já se percebem traços de sentimento da Natureza; Edward Young (1683-1765), autor de *The Complaint, or Night Thoughts on Life, Death and Immortality* (1742-1745), dá início à poesia noturna e funérea; Samuel Richardson (1689-1761), considerado precursor do romance, com *Pamela* (1740-1741), *Clarissa Harlowe* (1747-1748) e *Sir Charles Grandison* (1753-1754), e tantos outros.

De todo o quadro das origens inglesas e escocesas do Romantismo, ressalta o caso da poesia ossiânica, que fez deitar rios de tinta no século XVIII e XIX. Em síntese, as coisas passaram-se do seguinte modo: o escocês James Macpherson (1736-1796) começou a publicar, em 1760, a presuntiva tradução em prosa de poemas escritos por Ossian, um velho bardo escocês do século III d.C. O êxito imediato levou-o a prosseguir na tarefa de fazer conhecida uma tão rica e original tradição poética, e desse modo, até 1763, vai dando a conhecer outros "fragmentos" ossiânicos. A impressão causada foi a de espanto e surpresa, e logo alguns trechos foram traduzidos para outras línguas, sobretudo os referentes a "Fingal" e "Temora".

Embora aguardassem vinte ou mais anos para ser inteiramente traduzidas, as baladas e canções de Ossian se beneficiaram em pouco tempo de generalizado aplauso em toda a Europa culta do tempo. Em meio ao unânime elogio, ouviam-se raras vozes discordantes: não poucos elevavam o bardo gaélico ao nível de Homero e Virgílio, quando não acima. Imitadores, seguidores, epígonos multiplicaram-se por toda a parte na segunda metade do século XVIII e no decorrer do século XIX. O ossianismo tornou-se forte corrente literária, a cuja influência nenhum país europeu ficou imune.

Quando se descobriu que tudo não passava de mistificação, pois que a autoria dos poemas se devia antes a Macpherson que a Ossian, já era irremediavelmente tarde para impedir-lhe a profunda e benéfica influência, tanto mais que o "tradutor" certamente não precisaria do artifício para fazer valer o seu talento e inspiração. De qualquer forma, as novidades que o ossianismo apresentava (a simplicidade vocabular e sintática, a melodia natural e espontânea da frase, geralmente curta e de recorte acessível a todos, um acentuado primitivismo no sentimento da Natureza, da guerra e do amor, etc.) já haviam aberto definitivamente o caminho para a instalação do Romantismo na Inglaterra e no resto da Europa. Nos anos seguintes, aparecem numerosos poetas, impregnados do mesmo afã de expressar literariamente os seus transes interiores (Thomas Gray, Robert Burns, Samuel Taylor Coleridge, Wordsworth, Southey, Byron, Shelley...), e, por conseguinte, contagiados duma visão romântica da vida e da arte.

Enquanto esses fatos se passam na Inglaterra, outro tanto ocorre na Alemanha (ou melhor, Prússia). No primeiro quartel do século XVIII, a literatura alemã vive sob a influência do rococó francês, última floração do barroco decadente. O afrancesamento manifesta-se ainda no culto das boas maneiras e das modas parisienses. No interior desse clima, desponta o movimento da *Aufklärung* ("filosofia das luzes"), ainda por influência estrangeira, desta vez do cartesianismo francês, da ciência newtoniana e do empirismo de John Locke. Movimento de crítica racionalista, postula que a reforma e a transformação do mundo e dos homens só pode operar-se mediante o uso da Razão: o "esclarecimento", ou a luta contra o obscurantismo das consciências, somente é exequível por via racional. A *Aufklärung*, cujo ápice ocorre por volta de 1740, não conseguiu entranhar-se mais fundamente no pensamento alemão, em virtude do seu caráter fechado e alienígena; promoveram-no professores, sábios, altos funcionários e burgueses cultos. Constitui, todavia, sintoma duma renascença germânica, em processamento ao longo do século XVIII.

À influência francesa, que não cessará durante esses anos, vai somar-se a inglesa. Alguns temas explorados por escoceses e ingleses vão progressivamente aparecendo em Língua Alemã: o sentimento da Natureza pode ser encontrado nos *Poemas Suíços* (1732), de Haller (1708-1777), o sentimentalismo

168 • A LITERATURA PORTUGUESA

e o lirismo místico em *Messíada* (1748), de Klopstock (1724-1803). A liberdade ideológica, preconizada pela *Aufklärung,* ainda se faria esperar alguns anos. Em 1767 e 1768, Lessing (1729-1781) inicia, com a *Dramaturgia de Hamburgo,* uma campanha contra o teatro clássico francês, ao mesmo tempo que exalta Shakespeare. Teórico dos problemas estéticos, impregnado de idealismo (*Laocoonte,* 1766), com ele principia a ruptura com o passado estrangeirado da cultura alemã, mais adiante continuada e desenvolvida pelos jovens pertencentes ao movimento do *Sturm und Drang* ("Tempestade e Ímpeto").

Em 1770, ainda um tanto sob a influência de Young, de Ossian e Rousseau, Goethe (1749-1882) encontra-se em Estrasburgo com Herder (1744-1803), que em 1767 publicara *Fragmentos sobre a Literatura Alemã Moderna,* obra inspirada em Lessing, e na qual pregava a volta ao passado germânico. A eles viriam juntar-se outros, dentre os quais Schiller (1759-1805) e Klinger (1752-1831): o seu programa de ação previa o combate às regras e à separação de gêneros pregada pelos clássicos, e o retorno irracional, anárquico, à Natureza, livre de contágio civilizacional, o culto da melancolia, da sentimentalidade, da tristeza, enfim uma tendência anti-*Aufklärung.*

Em 1774, Goethe publica *Werther*, símbolo acabado dos males da imaginação que levam ao suicídio, e que se tornaram verdadeira mania na Europa do tempo, chegando até a refletir-se entre nós. E Schiller, em 1781, publica *Os Salteadores*, peça histórica que inaugura o gênero na Alemanha. O rótulo do movimento (*Sturm und Drang)* foi tirado duma peça de igual título de Klinger, publicada em 1776, e com ele tem início o Romantismo na Alemanha.

CARACTERÍSTICAS DO ROMANTISMO – O vocábulo "romântico" origina-se da forma francesa *romantique* (adjetivo de *roman),* já assinalada em 1694 num texto do Abade Nicaise ("Que dites-vous, Monsieur, de ces pastoreaux, ne sont-ils pas bien romantiques?"). Absorvida pelos idiomas inglês e alemão, a palavra passou a *romantik* e *romantisch,* de onde foi importada por literatos franceses juntamente com a ideia, vaga então, que expressava. E da França, disseminou-se por toda a parte.

Que é o Romantismo? Mais do que qualquer outro movimento estético, é impossível dizê-lo em poucas palavras, porque o seu contorno, sendo extremamente irregular e movediço, abarca não raro tendências opostas ou contrastantes, porque corresponde a muito mais do que uma revolução literária:

sendo mais uma nova maneira de enfrentar os problemas da vida e do pensamento, implica uma profunda metamorfose, uma verdadeira revolução histórico-cultural, que abrange a filosofia, as artes, as ciências, as religiões, a moral, a política, os costumes, as relações sociais e familiais, etc. Desse modo, é inócua qualquer tentativa de sistematização das características do Romantismo que não pressuponha as antinomias latentes e as outras características que ainda seria necessário juntar. Daí porque as observações seguintes constituam apenas o afloramento parcial da questão.

Com o Romantismo, abre-se um ciclo de cultura inteiramente novo, correspondente à diminuição do poder das oligarquias reinantes em favor das monarquias constitucionais ou das repúblicas federativas, e ao aparecimento do Liberalismo em política, moral, arte, etc. A aristocracia de sangue aos poucos cede terreno à Burguesia na pirâmide social, invertendo completamente os papéis e estabelecendo nova escala de valores, marcada agora pela posse do dinheiro. Por fim, os ideais românticos e burgueses acabam por confundir-se, numa rede inextricável de malhas que se repelem e se aproximam desordenadamente. Opera-se, em suma, o domínio amplo das fórmulas burguesas de viver e pensar, com todas as suas múltiplas e complexas consequências. Dentre elas, a profissionalização do escritor, que desfruta agora de melhores condições de trabalho, graças à remuneração que lhe vem de produzir um artefato consumido por um grande público, a classe média. O mecenatismo desaparece, dando origem a uma relação diversa entre escritor e público: aquele, produz um objeto, e este, paga para consumi-lo.

No plano das teorias, das ideias e temas literários, dá-se o seguinte processo: repudiando os clássicos, ou melhor, os neoclássicos, os românticos revoltam-se contra as regras, os modelos, as normas, batem-se pela total liberdade na criação artística, e defendem a mistura e a "impureza" dos gêneros literários. Em lugar da ordem clássica, colocam a aventura; ao cosmos, como sinônimo de equilíbrio, preferem o caos, ou a anarquia; ao universalismo clássico opõem um conceito de arte extremamente individualista: substituem a visão macrocósmica que os clássicos tinham da vida e da arte, por uma visão microcósmica, isto é, centrada no "eu" interior de cada um.

O "eu" torna-se o universo em que vivem, ou, ao menos, o centro do Universo: à semelhança de Narciso, o romântico contempla a si próprio, como se estivesse permanentemente voltado para um espelho real ou imaginário, e faz-se espetáculo de si próprio. A tal ponto que, quando se projeta para fora de si, não consegue ver os objetos ou os sentimentos alheios e coletivos senão como reflexo e prolongamento do próprio "eu": este, engloba tudo quanto cai sob os sentidos do homem romântico, acabando por identificar-se com o mundo real e sensível, e por transformá-lo numa espécie de manifestação exterior sua. O homem volta a sentir-se a medida de todas as coisas, mas agora com nova intensidade e novos conteúdos, trazidos pelas artes e as filosofias em voga.

Esse egocentrismo traduz a existência de um condimento feminino na atitude romântica, revelado pela aceitação de expedientes próprios da vaidade das mulheres (de que é exemplo o "dandismo" de muitos, dentre os quais Garrett, em Portugal) e pelas características seguintes, dele decorrentes: ao culto da Razão, que fazia o apanágio dos clássicos, opõe-se o culto das razões do coração; em lugar do racionalismo, o sentimentalismo, em vez da especulação conceitual, a fantasia. Mas o sentimentalismo implica introversão, e os românticos voltam-se para si, na sondagem do mundo interior, onde vegetam sentimentos vagos. Mais ainda: os sentimentos, já de si contraditórios, levam ao desequilíbrio, ao paradoxo, à anarquia. Instável, complexo, rebelde, jogado por sentimentos opostos, numa irrefreável mobilidade, o romântico cultiva atitudes feminoides e adolescentes: o Romantismo é uma estética da juventude, expressando sentimentos femininamente juvenis, ou vice-versa.

Daí que o romântico mergulhe cada vez mais na própria alma, a examinar-lhe masoquistamente os desvãos, com o intento vaidoso de revelá-la e confessá-la. E, embora confesse tempestades íntimas ou fraquezas sentimentais, experimenta um prazer agridoce em fazê-lo, certo da superior dignidade do sofrimento. À confissão de intimidades sentimentais corresponde a descoberta de sensações ligadas à fragilidade e ao mistério dos destinos humanos, submetidos aos azares e à perpétua mudança de tudo. Imerso no caos interior, o romântico acaba por sentir melancolia e tristeza que, cultivadas ou brotadas durante a introversão, o conduzem ao tédio, ao "mal do século". Repetido o tédio, sobrevém terrível angústia, logo transformada em insuportável desespero. Para sair dele, o romântico vislumbra duas saídas, apenas diferentes no aspecto e no grau, visto serem essencialmente idênticas: a fuga, a deserção pelo suicídio, caminho escolhido por não poucos, ou a fuga para a Natureza, a Pátria, terras exóticas, a História.

O suicídio vulgarizou-se após o exemplo dado por Werther, seja na forma direta e violenta, mediante o emprego dum revólver ou outro instrumento semelhante, seja na forma indireta, uma espécie de morte em câmara-lenta. Alguns optaram pela primeira fórmula: Gérard de Nerval, Mariano de Larra, Camilo Castelo Branco, Antero. Em Portugal, a onda de suicídio cresceu tanto que os jornais tiveram de fazer, nos fins do século XIX, uma campanha de silêncio para impedir que crescesse ainda mais o número de tresloucados. À segunda fórmula aderiu a maioria, por motivos facilmente explicáveis pela própria instabilidade psíquica determinada ou revelada pela revolução romântica.

A vida boêmia, impulsionada pelo álcool e enfebrecida por um hedonismo sem limite, o entregar-se à aventura das armas e do amor (como Byron), – são formas de suicídio, lento mas inexorável. Outra explicação não existe para a verdadeira moda romântica de morrer tuberculoso e, como não bastasse, na flor dos anos, ideal ambicionado por todos. Poucos chegam a idades provectas e não raros morrem antes dos trinta, precocemente envelhecidos ou gastos nos excessos de toda ordem. O grupo dos ultrarromânticos em Portugal enquadra-se perfeitamente no caso, realizando o grande sonho de todo romântico que se preze: "morrer na aurora da existência".

O escapismo romântico na direção da Natureza corresponde ao anseio de encontrar nela um confidente passivo e fiel, e um consolo nas horas amargas: deixando de ser pano de fundo, como era concebida entre os clássicos, a Natureza torna-se individualizada, personificada, mas só atua como reflexo do "eu", alterando-se de conformidade com as mudanças nele operadas. Se triste o romântico, a Natureza também o é, pois ela constitui fundamentalmente "um estado de alma", segundo era entendido no tempo. Na contemplação dos lagos, rios, montes, o firmamento, prados, etc., o romântico descobre outros "mistérios", como se estivesse pervagando ainda em seu mundo interior: o universo físico constitui prolongamento do seu *ego*.

Conhece os frutos da meditação solitária e profunda, tem êxtases não raro místicos que lhe descortinam a existência do infinito, cultiva o recolhimento intimista, alheio a qualquer comunicação exterior, redescobre o sentimento religioso na visão da Natureza, logo identificada com o próprio Deus, e por isso recupera o sentido simbólico das verdades bíblicas e cristãs, e sente inexplicável desejo de comunhão universal, com a Natureza e os semelhantes.

172 • A LITERATURA PORTUGUESA

Deriva deste último sentimento a ampliação dos horizontes que o escapismo romântico vai paulatinamente abrindo, sempre como projeção do próprio "eu": a Pátria é o estágio seguinte. Liberal em política, o romântico acredita-se fadado a uma grande missão civilizadora e redentora do povo, a quem ama como irmão de dor e injustiça: instaura-se a demofilia, a democracia. Sente-se "o arauto das inquietações populares", mago, profeta estigmatizado com a marca de gênio; acredita no ideal como guia do homem e, pregando o progresso deste, visiona o despontar de uma era de luz, sob o signo da Liberdade, Igualdade e Fraternidade. O povo em geral, composto de burgueses e plebeus, ganha a cena como assunto literário dominante.

Preconiza-se uma literatura em torno de problemas sociais, inclusive os do proletariado. Cedo alguns românticos emprestam caráter revolucionário e socialista às suas obras em verso e em prosa. Destrona-se a velha concepção clássica de beleza e ergue-se outra, atenta à diversidade existente no seio da Natureza e ao gosto pessoal: o belo-feio, o belo-horrível, o belo-trágico (presentes no grotesco, no *grand-guignol,* na ficção "gótica") têm, pela primeira vez, assento no festim literário. Com isso, as deformidades dum Quasímodo não impediam fosse o herói duma narrativa popular, como é *Nossa Senhora de Paris,* de Victor Hugo.

Os clássicos, sendo absolutistas, acreditavam no Bem, no Belo e no Verdadeiro como noções absolutas e distintas entre si, enquanto os românticos, sendo relativistas, só entendiam a existência do belo relativo, e no qual o bom e o verdadeiro se fundissem ou se disfarçassem: deste modo, o que fosse belo teria de ser necessariamente bom e verdadeiro, e o que fosse verdadeiro teria de ser belo e bom. Ao contrário, os clássicos consideravam-nos entidades abstratas e autônomas.

Viajar, conhecer terras e povos estranhos, paisagens exóticas, ruínas, restos de velhas civilizações, monumentos de povos desaparecidos, – entra a ser igualmente uma forma de escapismo. Busca-se o pitoresco, a cor local, o primitivo autêntico no contato direto com povos em outros estágios de civilização e vivendo outras formas de cultura; procura-se ver de perto o "bom selvagem" de que falava Rousseau, recuperar estados de alma talvez subconscientes no encontro da vida livre, longe das cidades e das fórmulas gastas de civilidade. Velhos castelos medievais de repente se distinguem como ponto de atração, ruínas de monumentos greco-latinos passam a ser visitadas e apreciadas pelo que evocam de melancolia e tristeza, na lembrança dum tempo morto para sempre: inclusive aspectos da paisagem nacional, ricos de conteúdo evocativo, são de súbito descobertos e visitados como em peregrinação.

Dentro da Europa, a Itália e a Espanha são os países mais procurados, certamente por manterem vivos traços dos séculos medievais e cavaleirescos e uma atmosfera poética, que convida ao sonho e ao devaneio. O rio Reno, em cujas margens se incrustavam paisagens e ruínas milenárias, também é apreciado. O Oriente, com todo o seu misterioso fascínio acumulado durante séculos, atrai muita atenção, seja o Oriente Próximo, seja o Extremo Oriente. E além do gosto pelas ruínas helênicas, os românticos descobrem o encanto das velhas sociedades pré-colombianas, sobretudo na América do Norte.

Recupera-se, dessa forma, o gosto de viajar, que dá origem a uma copiosa literatura durante o Romantismo, a partir de Chateaubriand, com *Atala* (1801) e *René* (1802). Na Literatura Portuguesa, as *Viagens na Minha Terra* (1846), de Garrett, constituem típico exemplo. O exotismo manter-se-á vivo ao longo do século XIX, mesmo quando a moda romântica vier a ser ultrapassada pelo cientificismo da geração realista.

Tendo como passo de fundo esse quadro cultural, o romântico descortina uma quarta via de escape da angústia em que vive, graças às evocações despertadas por certos cenários e por escombros de antigos monumentos. O romântico descobre pela primeira vez o tempo como dimensão psicológica, toma consciência da História e, por fim, redescobre a Idade Média, em razão de o gosto mórbido de contemplar destroços o conduzir diretamente aos castelos e edificações medievais. Daí para superestimar a poesia, as instituições, os costumes, a arte e o pensamento medievais, pouco demorou. O anticlassicismo, posto em voga pela literatura romântica, explica ainda que se desejasse instaurar a renascença dos valores medievais, que haviam sido menosprezados após a revivescência do espírito greco-latino, durante o fulgor humanista.

Todavia, o romântico estima a Idade Média sobretudo porque, pela imaginação, encontra nela tudo quanto julga perdido ou malbaratado pelo racionalismo clássico: ingenuidade, pureza, lirismo, inocência, misticismo, espiritualismo, nobreza, etc. Aliás, as ideias de Rousseau contribuíam grandemente para a valorização duma Idade Média fruto da fantasia e do desejo de encontrar o "paraíso perdido" numa longínqua época de bardos, cavaleiros, cruzados, místicos, damas e fidalgos. E tão rica é essa quadra histórica na imaginação do romântico,

174 • A LITERATURA PORTUGUESA

que lhe permite divisá-la de vários ângulos: o da vida heroico-cavaleiresca, o da sentimentalidade mística, o do maravilhoso ingênuo e fantástico, o do pitoresco arquitetural, o das lendas populares e folclóricas, o do despertar do sentimento de nacionalidade, etc.

Em suma, cultuam uma Idade Média cavaleiresca e cristã: contrapondo-se aos mitos pagãos do Classicismo, os românticos pretendem a reabilitação do Cristianismo anterior às lutas da Reforma e Contrarreforma, quer dizer, do Cristianismo considerado virtuoso e puro como só teria sido praticado na Idade Média. A aliança entre revolução romântica e religião cristã data de Chateaubriand (*O Gênio do Cristianismo*, 1802) e dos primeiros românticos alemães. Walter Scott afigura-se, com suas novelas, o grande paladino da revaloração da Idade Média feudal e cavaleiresca, cujo reflexo em Portugal é representado especialmente pela obra historiográfica e literária de Alexandre Herculano, e pelo grupo dos "poetas medievalistas", reunidos em Coimbra por volta de 1838.

O JORNALISMO – Durante a vigência do ideário romântico em Portugal, desenvolvem-se atividades ou modalidades literárias até então postas em segundo plano, confinadas em certos ambientes, ou relegadas ao terreno das atividades despiciendas. Assim, cultivam-se o jornalismo e a oratória segundo padrões novos, ao mesmo tempo que se opera nítido progresso no âmbito da historiografia e do teatro. O romance surge nessa altura, e a poesia apenas alcança razoáveis resultados.

Quanto ao jornalismo, representou papel de primacial importância no curso da revolução romântica, e mesmo depois, até os nossos dias, porquanto se converteu no órgão preferido para colaborar na formação duma consciência social independente dos rígidos quadros administrativos, e na educação das massas relativamente a seus deveres e direitos. Veículo ideal duma época assinalada pela democratização da cultura e das relações sociais, além de conter notícias, alargando os horizontes do leitor burguês, incumbia-se de lhe apresentar cotidianamente problemas e soluções que até àquela altura eram restritos duma classe e duma elite intelectual.

O primeiro jornal português data de 1641: intitulava-se *Gazeta, em que se relatam as novas que houve nesta Corte, e que vieram de várias partes no mês de novembro de 1641,* e circulou até setembro de 1647. Com intervalos, outros diários foram aparecendo durante os séculos XVII e XVIII, mas correspondem a uma época proto-histórica do jornalismo português. Entrado o século XIX, Portugal cerra fileiras com as demais nações europeias, em que a atividade jornalística havia ganho a importância que sabemos. O periodismo passa a servir a interesses de toda ordem: não poucos escritores românticos acumulavam também as funções de jornalistas profissionais, parcial ou integralmente, enquanto outros estampavam em periódicos a sua produção literária, por meio de folhetins (em que se publicavam romances e novelas em capítulos), crônicas, relatos de viagens, ou mesmo artigos de crítica literária, dando nascimento a esse gênero de atividade nos órgãos de imprensa, pois até então estes eram apenas informativos, davam "notícias do estado do mundo", como apregoava a *Gazeta de Lisboa,* iniciada em 10 de agosto de 1715.

Dos vários órgãos de imprensa surgidos no curso do Romantismo em Portugal, destacam-se, literariamente: o *Panorama* (1837-1864), de que Alexandre Herculano foi redator, a *Revista Universal Lisbonense* (1842-1845), dirigida por Castilho, *O Trovador* (1844), *O Novo Trovador* (1851), ambos utilizados como porta-vozes dos ultrarromânticos. Ainda restaria destacar alguns nomes de publicistas de primeira linha e simultaneamente homens de letras, como Antônio Rodrigues Sampaio (1806-1882), panfletário político, diretor de *A Revolução de Setembro* (1846-1857), Júlio César Machado (1835-1890), novelista e colaborador do mesmo órgão, em substituição a Antônio Pedro Lopes de Mendonça (1826-1865), novelista (*Memórias dum Doido*, 1846) e introdutor da moda do folhetim em Portugal, juntamente com Evaristo Basto (1821-1865), e a grande e única vocação de crítico literário do Romantismo português (*Memórias de Literatura Contemporânea,* 1855), e tantos outros.

A ORATÓRIA – A Oratória, seguindo o contorno que a cultura vai tomando em consequência do Liberalismo dominante, alarga-se e procura outros meios para atuar. Até o advento da moda romântica, a eloquência circunscrevia-se a ambientes palacianos, clericais ou acadêmicos (cf. *Discursos Acadêmicos,* de Correia Garção, as alocuções de D. Francisco Manuel de Melo na Academia dos Generosos, etc.). A partir da revolução no Porto, em 1820, entra em voga a oratória política e parlamentar, chegando a níveis jamais superados, graças às circunstâncias históricas que estimulavam a eloquência, e aos oradores de superior talento que nelas se envolveram.

176 • A LITERATURA PORTUGUESA

Além de Garrett, que brilhou com os seus discursos parlamentares e cuja ação se descreve mais adiante, citam-se como tribunos de maior relevo os seguintes, dentre um grande número: José Estêvão Coelho de Magalhães (1809-1862), Antônio Maria Fontes Pereira de Melo (1819-1887), José da Silva Mendes Leal (1818-1886), também poeta e dramaturgo, Luís Augusto Rebelo da Silva (1821-1861), também ficcionista e historiador (*Obras Completas,* 41 vols.), José Cardoso Vieira de Castro (1838-1872), amigo de Camilo, e cujo nome se envolverá na *Questão Coimbrã* (*Discursos Parlamentares,* 1896).

Com o Realismo, a partir de 1865, a voga da oratória não cessa: dentre os vários tribunos então aparecidos, salientam-se: Antônio Cândido Ribeiro da Costa (1850-1922), certamente o maior de todos (*Orações Fúnebres,* 1880; *Discursos Parlamentares,* 1880-1885; *Discursos e Conferências,* 1890; *Na Academia e no Parlamento,* 1901, etc.), e Antônio José de Almeida (1866-1929), cujos dotes de eloquência levaram grandes auditórios ao entusiasmo (*Quarenta Anos de Vida Literária e Política,* 4 vols., 1933-1934).

O TEATRO – O teatro português, que entrou em declínio depois de Gil Vicente, – apesar das tentativas de D. Francisco Manuel de Melo e Antônio José da Silva, o Judeu, sobretudo deste último – reergue-se durante o Romantismo, graças ao admirável esforço despendido por **Garrett**, a tal ponto que falar do teatro romântico significa quase tão somente seguir os passos do seu trabalho em prol da arte cênica e analisar e interpretar a sua dramaturgia. Imaginoso, dinâmico e capaz de suscitar apoio à sua causa, Garrett não descansou enquanto não dotasse a cultura portuguesa duma atividade teatral de feição nacional e de alto sentido patriótico. E conseguiu-o, não obstante o seu exemplo morresse à míngua de seguidores com talento para criar peças de semelhante altitude.

Por iniciativa sua, tomam-se medidas práticas para estabelecer condições materiais favoráveis à empresa que pretende realizar: a 15 de novembro de 1836, cria-se a Inspecção Geral dos Teatros e Espetáculos Nacionais e o Conservatório Geral de Arte Dramática; em 1846, inaugura um edifício apropriado às representações, e que recebeu inicialmente o nome de Teatro Nacional, e depois o de Teatro de D. Maria II, em homenagem à Rainha, que amparava o plano de Garrett. Não fosse o bastante, para o novo teatro escreveu peças de caráter nacional, uma das quais obra-prima da dramaturgia portuguesa e europeia, o *Frei Luís de Sousa.*

Inaugurou-se solenemente o Teatro Nacional em 1846, com a peça *Álvaro Gonçalves, o Magriço,* vencedora num concurso que se realizara com esse propósito. Seu autor, Jacinto Heliodoro de Aguiar Loureiro (nascido em 1806), publicou-a no mesmo ano, com um título em que fazia menção àquela circunstância: *Álvaro Gonçalves, o Magriço, e os Doze de Inglaterra, drama histórico original, aprovado pelo Conservatório R. de Lisboa para a inauguração do teatro de D. Maria II;* escreveu ainda outras peças, que permaneceram inéditas, embora representadas no tempo (*O Tragamouros, Zoroastro, O Triunfo de Mardoqueu, D. Mência,* etc.).

Daí por diante, outras peças foram continuamente encenadas, via de regra girando em torno de temas nacionais e patrióticos, a tal ponto que não houve episódio heroico ou lírico na história pátria que deixasse de motivar pelo menos um drama (resultante da fusão entre a comédia e a tragédia). Teatro histórico, de exaltação dos valores da nacionalidade, coloca-se na dianteira da atividade literária contemporânea, chegando por vezes a igualar o nível atingido pelo teatro vicentino. Contudo, é bom ter presente que o teatro romântico em Portugal não desfaz a impressão de que o português em geral desestima a visão dramática do mundo, talvez em decorrência do pendor para a introversão e a correspondente projeção confessional e lírica.

Além de Garrett, cuja obra teatral se estuda no capítulo que lhe é consagrado mais adiante, outros dramaturgos, seguindo-lhe o exemplo e as passadas, mas sem poder imitá-lo no talento e na sensibilidade, colaboraram, ainda que mediocremente, para a renovação do teatro nacional: **Mendes Leal,** introdutor em Portugal do dramalhão histórico de origem francesa (*Os Dois Renegados,* 1839; *O Homem da Máscara Negra,* 1840, etc.), **Ernesto Biester** (1829-1880), **João de Andrade Corvo** (1824-1890), discípulo de Herculano, autor dos dramas *O Aliciador,* o *Astrólogo, D. Maria Teles, Um Conto ao Serão, Nem tudo que luz é ouro,* e outros comediógrafos, incluindo Camilo e Júlio Dinis, que escreveram teatro de curto alcance.

# A POESIA

Não causa estranheza que a poesia continuasse a ser larga e persistentemente cultivada durante a hegemonia romântica em Portugal. Quase sem exceção, os

178 • A LITERATURA PORTUGUESA

românticos lhe renderam tributo, desde os menos importantes até aqueles que exerceram papel de relevo em outros gêneros, ou pareceram mais inclinados ao cultivo da prosa, como Camilo e Júlio Dinis. Todavia, causa espécie que a poesia, tão de si aparentada com o ideário romântico, além de filiada a uma velha tradição, não tenha dado senão frutos de mediano sabor, relativamente à poesia realista produzida após 1865, e às demais expressões românticas, como o teatro e a prosa de ficção.

Para explicar o fato, é necessário recorrer à persistência do rigorismo clássico, de que raros conseguiram subtrair-se, e, ainda assim, para cair num historicismo convencional e postiço, ou num sentimentalismo individualista e lírico-amoroso de raiz adolescente e confessional. Como se verá nos tópicos seguintes, somente ultrapassarão o incolorido dessas afetações de vário estilo umas poucas obras, como as *Folhas Caídas,* de Garrett, alguns poemas de Soares de Passos, e sobretudo a poesia lírico-amorosa e meditativa de João de Deus.

## O CONTO

Como vimos, a narrativa curta foi introduzida em Portugal no século XVI, por Gonçalo Fernandes Trancoso. No século XVII, encontramos, entre outros, como vimos na altura própria, o *Báculo Pastoral de Mores e Exemplos* (1657), de Francisco Saraiva de Sousa, e entrevemos estrutura semelhante à do conto nos apólogos de que o Padre Manuel Bernardes e a Sóror Maria do Céu (1658-1753), autora de *Aves Ilustradas* (1734), se valem para comunicar pensamentos edificantes ou doutrina religiosa. Curioso notar que, a despeito da escassa produção do conto durante o Barroco, no princípio do século XVII empreende-se a primeira tentativa, em Língua Portuguesa, de estabelecer uma doutrina acerca dessa fôrma literária: nos capítulos X e XI de *Corte na Aldeia* (1619), de **Francisco Rodrigues Lobo**, que tratam da "maneira de contar histórias na conversação" e "dos contos e ditos graciosos e agudos na conversação", diz-se, entre outras coisas, que os contos se distinguem pela sua brevidade, pois não reclamam muitas palavras, nem "dão maior lugar ao ornamento e concerto das razões", ou seja, "não querem tanto de retórica porque o principal em que consistem é a graça do que fala, e na que tem de seu a cousa que se conta".

Na centúria seguinte, haveria que relembrar a *Academia Universal de Vária Erudição* (1732), do Pe. Manuel Consciência, e as *Horas de Recreio, nas férias de maiores estudos* (1742-1743), do Pe. João Batista de Castro.

Com o advento do Romantismo, o conto passa a ser amplamente cultivado em Portugal, mas terá de aguardar a hegemonia da estética realista e naturalista para alcançar o auge como obra de arte. O primeiro nome a ser lembrado é o de Herculano, com as *Lendas e Narrativas,* quase todas de assunto medieval e baseadas em documentos, à semelhança de seus romances históricos. Rebelo da Silva igualmente se destaca com uma narrativa antológica, *Última Corrida de Touros em Salvaterra* (1848), verdadeira obra-prima no gênero, graças ao emprego equilibrado das características e possibilidades intrínsecas do conto, de que resulta uma concentração feliz de impulsos dramáticos, sustentada por uma linguagem flexível e plástica o bastante para surpreender a beleza duma tarde de touros e condensá-la no perímetro dum conto.

Raro o escritor romântico que não tenha praticado o conto, incluindo Camilo e Júlio Dinis, mas sem maior relevância. Dentre os secundários, e hoje praticamente esquecidos, talvez valesse a pena referir alguns nomes: **Júlio César Machado** (*Contos ao Luar,* 1861; *Contos a Vapor,* 1864; *Quadros do Campo e da Cidade,* 1868), já apontado no tópico do jornalismo; **Rodrigo Paganino** (1835-1863), autor dos *Contos do Tio Joaquim* (1863), de intuitos popularescos, gozou de nomeada no tempo; **Álvaro do Carvalhal** (1844-1868), autor de *Contos* (seis narrativas de temas fantásticos, eróticos e macabros, publicadas pouco depois da morte do autor, em 1868).

# A NOVELA E O ROMANCE

O romance, no sentido moderno de prosa de ficção, surgiu ao mesmo tempo que o Romantismo. Substituindo a epopeia dos antigos, acabou sendo a epopeia dos tempos modernos: o romance identificou-se, no dizer de Hegel, com o ideal burguês de vida que presidiu à instalação e ao desenvolvimento da estética romântica, de tal modo que o romance e a classe burguesa parecem ter destinos indissoluvelmente comuns.

E, como o próprio Romantismo, o romance é de origem inglesa: Henry Fielding (1707-1754), autor entre outras obras da *História de Tom Jones, um*

180 • A LITERATURA PORTUGUESA

*Enjeitado* (6 vols., 1749), tem sido considerado o seu criador, reservando-se a Samuel Richardson (1689-1761), autor de *Pamela* (1740-1741), *Clarissa Harlowe* (1747-1748), etc., e Tobias George Smollet (1721-1771), autor de *Roderick Random* (1748), etc., o papel de precursores. Da Inglaterra, o romance espalhou-se por toda a parte, no rasto da revolução romântica.

Em mais de um país, encontrou uma tradição novelística às vezes datada de séculos. Em Portugal, o século áureo da novela tinha sido o XVI (*Menina e Moça, O Palmeirim de Inglaterra,* etc.), antes do qual se cultivara a novela de cavalaria importada de França, e depois do qual se processará um longo hiato de aproximadamente duzentos anos, entrecortado pelos espécimes gerados pela estética barroca. Embora não constitua um passado glorioso, a novela como que obstou a implantação e o domínio do romance, graças a uma conjuntura histórica e cultural que ainda explica o caráter *sui-generis* do Romantismo português. Até o aparecimento dum Júlio Dinis ou, mais propriamente, dum Eça de Queirós, nem sempre é fácil distinguir a novela do romance em Portugal. Na verdade, trata-se não raras vezes de obras híbridas, o que justifica a dificuldade de rotulá-las devidamente: ora partindo de critérios quantitativos, ora de qualitativos, os críticos divergem quanto à sua classificação.

Todavia, o certo é que a novela (entendida como uma sucessão linear de episódios ligados por um nexo mais ou menos arbitrário, com vistas à distração do leitor, pelo entrelaçamento do enredo) parece ter casado melhor com o espírito português dominante ao longo do Romantismo. Com isso, exerceu tamanha influência que impediu algumas obras de virem a ser autênticos romances (entendendo-se o romance como uma simultaneidade prismática de vários planos dramáticos com vistas a oferecer uma síntese do mundo). Para tanto, basta não perder de vista as narrativas longas dos maiores ficcionistas do tempo, Garrett, Herculano, Camilo e Júlio Dinis, respeitando-se as características de cada um. Salta aos olhos o compromisso com a novela, tendo em conta as naturais diferenças do modo de ser e de época em que cada um produziu sua obra. Por isso, ao falar do romance romântico em geral, e do português, em particular, há que ter presente sua aliança com a novela.

Além dos prosadores mencionados, ainda merecem referência, posto que ligeira, outras figuras, a saber: **Francisco Maria Bordalo** (Lisboa, 5 de maio de 1821-26 de maio de 1861), criador do romance marítimo (*Eugênio,* 1864; *A Nau de Viagem,* 1850-1851, *Viagem à Roda de Lisboa,* 1855, etc.); **Arnaldo**

**Gama** (1º de agosto de 1828-29 de agosto de 1869) iniciou-se sob a égide de Eugène Sue com *O Gênio do Mal* (4 vols., 1856-1857), seguido por uma série de volumes em torno de acontecimentos de várias épocas históricas *(Verdades e Ficções,* 1859; *Um motim há cem anos,* 1861; *O Sargento-Mor de Vilar,* 1863; *O Segredo do Abade,* 1864; *A Última Dona de S. Nicolau,* 1864; *O Filho do Baldaia,* 1866; *Honra ou Loucura,* 1868; *O Balio de Leça,* 1872, etc.). Ainda dentro do romance histórico, além de **Rebelo da Silva** (Lisboa, 2 de abril de 1822-19 de setembro de 1871), autor de *Mocidade de D. João V* (4 vols., 1852-1853), *Lágrimas e Tesouros* (1863), *Contos e Lendas* (1873), temos: **João de Andrade Corvo** (Torres Novas, 1824-Lisboa, 1890), autor de *Um Ano na Corte* (1850-1851), em 4 volumes; **Antônio de Oliveira Silva Gaio** (1830-1870), autor dum romance histórico e ainda hoje apreciado e lido por certo público, *Mário – Episódios das Lutas Civis Portuguesas de 1820-1834* (1868); **Antônio José Coelho Lousada** (Porto, 1828-1859), autor de um romance em resposta a *Onde está a felicidade?,* de Camilo, com o título de *Na Consciência* (1857), e de dois romances históricos: *Os Tripeiros – romance e crônica do século XIV* (1857) e *A Rua Escura* (1856); **Antônio de Oliveira Marreca** (1805-1889) ganhou mais renome como economista, graças à lucidez incomum no seu tempo *(Noções Elementares de Economia Política,* 1838), que como autor de romances históricos *(Manuel de Sousa Sepúlveda,* 1843; *O Conde Soberano de Castela,* 1844 e 1853).

No que respeita à narrativa passional, dois escritores prepararam o terreno em que Camilo viria logo mais a notabilizar-se: **D. João de Azevedo** (Viana do Castelo, 1811-Lisboa, 1854), autor de *O Céptico* (1849) e *O Misantropo* (1851), pelos quais perpassa a sombra de Eugène Sue e Balzac; **Antônio Pedro Lopes de Mendonça**, já referido no tópico do jornalismo, autor das *Memórias dum Doido* (1849), história de um jovem de província que vai à capital a fim de realizar o seu ideal, mas sucumbe ante armadilhas de toda sorte (tema que seria retomado por Eça de Queirós), em que igualmente se percebe o timbre daqueles dois prosadores franceses.

A HISTORIOGRAFIA – Como não podia deixar de ser, a atividade historiográfica acompanhou a metamorfose geral trazida pelo Romantismo. Em consonância com as demais particularidades desse movimento, o exemplo próximo vinha da França (pois o remoto vinha da Alemanha), sobretudo graças às obras e às doutrinas historiográficas de François Guizot (1787-1874),

182 • A LITERATURA PORTUGUESA

Jules Michelet (1798-1874) e Augustin Thierry (1797-1873). Defendiam a importância das ideias, da cor local e da vida em História, preconizando, para o historiador, métodos de rigor e trabalhos de erudição pacientemente armados sobre o exame de monumentos, arquivos, documentos inéditos, com "a ambição de atingir a verdade sob todas as formas", como queria Thierry (*Dix ans d'études historiques*, 1834). À justeza, ao rigor metodológico empregado na reconstituição de épocas históricas somava-se, no entanto, o recurso à imaginação, segundo um conceito liberal e subjetivo de História: o historiador insinuava-se nas obras, expunha por meio delas suas ideias e não temia dar caráter pessoal à interpretação dos fatos, contanto que assentasse em documentos indiscutivelmente fidedignos. Em suma: entendiam a historiografia ao mesmo tempo como ciência e como arte.

A renovação dos métodos críticos em historiografia não deixou de se fazer presente no Romantismo português. Tomando por base uma sólida e ampla erudição beneditinamente acumulada no curso do século XVIII, alguns historiadores põem-se a reinterpretar o passado nacional com o mesmo princípio de rigor e culto à verdade. Com fazê-lo, retomavam um fio partido no século XVI e só por momentos reatado no século XVII, graças à obra de Frei Luís de Sousa: a historiografia recupera a estatura perdida e alça-se ao plano em que a colocara Fernão Lopes.

Ao mesmo tempo, alguns dos mais importantes historiadores românticos também valorizavam o papel da fantasia no esforço de reconstrução do passado, e, para não comprometer a verdade histórica, preferiram escrever narrativas históricas, em que davam asas à imaginação sem violentar demasiadamente o documento e os fatos nele contidos.

Além de Herculano, o maior deles todos e mais adiante estudado, merecem realce os seguintes historiadores: **Rebelo da Silva**, já mencionado, autor de *D. João II e a Nobreza* (1857) e *História de Portugal nos séculos XVII e XVIII* (1860-1871); **José Maria Latino Coelho** (Lisboa, 1825-1891), prosador dotado de invulgares qualidades, cultivou não só a biografia (*Luís de Camões*, 1880; *Vasco da Gama*, 1884; *Marquês de Pombal*, 1905, etc.), como também largos painéis, terreno em que se notabilizou com uma obra ainda valiosa (*História Política e Militar de Portugal desde os Fins do XVIII Século até 1814*, 3 vols., 1874-1891); **Simão José da Luz Soriano** (1802-1891) embrenhou-se particularmente na historiografia de assuntos contemporâneos, com erudita e inalterada paciência, de que resultaram obras de largo fôlego informativo, mas comprometidas pela prolixidade e o pessoalismo interpretativo (*História da Guerra Civil e do Estabelecimento do Governo Parlamentar em Portugal,* 19 vols., 1866-1890; *História do Cerco do Porto,* 2 vols., 1846-1849; *Vida do Marquês de Sá da Bandeira,* 2 vols., 1887-1888; *História do Reinado de D. José I e da Administração do Marquês de Pombal,* 2 vols., 1867, etc.).

## O PRIMEIRO MOMENTO DO ROMANTISMO

A vitória das ideias românticas em Portugal não foi pronta nem unânime: só depois que se resolveu o problema da sucessão de D. João VI é que o novo figurino entrou a dominar efetivamente. O impedimento devia-se à força da inércia, representada pela reação conservadora de homens de letras educados segundo moldes clássicos e absolutistas. Estes, por sua vez, possuíam tal força persuasiva que os primeiros românticos aderiram ao novo credo em meio a contradições que se manterão irresolúveis ainda por muito tempo. Refiro-me de modo particular a Garrett, Herculano e Castilho.

Duas características os aproximam vivamente, a despeito da assimetria de temperamento, de talento, etc., que neles é fácil observar: primeiro, contribuíram, cada qual a seu modo, para a definição e o êxito da revolta romântica em Portugal; segundo, porque formados na tradição neoclássica, de que jamais se libertaram. Em resumo: românticos em espírito, ideal e ação política e literária, mas ainda clássicos em muitos aspectos da obra que legaram. Com Garrett, Herculano e Castilho, temos o primeiro "momento" do Romantismo português, a que sucedem outros dois, conforme os estágios evolutivos do pensamento instalado em 1825.

## GARRETT

João Batista da Silva Leitão de Almeida Garrett nasceu no Porto, a 4 de fevereiro de 1799. Aos dez anos, em razão das guerras napoleônicas, é levado para a Ilha Terceira (Açores), onde faz os primeiros estudos. Em 1816, segue para Coimbra, a cursar Direito e a compor poemas de sabor arcádico, mais tarde

# 184 • A LITERATURA PORTUGUESA

reunidos no volume *Lírica de João Mínimo* (1829), e tentar o teatro (escreve então *Lucrécia,* representada em 1819, *Mérope, Afonso de Albuquerque, Catão,* tragédia representada em 1821, etc.). No mesmo ano em que leva à cena a última peça, forma-se, adquire súbita e duvidosa notoriedade com a publicação dum poema, *Retrato de Vênus,* em homenagem à Pintura, casa-se com uma jovem de catorze anos e ingressa no Ministério do Reino. Em 1823, compelido pela revolução liberalista, exila-se na Inglaterra, onde entra em contato com o teatro de Shakespeare e com o Romantismo. De lá, muda-se para o Havre (França), a ganhar a vida, e a escrever poesia dentro dos novos modelos: *Camões* (1825) e *D. Branca* (1826). Regressa a Portugal, mas em 1828, com a subida de D. Miguel ao trono, vê-se forçado a novo exílio na Inglaterra, onde se demora pouco tempo, passando para a França e de lá para a Ilha Terceira, a fim de engajar-se no exército liberal de D. Pedro IV, sem nunca perder de vista a publicação das obras literárias e doutrinárias que vai compondo em meio a uma vida atribulada e aventuresca.

Em 1832, participa do desembarque das forças liberalistas no Mindelo e escreve, enquanto dura o cerco do Porto, o *Arco de Santana* (só publicado em 1845-1850). Reinstalada a ordem nacional, é designado para tratar dos negócios de Portugal junto ao governo belga (1834-1836). De regresso a Lisboa, separa-se da mulher e dá início à campanha em favor do teatro nacional (fundação do Teatro de D. Maria II e do Conservatório Dramático, 1838). Em 1841, conhece Adelaide Deville, que lhe dará uma filha. Dois anos mais tarde, inicia a publicação das *Viagens na Minha Terra:* granjeara definitivamente nomeada como dândi e homem de talento e combativo. Novos amores, todavia, ocupam-lhe a imaginação, um dos quais, pela Viscondessa da Luz, lhe inspirará as *Folhas Caídas* (1853). Em 1852, é nomeado Ministro dos Negócios Estrangeiros, e no ano seguinte, Visconde e Par do Reino. Essas homenagens, porém, soavam a um canto de cisne: faleceu a 9 de dezembro de 1854, em Lisboa, deixando incompleta uma narrativa de tema brasileiro, *Helena.*

Garrett cultivou a oratória parlamentar (*Discursos Parlamentares,* 1871), o pensamento doutrinário e pedagógico (*Da Educação,* 1829; *Portugal na Balança da Europa,* 1830; *Bosquejo da História da Poesia e Língua Portuguesa,* publicado como introdução ao *Parnaso Lusitano* ou *Poesias Seletas,* 5 vols., 1826-1834), o jornalismo (colaborou em *O Cronista,* 1826; *O Chaveco Liberal,* 1827; *O Precursor,* 1831), a poesia, a prosa de ficção e o teatro.

Na poesia, Garrett evolui da fase arcádica, filintista (*O Retrato de Vênus*, 1821; *Lírica de João Mínimo,* 1829) para a fase romântica (*Camões,* 1825; *D. Branca,* 1826; *Adozinda,* 1828, mais tarde incorporada ao *Romance e Cancioneiro Geral,* 3 vols., 1843-1851; *Flores sem Fruto,* 1845; *Folhas Caídas,* 1853). A primeira fase, menos importante que a segunda, denota a aceitação da atitude literária que marcou a carreira de Garrett: uma permanente contensão racional ou intelectual impede o desbordamento da emoção e do sentimento, e um indefectível senso de equilíbrio procura harmonizar a ordem com a aventura.

Essa atitude, aprendida de permeio com as regras clássicas, não desaparece de todo até o derradeiro poema; além disso, ajuda a compreender o fato de Garrett olhar os românticos descabelados com certa reserva. Todavia, a força com que tal atitude entranhou no psiquismo de Garrett e a certeza posta no cultivo do teatro e da prosa de ficção fazem crer que ele não era essencialmente um temperamento poético, menos ainda romântico. O aprendizado da receita clássica não reclamava senão dotes medíocres de talento poético, mas o culto romântico da confissão e do à-vontade interior exigia uma sensibilidade livre para expandir o seu conteúdo sentimental.

Em suma, assimilou, de fora para dentro, os moldes clássicos, e morreu sem tornar-se romântico autêntico, pois carecia da condição fundamental para o ser: o "furor" egocêntrico do sentimentalismo, apoiado numa imaginação poderosa e desbordante. Ao contrário, sua autolatria evidenciou-se na elegância taful e feminoide com que se trajava, e sua fantasia encontrou porto-seguro no teatro e na prosa de ficção. Numa palavra, a poesia garrettiana constitui uma espécie de reportagem biográfica, demasiado fria e calculada para ser grande poesia e apontar uma especial inspiração no gênero: a poesia quer-se "fingida" (no mesmo sentido que tem, no pensamento de Fernando Pessoa, a palavra "fingidor") para se erguer e permanecer.

Não obstante, o mais significativo da poesia garrettiana está na segunda fase, em que explora temas medievais e quinhentistas (*D. Branca, Adozinda, Camões*), populares e folclóricos (*Romanceiro e Cancioneiro Geral*) e lírico-amorosos (*Flores sem Frutos e Folhas Caídas*). E dessa fase, o melhor está, sem dúvida, nas *Folhas Caídas* (1853), última das obras líricas de Garrett e inspirada na paixão por Rosa de Montúfar, Viscondessa da Luz. Mercê da intensidade passional e do amadurecimento dos recursos de expressão, o poeta atinge o ápice de sua expansão lírica, tornando-se o mais romântico que pôde ser. O resultado é que a obra acabou sendo um atestado eloquente do espírito romântico em matéria de relação amorosa.

Entretanto, compromete-lhe a pureza e a harmonia do sentimento certa pose, certo artificialismo envaidecido, oriundo de sua formação arcádica, da preocupação de fazer poesia de corte e conquista donjuanesca, ou da medular incapacidade que tinha Garrett de ser inteiramente romântico. Em qualquer hipótese, uma preocupação contínua, a de impedir que o sentimento mais profundo venha à superfície desembaraçado e quente, enrijece os poemas; dir-se-ia que o poeta pensa o modo como vai dizer o que sente, em vez de apenas transmitir os seus estados de alma ou, então, pensá-los ao modo pessoano de "o que em mim sente 'stá pensando".

É indiscutível, todavia, que o produto desse procedimento calculado constitui valioso documento de sinceridade humana e literária, na medida em que é possível em tais casos. A confissão da torturante paixão (tão mais torturante quanto mais sabemos que a Viscondessa da Luz não foi conquista fácil...) espraia-se livremente, inclusive com o auxílio de cartas (*Cartas de Amor à Viscondessa da Luz,* publicadas em 1955), embora dissimulada por expressões convencionais ou o próprio comedimento imposto pelas relações sociais entre pessoas de boa educação. A poesia, no caso, tornou-se o veículo ocasional, mas excessivamente limitador, dum sentimento que só à viva voz se transmitiria com toda a eloquência. À paixão que nela se confidencia falta um quê de angústia, intelectual ou sentimental, para tornar a poesia ainda mais densa enquanto transbordamento afetivo.

É que Garrett, como poeta lírico-amoroso, era incapaz de subir acima do plano sensual e concreto e criar um lirismo que não brotasse preferentemente dos sentidos excitados pelo desejo de posse. Vocação de diplomata, orador a um só tempo elegante e contundente, homem mundano e com alma de esteta, era-lhe vedado entender o amor senão como impulso erótico; aliás, ele próprio confessa-o lapidarmente em "Não te amo", um dos mais conhecidos poemas das *Folhas Caídas,* cuja primeira estrofe diz o seguinte:

"Não te amo: quero-te: o amar vem d'alma.
E eu n'alma – tenho a calma,
A calma – do jazigo.
Ai! não te amo, não"

Percebe-se que se trata duma análise do "como" as coisas se passam nele, num nível consciente e lúcido, e não duma sondagem no recesso do sentimento, fosse ele qual fosse. Apesar disso, é uma poesia de nervo, viril, tendo por base uma experiência verídica do trato amoroso. Com ela, Garrett cria a melhor poesia do Romantismo, até o aparecimento de João de Deus.

Na prosa de ficção agrupam-se três obras: *O Arco de Santana* (1845-1850), *Viagens na Minha Terra* (inicialmente publicada em 1843-1845, na *Revista Universal Lisbonense,* e depois em 1846, em volume) e *Helena* (1871).

Quanto a *O Arco de Santana,* Garrett inspirou-se na *Crônica de D. Pedro I,* de Fernão Lopes, especialmente no capítulo em que se vê "D. Pedro, o Cru, açoitando por suas mãos um mau bispo", como lembra o ficcionista nas palavras introdutórias à primeira edição da obra. A narrativa transcorre no Porto do século XIV, em torno do seguinte núcleo: um cavaleiro abusara da hospitalidade duma família judia na pessoa de sua filha, Ester, e desaparecera, deixando-lhe nos braços um menino, de nome Vasco; anos mais tarde, o cavaleiro torna-se o bispo contra quem se arma uma revolta, chefiada por Vasco e alimentada pelo ódio da bruxa de Gaia, na qual se transformara a inocente Ester; vitoriosa a rebelião, dá-se o reconhecimento das personagens, e o bispo enche-se de pavores e remorsos; submetido o caso ao juízo do rei, o bispo é desterrado para Flandres, e "lá se fizera monge e acabara em santa vida"; Ester "abjurou o judaísmo, e com ele seus implacáveis e vingativos ódios"; finalmente, Vasco e Gertrudes casam-se.

Ao *Arco de Santana* podem-se aplicar as restrições cabíveis às novelas históricas em geral, destinadas a ser quase sempre literatura de secundária importância, seja porque a sujeição ao documento cerceia o voo da fantasia, seja porque os motivos históricos eleitos não se prestavam ao fim almejado, seja porque, finalmente, o necessário recuo no tempo impedia ao ficcionista conseguir a relativa atualidade preconizada pela ficção romântica. Contudo, a narrativa logra interessar o leitor e fugir do esquecimento graças às qualidades do superior talento de Garrett, expressas numa linguagem já moderna, livre e fluente, pintalgada de humor, ironia e agudas observações, na qual certamente se abeberou Machado de Assis.

No setor da prosa, Garrett atinge o primeiro plano com as *Viagens na Minha Terra.* De não fácil classificação entre as espécies literárias, mistura o relato jornalístico, a literatura de viagens, a divagação em torno de vários problemas so-

188 • A LITERATURA PORTUGUESA

ciais do tempo e o célebre idílio amoroso entre a Joaninha dos olhos verdes e Carlos, seu primo. Conquanto de heteróclito caráter, a obra tornou-se das mais felizes edificações do pensamento romântico em Portugal, sobretudo pelo uso ponderado de artifícios estéticos caros ao tempo e pela modernidade de sua concepção e da visão do mundo que a enforma. Serviram-lhe de modelo a *Viagem à Roda do Meu Quarto* (1749), de Xavier de Maistre (1762-1852), e a *Viagem Sentimental* (1768), de Lawrence Sterne (1713-1768); aliás, as *Viagens na Minha Terra* iniciam-se com uma epígrafe extraída de Xavier de Maistre.

A obra fundamenta-se numa viagem realmente efetuada por Garrett em 1843, a convite do político Passos Manuel, morador em Santarém. E divide-se em 49 capítulos; os dez primeiros narram as peripécias da viagem desde Lisboa até àquela cidade, de vapor, a cavalo, de carruagem. De permeio, o narrador vai tecendo comentários e divagações acerca de vários assuntos associados com o que vê e pensa durante o trajeto: a riqueza, o progresso, a literatura, a política, a modéstia, a guerra, o clero, o amor, etc., etc. Chegado a Santarém, o escritor ouve do companheiro de viagem a narração dos amores de Joaninha, a "menina dos rouxinóis", e de Carlos, entremeada de reflexões do herói da viagem: os jovens enamoram-se, mas Carlos vive dilacerado pelo amor que ainda julga sentir por Georgina, que ficara na Inglaterra; envolve-se na trama Frei Dinis, que assassinara o marido da amante, tomara hábito e era o verdadeiro pai de Carlos; com a vinda de Georgina a Santarém, dá-se o reconhecimento e o perdão, mas Joaninha morre; finalmente, Georgina entra para o convento e torna-se abadessa, na Inglaterra; Carlos "é barão, e vai ser deputado qualquer dia".

Com as *Viagens na Minha Terra*, Garrett inicia a modernização da prosa literária em Portugal: que o seu exemplo frutificou, basta ter em conta a linguagem saborosamente inovadora da ficção de Eça de Queirós. O estilo garrettiano liberta-se do espartilhamento clássico, torna-se maleável, rico e plástico, faz corpo com as ideias e as emoções transmitidas. É digno de nota que o escritor procede com um à-vontade modesto que não se esperaria em um estilo tão vaidoso, como se narrasse despretensiosamente episódios de viagem com intuitos de reportagem, empregando uma linguagem desataviada mas dialeticamente tensa, direta, apoiada em recursos fáceis, e espontâneos, segundo uma dicção tomada de empréstimo à fala cotidiana. Por fim, caracteriza Garrett um agudíssimo senso de observação e oportunidade que não permite jamais esgotar-se na monotonia a atenção do leitor, graças aos temperos de um fino humor à inglesa e uma ironia esportiva, bonacheirona e desrecalcada. Tudo isso fez dele um mestre ao longo do século XIX.

Indiscutivelmente, o mais significativo da obra reside no idílio entre a campônia e ingênua Joaninha e o inglesado e conflitivo Carlos. Nele, percebe-se a projeção confessional da própria vida interior de Garrett: Carlos é talvez o mais autêntico de seus *alter egos*. Em Joaninha e no cenário natural que serve de palco aos acontecimentos, circula o ar de melancólico saudosismo que já vimos na *Menina e Moça,* de Bernardim Ribeiro. Situa-se precisamente aqui – neste sopro de pureza e inocência, de alada fantasia a envolver a história duma jovem que perece de amor, pois ama um homem tolhido noutras malhas sentimentais –, o mais tocante desse episódio emocional. No gênero, é preciso aguardar *As Pupilas do Sr. Reitor,* de Júlio Dinis, para se encontrar algo de parecido, e, ainda assim, invertendo o sinal e o sentido psicológico da relação entre os protagonistas. Na equação dialética armada por Garrett, Frei Dinis representa o mundo velho, pois "era até certo ponto, o Dom Quixote da sociedade velha", enquanto Carlos simboliza o liberalismo vitorioso.

De *Helena,* Garrett escreveu apenas 24 capítulos, cinco dos quais sem título. Ficando inconclusa, a obra não permite um exame detido e seguro, mas à vista do que ficou, e supondo que se mantivesse intacta quando o autor a publicasse, é possível adiantar algumas observações. Garrett pagou tributo, embora tardiamente, ao exotismo indígena posto em moda por Chateaubriand: a narrativa passa-se a "algumas léguas da Bahia, não longe do semicírculo do Recôncavo, mas sertão dentro e nos extremos do país cultivado". Descrevendo por informação de terceiros a natureza brasileira, não soube como evitar o convencional e o postiço, não faltando mesmo o sabiá que cantava "num maciço de palmeiras". A denominação da narrativa vem duma flor tropical que a personagem De Bréssac, explorador francês, denomina Helena, em homenagem a alguém que teria sido sua filha.

Em matéria de teatro, Garrett evoluiu do neoclassicismo para o Romantismo: à primeira fase pertencem *Catão* (1822) e *Mérope* (1841), além das várias tentativas incompletas; à segunda, pertencem *Um Auto de Gil Vicente* (representado em 1838 e publicado em 1842), *D. Filipa de Vilhena* (representado em 1840 e publicado em 1846), *O Alfageme de Santarém* (representado e publicado em 1842), *Frei Luís de Sousa* (representado em 1843 e publicado em 1844).

190 • A LITERATURA PORTUGUESA

Não era original o tema das peças clássicas de Garrett: *Mérope* vem do grego Eurípides (485-406 a.C.), passando por uma série de interpretações ao longo dos séculos XVI, XVII e XVIII; o modelo de *Catão* era o inglês Joseph Addison (1672-1716), cujo *Cato* (1713) fora merecidamente aplaudido no tempo. À procura dum caminho próprio, o dramaturgo fazia exercício de teatro, imitando os mestres na escolha dos temas e no emprego das regras clássicas.

Com as peças de temas nacionais e históricos, Garrett encontrava a maneira que mais se afinava com o seu talento. Entretanto, e apesar da graça desenvolta e da tensão alcançada nas três primeiras peças românticas, acabaram constituindo uma espécie de preparação da obra-prima do teatro garrettiano, *Frei Luís de Sousa.*

O *Frei Luís de Sousa* é um drama, ou, mais rigorosamente, uma tragédia, em três atos, em prosa, cujo entrecho gira ao redor da dramática existência de Frei Luís de Sousa: depois de aguardar inutilmente sete anos pela volta do marido, D. João de Portugal, que acompanhara D. Sebastião em África, D. Madalena de Vilhena casa-se com Manuel de Sousa Coutinho; do consórcio nasce uma menina, Maria de Noronha, que agora, aos treze anos, revela especial sensibilidade. De súbito, D. João chega de Jerusalém disfarçado em romeiro: é o clímax da peça. Revelada sua identidade, o casal em pecado só tem uma via de salvação: ingressar na vida religiosa. Durante a cerimônia de iniciação, Maria penetra na igreja e, mergulhada em desespero, vem a morrer junto a seus pais.

Curiosamente, o *Frei Luís de Sousa* tornou-se a obra-prima do teatro romântico português (e uma das mais relevantes da dramaturgia portuguesa) sem fazer maiores concessões ao gosto da época. A rigor, não é um drama (mistura de tragédia e comédia), mas uma tragédia de sabor clássico: a força inexorável do *fatum,* arrastando as personagens a um beco sem saída e a sofrimentos apenas atenuados pela morte ou pela fuga; a luta entre o sentimento e a honra, de forma que esta esmague os apelos do coração; a ausência do livre-arbítrio no comportamento das personagens; a estrutura da peça e a linguagem solene, constituem ainda vestígios do classicismo.

O flanco romântico seria composto do recorte psicológico de Maria e de Telmo Pais, do pessimismo que emoldura as vidas em cena, a traduzir confissão indireta de Garrett ou concessão a certo convencionalismo do teatro contemporâneo, e da carga melodramática posta na figura e na ação de Maria, de modo especial no desenlace. Não obstante essas contradições, de resto refletindo a bipolaridade em que intimamente Garrett se debatia, o *Frei Luís de Sousa* emparelha-se com o melhor da dramaturgia universal.

Feito o balanço, grande saldo favorece a Garrett: além de sua ação dinamizadora durante a batalha romântica e da forma como encarnou em si o novo credo, deixou duas obras de singular relevância no teatro e na prosa (*Frei Luís de Sousa* e *Viagens na Minha Terra*) e uma recolha de poemas líricos, originais pela estruturação e pela densidade psicológica, como poucas vezes se produziu em Portugal durante a época romântica (*Folhas Caídas*).

## ALEXANDRE HERCULANO

Alexandre Herculano de Carvalho e Araújo nasceu em Lisboa, a 28 de março de 1810. De família modesta, não pôde seguir curso universitário. Depois dos estudos secundários no Colégio dos Oratorianos, aprende Inglês e Alemão na Aula do Comércio e, em 1830, faz o curso de Diplomática na Torre do Tombo. Conhece então a Marquesa de Alorna. Em 1831, a situação política reinante obriga-o a exilar-se na França (Rennes), onde gasta o mais do tempo a estudar. No ano seguinte, está nos Açores, incorporado ao exército liberal, com o qual desembarca em Mindelo. Em 1833, trabalha na Biblioteca Municipal do Porto, como segundo-bibliotecário. Demitindo-se em 1836, inicia a carreira intelectual com a publicação de *A Voz do Profeta*. Assume, no ano seguinte, a direção do *Panorama*, e assim permanece até 1844. Ao mesmo tempo que passa a Diretor da Biblioteca da Ajuda, naquela revista publica obras de ficção: as *Lendas e Narrativas, O Bobo, O Monge de Cister.*

É a fase mais intensa de sua atividade literária, e política, na defesa das ideias liberais. Interpretando, com desassombro e espírito crítico, fatos da história de Portugal, como a batalha de Ourique, cujo aspecto lendário destrói com sólida argumentação, acaba provocando enérgica reação do clero, logo por ele revidada num opúsculo que veio a dar nome à polêmica: *Eu e o Clero* (1850). A década de 50 é-lhe desfavorável: além das apoquentações com o clero ultramontano, colhe desgostos na esfera política, até que, em 1859, adquire uma quinta em Val-de-Lobos e lá se refugia, não sem manter-se atento ao que acontece em Lisboa. Em 1866, casa-se com uma senhora que amara na juventude, e afasta-se ainda mais da vida pública. Por ocasião das Conferências

192 • A LITERATURA PORTUGUESA

do Cassino Lisbonense (1871), pronuncia-se a respeito do seu fechamento, mas já como último lampejo de participação pública: em 13 de setembro de 1877, falece em sua quinta, aureolado de glória e respeito nacionais.

Alexandre Herculano é diametralmente oposto a Garrett em todos os aspectos: personificação da sobriedade, do equilíbrio, do rigor crítico; espírito germânico, dir-se-ia, enquanto o outro é latino, sobretudo francês. A obra de Herculano reflete-lhe o temperamento e o caráter: manteve-se imperturbável na posição de homem que apenas se julga convicto das ideias que defende depois de longa e cuidadosa meditação. Daí a intransigência e a indignação diante da pouca receptividade de suas ideias: o "exílio" voluntário em Val-de-Lobos é o dum orgulhoso, convicto da magnitude do seu pensamento e da pobreza do meio em que deveria divulgá-lo e concretizá-lo.

Escreveu poesia (*A Voz do Profeta*, 1836, mais adiante incluído na *Harpa do Crente*, 1838), novelas (*O Bobo*, publicado no *Panorama* em 1843, e em volume, em 1878; *O Monge de Cister*, parcialmente publicado no *Panorama*, em 1841, e em volume, em 1848; *Eurico, o Presbítero*, parcialmente publicado no *Panorama* e na *Revista Universal Lisbonense*, em 1843, e em volume no ano seguinte: os dois últimos integram *O Monasticon*), contos (*Lendas e Narrativas*, estampadas no *Panorama* entre 1839 e 1844, e em volume em 1851), historiografia (*História de Portugal*, 4 vols., 1846, 1847, 1850, 1853; *História da Origem e Estabelecimento da Inquisição em Portugal*, 3 vols., 1854, 1855, 1859; dirigiu a publicação dos *Portugaliae Monumenta Historica*, iniciada em 1856 e terminada em 1873), ensaísmo vário e polêmica (*Opúsculos*, 10 vols., 1873-1908; *Estudos sobre o Casamento Civil*, 1866; *Cenas de um Ano de Minha Vida*, 1934), etc. Convém observar, desde já, que o forte de Herculano era a historiografia, por condizer com o mais íntimo do seu temperamento e formação, a tal ponto que tudo quanto escreveu reflete essa afinidade e predisposição.

Em 1850, Herculano publica *Poesias*, divididas em três partes, a *Harpa do Crente*, *Poesias Várias* e *Versões*, na primeira das quais integra *A Voz do Profeta*. Produção da mocidade ("Fui poeta só até os vinte e cinco anos", diz ele em carta a Soares de Passos, de 5 de agosto de 1856), nela vazou os transes de sensibilidade próprios da idade e os temas em voga no tempo: a poesia noturna, pressaga, tétrica, soturna, a poesia da dor, da saudade, da liberdade, etc., em torno de dois núcleos, a religião e a política, não raro fundidos. Embora romântica pelos temas, a poesia de Herculano caracteriza-se por uma contensão que jamais cede a qualquer impulso para o derramado. Antes, solene, hierática, teatral, majestosa, é mais poesia pensada que sentida, denotadora duma inautêntica inclinação para o gênero: tendo-a cultivado apenas nos anos juvenis, naturalmente correspondia mais ao contágio das modas em vigor e à procura de caminhos próprios da idade, do que a uma profunda e inadiável vocação. Herculano era demasiado historiador para se entregar a uma visão poética do mundo e dos homens: faltava-lhe a imaginação transfiguradora da realidade sensível, e sobejava-lhe o espírito crítico e a erudição. De sua poesia, somente merece destaque o poema "A Cruz Mutilada", em que perpassa, apesar de tudo, muito pensamento sem emoção, além de subsistir a tendência para o declamatório altissonante.

Embora noutro nível, Herculano manifesta na prosa de ficção a mesma tendência para a contensão e a intelectualização revelada na poesia. Ao mesmo tempo, padece do mal que compromete pela base a narrativa histórica, seja ela romance, novela, ou conto: o ficcionista vê-se obrigado a debruçar-se sobre documentos historicamente fidedignos sob pena de não realizar o seu projeto (o enlace do imaginário com o verídico). E é exatamente essa condição *sine qua non* que limita o alcance do gênero, obstando que a imaginação se desdobre livremente: devendo ater-se à verdade histórica documentada, quando muito o ficcionista deduz dela um conteúdo novelesco e preenche com a fantasia os claros do texto, mas sempre atento à verdade dos fatos. Em consequência, o historiador acaba afogando o ficcionista, mercê dos excessivos enxertos eruditivos, em forma de descrição de usos e costumes e de narração minuciosa de acontecimentos.

As *Lendas e Narrativas* constituem "as primeiras tentativas do romance histórico que se fizeram na Língua Portuguesa", com o fito de "popularizar o estudo daquela parte da vida pública e privada dos séculos semibárbaros que não cabe no quadro da história social e política", como diz o autor na "Advertência da primeira edição" da obra.

Com base na erudição histórica e aproveitando material sobrante à elaboração da *História de Portugal*, Herculano trata de temas predominantemente medievais ("O Alcaide de Santarém", 950-961; "Arras por Foro d'Hespanha", 1371-1372; "O Castelo de Faria", 1373; "A Abóbada", 1401; "A Dama Pé de Cabra", século XI; "O Bispo Negro", 1130; "A Morte do Lidador", 1170), e dois oitocentistas, um dos quais, além de não português, é uma espécie de reportagem duma viagem de navio no canal da Mancha ("O Pároco da Aldeia", 1825, e "De Jersey a Granville", 1831).

# 194 • A LITERATURA PORTUGUESA

Dos primeiros – caracterizados por situações de tragédia, anátemas, soturnidades, tensões passionais – salientam-se duas peças de primeira categoria: "A Abóbada", em torno do patriótico feito de mestre Afonso Domingues ao erguer, embora cego, a pedra que serviu de arremate ao mosteiro da Batalha; "A Dama Pé de Cabra", que, baseando-se no "romance de um jogral", reconstitui flagrantemente o clima de magia e bruxedos da alta Idade Média supersticiosa e crédula.

Dos outros dois contos, destaca-se de modo especial "O Pároco da Aldeia": nele, Herculano nega a filosofia e a ciência:

> "Como a filosofia é triste e árida!
> A árvore da ciência, transplantada do Éden, trouxe consigo a dor, a condenação e a morte; mas a sua pior peçonha guardou-se para o presente: foi o ceticismo"

elogia o culto da religião católica:

> "Feliz a inteligência vulgar e rude, que segue os caminhos da vida com os olhos fitos na luz e na esperança postas pela religião além da morte, sem que um momento vacile, sem que um momento a luz se apague ou a esperança se desvaneça!"

e faz a apologia do sacerdote e da pureza ideal dos anos infantis e juvenis, quando longe andava "o demônio implacável a que chamam ciência". Além disso, nele aparece pela primeira vez o tema campesino, que servirá de modelo a Júlio Dinis na construção de seus romances: este aspecto é mais significativo que as notações semifilosóficas, fruto dos conflitos ideológicos de Herculano na mocidade e logo resolvidos numa atitude menos poética ou devaneante.

Sob a rubrica de *O Monasticon*, Herculano reúne *O Monge de Cister* e *Eurico, o Presbítero*. O primeiro tem como subtítulo *ou a Época de D. João I*, que marca o tempo em que a ação transcorre, e a fonte em que o romancista se apoiara, Fernão Lopes. De trama intrincada e densa, a narrativa transcorre num clima agitado por questões morais e religiosas, em luta com a paixão amorosa e um terrível ódio vingativo que não cessa enquanto há vida. O clima é de tragédia, inclusive pela inexorabilidade dos destinos, talhados sem intervenção divina, mas acima do livre-arbítrio ou da vontade. Vasco da Silva jura matar Lopo Mendes, que casara com sua bem-amada, Leonor, e vingar o pai, ultrajado por um cavaleiro que abusara de sua irmã, Beatriz. Assassinado Lopo Mendes, Vasco imerge num profundo remorso, de que pretende sair vestindo hábito. Nesse entrementes, o sedutor de Beatriz, Fernando Afonso, abandona-a. D. João de Ornelas, abade de Alcobaça e inimigo de Fernando Afonso, reaviva o ódio de Vasco, ao descobrir que no paço real o pérfido mantinha encontros amorosos com Leonor, que aquele não deixara de amar. Beatriz morre, e Vasco revela ao rei D. João I o passado nefando de Fernando Afonso, e este acaba sendo supliciado na fogueira. E, por fim, Vasco morre.

Percebe-se, pelo simples enunciado da ação, que a narrativa padece de hipertrofia na fabulação, resultante possivelmente do intuito de aproveitar o máximo possível do material histórico descoberto. No final, o emaranhamento dos fatos acaba embaçando o retrato moral que o ficcionista pretendia erguer. Falta-lhe o despojamento que, de certo modo, se verifica no *Eurico, o Presbítero*.

Nesta obra, em que analisa o problema do celibato clerical "à luz do sentimento", Herculano consegue atingir o ponto mais alto de suas possibilidades como ficcionista, em razão de haver deixado mais livres a imaginação e o impulso lírico. A "crônica-poema", como a classifica, passa-se durante o trânsito da monarquia visigótica "para o período da cavalaria", à volta dum núcleo dramático simplificado às raias do ocasional: Eurico, antigo gardingo (fidalgo) toma hábito depois que o pai de Hermengarda lhe nega sua mão. Sobrevém a invasão árabe: enquanto Pelágio prepara defesa nas Astúrias, um misterioso Cavaleiro Negro ganha fama na defesa das cores visigóticas. Era, na verdade, o próprio Eurico, que salva Hermengarda das mãos sarracenas e leva-a para a Gruta de Covadonga, onde renasce o velho amor, agora contrariado por um novo e inesperado obstáculo: o juramento sacerdotal. Resolvem separar-se: Eurico lança-se suicidamente contra os árabes, enquanto Hermengarda enlouquece.

Em *Eurico, o Presbítero* evidencia-se mais nítida ainda a estrutura a modo de tragédia: primeiro ato, antes de Eurico professar; segundo ato, as lutas contra os sarracenos; terceiro ato, reencontro dos amantes e desenlace. Todavia, é preciso ponderar que o segundo ato pesa demasiado no conjunto e contém matéria que deveria ser apenas tangencial, ou cenográfica, do entrecho dramático propriamente dito. Ao contrário, o problema amoroso é que se torna incidental e marginal ao panorama histórico aberto pela retrospectiva de Herculano: serve mais de pretexto para a reconstituição histórica que de eixo da intriga novelesca.

O escritor parece mais interessado no panorama histórico que em acompanhar o desenvolvimento do drama afetivo, de resto pouco denso para gerar mais do que um conto. De tal modo que, entrado Eurico na vida eclesiástica e mais tarde no caminho das armas, fica afastado o problema amoroso derivado de Hermengarda, e é só depois dum longo lapso de tempo que a heroína volta à cena, e, assim mesmo, para o epílogo: a longa espera somente se justifica pelo fato de Herculano, embora liberte a fantasia e o lirismo de que ainda era capaz, continuar petreamente um historiador.

Mais ainda colabora para enfraquecer o impacto trágico da novela o seguinte pormenor: Eurico abraçou a vida religiosa porque quis, abdicando de vez do anterior desígnio, mas não fugiu, paradoxalmente, de ser cavaleiro e matar, ainda que por razões religiosas e patrióticas. E quando os óbices eram apenas os duma consciência impregnada de princípios circunstanciais, fraquejou e deixou de realizar o que havia sido a razão de sua vida até àquela data. Para o suicídio em que se lança ato contínuo à entrevista com Hermengarda, pouca diferença fazia consumar um velho desejo, indiscutivelmente mais explicável à rigorosa consciência ética de Eurico, do que abater sarracenos e entregar-se à morte, o que, convenhamos, era profundamente anticristão.

Por outro lado, essas incongruências talvez ajudem a explicar o lado poético e dramático da novela, tornando-a mais verídica que *O Monge de Cister*, onde tudo caminha numa precisão cronométrica até o desfecho, previamente anunciado desde o início da trama. Desse modo, o valor de *Eurico, o Presbítero* reside na feliz e dinâmica reconstituição duma época de aventuras cavaleirescas, com o seu odor de *far-west*, que serviria de cenário para uma triste história de amor contrariado. E também no recorte psicológico das personagens centrais, longe de certa estereotipia comum aos heróis românticos, ainda que em Hermengarda repercuta alguma coisa da suave e terna Ofélia shakespeariana: tudo isso, mais o tom elegíaco e plangente, vazado num estilo de talhe solene, clássico.

Herculano foi, acima de tudo, historiador: a historiografia deu-lhe grandeza e prestígio, mas também dissabores. Retomando o fio da meada que se interrompera em Fernão Lopes – com quem tanto se parece –, e recebendo os benéficos influxos das teorias históricas de Guizot e Thierry, realizou na historiografia o melhor de suas virtualidades intelectuais e humanas, e tornou-se o introdutor dos modernos métodos historiográficos em Portugal e o mais respeitado historiador do seu tempo.

Acreditando na intervenção subjetiva do historiador nos episódios e situações que narra ou analisa – o que, aliás, acompanhava ainda os ditames da escola francesa de historiografia –, Herculano meteu ombros a uma obra de ampla envergadura que servisse de espelho onde se mirassem os homens contemporâneos, especialmente aqueles guindados a postos de mando, a começar pelo rei. Para tanto, escreveria uma *História de Portugal* desde os albores da nacionalidade até o período da Restauração, iniciada em 1640: era como se desentranhasse os fundamentos e os "exemplos" da história do povo português. Entretanto, só publicou quatro volumes da obra (1846, 1847, 1850, 1853), interrompendo-a no reinado de D. Afonso III, que ocupou o trono entre 1248 e 1279.

Desgostos vários determinaram-lhe a interrupção da tarefa: a incompreensão acerca do que se dispunha a realizar e a polêmica da *Questão "Eu e o Clero"* foram as causas principais. Embora inacabada, a *História de Portugal* ficou como um monumento no gênero, pela erudição acumulada e examinada, pelo senso narrativo e interpretativo posto na reconstituição dos fatos, pela acuidade e altura das intervenções pessoais e, ao fim, pelas qualidades de prosador castiço, vibrante e incisivo. Estas últimas salvam-no de cair na aridez e na perda de originalidade a que podia arrastá-lo o gosto pelo documento e o respeito cego pelo seu conteúdo. Por isso, a *História de Portugal* pode interessar ainda hoje, inclusive pelos aspectos propriamente literários.

Nos *Portugaliae Monumenta Historica* (1856-1873), Herculano reuniu crônicas, memórias, relações, anais, livros de linhagens, documentos notariais, leis, etc., de uma longa época histórica, entre os séculos VIII e XV. A obra fragmenta-se em quatro secções: *Scriptores, Leges et Consuetudines, Diplomata et Chartae, Inquisitiones,* das quais a primeira interessa mais de perto à Literatura; nela se publicaram os *Livros de Linhagens,* as *Crônicas Breves de Santa Cruz,* a *Crônica da Conquista do Algarve,* a *Vida de D. Telo* e a *Crônica da Fundação do Mosteiro de S. Vicente de Lisboa.* Ainda que incompleta, a obra continua a servir a quantos se interessem pela atividade literária portuguesa durante a Idade Média.

A *História da Origem e Estabelecimento da Inquisição em Portugal* (1854-1859), escreveu-a Herculano estimulado pela *Questão "Eu e o Clero"*: de intuito polêmico, irritado mesmo, mas ainda com os objetivos morais que lhe presidem à obra e à existência, nela faz o exame dos "vinte anos de luta entre D. João III e os seus súditos de raça hebreia, ele para estabelecer definitivamente a Inquisição, eles para lhe obstarem", a fim de que, comparando a hipocrisia e o fanatismo do passado com a "reação teocrática e ultramonárquica" oitocentista, o leitor "decida entre a reação e a liberdade".

O ensaísmo doutrinário e polêmico de Herculano exibe muito interesse: enfeixado nos dez volumes dos *Opúsculos* (1872-1908), contém valioso material de reflexão ideológica, inestimável para o conhecimento do pensamento político, religioso, historiográfico, literário, etc., do seu autor. Alguns desses ensaios, como *Eu e o Clero, A Supressão das Conferências do Cassino, Cartas sobre a História de Portugal,* à imitação das *Cartas* que Thierry escrevera acerca da França, encerram particular importância, quer na carreira intelectual do autor, quer na história da cultura portuguesa do tempo.

Herculano exerceu grande influência pelo exemplo de sua vida e de sua obra, ambas aureoladas por um halo de probidade e reverência pela missão intelectual, pouco vulgares em qualquer literatura.

## CASTILHO

Antônio Feliciano de Castilho nasceu em Lisboa, a 28 de janeiro de 1800. Aos seis anos, acometido de sarampo, fica praticamente cego para o resto da vida. Apesar da deficiência, dedica-se aos estudos com tal afinco que os familiares chegam a vaticinar-lhe um brilhante futuro intelectual. Com a ajuda do irmão, Augusto Frederico de Castilho, faz o curso secundário e ingressa na Faculdade de Cânones de Coimbra. Durante os anos acadêmicos, publica as *Cartas de Eco e Narciso* (1821) e *A Primavera* (1822), que lhe granjeiam larga simpatia entre os estudantes, a ponto de qualificar se como figura central da *Sociedade dos Amigos da Primavera*, organizada àquela altura. Formado, segue para S. Mamede de Castanheira do Vouga, com o seu irmão Augusto, que abraçara a carreira sacerdotal. Passa o tempo a escrever poesia e a traduzir autores clássicos. Em 1841, depois de acompanhar o irmão à Ilha da Madeira, instala-se em Lisboa e passa a dirigir a *Revista Universal Lisbonense*, até 1848, quando está nos Açores, entregue a labores pedagógicos. Por volta de 1850, regressa a Lisboa e prossegue a campanha de instrução pública, ao mesmo

ROMANTISMO • 199

tempo que traduz poetas clássicos. Visita o Brasil em 1855. E provoca a *Questão Coimbrã*, em 1865, com a sua carta-posfácio ao *Poema da Mocidade*, de Pinheiro Chagas. Cercado de glória e do carinho de seguidores fiéis, falece a 18 de junho de 1875, em Lisboa.

Além de traduzir Ovídio, Anacreonte, Virgílio, Molière, Goethe e Shakespeare, Castilho escreveu prosa e poesia. A prosa, de índole historiográfica, pedagógica ou polêmica, embora exercesse relevante papel no tempo, pouco ou nada atrai o leitor hoje em dia (*Quadros Históricos de Portugal*, 1839; *Felicidade pela Agricultura,* 1849; *Leitura Repentina,* 1850; *Tratado de Metrificação Portuguesa,* 1851, etc.). A poesia suscita atenção mais detida, sobretudo em razão dos equívocos que desencadeou enquanto o autor viveu.

O itinerário poético de Castilho inicia-se sob a égide do Arcadismo, especialmente de Bocage; é a fase em que escreve *Cartas de Eco e Narciso* (1821), *A Primavera* (1822) e *Amor e Melancolia* (1828). Nessas obras estampam-se as limitações típicas do artificialismo neoclássico, a que se acrescentavam as naturais deficiências de Castilho: falto de sensibilidade lírica e escravizado a conhecer de outiva os poetas preferidos, as mais das vezes clássicos, acabou por alimentar a memória e a imaginação com uma visão do mundo tomada de empréstimo. Daí resulta que, pensando escrever poesia autêntica, Castilho apenas compunha poemas segundo a receita arcádica, aquela que tão somente dependia de qualidades secundárias, como a educação do ouvido para os metros clássicos, a predisposição passiva para manter cerrado convívio com os clássicos, etc.

Em 1836, da mesma maneira que se impregnara de fórmulas arcádicas, entrega-se à aventura romântica: tudo de fora para dentro, o poeta está à mercê dos ventos literários e do acaso. Publica então *A Noite do Castelo* e *Os Ciúmes do Bardo,* seguidos mais adiante de *Escavações Poéticas* (1844): apesar de virem a exercer influxo sobre os poetas ultrarromânticos reunidos à roda de *O Trovador* e de *O Novo Trovador*, tais obras documentam estreito apego aos convencionais tipismos românticos, especialmente no que toca à revivescência do mito da Idade Média. Além disso, não conseguem senão incidentalmente esconder o travejamento neoclássico, que serve de sustentáculo a um panorama romântico construído de papelão e tinta. A rapidez com que Castilho esgota a inspiração romântica é outro argumento a aduzir como prova duma duvidosa vocação para a poesia.

200 • A LITERATURA PORTUGUESA

Tão meteórica é a passagem do autor pelo Romantismo que, a seguir, retoma os hábitos da juventude, ou seja, a tradução de autores clássicos, a que se vai somar, já no fim da vida, o gosto pelos modernos (Molière, Goethe, Shakespeare). Ainda publica um livro de poemas em 1863, *O Outono*, mas de inferior qualidade. Daí para a frente não mais tornou a versejar.

A história de Castilho é a dum grande mal-entendido: graças à cegueira, que lhe dava um falso brilho de gênio à Milton, mais do que à sua poesia, alcançou injustamente ser venerado como mestre pelos românticos menores ou epigonais. Na verdade, embora ninguém lhe negue os méritos próprios à condição de clássico da Língua, pelo casticismo e elegância dos versos, poeticamente é de ínfimo valor. Primeiro, porque a carência dos olhos – insubstituíveis numa estética visualista como a romântica – fez que adotasse de terceiros uma óptica da realidade: o resultado é o convencionalismo, a pobreza e a impessoalidade. Segundo, porque clássico de formação e de sensibilidade: faltava-lhe viver, ao menos enquanto matéria imaginativa, os sentimentos e as emoções que versificava como se não lhe dissessem respeito. Em suma: não obstante válida historicamente, a sua poesia caiu em compreensível esquecimento.

## O SEGUNDO MOMENTO DO ROMANTISMO

O segundo momento romântico, que se desenvolve mais ou menos entre 1838 e 1860, diverge do anterior: desfeitos os laços arcádicos que prendiam os escritores do tempo, inicia-se um período que corresponde ao pleno domínio da estética romântica. Os novos grupos literários emergentes nesses anos podem agora realizá-la em toda a extensão: livres para gozar o prazer da aventura no mundo da imaginação e da anarquia, acabam tomando atitudes extremas, típicas dos românticos descabelados. Com isso, praticam ao extremo o ideal romântico na parte da sensibilidade e da liberdade moral; e, sendo cem por cento românticos, ultrapassam os limites da estética, transformando-se nos chamados "ultrarromânticos". Explica-se: purificam de tal modo as características do Romantismo que fatalmente caem no exagero e no esparramamento. Discípulos de Castilho, cultivam com veemência não raro declamatória e num tom paroxístico, eruptivo, algumas tendências do decálogo romântico: temas medievais, o tédio, a melancolia, os temas soturnos e fúnebres, as morbidezas atribuídas a Byron, o desespero, a morte, a efemeridade da vida, o luar, a palidez, ânsias de além, temas populares e folclóricos, etc., tudo com base num conceito meio místico de poeta e da sua missão social, expresso numa linguagem fácil e comunicativa.

Os poetas ultrarromânticos reuniram-se em três grupos principais: o dos *medievalistas*, por volta de 1838, e de que fez parte Gonçalves Dias; o do jornal literário *O Trovador* (1844) e o de *O Novo Trovador* (1851). Do primeiro grupo fazem parte José Freire de Serpa Pimentel (1814-1870), autor de *Solaus* (1839), e Inácio Pizarro de Morais Sarmento (1807-1870), autor do *Romanceiro* (1841). O segundo grupo é liderado por João de Lemos de Seixas Castelo Branco (1819-1890), autor do *Cancioneiro* (3 vols., 1858-1859, 1866), *Canções da Tarde* (1875), de que ressalta uma composição que lhe rendeu fama no tempo (Lua de Londres), e da prosa contida em *Serões de Aldeia* (1876). Demais membros do grupo: Luís Augusto Palmeirim (1825-1893), autor de *Poesias* (1851) e obras em prosa, Antônio Xavier Rodrigues Cordeiro (1819-1900), Augusto José Gonçalves Lima (1823-1867), Antônio Maria do Couto Monteiro (1821-1896), Francisco de Castro Freire (1811-1881), Antônio de Serpa Pimentel (1825-1900) e outros. O grupo de *O Novo Trovador* é chefiado por Soares de Passos, o mais inspirado poeta de sua geração. Outros membros: Alexandre José da Silva Braga (1829-1895), autor de *Vozes de Alma* (1849, 2ª ed., 1857), Joaquim Simões da Silva Ferraz (1834-1875), autor de *Harmonias da Natureza* (1852) e *Cantos e Lamentos* (1857), e Aires de Gouveia.

Podem ainda ser incluídos entre os ultrarromânticos: **Maria da Felicidade do Couto Browne** (Porto, 10 de janeiro de 1797-8 de novembro de 1861), autora da *Coruja Trovadora* (sem data nem local de impressão, talvez da década de 1840), cujo título se alterou nas edições seguintes conforme a poetisa lhe ia acrescentando novos poemas: *Sóror Dolores* (1849) e *Virações da Madrugada* (1854): e Bulhão Pato, mais rigorosamente situável no terceiro momento do Romantismo, razão pela qual deixamos de circunstanciá-lo aqui.

Embora o Ultrarromantismo se coadune essencialmente com a poesia, muitos dos seus ingredientes também são expressos em prosa. Muda, porém, o local onde se passam os acontecimentos: a poesia localiza-se predominantemente em Coimbra, a prosa deriva do ambiente hipersensível do Porto nos anos seguintes a 1850. Representa-a sobretudo Camilo Castelo Branco, em cujas novelas se condensam não poucas matrizes ultrarromânticas, resultantes

202 • A LITERATURA PORTUGUESA

de sua aventuresca existência de donjuan e do clima literário e social respirado nas andanças portuenses. Ele e Soares de Passos constituem, cada qual em seu gênero e a seu modo, as grandes figuras do Ultrarromantismo português.

## SOARES DE PASSOS

Antônio Augusto Soares de Passos nasceu no Porto, a 28 de novembro de 1826. De família burguesa, vê-se obrigado a trabalhar no balcão do armazém paterno enquanto estuda. Finalmente, consegue do pai autorização para cursar Direito em Coimbra, onde se matricula em 1849. Em 1851, funda *O Novo Trovador*, mas no ano seguinte começa a sentir os primeiros achaques da tuberculose, que o obrigam a retrair-se do convívio social. Em 1854, formado, volta ao Porto, a tentar em vão um emprego condigno. Debilitado, recolhe-se ao seu quarto meses a fio, indiferente a tudo, inclusive à poesia, apenas mantendo com o mundo exterior uma tênue ligação, propiciada pelos amigos que o visitam. Faleceu na cidade natal, a 8 de fevereiro de 1860.

Soares de Passos reuniu suas composições num volume, *Poesias* (1855), que mereceram de Herculano rasgados elogios, infelizmente desmentidos logo depois: "Na minha opinião, V. Sª está destinado a ser o primeiro poeta lírico português deste século. Há nos seus poemas lampejos de gênio, que o simples talento não pode produzir" (carta de 5 de agosto de 1856). Ditas por quem personificava a sobriedade, tais palavras valiam por uma consagração que, lamentavelmente, mal resistiu às novas modas literárias em circulação após a morte do poeta.

Soares de Passos constitui a encarnação perfeita do "mal-do-século" que, por sua vez, encontrou lídima expressão no ultrarromantismo anárquico e piegas. Vivendo na própria carne os desvarios de que se nutria a fértil imaginação de tuberculoso narcisista e misantropo, a sua vida e obra espelham cristalinamente o prazer romântico da fuga, no caso, das responsabilidades concretas do mundo social. Daí o paradoxo sobre que assenta sua poesia, refletindo o conflito íntimo entre a sensibilidade e apetências morais que o poeta não resolveu até à morte.

De um lado, a sua poesia entrega-se a um negro pessimismo, a um desalento derrotista, próprio de quem sente a morte próxima e cultiva-lhe carinhosamente a presença, um tanto por morbidez, um tanto por "literatura". Nasce daí a poesia da decomposição, a poesia funérea, de que é exemplo o poema que tornou Soares de Passos famoso no começo e ridicularizado depois: "O Noivado do Sepulcro". Poesia deprimida e depressiva, mas certamente fruto dum inconformismo de raiz burguesa: débil como era, sensitivo, alfenim, reagia com a autoagressão e o sentimentalismo mórbido às pressões da classe média em que vivera e se criara.

Graças ao seu típico mecanismo psíquico, não estranha que realizasse por vezes uma poesia inversamente extremista, que constituía o outro lado do paradoxo: faz o elogio de atitudes varonis para as quais não está preparado, dentre elas a cerebrina disposição para o pleno gozo da existência no plano dos sentidos e da satisfação dos apetites carnais, um patriotismo reformador e o encarecimento polêmico das ideias progressistas então em marcha. É o caso de poemas como o "Firmamento" e "O Anjo da Humanidade".

E é precisamente desse dilema, impulsionado por angústias metafísicas e religiosas, que decorre a poesia de Soares de Passos: forte, autêntica, mesmo quando imaginária, fruto da experiência, uma espécie de diário íntimo de um autêntico mártir do Ultrarromantismo. Conquanto não chegasse a vibrar tanto quanto Garrett, que possuía outros recursos, Soares de Passos exerceu largo fascínio, inclusive por sua desgraçada vida, fascínio esse de que não escapou Castro Alves, poeta que, com outra coloração, viveu dualidade semelhante à sua. Soares de Passos transpira verdade e sinceridade na confissão comovida da própria desintegração física e do desmoronar do mundo, que o situa sem favor acima dos poetas de sua geração e próximo de Garrett e João de Deus.


## CAMILO CASTELO BRANCO


Nasceu em Lisboa, a 16 de março de 1825. Órfão de pai e mãe aos dez anos, segue para Trás-os-Montes a viver com uma tia e depois com uma irmã, época em que estuda com o Pe. Azevedo. Aos dezesseis anos, casa-se com a aldeã Joaquina Pereira, mas logo a abandona em companhia da filha, e vai para o Porto e Coimbra tentar em vão o curso de Medicina. Em 1848, instala-se no Porto, depois de breve passagem por Vila Real (Trás-os-Montes), onde entre-

204 • A LITERATURA PORTUGUESA

têm paixão amorosa com Patrícia Emília. Entrega-se à vida literária e às aventuras amorosas, incluindo o caso com a freira Isabel Cândida.

Em meio à volubilidade sentimental, nos anos de 1850-1852 mergulha em grave crise religiosa que o impele a experimentar a reclusão num seminário. Conhece Ana Plácido e apaixona-se, mas deve esperar anos pela consumação de seus desejos. Em 1851, publica *Anátema*, dando início à carreira de novelista. Em 1858, Ana Plácido separa-se do marido e vai morar com Camilo: processados por crime de adultério, são presos na cadeia da Relação do Porto, julgados e absolvidos. O escândalo traz notoriedade a Camilo, que a publicação do *Amor de Perdição* (1862) confirma e acentua. Depois de curta estada em Lisboa, segue para S. Miguel de Seide em 1864, a viver na quinta que Ana Plácido herdara do marido. Obrigado a sustentar mulher e três filhos, um dos quais do casamento anterior de Ana Plácido, Camilo passa a trabalhar incansavelmente, apesar dos desgostos familiares (um filho demente e outro doidivanas) e dos padecimentos que a sífilis começava a causar-lhe, determinando a perda progressiva da visão até fazê-lo cego. Estafado, torturado, roído pela moléstia, Camilo suicida-se a 19 de junho de 1890, em São Miguel de Seide, quando já gozava de largo prestígio como homem de letras.

Camilo impressiona primeiro que tudo pela aventuresca e trágica vida que levou: um como estigma de desgraça marcou-lhe a existência desde cedo. Impressiona ainda pela quantidade de obras que escreveu: somam várias dezenas, constituindo a produção literária porventura mais extensa e variada em Língua Portuguesa. Camilo cultivou a poesia, o teatro, a crítica literária, o jornalismo, o folhetim, a historiografia, a epistolografia, a polêmica, o romance, a novela e o conto. Não sendo possível citar todas as obras que escreveu em cada espécie ou gênero literário, atenhamo-nos a algumas delas, reservando maior espaço ao exame da novela, em que Camilo mais se notabilizou e ganhou forças para resistir à análise crítica do tempo.

Como poeta, escreveu, dentre outras, as seguintes obras: *Os Pundonores Desagravados* (1845), *A Murraça* (1848), *Nostalgias* (1888), *Nas Trevas* (1890); como teatrólogo: *Agostinho de Ceuta* (1847), *O Marquês de Torres Novas* (1849), *A Morgadinha de Val de Amores* (1882), etc.; como historiador: *Perfil do Marquês de Pombal* (1882), etc.; como crítico e historiador literário: *Esboços de Apreciações Literárias* (1865), *Curso de Literatura Portuguesa* (1876), etc.; como polemista: *Os Críticos do "Cancioneiro Alegre"* (1879), *Questão da Sebenta* (1883), etc.; como memorialista: *Memórias do Cárcere* (2 vols, 1862), etc.

Enquanto ficcionista, Camilo cultivou a novela histórica, a de aventuras, a satírica e a passional. Ao primeiro tipo pertencem os seguintes títulos: *Luta de Gigantes* (1865), *O Santo da Montanha* (1866), *O Judeu* (1866), *O Senhor do Paço de Ninães* (1868), *O Regicida* (1874), *A Filha do Regicida* (1875), *A Caveira do Mártir* (1875-1876). Enquadram-se entre as de caráter histórico simplesmente porque se passam em tempos recuados: em verdade, a poderosa imaginação de Camilo proibia-o de subordinar-se ao documento, como pedia a norma tacitamente aceita por aqueles que tentavam o gênero. Em vez de preocupar-se com a reconstituição eruditiva das épocas históricas, faz delas pretexto para dar largas à fantasia e à tendência para a novela passional. Com tal ressalva, quase se diria que Camilo apenas escreveu novelas passionais, não fossem ainda algumas narrativas de caráter satírico e humorístico, como *O que fazem mulheres* (1858), as *Aventuras de Basílio Fernandes Enxertado* (1863), *A Queda dum Anjo* (1886).

Na esteira de Eugène Sue (1804-1857) e Paul Féval (1817-1887), Camilo também cultivou a novela de mistério, terror e aventura, com vistas a agradar o público da época, entusiasmado apreciador das quilométricas narrativas folhetinescas: *Os Mistérios de Lisboa* (1854), *Livro Negro do Padre Dinis* (1855), *Coisas Espantosas* (1862), *O Esqueleto* (1865) e *O Demônio do Ouro* (1873-1874). Cedendo aos padrões impostos pelo gosto burguês, Camilo cometeu toda sorte de deslizes próprios da vertente folhetinesca: inverossimilhança, pobreza psicológica em favor da riqueza anedótica, facilidade na sugestão de atmosferas de terror e mistério, a ponto de cair no convencional, na literatura de puro entretenimento, etc.

Todavia, o eixo ao redor do qual gira toda a envergadura de Camilo é constituído pela novela passional. Embora não a tivesse introduzido em Portugal (o papel cabe a D. João de Azevedo, autor de *O Céptico*, 1849, e *O Misantropo*, 1851, e a Antônio Pedro Lopes de Mendonça, autor de *Memórias dum Doido*, 1846), definiu-a no gosto público e nos ingredientes fundamentais, monopolizou-a totalmente depois de certa altura, e acabou por ser o seu mais alto representante. Para alcançá-lo, Camilo contava com determinados favores, dentre os quais predominavam os lances de aventura galante com que pontilhou a sua existência e um especial talento e sensibilidade para tratar dos problemas do coração.

A novela camiliana muda apenas e sempre no tocante ao enredo, embaralhado e variado até onde permitia a imaginação do ficcionista: altera-se constantemente a disposição dos ingredientes, a tessitura episódica, o ponto de vista em que se coloca o novelista, mas o módulo central permanece invariavelmente o mesmo. Na verdade, parte sempre duma situação única para estabelecer em cada narrativa uma das inúmeras variações que lhe estão implícitas: sempre o amor impossível e superior, ou marginal aos preconceitos sociais, que brota do mais fundo da carne e da alma, levando ao desvario os apaixonados com as promessas duma bem-aventurança via de regra malograda.

Sentimento incendiário, vulcânico, impetuoso e alucinante, realiza-se livremente à margem e à revelia do casamento, mas em franco litígio contra vestígios inconscientes de moralismo burguês, visíveis na perturbação operada no terreno dos impulsos, refletindo dores de consciência provocadas pela coerção social. Estas, em vez de amortecer, estimulam ainda mais o processo amoroso, transformando-o numa violenta e invencível paixão que conduz as personagens a comportar-se com furor quase primitivo, instintivo, pré-lógico. Exaltadas ao limite da anestesia moral, as personagens ganham força e justificativa para enfrentar as injunções do meio e da consciência, e dar livre expansão às chamas dos sentidos e dos sentimentos.

Por outro lado, a temperatura passional sobe à proporção que o ambiente ou a consciência formula obstáculos à consecução do que pretendem os protagonistas: a obsessão amorosa desenvolve-se nos apaixonados paralelamente à sensação de que vivem numa sociedade burguesa, caracterizada pelo princípio de que o sentimento deve conduzir os amantes ao casamento sacramentado. Quanto mais a sociedade os coage, lembrando-lhes os costumes em uso, mais se abandonam, convictos e justificados, à paixão de que se nutrem e em que se consomem.

Desse modo, Camilo coloca frente a frente as "razões do coração" e as razões da sociedade burguesa oitocentista, temerosa de enfraquecer-se pela concessão de direitos éticos individuais que possam pôr-lhe em crise os dogmas, as convenções e as modas. Ao fim de contas, uma equação inequivocamente burguesa, uma vez que apenas em tal sistema social se explica semelhante conflito: ao reagir contra a burguesia, as heroínas e os heróis românticos não deixam de agir burguesmente. Típicos burgueses, sofrem a "fatalidade" do amor precisamente porque o julgam "pecado" ou porque o meio social, manietando-lhes o pensamento e a vontade, se incumbe de convencê-los disso.

Tanto é assim que Camilo balança entre extremos, ora fazendo as personagens lograrem o seu desvairado intento, mas submetendo-as às punições sociais, como a ida para o convento, o suicídio e a loucura (*Carlota Ângela*, 1858; *Estrelas Funestas*, 1862; *Amor de Perdição*, 1862; *A Doida do Candal*, 1867), ou revelando-as destituídas de suportes morais ou espirituais capazes de assisti-las no vácuo que se descortina ao término de toda paixão, por mais fogosa que seja (*Onde está a felicidade?*, 1856; *Um homem de Brios*, 1856; *Memórias de Guilherme do Amaral*, 1865).

Ora fazendo que as personagens descubram os benefícios morais contidos nos padrões burgueses e reencontrem a paz de espírito, a cura da doença passional, no "exílio" campesino e no casamento (*Estrelas Propícias*, 1863; *Amor de Salvação*, 1864). Camilo, afeiçoado ao exame dessas dualidades do sentimento burguês, parece optar pela última hipótese tão somente para satisfazer as leitoras contemporâneas, ou porque se via obrigado a viver da produção de folhetins: num caso e noutro, era-lhe fácil inverter o ângulo da análise e o desfecho das narrativas.

Contudo, o processo resulta artificial, postiço e forjado, pelo menos na pena de Camilo, mais afeito a dar-nos panoramas trágicos e dramáticos e não monótonos e inexpressivos, como os da morna felicidade burguesa. Ressalve-se a hipótese de a "novela de salvação" corresponder a um recôndito ideal do ficcionista que as circunstâncias da vida não o deixaram realizar. Mais ainda: novelista urbano acima de tudo, Camilo cultivou os temas campesinos com especial sentido de humanidade, "realismo" e flagrância psicológica, como se pode ver também nas *Novelas do Minho* (12 vols., 1876), que incluem uma obra-prima, *Maria Moisés*. Maior relevo ganha a excursão do ficcionista para o campo quando sabemos que o seu ruralismo serviu de prenúncio aos contos de *Mulheres da Beira* (1898), de Abel Botelho, e ao telurismo beirão de Aquilino Ribeiro.

Em matéria de ingredientes novelescos ou motivos da ação, Camilo emprega invariavelmente os mesmos, mas em permanente conflito: o amor passional, a honra e o dinheiro. Como se deduz, o estrato social onde lutam tais forças é a pequena-burguesia, especialmente a do Porto. O processo empregado por Camilo na composição das narrativas baseia-se antes de tudo na observação direta da classe média portuense, e valendo-se, não raro, da própria experiência. Camilo começa por ser um arguto observador – entre irônico e sensível – da realidade social sua contemporânea, a tal ponto que, como vimos, mal consegue realizar-se como autor de novelas históricas. Sobre os dados da observação, Camilo aplica sua poderosa e invulgar imaginação, que os filtra e lhes dá caráter. Demora aqui uma das alavancas da obra camiliana: a imaginação criadora e transfiguradora, dotada de tão singular força que sempre consegue evitar a monotonia que poderia resultar do uso contínuo daqueles poucos ingredientes narrativos.

A par desse talento incomum para tecer enredos e inventar situações dramáticas, recheando-as de engenhosas peripécias, a fim de manter viva a atenção do leitor, convém frisar outro aspecto: a chamada metaficção ou metalinguagem. Ou seja, a intromissão do autor no fluxo da ação, seja ao fazer considerações teóricas acerca da novela, seja ao assumir atitude crítica em face das soluções empregadas na estruturação e no andamento das narrativas. Nesse aspecto reside, sem dúvida, uma das facetas mais relevantes, mais modernas, da arte novelesca de Camilo, suficiente para distingui-lo como a mais ampla e diversificada cerebração no gênero em Portugal, no século XIX. Quando pouco, é um dos mestres da ficção em Portugal, iniciador de uma linhagem na qual se inserem nomes como Aquilino Ribeiro, José Rodrigues Miguéis, Tomaz de Figueiredo, passando por Carlos de Oliveira, Agustina Bessa-Luís e tantos outros, além de alguns prosadores brasileiros do século XX. Para se ter uma ideia dessa força germinativa, basta que a comparemos com a influência exercida por Eça de Queirós, o outro mestre da ficção em Portugal.

Outro dom superior de Camilo que cumpre lembrar: o de ser um nato contador de histórias, dono dum estilo todo seu, e que fez escola, de quem conhece os segredos da Língua, tanto a erudita, como a popular ou regional. Muito do mérito e do fascínio camiliano, – fascínio persistente ainda hoje, como atesta o grande número de estudiosos e admiradores de sua obra, – vem daí. Diga-se de passagem, Camilo compreendeu lucidamente a importância do apuro da linguagem como condição de sobrevivência de suas novelas. No prefácio à segunda edição do *Amor de Perdição,* datado de setembro de 1865, confessa:

"Estou quase convencido de que o romance, tendendo a apelar da iníqua sentença que o condena a fulgir e apagar-se, tem de firmar sua duração em alguma espécie de utilidade, tal como o estudo da alma, ou a pureza do dizer. E dou mais pelo segundo merecimento; que a alma está sobejamente estudada e desvelada nas literaturas antigas, em nome e por amor das quais muita gente abomina o romance moderno, e jura morrer sem ter lido o melhor do mais apregoado autor."

É com justiça considerado mestre e clássico do Idioma. Daqui decorre que suas novelas, não obstante a repetição de motivos e o derramamento passional e trágico, contêm uma espécie de verossimilhança primordial: graças aos predicados de observador da sociedade coeva e, sobretudo, de imaginativo, Camilo pôde surpreender, com palpitante verossimilhança, alguns aspectos da enovelada psicologia amorosa, que parecem corresponder mais a uma tendência inata no ser humano que às flutuações sociais. A esses dotes acrescenta-se o culto da forma escorreita, límpida, redonda, espontânea, capaz de arrastar o leitor de emoção a emoção até o desenlace, agarrado ao fluir dos episódios, como se percorresse uma novela de capa e espada ou policial. Tudo isso faz dele um dos maiores prosadores, se não o maior, do Portugal oitocentista, uma espécie de Balzac português que procurou, à sua maneira, compor a "comédia humana" da burguesia do tempo.

Para o fim da vida, com a vitória do Realismo à Flaubert e do Naturalismo à Zola. Camilo envereda pela nova moda e escreve quatro romances, não mais novelas (*Eusébio Macário,* 1879; *A Corja,* 1880; *A Brasileira de Prazins,* 1882; *Vulcões de Lama,* 1886). Aparentemente, Camilo tencionava, em resposta ao desafio lançado por quem ele intitula "Minha Querida Amiga", na dedicatória de *Eusébio Macário,* fazer a sátira caricaturesca dos novos processos, como permite supor a "Advertência" à primeira edição do romance:

"A 'História Natural e Social de uma Família no Tempo dos Cabrais' dá fôlego para dezessete volumes compactos, bons, duma profunda compreensão da sociedade decadente. Os capítulos inclusos neste volume são prelúdios, uma sinfonia offenbachiana, a gaita e berimbau, da abertura de um grande charivari de trompões fortes bramindo pelas suas guelas côncavas, metálicas. Os processos do autor são, já se vê, os científicos, o estudo dos meios, a orientação das ideias pela fatalidade geográfica, as incoercíveis leis fisiológicas e climatéricas do temperamento e da temperatura, o despotismo do sangue, a tirania dos nervos, a questão das raças, a etiologia, a hereditariedade inconsciente dos aleijões de família, tudo, o diabo! (...) É o que se faz nas folhas preliminares desta obra violenta, de combate, destinada a entrar pelos corações dentro e a sair pelas mercearias fora"

## 210 • A LITERATURA PORTUGUESA

Entretanto, no "prefácio da segunda edição", o ficcionista desmancha a impressão inicial: "cumpre-me declarar que eu não intentei ridicularizar a escola realista". Mesmo que haja sátira e caricatura nos romances dessa fase, de resto coerente com as demais obras anteriormente publicadas, o certo é Camilo ter-se adaptado com extrema facilidade ao novo processo romanesco, o que nos obriga pelo menos a desconfiar. A adesão aos métodos realistas e naturalistas permite crer que não eram inteiramente estranhos às pretensões "realistas" de Camilo, e que o romancista usou da sátira, ainda que involuntária, movido por despeito: talvez se sentisse espoliado com o êxito do novo credo estético, visto acreditar que apenas correspondia ao que ele vinha realizando há tempos. Aliás, o próprio Camilo fornece-nos argumentos capazes de transformar a hipótese em certeza.

No mesmo "prefácio da segunda edição" de *Eusébio Macário,* diz ele da nova corrente literária, transmitindo opinião de pessoa da família:

"É a tua velha escola com uma adjetivação de casta estrangeira, e uma profusão de ciência compreendida na 'introdução aos três reinos'. Além disso, tens de pôr a filosofia onde os românticos punham a sentimentalidade: derivar a moral das bossas, e subordinar à fatalidade o que, pelos velhos processos, se imputava à educação e à responsabilidade. Compreendi, e achei que eu, há vinte e cinco anos, já assim pensava, quando Balzac tinha em mim o mais inábil e ordinário dos seus discípulos"

Ideia análoga expõe no "prefácio da quinta edição" do *Amor de Perdição,* de 8 de fevereiro de 1879, anterior ao *Eusébio Macário.* Sendo ou não sátira do Realismo e do Naturalismo, esses quatro romances acabaram por se tornar obras marcantes da nova estética e dos pontos altos da ficção camiliana, exatamente porque a Camilo faltou ter vivido uns anos depois, ou não ter sido um escravo da pena, para realizar na íntegra um ambicioso plano, implícito em suas virtualidades de escritor. O seu "realismo" não confunde quando o interpretamos como manifestação antecipada duma metamorfose estética, apenas em gestação durante os anos que levou a compor o retrato da burguesia portuense. Feito o balanço, é de crer que o brilho ainda vivo de sua obra venha justamente da aliança entre observação e fantasia, que a época do Realismo e do Naturalismo desconhecerá, para favorecer a visão objetiva, "científica" da realidade.

ROMANTISMO • 211

# O TERCEIRO MOMENTO DO ROMANTISMO

Como vimos, Camilo transita do Ultrarromantismo, descabelado, histérico e piegas, para um Naturalismo coerente com suas tendências de cronista da sociedade burguesa da segunda metade do século XIX. Nele se corporifica, portanto, a agonia do ideal romântico e o despontar das novas correntes ideológicas de origem francesa. Nesse crepúsculo, ainda se localiza um tardio florescimento literário, que corresponde ao terceiro momento do Romantismo, em fusão com remanescentes do Ultrarromantismo bruxuleante. Desenrolando-se *grosso modo* durante os anos seguintes a 1860, esse período é assinalado pela presença de poetas, como João de Deus, Tomás Ribeiro, Bulhão Pato, Xavier de Novais e Pinheiro Chagas, e de um prosador, Júlio Dinis. Situados no final do processo romântico, já extemporâneos ou retardatários, depuram até o extremo as características românticas, como é o caso de João de Deus, ou aderem ao carcomido exemplo de Castilho, como Pinheiro Chagas, ou tornam-se figuras de transição, como Tomás Ribeiro, Bulhão Pato e Júlio Dinis. Este e João de Deus são as figuras mais relevantes desse momento.

**Tomás Ribeiro** (Tondela, 1º de agosto de 1831-Lisboa, 6 de fevereiro de 1901) mistura a influência de Castilho com a de Victor Hugo, o que explica o caráter entre passadista e progressista de sua poesia. Escreveu o *Dom Jaime* (1862), longo poema patrioteiro em nove cantos, considerado por Castilho à altura de rivalizar com *Os Lusíadas*, opinião disparatada que provocou celeuma na época, *A Delfina do Mal* (1868), longo poema em dez cantos, *Sons que passam* (1868), coletânea que insere o poema "A Judia", largamente recitado e aclamado no tempo, *Vésperas* (1880), e obras em prosa.

**Bulhão Pato** (Bilbau, Espanha, 3 de março de 1829-Monte de Itaparica, 24 de agosto de 1912) começa ultrarromântico (*Poesias*, 1850; *Versos*, 1862), e evolui, tangido por uma sátira às vezes cortante, para atitudes realistas e parnasianas (*Paquita*, 1866, sua obra mais conhecida; *Canção da Tarde*, 1866; *Cantos e Sátiras*, 1873; *Hoje – Sátiras, Canções e Idílios*, 1888; *O Livro da Morte – Geórgicas, Líricas*, 1896); escreveu prosa também (*Memórias*, 3 vols., 1894).

**Faustino Xavier de Novais** (Porto, 17 de fevereiro de 1820 – Rio de Janeiro, 16 de agosto de 1869) dirigiu uma folha literária, *O Bardo* (1852-1855) e deixou *Poesias* (1855), *Novas Poesias* (1858) e *Poesias Póstumas* (1870), em que satirizava o Ultrarromantismo derramado e retórico. Cunhado de Macha-

212 • A LITERATURA PORTUGUESA

do de Assis, a ele deveu, ao menos em parte, o relativo êxito de sua poesia entre os literatos brasileiros do tempo.

**Manuel Pinheiro Chagas** (Lisboa, 1842-1895) cultivou a poesia à Castilho, com *Poema da Mocidade* (1865), que motivou a *Questão Coimbrã*, estopim da batalha entre românticos e realistas, o romance (*Tristezas à Beira-Mar*, 1866; *A Flor Seca*, 1866, etc.), o teatro (*A Morgadinha de Val-flor*, 1869, etc.), a historiografia (*História de Portugal*, 8 vols., 1869-1874; *História Alegre de Portugal*, 1893; *Migalhas de História Portuguesa*, 1893) e crítica literária (*Ensaios Críticos*, 1866; *Novos Ensaios Críticos*, 1867). É de interesse episódico e, assim mesmo, em razão de sua obra póetica.

# JOÃO DE DEUS

João de Deus Ramos nasceu em S. Bartolomeu de Messines, a 8 de março de 1830. Em 1849, ingressa no curso de Direito em Coimbra, mas apenas o conclui após dez anos de estúrdia e vadiagem acadêmica. Depois duma estada em Beja, em 1869 é eleito deputado a contragosto e vai para Lisboa: estreia em poesia, nesse mesmo ano, com *Flores do Campo*. Em 1876, publica a *Cartilha Maternal*, dando início a uma intensa ação pedagógica. Venerado como um mestre pelos realistas (especialmente Antero e Teófilo Braga), morreu a 11 de janeiro de 1896, em Lisboa.

A sua obra poética, reuniu-a Teófilo Braga em dois volumes, sob o título de *Campo de Flores*, saídos em 1893, o mesmo fazendo com as suas *Prosas*, vindas a público em 1898. Poeta nato, a vida de João de Deus foi apenas poesia. Lírico de singular vibração interior, pôs-se à margem da falsa notoriedade e dos ruídos da vida literária, mantendo-se até os últimos dias fiel a um desígnio estético (e humano) que lhe transcendia a vontade e a vaidade. Contemplativo por excelência, o seu lirismo é dum "exilado" na terra a mirar vaguidades e por vezes a deixar-se contaminar pelas estimulações do plano concreto.

A sua poesia biparte-se em lírico-amorosa e satírica, conforme os dois volumes de *Campo de Flores*, das quais a primeira é a mais relevante, sobretudo pelas *Canções, Cançonetas, Odes, Idílios* e *Elegias*. O Amor é o motivo permanente na poesia de João de Deus: embora o Ultrarromantismo tenha conduzido os temas amorosos ao limite da pieguice, o poeta consegue insuflar-lhes cargas novas e descobrir-lhes recantos até então pouco ou nada explorados. Para consegui-lo, João de Deus dá um tiro de misericórdia no Ultrarromantismo (inclusive, em 1863, no jornal *O Bejense,* condenara-lhe sumariamente os excessos), e retoma a tradição lírica esquecida, mal-compreendida ou desprezada durante a hegemonia romântica: o lirismo trovadoresco, ou o que dele ficara vivo no curso do tempo, e a poesia lírico-amorosa de Camões.

O poeta integra todo esse magma lírico em sua sensibilidade e, requintando-o até onde seria possível, constrói uma poesia de timbre próprio, acrescentando à tradição os achados do seu excepcional talento lírico. Vem daí que, sendo contrário ao figurino ultrarromântico, não foi realista ou parnasiano, embora vivesse numa época em que a "escola nova" dominava plenamente. Ilhado entre o agonizante Ultrarromantismo e as novas doutrinas, permaneceu fiel a si próprio, ganhou o respeito dos moços da geração de 70, a ponto de identificar-se como o mais romântico de quantos fizeram poesia em Portugal: com efeito, foi necessário que as prescrições estéticas do Romantismo houvessem desaparecido para que um lírico genuíno como João de Deus realizasse a sua poesia com a máxima liberdade, isto é, romanticamente.

Poesia da sedução, da corte ou da comunicação duma vivência amorosa já experimentada ou em curso, adquire cabal expressão nas *Canções, Cançonetas, Odes* e *Idílios.* Nesses poemas, corre um sentimento lírico-amoroso que pressupõe sempre um forte idealismo a conduzir a mente de João de Deus. Tal idealismo, onde ressoa a voz do Camões lírico e o platonismo renascentista, dirige-se à mulher e ao Amor: o poeta busca o sentimento amoroso no extremo de sua pureza abstrata, encarnada na mulher que a sua imaginação cria idealmente. Visão espiritualista da bem-amada, não poucas vezes transformada em verdadeira atitude mística, à custa de diafanizar progressivamente a contemplação amorosa e as palavras que a transmitem. A expectação mística lembra o lirismo medieval, inclusive pelo fato de se contrapor a uma clara tendência realista: o espiritualismo completa-se com a presença de notas eróticas subterrâneas, mas suficientemente escaldantes para afugentar a sentimentalidade romântica e aquecer o poema de modo a emprestar-lhe foros de verdade e tensão interna.

Por outro lado, esse idealismo algumas vezes escolhe caminhos metafísicos para evoluir: e é então que João de Deus, fundamente arraigado na terra e na vivaz experiência da condição humana, faz repercutirem intensas e filosóficas notas elegíacas, sem igual no século XIX, como se pode ver no poema "Vida", um dos marcos da poesia romântica portuguesa, de que se transcrevem alguns versos:

"A vida é o dia de hoje,
A vida é ai que mal soa,
A vida é sombra que foge,
A vida é nuvem que voa;
A vida é sonho tão leve
Que se desfaz como a neve
E como o fumo se esvai".

João de Deus ainda compôs poesia satírica (2º vol. de *Campo de Flores*), mas sem manter a chama criativa: embora revele a mesma fluência e o mesmo propósito da poesia lírica, sofre das limitações inerentes a essa espécie de lirismo e a toda poesia de circunstância. Fruto de incomum facilidade em versejar, nada lhe acrescenta ao nome.

Poeta instintivo, quase só sensibilidade, e sensibilidade sutilmente refinada, utilizava uma linguagem sóbria, fluida, límpida, como se as palavras e o correspondente arranjo rítmico brotassem dum movimento automático semelhante à respiração. Não obstante, com recursos aparentemente fáceis e simples, alcançou expressar como ninguém a diafaneidade e a espontaneidade do convívio amoroso. As sensações mais vulgares do trato amoroso, os eflúvios mais inefáveis adquirem voz e ganham transubstancial espiritualidade, obrigando as palavras a se despojarem do seu envoltório formal e do seu conteúdo lógico para se transformar em símbolos ou "correspondências" à Baudelaire, empregados por uma sensibilidade privilegiada que desvenda os segredos ocultos no idílico encontro entre o seu possuidor e a mulher. Do ângulo poético, a obra de João de Deus é o melhor que o Romantismo português suscitou, mas, por um conjunto de fatores, a sua hora ainda não soou: a crítica não lhe fez, até hoje, cabal justiça.

# JÚLIO DINIS

Pseudônimo de Joaquim Guilherme Gomes Coelho, nasceu no Porto, a 14 de novembro de 1839. Formado em Medicina em 1861, entra para o magistério

ROMANTISMO • 215

universitário na Escola Médico-Cirúrgica do Porto, mas vê-se obrigado a abandoná-lo por motivo de doença: a tuberculose. À procura de saúde, retira-se para Ovar, nos arredores da cidade natal, e para a Ilha da Madeira. Falece precocemente, a 12 de setembro de 1871, no Porto.

Júlio Dinis cultivou o teatro (*Teatro Inédito*, 3 vols., 1946-1947), a crítica literária (*Inéditos e Dispersos*, 2 vols., 1910), a poesia (*Poesias*, 1873-1874), o conto (*Serões da Província*, 1870), o romance (*As Pupilas do Sr. Reitor*, 1867; *A Morgadinha dos Canaviais*, 1868; *Uma Família Inglesa*, 1868; *Os Fidalgos da Casa Mourisca*, 1872). Desses aspectos é a prosa de ficção, especialmente os romances, que guarda interesse, para além do seu tempo; o restante corresponde a enganadores pruridos numa vocação de autêntico ficcionista.

À semelhança de Camilo, mas colocando-se em posição diametralmente oposta, Júlio Dinis cultivou o romance do namoro. Várias causas objetivas podem ser lembradas: primeiro, o conhecimento direto de romancistas ingleses (Richardson, Fielding e outros), graças à educação britânica, pois sua mãe era de ascendência irlandesa e inglesa; segundo, uma formação científica e positiva; terceiro, a impressão que lhe causou a leitura de *Os Contos do Tio Joaquim*, de Rodrigo Paganino, efetuada durante uma de suas estadas em Ovar. Derivam dessas contingências as características principais da sua ficção.

Exceto *Uma Família Inglesa*, uma risonha e mais ou menos autobiográfica análise da burguesia do Porto, os demais romances transcorrem no campo. A Natureza, sobretudo aquela intocada pela mão do homem, é sempre o remansoso cenário para o desenrolar macio de vidas desambiciosas e tranquilas, guiadas por enraizadas certezas na bondade humana e numa ordem e justiça de extração divina. Respira-se em tudo um ar de saudável horacianismo, de elogio à Rousseau das virtudes ingênuas e primitivas, longe do contato amolecedor da civilização. Nessa paisagem, paradoxalmente vista com o otimismo dum homem encantado com a existência, cheio de alegria de viver, Júlio Dinis situa um emaranhado caso amoroso, como pedia a própria concepção do romance oitocentista, mas que flui mansamente, velado, sem grandes sobressaltos, gestos teatrais ou os paroxismos que já conhecemos em Camilo. Em lugar da obsedante paixão camiliana, o romancista coloca o amor, sentimento mais da alma que dos sentidos, que não arrasta nem à morte nem à desesperança. Ao contrário, conduz a objetivos de espiritual e moralizante beleza, uma vez que os namorados se entregam ao jogo amoroso guiados por inabaláveis princípios éticos, que ditam apenas sentimentos puros e espontâneos. Tudo se passa como se a plenitude existencial somente pudesse alcançar-se através do amor calcado em sólidas bases morais.

Com isso, o leitor acompanha as pugnas inocentes dum sentimento amoroso sem tragédia nem lances despropositados ou melodramáticos, vivido por criaturas ricas de bondade natural, que acreditam no amor como o supremo bem. E que se comportam com saudável e otimista ingenuidade, quase infantil, como se perpetuamente houvesse esperança de paz para o Homem e o mal fosse apenas um equívoco, falta de entendimento entre os caracteres ou de oportunidade de encontrar o verdadeiro caminho do bem. Por isso, Júlio Dinis tornou-se uma espécie de romancista *doublé* de pedagogo, com livre acesso em todas as camadas sociais e idades. Muito do seu prestígio, ainda vivo no fato de ser continuamente lido, provém desse moralismo sorridente, fleumático e compreensivo.

Os romances de Júlio Dinis armam-se sobre uma tese moral e teleológica, na medida em que pressupõem uma melhora, embora remota, para a espécie humana, frontalmente contrária à desesperação e ao amoralismo cético dos ultrarromânticos. Para assentar suas ideias e corporificá-las nos romances, o ficcionista lança mão de estruturas romanescas lineares, de reportagem social apoiada numa linguagem coerente, lírica, diáfana, de imediata comunicabilidade. A história de amor entre as personagens organiza-se em torno de mal-entendidos que se resolvem, ou da transformação delas em face das belezas do campo, conduzindo sempre a um epílogo feliz, que culmina no casamento, ao invés da novela camiliana. Ainda contrariamente a Camilo, Júlio Dinis não considera a heroína como "mulher-demônio", mas como "mulher-anjo", fada ou samaritana, plena de virtudes e capaz de recuperar, com a sua mansuetude, o mais empedernido dos homens da cidade.

Na descrição da paisagem natural, no desenho das personagens e dos costumes burgueses do tempo, realizados com vigor e simpatia de quem os conhecia na intimidade, revela-se Júlio Dinis um ficcionista essencialmente preocupado com o que vê, antes do que com o que imagina. E o modo como procede é o dum realista ainda enquadrado no espírito romântico, como pedia a tradição do romance, inaugurada pelos ingleses no século XVIII: os dados que lhe servem para compor as narrativas são extraídos da realidade viva, observada diretamente, mas a tese que defende é ainda romântica. Colocado, assim, entre as duas estéticas, Júlio Dinis mostra-se legítimo precursor do Realismo: neste fato reside outra de suas mais singulares características.

O mais significativo de quanto Júlio Dinis escreveu está em *As Pupilas do Sr. Reitor* e *A Morgadinha dos Canaviais,* romances ainda lidos e apreciados atualmente, e em que o ficcionista concentrou, de modo feliz e equilibrado, as suas peculiaridades humanas e estéticas. Neles, o escritor defende a tese segundo a qual a bem-aventurança só existiria no regresso ao campo e à vida simples que ali é possível levar. Refletindo, certamente, o seu caso pessoal, Júlio Dinis não despreza o progresso trazido pela industrialização e pela busca de conforto material, mas deles considera válido apenas aquilo que concorre para a felicidade do homem no cenário campesino, sem lhe alterar absolutamente o *modus vivendi*. Procura, com isso, uma aliança, nem sempre possível de alcançar, entre ciência e ingenuidade. Contudo, agiu com tal flagrância que não estranha a mesma tese volte a ser posta em discussão por outros escritores, como Eça de Queirós em *A Cidade e as Serras,* ainda que com diverso colorido e diversa intenção.

As obras de Júlio Dinis contêm aspectos de conteúdo que não envelheceram, a par dum lirismo comovido e duma autêntica vocação de romancista, aos quais o leitor não pode, em sã consciência, ficar indiferente. Tudo isso constitui razão suficiente para se afirmar que Júlio Dinis e Camilo são os dois grandes ficcionistas portugueses românticos, a despeito das diferenças entre ambos. Na verdade, cada qual em seu terreno e com os próprios recursos, colaboraram para criar a melhor ficção portuguesa do Romantismo.

Quando o terceiro momento romântico chega ao fim, patenteia-se a formação duma nova geração, iconoclastamente antirromântica e desejosa de acompanhar de perto o ritmo europeu das ideias, mais uma vez de origem francesa. É a época do Realismo e do Naturalismo que se inicia.

# VIII

## REALISMO

## (1865-1890)

### PRELIMINARES

Nos anos seguintes a 1860, desencadeia-se profunda reviravolta na vida mental portuguesa: o Romantismo, exausto, agonizante como estilo de vida e de arte, embora presente em muitas de suas facetas, sofre os primeiros ataques por parte da nova geração. Mais uma vez é Coimbra que serve de trincheira para os revolucionários, com a diferença de que o grito rebelde parte agora da massa estudantil, alvoroçada pelas ideias vanguardeiras dum Proudhon, dum Quinet, dum Taine, dum Renan e outros. Em 1861, Antero de Quental funda a *Sociedade do Raio,* associação secreta que congrega cerca de duzentos estudantes da Universidade de Coimbra, com o objetivo de instaurar a aventura, a anarquia, a insubordinação, no âmbito do convencionalismo acadêmico. Em outubro do ano seguinte, escolhido para saudar o Príncipe Humberto da Itália, Antero exalta a Itália livre e Garibaldi, então ferido em combate, num significativo gesto de audácia e rebeldia.

A *Sociedade do Raio* ainda vai agir no ano seguinte, raptando o Reitor Basílio Alberto e obrigando-o a renunciar às suas funções. Empolgados pelas novas ideias revolucionárias, em 1864 Teófilo Braga publica dois volumes de versos, a *Visão dos Tempos* e as *Tempestades Sonoras,* e em 1865, Antero edita as *Odes Modernas:* era a gota que faltava. Neste ínterim, Pinheiro Chagas escreve o *Poema da Mocidade* e procura o amparo de Castilho, seu mestre nas Letras. Cheio de entusiasmo, o poeta das *Cartas de Eco e Narciso* remete longa carta ao editor da obra, a qual foi acrescentada em forma de posfácio na edição que dela se fez em 1865.

Na missiva, ao mesmo tempo que se refere calorosamente ao fiel discípulo, dirige-se com desagrado aos moços de Coimbra, em especial Antero e Teófilo, aos quais acrescenta Vieira de Castro,[1] afirmando que

> "muito há que me eu pergunto a mim donde proviria esta enfermidade que hoje grassa por tantos espíritos, de que até alguns dos mais robustos adoecem, que faz com que a literatura, e em particular a poesia, anda marasmada, com fastio de morte à verdade e à simplicidade, com o olhar desvairado e visionário, com os passos incertos, com as cores da saúde trocadas em carmins postiços", etc.

Mais adiante, diz: "Lembra-me que uma das causas a que o mal se poderá atribuir será a falta de convivência mútua destes pobres mancebos, que, tendo sido pela natureza predestinados, se fazem precitos; que, talhados para resplandecerem no panteão daqueles gênios, que os séculos ficam adorando, se condenam às trevas próximas do limbo", etc.

Dirigindo-se à poesia do tempo, Castilho pondera: "Se a afetação e a enfatuação, se a falsa grandeza, que não é senão tumidez ventosa, se a ambição e incongruência dos ornatos, se as palavras em lugar de coisas, as argúcias em vez de pensamentos, a sobejidão nauseabunda anteposta à parcimônia que sustenta e robustece, e o relampaguear havido por alumiar, se tudo isto combinado em diversas proporções, segundo variam as índoles, as horas, ou o grau da doença dos escritores, constitui em resumo a desgraça de muitíssima da nossa poesia atual, parece logo que o tratamento per si se está aconselhando", etc.

E mais adiante: "Quem não vê que vem tornando a contagiosa escola dos conceitos, das sutilezas, das vanidades discretas, dos alambicamentos metafísicos, das bátegas de flores, de pérolas, de diamantes, das mariposas, das estrelas, das asas de anjos; a anarquia, o turbilhão enfim de todas quantas imagens udas e miúdas há, e pode, e não pode haver, para usurparem o lugar devido

---

[1] José Cardoso Vieira de Castro (1838-1872), de curta e desgraçada vida, notabilizara-se como orador ainda quando estudante em Coimbra, razão por que Castilho o menciona ao lado dos dois poetas. Seus *Discursos Parlamentares* publicaram-se em 1896.

aos pensamentos e aos afetos; a mascarada das figuras em suma, as saturnais da fantasia, a soltura das florais?" A insinuação vai por aí fora, até que o missivista passa a tratar diretamente dos três moços de Coimbra, e por fim resume o seu pensamento: "Deixando de parte, por agora, Braga e Quental, de que, pelas alturas em que voam, confesso, humilde e envergonhado, que muito pouco enxergo nem atino para onde vão, nem avento o que será deles afinal", etc.

Antero, líder do grupo a que Castilho se refere acremente, de pronto revida as alusões que lhe são dirigidas, num opúsculo que recebeu o nome de *Bom-Senso e Bom Gosto,* saído no mesmo ano de 1865. Falando em "escola de Coimbra", e à luz da boa fé, afirma:

"eu hei de sempre ver uma péssima ação, digna de toda a importância dum castigo, nas impensadas e infelizes palavras de V. Exª, dignas quando muito dum sorriso de desdém e do esquecimento.

E se eu nem sequer me daria ao incômodo de erguer a cabeça de cima do meu trabalho para escutar essas palavras, entendo que não perco o meu tempo, que sirvo a moral e a verdade, censurando, verberando a desonesta ação de V. Exª."

Assim, com a violência entusiasmada dos vinte e cinco anos, Antero faz a súmula do pensamento que orienta a sua geração:

"combatem-se os hereges da escola de Coimbra por causa do negro crime de sua dignidade, do atrevimento de sua retidão moral, do atentado de sua probidade literária, da impudência e miséria de serem independentes e pensarem por suas cabeças. E combatem-se por faltarem às virtudes de respeito humilde, às vaidades onmipotentes, de submissão estúpida, de baixeza e pequenez moral e intelectual."

O desagravo termina irreverentemente:

"Levanto-me quando os cabelos brancos de V. Exª passam diante de mim. Mas o travesso cérebro que está debaixo e as garridas e pequeninas cousas que saem dele confesso não merecerem, nem admiração, nem respeito, nem ainda estima. A futilidade num velho desgosta-me tanto como a gravidade numa criança. V. Exª precisa menos cinquenta anos de idade, ou então mais cinquenta anos de reflexão."

222 • A LITERATURA PORTUGUESA

Estava armada a polêmica, que passou a chamar-se pelo título do folheto anteriano, ou ainda pela de *Questão Coimbrã*. Em defesa do pai, sai a campo Júlio de Castilho, seguido por Teófilo Braga, com um folheto intitulado As *Teocracias Literárias,* e Antero, com *A Dignidade das Letras e as Literaturas Oficiais.* Formam-se dois partidos, um, pró-Castilho e outro, pró-Antero, que vão engrossando durante os anos de 1865 e 1866, inclusive estendendo-se até o Brasil, com a adesão de D. Pedro II e Sílvio Romero. O número de opúsculos ascende a algumas dezenas entre as duas facções, integradas ainda por escritores como Camilo, com o folheto *Vaidades Irritadas e Irritantes,* a favor da causa romântica, mas a pedido de Castilho; Ramalho Ortigão, com *Literatura de Hoje,* contra Antero, o que obriga este a desafiá-lo em duelo e com ele se bater em fevereiro de 1866; Augusto Malheiro Dias, Amaro Mendes Gaveta, pseudônimo de Cunha Belém, Urbano Loureiro, Diogo Bernardes, Brito Aranha, Rui de Porto-Carrero, E. A. Salgado, Carlos Borges, Eduardo Augusto Vidal e tantos outros.

Com a *Questão Coimbrã,* definia-se a crise de cultura que inaugura o Realismo em Portugal. A vitória sorri aos moços, mas era preciso que voltassem à carga mais adiante a fim de consolidar as suas posições. A derrota de Castilho significava apenas o golpe de morte no Romantismo: nem era necessário tanto ruído para abater as modas envelhecidas; bastava aguardar os anos, mas é condição da juventude o intuito de pôr abaixo estrepitosamente os velhos ídolos e bonzos. Não obstante, Castilho continuaria pelos anos fora a exercer influência, mais ou menos clandestina, ou indireta, como se pode observar na poesia de Eugênio de Castro e de outras figuras do século XX.

Formados em Coimbra, os participantes da revolta anticastilhista e antirromântica, dispersam-se e só voltam a reunir-se em Lisboa, em 1868, no grupo do *Cenáculo.* Em casa de Jaime Batalha Reis (1847-1935), realizam encontros periódicos: Eça de Queirós, Antero, Oliveira Martins, Ramalho Ortigão, Salomão Sáragga, Santos Valente, Mariano Machado de Faria e Maia, José Eduardo Lobo da Costa, e outros que aparecem menos. Congrega-os uma "escandalosa fornalha de Revolução, de Metafísica, de Satanismo, de Anarquia, de Boêmia feroz", como lembra Eça de Queirós no retrato que pintou de Antero numa página de rara beleza, intitulada *Um gênio que era um santo.*

Em 1871, os integrantes do *Cenáculo* resolvem organizar um ciclo de conferências públicas, com o fito de colocar em discussão franca os problemas e as questões de ordem ideológica que então interessavam à gente culta da

Europa e da América do Norte. Para tanto, alugam o Cassino Lisbonense, uma espécie de café-concerto onde se reúne a boêmia áurea do tempo, para ver o *can-can* e ouvir cançonetas picantes. Situado a dois passos do Chiado, artéria elegante de Lisboa, era o lugar ideal para levar a efeito o cometimento. Depois de anunciadas enfaticamente, sobretudo pelo jornal A *Revolução de Setembro*, a 16 de maio de 1871 distribuía-se o programa-plataforma das conferências, intituladas *Conferências Democráticas Estabelecidas na Sala do Cassino, Largo da Abegoaria*. Mais tarde, passaram a chamar-se *Conferências do Cassino Lisbonense*. Entre outras considerações, a plataforma apregoava o seguinte:

> "Ninguém desconhece que se está dando em volta de nós uma transformação política, e todos pressentem que se agita, mais forte que nunca, a questão de saber como deve regenerar-se a organização social. [...]
> Abrir uma tribuna, onde tenham voz as ideias e os trabalhos que caracterizam este movimento do século, preocupando-nos sobretudo com a transformação social, moral e política dos povos;
> Ligar Portugal com o movimento moderno, fazendo-o assim nutrir-se dos elementos vitais de que vive a humanidade civilizada;
> Procurar adquirir a consciência dos fatos que nos rodeiam, na Europa;
> Agitar na opinião pública as grandes questões da Filosofia e da Ciência moderna;
> Estudar as condições da transformação política, econômica e religiosa da sociedade portuguesa;
> Tal é o fim das Conferências Democráticas."

Doze assinaturas leva o documento: Adolfo Coelho, Antero de Quental, Augusto Seromenho, Augusto Fuschini, Eça de Queirós, Germano Vieira Meireles, Guilherme de Azevedo, Jaime Batalha Reis, J. P. Oliveira Martins, Manuel de Arriaga, Salomão Sáragga e Teófilo Braga.

A 22 de maio de 1871, Antero abre a série de palestras com *O Espírito das Conferências,* que consiste em agitar ideias que colocassem novamente Portugal no ritmo da cultura europeia do tempo. A conferência seguinte, a 27 de maio, *Causas da Decadência dos Povos Peninsulares nos Últimos Três Séculos,* é ainda de Antero, que acreditava fossem três as causas do fenômeno: primeira, o Catolicismo do Concílio de Trento; segunda, o Absolutismo; terceira, as Conquistas. Para remediar o mal, Antero propugna pela Revolução: "o Cristia-

224 • A LITERATURA PORTUGUESA

nismo foi a Revolução do mundo antigo: a Revolução não é mais do que o Cristianismo do mundo moderno".

A terceira conferência, efetuada a 5 de junho, por Augusto Seromenho, intitula-se A *Literatura Portuguesa,* e nela o orador afirma a decadência da Literatura Portuguesa por falta de originalidade e gosto, evidente na poesia, no romance, no drama e na crítica que então se praticavam em Portugal. Para remediar a situação, aponta o caminho do Cristianismo, entendido como essencialmente diverso do Catolicismo.

Cabe a Eça de Queirós proferir, a 6 de junho, a quarta conferência, sob o título de A *Literatura Nova (O Realismo como Nova Expressão da Arte).* Apoiando-se nas ideias de Proudhon, prega a revolução que se vinha operando na política, na ciência e na vida social. Para tanto, havia que considerar a Literatura um produto social, condicionado a determinismos rígidos. A fim de ilustrar suas observações, Eça critica acerbamente o Romantismo por fugir ao novo conceito de Arte, ao mesmo tempo que defende o Realismo, como a corrente estética que realiza o consórcio entre a obra de arte e o meio social. Courbet, na pintura, Flaubert, na ficção, servem-lhe de exemplo.

A quinta conferência, sob o título de A *Questão do Ensino*, é proferida a 19 de junho, por Adolfo Coelho. Após discorrer acerca da necessidade e dos fins do ensino, passa a examinar-lhe as formas e tipos, e por fim, a organização em Portugal. No mesmo diapasão dos antecessores, o conferencista afirma a decadência do ensino como resultante da aliança entre a Igreja e o Estado. Para resolver o problema, entende que urge operar-se a separação entre ambos e promover a liberdade do pensamento.

A sexta conferência, de autoria de Salomão Sáragga, gravitaria ao redor de *Os Historiadores Críticos de Jesus,* mas não se realizou: as conferências tinham sido suspensas, acoimadas de exporem e sustentarem "doutrinas e proposições que atacam a religião e as instituições políticas do Estado; e sendo certo que tais fatos, além de constituírem um abuso do direito de reunião, ofendem clara e diretamente as leis do reino e o código fundamental da monarquia, que os poderes públicos têm a seu cargo manter e fazer respeitar", como rezava a portaria do Marquês d'Ávila e de Bolama, de 26 de junho de 1871, afixada nas portas do *Cassino Lisbonense.*

Tolhidos de surpresa, os organizadores das conferências protestam veementemente pelos jornais, por folhetos avulsos, dentre os quais sobressai o de

Antero, intitulado *Carta ao Exmo. Sr. Antônio José d'Ávila, Marquês d'Ávila, Presidente do Conselho de Ministros,* e por requerimentos solicitando fosse julgado em tribunal o seu direito de reunião. Tudo em vão. No calor dos protestos, Alexandre Herculano abandona o silêncio de seu "exílio" em Val-de-Lobos e escreve uma carta, intitulada *A Supressão das Conferências do Cassino,* em que se coloca inteiramente contra a suspensão das conferências, embora discorde de algumas ideias de seus patrocinadores. Como sempre, não faltou quem aplaudisse o ato governamental, como fez Pinheiro Chagas.

Com terem sido definitivamente suspensas, ficaram sem efeito outras que estavam programadas: o *Socialismo,* por Jaime Batalha Reis, *A República,* por Antero, *A Instrução Primária,* por Adolfo Coelho, *A Dedução Positiva da Ideia Democrática,* por Augusto Fuschini. Todavia, o espírito revolucionário que as animava, esse não morreu; aliás, ganhou força de coisa proibida e atraiu uma legião de adeptos, a tal ponto que o ano de 1871 assinala a vitória decisiva das ideias realistas em Portugal, pouco depois consolidada com a publicação, em 1875, de O *Crime do Padre Amaro,* de Eça de Queirós.

Ao grande impacto provocado pela narrativa de fundo anticlerical, seguiu-se o aparecimento de obras teóricas acerca das questões estéticas levantadas pelo novo movimento literário. Na verdade, como raramente aconteceu em Literatura Portuguesa, à instalação da ideologia realista sucedeu a proliferação de textos doutrinários: *Do Realismo na Arte* (1877) e *Estética Naturalista* (1885), de Júlio Lourenço Pinto (1842-1907), *Júlio Dinis e o Naturalismo* (1884), de José Antônio dos Reis Dâmaso (1850-1895), *Do Realismo na Arte* (5ª ed., 1877) e *Realismo* (1880), de Antônio José da Silva Pinto (1848-1891), *Ensaios de Crítica e Literatura* (1882), de Alexandre da Conceição (1842-1889), *A Escola Realista e a Moral* (1880), de Carlos Alberto, *Notas e Impressões* (1890), de Luís Cipriano Coelho de Magalhães (1859-1935), e outros.

A geração realista (também chamada "geração coimbrã" ou "geração de 70"), dispersou-se logo depois da supressão das conferências do Cassino Lisbonense, e não mais voltou a reunir-se para lutar pela implantação do moderno pensamento filosófico e científico em Portugal. Entre 1871 e 1887, essa esplêndida geração – a única que a rigor merece o rótulo dentro da Literatura Portuguesa – atinge o apogeu de suas realizações, aglutinada fervorosamente em torno do mesmo objetivo e rezando pela mesma cartilha filosófica e científica, baseada nos ensinamentos de Taine, Proudhon, Darwin, Spencer, Hegel e

226 • A LITERATURA PORTUGUESA

outros. Nesses anos, ainda embalados pelo êxito recente e pelo arrojo próprio da juventude, sentem-se identificados por ardente fúria iconoclasta, dirigida contra o espírito romântico sentimental e hipócrita, que consideram produto das três instituições necessitadas de urgente reforma, a Monarquia, a Igreja e a Burguesia. Antimonárquicos, defendem princípios republicanos e socialistas, anticlericais e antiburgueses.

Entretanto, em fins de 1887 e princípios de 1888, alguns deles voltam a integrar com outros mais o grupo de Os *Vencidos da Vida*. Título inesperado e ambíguo, designa uma geração de "vencedores" agora reunidos tão somente para confraternizar e divertir-se em lautos banquetes, numa volúpia de viver possivelmente destinada a servir de lição aos mais novos. Lá no fundo, porém, nota-se um travo de amargura e melancolia, que o riso e a pilhéria mal disfarçam. Animava-os, certamente, o sentimento de haverem conseguido levar a cabo o intento da juventude, isto é, arrasar Portugal, com a crítica e a ironia, não sem descobrir que, ao fazê-lo, também se haviam esmagado. Congraçando-se festivamente, Oliveira Martins, Guerra Junqueiro, Antônio Cândido, Luís de Soveral, Carlos Lobo d'Ávila e Conde de Arnoso, Ramalho Ortigão, Conde de Sabugosa, Eça de Queirós, Carlos Mayer, apenas testemunham a agonia da revolução realista e o surgimento duma onda de revolta contra eles, à semelhança da que provocaram em 1865.

Para impedi-la, e resistir ao naufrágio iminente, só lhes restava construir algo que fosse coerente com os ideais de 1865 e 1871. Obra de otimismo e de estimulação do patriotismo adormecido, é o que procuram erguer a partir dessa tomada de consciência, sem perceber que concordavam tacitamente com os pressupostos estéticos da falange simbolista, tendo à frente Eugênio de Castro, na década de 90.

Curiosa coincidência essa, que embaralha o panorama literário entre 1890 e 1915, mas sem comprometer o saldo positivo deixado pelo Realismo; este, tornou-se inquestionavelmente um dos mais expressivos momentos da cultura portuguesa, quer por sua ação benéfica sobre as consciências estagnadas do tempo, quer pelas obras literárias cujo aparecimento condicionou.

ORIGENS DO REALISMO – Ressalvado o caso das notas objetivas encontráveis nos romances de Júlio Dinis, e que devem pôr-se na conta de influência inglesa e de outras causas pessoais, o Realismo é de origem francesa. Além do que a ficção de Stendhal e de Balzac já continha de atitude antirromântica, as primeiras manifestações de grande importância datam de 1850 e 1853, anos em que, respectivamente, Gustave Courbet (1819-1877) expôs, não sem escândalo, duas de suas célebres telas realistas: *Enterro em Ornans* e *As Banhistas*. Independente, revoltado contra a pintura imaginativa do Romantismo, procurando nos seus quadros "traduzir os costumes, as ideias, o aspecto de [sua] época [...], fazer arte atual", Courbet realiza em 1855, como represália a ter sido parcialmente recusado na Exposição Universal de Paris, uma exposição de quarenta e uma telas sob o título de *O Realismo,* em cujo catálogo explica o porquê do rótulo: "O título de realista me foi imposto, como impuseram aos homens de 1830 o título de românticos." Numa conferência pronunciada em Anvers, em 1861, o artista diria que "o núcleo do Realismo é a negação do ideal. *O Enterro em Ornans* foi o enterro do Romantismo".

O esforço realista de Courbet vinha secundado por alguns escritores que defendiam idêntico ponto de vista. Henri Murger (1822-1861) oferecia nas *Cenas da Vida Boêmia* (1848) um retrato fiel dos meios artísticos do tempo. Champfleury, pseudônimo de Jules Hudson (1821-1888), fizera algo de semelhante com a narrativa *Chien-caillou* (1847-1848) e outras no gênero, sem contar com o seu manifesto, *O Realismo,* que veio à estampa em 1857, e a publicação do jornal *Gazette,* para defesa e ilustração do movimento: aliando-se a Courbet e apoiando-lhe a pintura, Champfleury tornou-se o verdadeiro campeão do realismo na arte. Ainda resta lembrar Duranty (1833-1880), discípulo de Champfleury, que funda em 1856 uma revista de combate, *O Realismo,* de efêmera duração. Quando, no ano seguinte, Flaubert publica *Madame Bovary* – análise impiedosamente certeira da hipocrisia romântica e burguesa –, o Realismo pode-se considerar definido na França. Em 1867, com a publicação de *Thérèse Raquin,* Zola inaugura o Naturalismo, metamorfose avançada da estética realista.

Todavia, é preciso compreender que a arte realista, em obediência ao próprio espírito anárquico alardeado, vinha inserida num contexto cultural que é preciso ter em mente, ao menos nas linhas gerais, quando se pretende conhecê-la e julgá-la.

A revolução de 1848, seguida do estabelecimento da 2ª República em França e do sufrágio universal, corresponde a ampla transformação cultural. Nesse mesmo ano, Ernest Renan (1832-1892) escreve o *Futuro da Ciência,* grosso manuscrito contendo um ato de fé no valor da ciência, que o escritor só publica em 1890; em 1863, lança a *Vida de Jesus,* com a mesma pulsão humanitária e a mesma fidelidade científico-histórica. Augusto Comte (1798-1857) cria o Positivismo com o *Curso de Filosofia Positiva,* publicado em seis volumes, entre 1830 e 1842.

Apresentando uma sistematização do conhecimento humano em forma de pirâmide, cujo vértice seria ocupado pela Sociologia, Comte defende a importância fundamental da Ciência para a vida do homem em sociedade. Para tanto, propugna pelo abandono da Teologia e da Metafísica, em favor duma orientação intelectual voltada para o conhecimento "positivo" da realidade, isto é, concreto, objetivo, passível de análise e experimentação, de forma que, com base no bom senso, se procure saber o "como" das coisas em vez do "porquê".

Refletindo a doutrina positiva, Proudhon (1809-1865) constrói as bases do pensamento socialista, por meio de jornais e de obras como *Filosofia do Progresso* (1835), *Princípios de Organização Política* (1843), *Sistemas das Contradições Econômicas* (1846) e *Teoria da Propriedade* (1866). Ainda com fundamento nas ideias de Comte, Hipólito Taine (1828-1893) tornou-se o verdadeiro teórico do Realismo e do Naturalismo: especialmente no prefácio da *História da Literatura Inglesa* (1864) e na *Filosofia da Arte* (1865-1869), expôs a sua teoria determinista da obra de arte, cuja existência obedeceria a leis inflexíveis: a da *herança ("race"),* do *meio ("moyen")* e do *momento ("moment"),* e ao fator dominante, embora variável, que denomina *faculté maîtresse* (faculdade mestra), "consequência da psicologia do indivíduo".

Contemporaneamente, Darwin (1809-1882) publica *A Origem das Espécies* (1859), uma verdadeira revolução no campo das ciências, sobretudo as biológicas; e Claude Bernard (1813-1878) publica uma *Introdução ao Estudo da Medicina Experimental* (1865), que tanta influência exerceu sobre Zola desde *Thérèse Raquin* (1867). Resta ainda considerar as ideias filosóficas de Schopenhauer (1788-1860), de tão relevante presença no pensamento europeu do século XIX: sem negar a Ciência, o pensador alemão pessimistamente considera que o homem, submetido a determinismos morais, é por natureza fadado à dor e ao sofrimento, o mundo, um imenso palco de falaciosas ilusões, e a pouca alegria conquistada resulta dum esforço doloroso que logo a destrói.

Todo esse quadro cultural, aqui apenas esboçado, serviu de esteio para as doutrinas realistas e naturalistas e, portanto, para as obras escritas com o intuito de experimentá-las e realizá-las em arte.

CARACTERÍSTICAS DO REALISMO – Antes de passar às características do Realismo, é preciso ponderar o seguinte: *atitudes* realistas houve sempre, desde que surgiu a arte, mas a *moda* realista aparece nos fins do século XIX, e é dela que estamos tratando no momento. Por isso, quando falamos em Realismo, estética realista e cognatos, queremos referir-nos a um momento específico e diferenciado da história das literaturas europeias e americanas. Ainda: por mais semelhanças que se possam estabelecer entre as atitudes realistas e a moda realista, separa-as uma grande distância, correspondente ao fato de as primeiras serem assumidas num sentido demasiado amplo, e a segunda, num sentido rigoroso e definido. Com vistas a exemplificar a distinção, confronte-se o "realismo" dum Rabelais com o dum Flaubert, ou com o Naturalismo de Zola, e do confronto salta logo uma diferença: o primeiro é incidentalmente realista, quer dizer, apenas no caso em que se toma o vocábulo "realismo" com a significação primária de imagem crua das realidades, sobretudo daquelas que dizem respeito à vida dos instintos; enquanto os outros dois aderiram ao enfoque realista baseados em determinado programa estético, que pressupõe estreito vínculo entre a Arte, a Ciência e a Filosofia.

Por outro lado, é necessário não esquecer que entre o Realismo e o Naturalismo existem pontos de contato suficientes para justificar que alguns estudiosos os considerem, equivocadamente, um pelo outro ou que os liguem por um hífen formando uma palavra composta. Embora até certo ponto seja plausível tal procedimento, na verdade há diferenças nítidas entre as duas tendências, que serão focalizadas mais adiante, quando se tratar do romance realista e do naturalista. Com isso, fica entendido que as características apontadas a seguir referem-se à faixa comum entre o Realismo e o Naturalismo.

Primeiro que tudo, os realistas reagiram violenta e hostilmente contra tudo quanto se identificava com o Romantismo. Antirromânticos confessos, pregavam e procuravam realizar a filosofia da objetividade: o que interessa é o objeto, o *não eu*. Para alcançar concentrar-se no objeto, tinham de destruir a sentimentalidade e a imaginação romântica e trilhar a única via de acesso à realidade objetiva: a Razão, ou a inteligência. Eram, portanto, racionalistas, o que tornava o racionalismo a segunda grande característica do movimento. Mas a busca de uma visão racional do mundo, no encalço da *verdade,* impessoal e universal, implicava um conceito específico de realidade: à pergunta – *que é real?* – respondiam: – o que está fora de nós como objeto, e pode ser

230 • A LITERATURA PORTUGUESA

captado pelos sentidos; em suma, o *real sensível*. Para realizar o seu desiderato, abandonaram as preocupações teológicas e metafísicas por considerá-las subjetivas, egocêntricas, e aderiram à ciência, forma de conhecimento objetivo da realidade efetuado com o apoio das faculdades racionais. O dado positivo, como ensinava Comte, substitui agora o idealismo romântico: só interessa o que pode ser observado, documentado, analisado, experimentado, inclusive a vida psíquica, porque sujeita às mesmas leis da vida fisiológica, a ponto de haver entre elas um íntimo paralelismo, o então chamado paralelismo psicofisiológico.

No plano político, eram republicanos e não raro socialistas, inclusive aceitando teorias deterministas e científicas para a interpretação da História: antimonárquicos, antiburgueses e anticlericais, diametralmente opostos às crenças ideológicas em voga no Romantismo.

Adeptos de Taine, aceitavam que a obra de arte está condicionada ao *ambiente*, à *herança* e ao *momento*. Dessa forma, entendiam que todo ser vivo estaria à mercê das mesmas leis universais que regem os seres inanimados, de modo que o homem também se submeteria às condições gerais de vida existentes no planeta. Mais ainda, colocar-se-ia em pé de igualdade com a natureza bruta: "A ciência prova que as condições de existência de todo fenômeno são as mesmas nos corpos vivos e nos corpos brutos" (Zola 1880: 15). Com isso, o homem deixava de ser considerado o centro do Universo e a medida de todas as coisas – como pedia o Romantismo –, para se transformar numa engrenagem do mecanismo cósmico, com as mesmas funções e regalias que as demais peças, pertencentes a qualquer dos reinos, vegetal, animal ou mineral. Enfim, uma concepção mecanicista do homem, que transitou para a literatura com todas as suas consequências.

A obra literária passou a ser considerada utensílio, arma de combate, de reforma e ação social. Repudiando o reinado da "Arte pela Arte" ou da arte desinteressada e egocêntrica, os realistas pregavam a arte compromissada, ou *engagée*. Endeusando a Ciência como o caminho perfeito para a solução dos problemas humanos, acreditavam que a poesia devesse estar a serviço das causas redentoras do homem e não da confissão estéril de vagos estados de alma: pregava-se a *poesia científica* e a revolucionária, a poesia panfletária e polêmica. Por sua vez, os romancistas faziam obra de tese: como o cientista, em seu laboratório, empreende seguidas experimentações, objetivando provar

REALISMO • 231

uma teoria, o ficcionista deveria valer-se do romance para demonstrar a pertinência duma tese antes defendida e revelada pela Ciência. Por isso, seu intuito consistiria na demonstração de que tais personagens, vivendo em tal meio, em tais circunstâncias e carregando determinada carga genética, necessariamente teriam de comportar-se de certo modo. Como ainda diz Zola, "um romance experimental [...] é simplesmente o processo-verbal da experiência, que o romancista repete sob os olhos do público" (p. 8).

Desse modo, por meio da arte, a funcionar como espelho, a sociedade burguesa do tempo veria patenteada sua larga e profunda decomposição moral. Obra de ataque, satisfazia-se com mostrar o mal sem lhe dar remédio, salvo o que ia implícito na análise: alijar a classe burguesa da hegemonia social. A fim de fundamentar suas teses, os realistas escolhiam as personagens nas várias camadas e grupos sociais do tempo. Como selecionassem casos patológicos para atestar a decadência da sociedade contemporânea, davam a impressão de trabalhar com exceções e, portanto, falhavam na defesa de sua tese, sem convencer o leitor, pois tratavam de casos particulares e não gerais.

Na verdade, desejavam banir o excepcional da Literatura – que tanta voga tivera no Romantismo – em favor da média dos homens, mas isso implicava estabelecer que o "normal" é que é um ente abstrato, extremamente raro, e, quando encontrado, monótono e desimportante para a Arte. De onde a chamada exceção dos realistas ser a regra, visto entenderem que, nos limites do enfermiço organismo social, ninguém se salva. Para prová-lo, construíram os romances com material que lhes permitia colocar em presença forças sociais capazes de tornar evidentes as taras hereditárias das personagens, durante algum tempo mantidas em segredo, tão somente à espera das condições favoráveis para eclodir, como uma barragem que se rompesse.

Munidos desse arsenal ideológico, atacavam o Romantismo no centro de sua cidadela, sem perceber que também estavam sendo românticos a seu modo, ao perseguirem utopicamente a aliança entre a Arte, a Ciência e a Filosofia. No momento em que se deram conta do fato, já nada mais era possível fazer: muitas coisas haviam mudado, inclusive graças ao seu mirífico sonho de redenção do homem pela Ciência, a cujo serviço puseram ideias, sentimentos e a própria ação física.

Inspirada nos estudos de Claude Bernard, a teoria estética de Taine e Zola, além de repercutir difusamente por meio da vertente realista, será objeto de observações sumárias no volume inicial do ciclo "A Patologia Social", de Abel Botelho, cujo legado será mais adiante focalizado. Mas foi na pena de um ficcionista praticamente esquecido que o ideal de arte naturalista atingiu a sua mais ambiciosa configuração: **Alfredo Gallis,** autor de um ciclo romanesco sob o título de "Tuberculose Social", eventualmente seguindo na esteira do autor de *O Barão de Lavos.*

Em *Chibos* (1901), livro inicial da série, estampa uma espécie de plataforma dos objetivos que tinha em mira, centrados no símile entre o médico, que cuida das mazelas sofridas pelos seres humanos, e o ficcionista, que se debruça no organismo social para denunciar e extinguir as doenças que o assolam:

> "Se ao médico pertence estudar as doenças físicas da Humanidade, e, por meio do estudo e dos recursos da ciência, procurar as causas que as determinam, fazendo perceber ao vulgo essas causas e ensinando-o a precaver-se contra elas, ao escritor compete, sem dúvida, a autópsia dos males sociais, e, enterrando fundo o bisturi, ir descobrir através das enganadoras aparências da derrame sebosa e alva, o furúnculo pustuloso que sob ela se oculta".

Daí procede tudo o mais que constitui o compromisso do escritor para com a sociedade em que vive e a cultura na qual se insere. Considerando que as "paixões, vícios e defeitos" do tecido social é que geram as enfermidades, conclui ser imperioso ao escritor propor-se a "espremer bem essas pústulas, acentuar firmemente essa noção, arrancando dum movimento brusco, mas previamente pensado, a máscara da hipocrisia e da mentira".

Eivada de contradições, inerentes à teoria científica em que baseava o seu propósito saneador, não espanta que o resultado de tal doutrina tenha sido um naturalismo levado ao extremo de uma fé cega, reducionista, expresso em obras que o mostram esquemático, simplista, quando não degradado e próximo da caricatura.

DIREÇÕES DO REALISMO PORTUGUÊS – Como não podia deixar de ser, a obra construída pelos realistas apresenta vários ângulos, porquanto estavam cônscios de que era preciso prover a cultura portuguesa de significativos exemplos em cada setor da atividade intelectual. Explica-se, assim, que essa geração, ao lado da poesia, do conto e do romance, ainda cultivasse, com igual sinceridade e convicção, a literatura de combate e de ideias, a literatura doutrinária enfim, secundada pela literatura de viagens, pela historiografia cultural, pela historiografia e crítica literária e pelo teatro. Sem exagero, em todos esses terrenos, menos o teatro, os realistas criaram obra de mérito, constituindo uma das épocas mais ricas da Literatura Portuguesa. Entretanto, a poesia, o conto e o romance prevalecem, sobretudo porque resistem ao tempo e à análise do leitor atual. O restante necessita da projeção histórica e de uma perspectiva crítica de outro tipo para se fazer compreender, sentir e valorizar.

# A POESIA

Paradoxalmente, a poesia da época do Realismo retoma a altura e o prestígio lírico de Bocage e Camões. Talvez porque o poema se tornasse o molde ideal para fundir as ideias candentes no espírito da geração realista, e mais facilmente comunicasse o seu conteúdo explosivo, o certo é que os realistas portugueses não descuraram da poesia e conseguiram atingir níveis de primeira grandeza, acabando por fazer do Realismo uma época de intensa atividade poética. Ao contrário do Romantismo, é uma quadra de muitos e talentosos poetas. Em consonância com a ideologia que norteou a geração realista, a poesia da época segue várias direções: a poesia "realista", a poesia do cotidiano, a poesia metafísica e a poesia de veleidades parnasianas.

# A POESIA REALISTA

A poesia realista deve ser entendida como aquela que serviu, de modo direto, aos desígnios vanguardeiros da geração realista: sem confundir-se com o Parnasianismo (como querem alguns), essa poesia é a que teve caráter revolucionário, serviu como arma de combate, de ação, em suma, poesia a serviço da causa realista, o que equivale a dizer poesia compromissada ou *engagée*. Estão nesse caso, ao menos em parte de sua trajetória: Guerra Junqueiro, Gomes Leal, Antero de Quental, Teófilo Braga e outros.

# GUERRA JUNQUEIRO

Abílio Manuel Guerra Junqueiro nasceu em Freixo-de-Espada-à-Cinta (Trás-os-Montes), a 15 de setembro de 1850. Depois de frequentar, em Coimbra, a Faculdade de Teologia (1866-1868), entra na de Direito e forma-se em 1873. No ano seguinte, publica *A Morte de D. João,* com que inicia a fase adulta de sua trajetória poética, e ingressa na vida administrativa, como secretário do governo de Angra do Heroísmo e de Viana do Castelo, e na vida política, como deputado. Ao mesmo tempo, dedica-se à lavoura em suas terras do Alto Douro. Em 1887, adere ao grupo de *Os Vencidos da Vida,* mas após o *Ultimatum* inglês (1890),[2] rompe com Oliveira Martins e abraça com ardor a causa republicana, simultaneamente ao recrudescimento do interesse pelo campo, de que vai extrair os poemas de *Os Simples* (1892). Instalada a República em 1910, é chamado para Ministro em Berna, funções que desempenha entre 1911 e 1914. Desalentado com o andamento da situação em Portugal, recolhe-se para a vida doméstica e vem a falecer, cercado de glória, em Lisboa, a 9 de julho de 1923.

Guerra Junqueiro foi sobretudo poeta, e ocasionalmente prosador. Em poesia, publicou vários volumes, dentre os quais os seguintes e mais importantes: *A Morte de D. João* (1874), *A Musa em Férias* (1879), *A Velhice do Padre Eterno* (1885), *Os Simples* (1892), *Pátria* (1896), *Poesias Dispersas* (1920), *Vibrações Líricas* (1925; contém: *O Século [Batismo de Amor],* antes publicado em 1868; *Oração ao Pão,* em 1902; *Oração à Luz,* em 1903; *O Caminho do Céu, Prometeu Libertado), Horas de Luta* (1924; contém obras poéticas antes publicadas em *plaquettes: Vitória de França,* 1870; *O Crime,* 1875; *Finis Patriae,* 1891; *Marcha do Ódio,* 1891; *Discursos e Manifestos, Execução de uma Quadrilha).* Em prosa: *Contos para a Infância* (1877), *Prosas Dispersas* (1920). A poesia junqueiriana, que interessa mais de perto, evoluiu ao longo de três fases.

---

[2] Com o fito de defender a posse de suas colônias em África, Portugal manda tropas para a zona compreendida entre Angola e Moçambique. Mas a Inglaterra, alegando terem os soldados portugueses invadido território estrangeiro, insurge-se contra as pretensões de Portugal. Depois de infrutíferas diligências diplomáticas, Londres envia a 11 de janeiro de 1890 um *ultimatum,* exigindo a imediata retirada das tropas estacionadas no Xire e na região dos Macololos. A imposição do governo britânico levantou uma onda de indignação em todo o País. Em vão: as tropas foram retiradas.

Guerra Junqueiro começa a poetar aos catorze anos (*Duas Páginas dos Catorze Anos,* 1864), mas sem sofrer maior contágio das novas correntes poéticas, que então entusiasmavam os moços de Coimbra. Antes, suas primícias poéticas vinculam-se ainda ao Ultrarromantismo: os poemas dessa fase mergulham no melodramático e no declamatório, que em verdade não desaparecerão de todo no futuro: o jovem poeta fala da "hora sinistra dos horrores", do "fragor dos ventos", de "lívidos fantasmas", de "solitárias larvas", "de aves noturnas [que] pousam nos sepulcros!", etc. Ato seguinte, ei-lo empolgado pelos temas políticos e sociais, mas ainda com derramada eloquência: *A Vitória da França* (1870) e *A Espanha Livre* (1873). O poeta descobre o seu caminho, mas ainda luta por acertar e amadurecer. É o que fará na fase seguinte.

Nesta fase, Guerra Junqueiro ainda não consegue ser totalmente coerente com os postulados científicos que passa a defender: em consequência de sua formação religiosa ou por temperamento (instável e emotivo), pende entre os extremos sem decidir-se e sem alcançar uma conciliação satisfatória. É que aceitara por via intelectual o programa da "ideia nova", que lhe pedia escorraçasse de vez os impulsos metafísicos e religiosos, quando ele possuía mais intuição vaga que senso do real, condição esta, determinada pela estética reinante. Balançando-se entre o *sentimento,* exaltadamente romântico, e o *pensamento* revolucionário, congemina elaborar ampla trilogia à Victor Hugo, da qual só escreveu as duas primeiras partes, *A Morte de D. João* e *A Velhice do Padre Eterno,* deixando incompleta a terceira, *Prometeu Libertado.*

Sob o pressuposto de "que a poesia moderna deve ter um caráter científico" e "é a *verdade* transformada em *sentimento",* Junqueiro volta-se com indignação e rebeldia contra o vício romântico, simbolizado na figura do conquistador impenitente, e contra o sibaritismo clerical, como sintoma da crítica situação moral da Pátria. A terceira parte da trilogia conteria a salvação do homem pela implantação dum reinado de Justiça, que se iniciaria pela conversão de Prometeu ao Cristianismo, e cuja cena final culminaria com as suas palavras de anúncio redentor: "Só agora sou livre. Foi Jesus Cristo que me libertou." Com esses poemas de combate, estava a denunciar liricamente as endemias que, a seu ver e de acordo com o ideário realista, arruinaram Portugal na segunda metade do século XIX.

Recobre esse vezo de doutrinador revoltado uma linguagem inflamada, bombástica, altissonante, que só se justifica pela sedução da poesia hugoana, então em franca moda, e por uma enraizada tendência da sensibilidade do autor de *A Morte de D. João*. A verdade é que tais obras não constituem o melhor da poesia de Guerra Junqueiro, precisamente pelo caráter preconcebido, em que a ideia não raro afoga a emoção em versos próximos do discurso ou da polêmica. Por isso, o seu valor é relativo à importância histórica que tiveram e ao papel exercido no tempo. Entretanto, percebe-se nelas o vigor do poeta nato, do lírico de intensa vida interior, como se pode ver no poema introdutório de *A Velhice do Padre Eterno,* – mas asfixiado por fórmulas poéticas nem sempre de bom gosto, quando não convencionais ou despidas de maior significação, ou ainda limitado pela aceitação, sem resposta crítica, de princípios e dogmas filosóficos ou científicos em voga no tempo.

A segunda fase da carreira poética de Junqueiro, identificada pela adesão ortodoxa ao credo realista, é seguida por uma outra, a partir de 1890: o poeta alcança repelir os asfixiantes compromissos estético-científicos, desfazer as contradições íntimas, e criar obra dirigida noutro sentido, se não antagônico, complementar ao da fase anterior. Elabora então o melhor de sua poesia, ao mesmo tempo que, esteticamente, das obras mais relevantes dos fins do século XIX: *Os Simples* (1892). Como o título sugere, o poeta faz o elogio das criaturas que vivem num mundo contrário ao das personagens da poesia realista: os simples, os humildes, os camponeses, os contemplativos, os sonhadores e os puros.

Correspondendo à crise religiosa que o poeta experimenta nesses anos, o lirismo evanescente, musical e comovido de *Os Simples* significa o encontro – ou o reencontro, no caso de Junqueiro, educado segundo rígidos padrões religiosos – das linhas transcendentais ou místicas desprezadas pelo Realismo combatente: para substituir a desalentadora idolatria da Ciência, e servir de caminho para a salvação do homem, o poeta tem agora a Fé, a Esperança e a Caridade. Que o livro recende a um lirismo de quem se voltou para o próprio "eu", iniciando uma fase antipositivista e, portanto, regressivamente romântica ou já simbolista, a que pertencem *Pátria* (1897), *Oração ao Pão* (1902) e *Oração à Luz* (1903), o próprio poeta reconhece em "nota" apensa ao volume:

"Apaziguada um pouco a dupla crise de angústia intelectual e padecimento físico, esbocei e dei começo a este pequeno poema lírico de *Os Simples*. Quis mentalmente viver a vida singela e primitiva de boas e santas criaturas, que atravessam um mundo de misérias e de injustiças, de vícios e de crimes, de fomes e de tormentos, sem um olhar de maldição para a natureza, sem uma palavra de queixume para o destino." E mais adiante: "É muito mais uma autobiografia psicológica que uma série de quadros campestres e bucólicos."

Os estágios finais da carreira poética de Guerra Junqueiro correspondem a duas faces da mesma moeda: o idealismo do fim de vida não surpreende o leitor atento, que facilmente o encontra subjacente na fase anterior, dado que o azedume, a revolta enraivecida dos primeiros tempos, é o produto indignado dum ferrenho idealismo perante a falência a que a Nação parecia fatalmente arrastada. Tudo faz crer que a poesia junqueiriana ganha em ser vista por esse ângulo: só assim podemos descobrir-lhe aquela faceta, que escapa a uma visão simplista ou esquemática.

Em síntese, se muita coisa se perdeu da obra de Guerra Junqueiro, sobretudo da fase de ortodoxia realista, há aspectos seus ainda hoje relativamente válidos, em especial a poesia dos últimos tempos. Não é o menor dos seus títulos de glória a superior consideração que Fernando Pessoa tinha pelo poema *Pátria*. Mas também é preciso levar em conta, no juízo conjunto de sua obra, as teses fundamentais que lhe serviram de base, em torno de D. João, Cristo e Prometeu, e os "quadros" que pintou da Natureza. Junqueiro, arrimado neles, expôs a ideia-força, que lhe orientou o pensamento e lhe deu unidade, embora não atinasse com o fato em momento nenhum de sua caminhada: a sondagem no destino da espécie humana, visando a sugerir-lhe o culto, vagamente nirvânico, da abstenção de tudo quanto corrompe e envilece. Por isso, D. João é o anti-homem pelo abuso do sentimento, da mesma forma que a "mensagem" de Cristo se perdeu quando a tradição e o hábito deformaram a mundividência que nela se inscreve.

# GOMES LEAL

Antônio Duarte Gomes Leal nasceu em Lisboa, a 6 de junho de 1848, filho natural dum abastado funcionário da Alfândega, que desejava a todo custo fazê-lo homem prático. Depois de breve passagem por um tabelionato, e já órfão de pai, mete-se na boêmia literária, que lhe inspira o desejo de fazer o Curso Superior de Letras, mas em pouco tempo abandona as aulas. Por essa altura, é um revolucionário de vida airada, e panfletário. Em 1875, publica *Claridades do Sul,* seu primeiro livro de poemas. Viaja para Madrid em 1878,

238 • A LITERATURA PORTUGUESA

e deixa-se atrair pela poesia revolucionária à Antero. Com a morte da mãe, converte-se ao Catolicismo; os velhos amigos o abandonam. Conhece então a extrema miséria e a demência: é assim que vai encontrá-lo e recolhê-lo a casa o deputado socialista Ladislau Batalha. Faleceu na cidade natal, a 6 de janeiro de 1921.

Afora os folhetos revolucionários (*Tributo de Sangue,* 1873; *A Traição,* 1881, etc.), escreveu: *Claridades do Sul* (1875), *A Fome de Camões* (1880), *História de Jesus* (1883), *O Anti-Cristo* (1884, 2ª ed., com As *Teses Selvagens,* 1907), *O Fim dum Mundo* (1899), *Serenatas de Hilário no Céu* (1900), *A Mulher de Luto* (1902), *O Senhor dos Passos da Graça* (1904), *Mefistófeles em Lisboa* (1907), *A Senhora da Melancolia* (1910), *Novas Verdades Cruas* (1916).

Em razão dum conjunto de circunstâncias, dentre as quais a de ter vivido na segunda metade do século XIX e no primeiro quartel do século XX, para Gomes Leal confluem, em paradoxal e insólita mistura, as principais linhas de força da poesia europeia do tempo. Caracteriza-o um ecletismo sem escolha ou predileção, que embaraça a análise e perturba o entendimento. Sua poesia aceita de bom grado o satanismo de Baudelaire, juntamente com o lirismo de acento ultrarromântico ou oratório à Victor Hugo, e evolui, depois, para a poesia realista. A progressão não se interrompe aqui; ao contrário, paralela e simultaneamente a tardias, mas sinceras manifestações de febre romântica (expressas inclusive em seu dandismo artificial e falso), deixar-se-á conduzir, já no fim da caminhada, para a aceitação do ocultismo e das crenças cristãs, a que não é estranho o influxo do movimento simbolista francês. Suas grandezas e suas misérias, poeticamente falando, decorrem desse emaranhado de linhas e de atitudes estéticas. Por isso, as fases percorridas por sua poesia não são muito nítidas nem autônomas: intercorrendo em mais de um ponto, somente se pode falar delas como um esquema prévio para o entendimento global do autor.

A primeira fase da carreira poética de Gomes Leal centra-se nas *Claridades do Sul* (1875), sua primeira obra de interesse. Dividida em cinco partes ("Inspirações do Sol", "Realidades", "A Carteira dum Fantasma", "Misticismo", "Humorismo e Ruínas"), contém um lirismo de simultânea e dual raiz romântica e realista, traduzida pela presença dum mundo de horrores, decorrente da leitura de Baudelaire, Heine, Hoffman e Edgar Allan Poe, o tom declamatório à Victor Hugo, e por certo parnasianismo mesclado de pessimismo romântico e de misticismo. Em suma, poesia dum "visionário, um sábio apedrejado", que passa "a vida a fazer e a desfazer quimeras", em quem "a espada da Teoria, o austero Pensamento, / Não mataram (...) o antigo sentimento", como afirma no primeiro soneto da série "O Visionário ou Som e Cor". Poesia dum delirante de sensações, apanhando os motivos dos poemas onde se encontrem, de que resulta um vaivém entre o mau gosto e a expressão duma autêntica genialidade poética. Apesar desse caráter heteróclito, manifesto duma sensibilidade voluptuosa e instável, *Claridades do Sul* é do melhor que produziu Gomes Leal, assim como a poesia dos fins do século XIX.

Segue-se-lhe a fase da primeira redação de *O Anti-Cristo* (1884). Caracteriza-se pela continuação da heterogeneidade da poesia anterior mais a aceitação um tanto ingênua e visionária do credo positivista e socialista, transfundida em sarcasmo e indignação antirreligiosa, num tom empolado de poema cíclico à Guerra Junqueiro e à Teófilo Braga, elevado às potências do absurdo e do delírio ciclópico. Refletindo as contradições internas do poeta e uma insanável debilidade intelectual para eleger um caminho e resistir às fáceis seduções de ideias e teorias contrastantes, *O Anti-Cristo* é um longo poema confuso e desigual, em que saltam por vezes verdadeiras joias poéticas, dignas dum gênio.

Na segunda edição da obra, o poeta muda-lhe o caráter agressivo e iconoclasta, emprestando-lhe características opostas, movido por razões confessadas na "Carta Aberta" que serve de introdução à edição de 1907: "este poema audaz, mas convicto e inspirado pela facha auroral da Consistência é o fruto da minha alma pacificada". Nas "Notas Explicativas", ainda escreve: "A tese primacial do poema é esta: – O Homem, e por extensão o Cosmo de que ele é simples molécula, *para ser perfeito, eterno, feliz, não carece de muita Ciência, carece de plena Consciência. A aquisição completa desta é que dá direito à Vida.*" É que Gomes Leal ultrapassara a crise religiosa deflagrada com a *História de Jesus* (1883), ao mesmo tempo que a primeira edição de *O Anti-Cristo* fora o testemunho do angustioso *imbroglio* em que tombara a sua mente conturbada.

O terceiro momento do itinerário poético de Gomes Leal é marcado pelas derradeiras obras, aparecidas depois de 1889 (quando publica *O Fim dum Mundo*): *Serenatas de Hilário no Céu, A Mulher de Luto, A Senhora da Melancolia*. Na primeira, saturado dum pessimismo à Max Nordau, o poeta impreca contra a injustiça e a corrupção social, índices duma degenerescência própria do "fim dum mundo". Atribuindo os males da decadência à Monarquia, ao Clero

240 • A LITERATURA PORTUGUESA

e à Burguesia, acena com um caminho de salvação que prepara a tese fundamental da segunda edição de *O Anti-Cristo:* estaria em Deus e na Consciência. Nas obras restantes, ao mesmo tempo que transita para um Catolicismo panteísta, sem liturgia, primitivo e fantástico, mergulha no ocultismo, coerente com o seu visionarismo de sempre, e paralelo com a demência que o assediava desde há tempos. Nesta terceira fase, mais do que antes, evidencia-se o quanto Gomes Leal era uma sensibilidade simbolista ao pé da letra, mas dum simbolismo refinado, que o aparentará mais com Camilo Pessanha e os poetas de *Orpheu* (1915) do que com os mais exaltados adeptos da estética simbolista em Portugal, Eugênio de Castro à frente.

Do exame de Gomes Leal nasce uma impressão de grandioso só raramente encontrável em Literatura Portuguesa, primeiro, graças à sua existência, passada em poesia e para a poesia, à semelhança dos poetas-gênios (François Villon, Camões); segundo, graças à sua obra. Esta, vista em conjunto e abstraindo as quedas, naturais em qualquer poeta, vale sobretudo pelas novidades expressivas que legou à posteridade. Dotado de superior e peculiar talento poético, Gomes Leal acrescentou à poesia portuguesa uma série de intuições e soluções novas, e uma linguagem variada e colorida, que o tornam das mais autênticas vocações líricas em toda a história literária de Portugal. Para tanto, basta ter presente que a sua poesia, nutrida de loucura e genialidade, contém achados que se tornaram lugar-comum nas tendências da modernidade: em mais de um passo, no estudo, compreensão e julgamento da poesia portuguesa do século XX, ao menos da imediatamente posterior ao *Orpheu,* é preciso regressar a Gomes Leal.

## A POESIA DO COTIDIANO. CESÁRIO VERDE

Parcialmente ligada à poesia "realista" está a poesia do cotidiano. Convém que se entenda por este rótulo a preocupação, não consciente nem programática, de infringir as tradicionais regras do jogo estético (que implicavam um conceito de hierarquia e a aceitação duma tábua rígida de valores) e de considerar dignos de nota os aspectos da realidade considerados até então apoéticos ou, pelo menos, alíricos. Noutros termos, significava uma novidade meio à ovo de Colombo: a poetização do prosaico, do cotidiano, daquilo que parece significar pouco para o homem prático, acomodado e despreocupado de outros problemas que não os da subsistência fisiológica. Pela primeira vez, o lirismo tentava, com a força própria das novidades, lançar a atenção sobre o prosaico diário, inclusive nos seus aspectos julgados repelentes, grotescos ou ridículos, quando não apenas fora do interesse poético. Ao mesmo tempo, correspondia à tentativa de fazer poesia "objetiva", centrada no objeto e não no sujeito, dessa forma deslocando o eixo da dicção poética para fora do "eu" do poeta.

Por outro lado, esse novo gênero de "aproximação" lírica da realidade vinha isento de intuitos revolucionários ou sociais, salvo ocasionalmente; ao contrário, preocupava-se com fugir à equação "eu-te-gosto-você-me-gosta" que fizera o apanágio do Romantismo sentimental e piegas. E realizar uma poesia debruçada sobre os motivos sugeridos pela realidade histórica e concreta. Espécie de despoetização do ato poético, a poesia do cotidiano nasceria da impressão que o "fora" deixa no "dentro" do sujeito. De onde as coincidências com a pintura impressionista, que procede do mesmo modo em face da realidade concreta: o artista procura surpreender o "momento" em que os objetos, imersos numa dada relação de luz e sombra, ganham relevo; ou melhor, o pintor fixa a *impressão* que as coisas lhe deixam na sensibilidade, numa infinitesimal fração de tempo. Com a tela *Impression: Sol Levant* (1874), Claude Monet teria dado origem à difusão desse vocábulo, e da respectiva tendência pictórica, no cenário das artes e das letras no último quartel do século XIX. Quem realizou a poesia do cotidiano em Portugal foi Cesário Verde.

José Joaquim Cesário Verde nasceu em Lisboa, a 25 de fevereiro de 1855. Filho dum lavrador e negociante, passou a curta vida praticamente entregue aos interesses paternos, sem embargo das leituras que cedo começou a fazer. Chegou a frequentar algum tempo o Curso Superior de Letras, onde se tornou íntimo amigo de Silva Pinto. Nesse mesmo ano, 1873, publicou os primeiros poemas no *Diário de Notícias*. Daí por diante, seguiu estampando composições em periódicos, sem jamais reuni-las em livros. Faleceu tuberculoso, na cidade natal, a 18 de julho de 1886.

No ano seguinte à sua morte, 1887, Silva Pinto reúne-lhe os poemas e publica *O Livro de Cesário Verde*. Levado pela fraternal amizade ao poeta e, a um só tempo, pelo desejo de estudar-lhe criticamente o escasso legado poético, Silva Pinto organizou o livro segundo um critério pessoal, visto Cesário não haver deixado "nem mesmo um esboço dele", como informa Joel Serrão na introdução à edição da *Obra Completa de Cesário Verde* (1964). Ainda mais, cole-

242 • A LITERATURA PORTUGUESA

tando material disperso em jornais, organizou-o arbitrariamente em duas seções, "Crise Romanesca" e "Naturais", divisão essa que pressupõe um juízo crítico a desenvolver. Por fim, em mais de um poema descobriram-se variantes, que por vezes melhoram o texto, mas que não podem ser rigorosamente atribuídas a Silva Pinto. A referida edição de Joel Serrão – a mais bem cuidada até hoje feita – além de abolir a repartição dos poemas operada por Silva Pinto, coloca os poemas em ordem cronológica formando quatro grupos (1873-1874, 1875-1876, 1877-1880 e 1881-1886), e junta outros não incluídos em *O Livro de Cesário Verde*, além de algumas cartas do poeta ao amigo dileto, ao Conde de Monsaraz e a Mariano Pina.

A curta e anônima existência de Cesário Verde não conheceu qualquer reconhecimento durante o seu transcorrer. Passou despercebido em seu tempo, e assim ficou, até que, de alguns anos a esta parte, a crítica começou a dar-lhe a devida importância, graças à sua poesia, dotada de estranha força e capaz de se pôr ao lado das mais significativas da época. É que Cesário Verde reuniu um conjunto de fatores bastante especiais, e suficientemente fortes para se distinguir, a um só tempo, como autônomo e grande poeta. Assim, de Baudelaire herdou, por identificação de sensibilidade e de postura vital, a atitude lírica perante o mundo, embora difira radicalmente dele no drama que serve de mola para a prática poética. Esta filiação, ou coincidência – pois o parentesco estético é quase sempre um caso de coincidência, – impõe desde logo uma classificação única para a poesia de Cesário Verde: serve de trânsito entre o Romantismo e o Realismo, de um lado, e de ponte de passagem para algumas das tendências que estarão em moda na estética simbolista e na modernista.

Tal caráter transitivo explica igualmente a sua posição *sui-generis* em face do inconformismo revolucionário da geração de 70. Voltado para o seu estigma de poeta, alheio às lutas ideológicas em curso, Cesário Verde só de passagem e pela rama se deixou contaminar pela atmosfera contemporânea. O pensamento socialista, que levava às atitudes de revolta e de reforma social, toca-lhe de passagem a poesia, e, assim mesmo, sem cor política: o lado estético do seu comportamento diante da vida atenua ou desfaz aquilo que, na sua poesia, poderia reconhecer-se como luta de classes, defesa do proletariado, etc. Ouvindo as vozes interiores, perseguia o seu caos íntimo sem se preocupar com as modas literárias, e com a geral incompreensão dos leitores dos jornais em que publicava os seus poemas.

Explica-se assim que a sua poesia continuasse presa a certos matizes românticos pouco ou nada explorados em Língua Portuguesa, e abrisse, por isso mesmo e pelas demais razões, caminhos novos até à data vagamente pressentidos. Cesário Verde trazia, a par de uma hipersensibilidade raiando pela morbidez e o absurdo delirante (o que o irmana, involuntariamente, com outros grandes poetas do tempo), denso, compacto e neurotizante individualismo, que o punha a salvo das coações culturais e o mantinha fiel ao chamado das raízes do sentimento poético. Vem daí a superficial afinidade com o que lhe corria em derredor e a simultânea força antecipadora de sua poesia.

Esse pormenor, que é o timbre do grande artista de qualquer tempo, confere a Cesário Verde a importância que merece. Nele, em sua poesia, pela primeira vez se inverte a relação Poeta x Mundo: seu "realismo", ou algo que assim se denomine, é só fotográfico na aparência, o que colidia, em princípio, com a poesia voluntariamente revolucionária dos homens de 70. Ao invés de retratar o objeto exterior, para o qual se volta sempre, o poeta identifica-o com o que lhe vai na sensibilidade e na consciência poética, isto é, com o seu mundo interior. A realidade objetiva funde-se, portanto, com a realidade subjetiva, de molde a formar uma unidade que anula as diferenças de plano visual ou de colocação do indivíduo diante das coisas.

Por outras palavras: somente por um grande esforço é que o poeta consegue enxergar um plano, formado das coisas fora de si, distinto de outro plano, composto das imagens dentro de si. Origina-se, em suma, uma entidade única, objetivo-subjetiva, ou vice-versa, em que o subjetivo sempre dá a nota, de modo que o objetivo exterior seja visto como prolongamento da mente do poeta, e, portanto, destituído de existência autônoma. Com isso, a invocação, a mentalização do objeto é que é a realidade, o seu "realismo": o "ser" fora do poeta está em segundo plano, como inferior e decorrente. Tudo isso é, a rigor, postura platônica muito compreensível.

De passagem, importa considerar que tal processo, se envolvido de dandismo e de excessivo amor à Literatura no pior sentido da palavra, podia levar ao refinamento artificial e posudo de um Eugênio de Castro. Não é o que acontece com Cesário Verde. Dotado dum temperamento anti-"literário" por excelência, projeta-se nas coisas exteriores (pessoas, macadame, piche, repolho, rolhas, peixe, etc.) com todo o peso de sua fervilhante vida interior, a fim de apreender a imagem fugaz das coisas, em perpétuo dinamismo. É então que

## 244 • A LITERATURA PORTUGUESA

nasce a poesia do cotidiano, do trivial, pois o poeta necessita ver-se continuamente nas coisas, para atingir o claro equilíbrio do verso, elo entre o seu drama e a poesia. A duplicidade inicial dos planos, com o propósito de fixar o instante que passa, e a certeza de que o próprio poeta é que está passando, – induz Cesário Verde a colocar-se numa encruzilhada de estradas que levam ao Impressionismo e ao Expressionismo. Ao mesmo tempo, a complexidade da sua poesia, graças a haver nela a expressão do caos dum mundo em que as sensações mais desencontradas se embaralham, se confundem, num delírio a olhos abertos, ou num pesadelo interminável, aproxima-o daquilo que veio a ser o movimento surrealista.

Virando as costas à poesia lírico-amorosa, de larga voga no Romantismo e mesmo antes, Cesário Verde percorre em sua reduzida trajetória poética algumas fases, mais ou menos correspondentes às datas escolhidas por Joel Serrão para lhe agrupar os poemas. Na primeira fase – integrada pelas primícias literárias – o poeta está sob a influência de João Penha: além de preocupado com o rigor da forma, apanágio da poesia parnasiana, Cesário cultiva um cinismo de fachada, transformado em humorismo e displicência, que apenas mascaram o despontar duma inquieta sensibilidade que talvez ainda não se conheça integralmente. O certo é que, por entre as malhas duma indiferença mais ou menos poética, percebe-se o poeta a claudicar e a extravasar um sentimento do mundo que não condiz com as experiências joco-sérias de João Penha:

"E eu passo tão calado como a Morte,
Nesta velha cidade tão sombria,
Chorando aflitamente a minha sorte
E prelibando o cálix da agonia"

Na fase seguinte, transcorrida em 1875-1876, Cesário amadurece e encontra o seu caminho; embora não seja a melhor fase, já aqui o exemplo baudelairiano auxilia o poeta a ver a realidade cotidiana e a transfigurá-la antiliricamente, em espasmos plásticos, como quem pretendesse compor um quadro impressionista, isto é, ao natural, no contato direto com a realidade.

Nos anos seguintes, 1877-1880, Cesário "descobre" a cidade e os seus mistérios: o cotidiano "natural" entra-lhe em cheio na poesia, mas não vem de agora: já em 1875, escrevendo a Silva Pinto, confessava: "Eu não sou como muitos que estão ao meio dum grande ajuntamento de gente completamente isolados e abstratos. A mim o que me rodeia é o que me preocupa." E o que o rodeia é a paisagem citadina, com seus odores, ruídos, cores, luzes e espectros.

Na última fase, depois de 1881, Cesário aborrece a cidade e um gênero de vida que chegou a embriagá-lo. Agora, ao contrário de antes, confessa na carta a Mariano Pina (16-7-1879): "descuido-me deploravelmente do que me rodeia." Seu amor à cidade dá lugar ao amor pelo campo: "Eu não faço nada, falto de estímulos, aborrecido contra esta gente da cidade a que tenho raiva como a um marreco. Ao menos, pelo campo ainda há coisas primitivas, sinceras, e uma boa paz regular; embora a existência não apresente alterações nenhumas, o caminhar da estação, a mudança quase insensível no aspecto da natureza todo o ano, é admirável, sugestivo."

Ao mesmo tempo que solução do seu caso pessoal e resultante da fortuita atividade de agricultor, a integração na paisagem "natural" ainda correspondia ao encontro dos temas e motivos mais propícios à utilização da sua sensibilidade e dos dons de figuração impressionista da realidade. No contato com o ar livre, o poeta encontrava o *habitat* próprio para o seu visceral impressionismo, e o sedativo para sua sensibilidade, doentiamente vibrante no atrito com a cidade:

"No campo; eu acho nele a musa que me anima:
A claridade, a robustez, a ação."

Ao soturno de antes, sucede agora a claridade, à morbidez, a robustez, à inação, o dinamismo: bipolaridade tanto mais paradoxal quanto mais sabemos que o elogio ao campo e à vida esportiva traduzia o desejo de preservar a saúde que então lhe fugia a passos largos; e que as anteriores excentricidades citadinas eram fruto dum organismo em que ainda não se havia manifestado a doença que o vitimaria.

De qualquer forma, a poesia do cotidiano, com todo o seu desprezo ao convencional, teria largo curso na poesia moderna, o que garante a Cesário Verde o reconhecido e merecido papel de precursor, como se pode verificar no exame da poesia dum Mário de Sá-Carneiro e dum Fernando Pessoa.

246 • A LITERATURA PORTUGUESA

## A POESIA METAFÍSICA. ANTERO DE QUENTAL

À poesia do cotidiano contrapõe-se uma tendência poética de sentido contrário, dirigida para a resposta às indagações que a consciência do homem formula, desde sempre, entre aterrada e esperançosa: "que é que eu sou?", "por que sou o que sou?", "de onde vim?", "para onde vou?", "que é que mais vale?", "por que a morte?", etc. Trata-se, como se nota, da poesia metafísica, ou transcendental.

Correspondendo a uma linha de força que remonta à Idade Média, com a cantiga de amor, a poesia de elucubração existencial permaneceu em Camões e Bocage. No século XIX, afora incidentais ressurgências em Soares de Passos, João de Deus, Gomes Leal e Guerra Junqueiro, é em Antero de Quental que esse gênero de poesia encontra o seu mais alto representante. No século XX, continuou ainda presente na cosmovisão de Fernando Pessoa, Mário de Sá-Carneiro, José Régio, Miguel Torga e outros.

Basta o enunciado dos nomes que compõem o elenco principal de poetas com tendência metafísica, para se verificar que representam o melhor da poesia portuguesa em sua constituição histórica. Todavia, é paradoxal que o seja, pois o caráter marcadamente confessional e ególatra do lirismo português faria supor o contrário. O fenômeno tem explicação: a poesia metafísica nasceria sempre como uma via de escape à angústia geográfica, histórica e cultural em que vive o homem português, encurralado num território diminuto entre o continente europeu e o Oceano Atlântico. Pelas características próprias assumidas pelo movimento realista em Portugal, essa angústia chega ao paroxismo, superando a restante atividade poética e inclusive desrespeitando os postulados positivistas, que subestimavam as cogitações metafísicas e sugeriam uma poesia experimental, a serviço da revolução social em marcha.

Antero Tarqüínio de Quental nasceu em Ponta Delgada (Açores), a 18 de abril de 1842. Após os primeiros estudos na cidade natal, vai para Coimbra estudar Direito. Em pouco tempo, mercê de sua personalidade superior, ganha prestígio de líder entre os companheiros. A publicação dos primeiros versos confirma-lhe o renome e insinua-lhe um caminho para o futuro. Em 1865, publica as *Odes Modernas,* que, juntamente com as *Tempestades Sonoras* e a *Visão dos Tempos,* de Teófilo Braga, publicadas no ano anterior, desencadeiam a *Questão Coimbra*. Formado, vai a Paris tentar pôr em prática, como tipógrafo, suas ideias socialistas e humanitárias, mas desilude-se e, depois duma rápida viagem a Nova Iorque, regressa a Lisboa, onde entra para o grupo do *Cenáculo* (1868), e logo se torna o seu mentor. Em 1871, orienta as *Conferências do Cassino Lisbonense* e nelas participa ativamente.

Nos anos seguintes, procura instalar em Portugal o pensamento socialista, ligando-se a associações operárias e mantendo relações com membros avançados do movimento proletário internacional. Mais uma vez, porém, desengana-se, e afasta-se do convívio social, imerso em seu drama e na meditação das ideias igualitárias que diligenciaria concretizar. Nessa mesma altura, entra a sentir os primeiros achaques duma misteriosa moléstia que o acompanhará até o fim dos dias. Após os acontecimentos relacionados com o *Ultimatum* inglês (1890), Antero renasce para a ação proselitista, filiando-se à "Liga Patriótica do Norte".

Todavia, ainda uma vez malogra redondamente. Com isso, o pessimismo em que vive mergulhado desde algum tempo, avoluma-se e atinge o paroxismo. Desalentado, sentindo fechadas para si todas as saídas na direção dum lenitivo para os males físicos e psíquicos, volta à terra natal como em busca duma derradeira esperança. Em vão: também encontra cerrada a porta que o conduziria de regresso aos mitos da infância. Só lhe resta uma via de escape, a do suicídio, que comete a 11 de setembro de 1891, com dois tiros na boca.

Antero cultivou a poesia e a prosa polêmica e filosófica. No primeiro caso, temos: *Odes Modernas* (1865), *Primaveras Românticas. Versos dos Vinte Anos* (1871), *Sonetos Completos* (1886), *Raios de Extinta Luz* (1892). No segundo, seus escritos estão coligidos sob o título de *Prosas* (3 vols., 1923, 1926, 1931). Para a compreensão do caso anteriano, ainda possuem interesse as *Cartas de Antero de Quental* (1921), as *Cartas Inéditas de Antero de Quental a Oliveira Martins* (1931) e as *Cartas a Antônio de Azevedo Castelo Branco* (1942).

Privilegiado, com a mente voltada para a realização de grandes obras, Antero viveu sempre torturado pelo afã de conciliar opostas ideias, não raro nascidas em clima febril, e a ação que lhes desse razão de existência. Apesar dos gigantescos esforços, o resultado foi nulo, porquanto era essencialmente vocacionado para a contemplação ou para a especulação filosófica, e não para o combate ativo: ao mesmo tempo que revelava alto pendor para o jogo sedentário das ideias, era inepto na tentativa de as pôr em prática. Além disso, alimentava ideias demasiado utópicas e visionárias, e muito acima das possibilidades duma só vida.

É que a Antero faltava uma qualidade (ou, antes, um defeito): o dogmatismo cego e surdo, próprio dos doutrinadores medíocres ou dos pensadores "iluminados" mística ou racionalmente. Ao contrário de sectarismo, agitava-o uma terrível indecisão, fruto de incomum inteligência, sempre a ver as contradições das ideias, as verdades e as não verdades em choque. Coloca-se aqui o drama anteriano: querer sem poder, ou querer e não querer simultaneamente, pois desejava o impossível, o absurdamente perfeito, ditado pelo intelecto, mas irrealizável na ordem prática das coisas. E a sua imensa curiosidade intelectual conduzia-o a receber influências de pensadores e filósofos divergentes e contraditórios. Pouca importância teria tal ecletismo se Antero possuísse uma condição capaz de congraçar as antinomias e aparar-lhes as arestas: uma definida diretriz ideológica. Destituído dela, tornou-se um campo fértil para o embate das tendências filosóficas oitocentistas, uma espécie de símbolo dos antagonismos ideológicos da época.

A obra literária de Antero, a poética e a em prosa, atesta de modo patente a sofrida luta de um espírito a procurar-se, a dissecar-se e, contemporaneamente, a desintegrar-se pouco a pouco, até o aniquilamento final. A evolução de sua mente, através dos marcos literários e filosóficos, testemunha esse esvaziamento lento das forças de reação e de equilíbrio, até culminar num espesso ceticismo de profundas raízes, poderoso a ponto de o arrastar ao suicídio. Desse modo, duas fases podem marcar-se na sua trajetória intelectual.

O primeiro estágio corresponde a uma poesia revolucionária e de entusiasmo juvenil, representada pelas *Odes Modernas* (1865), divididas em dois livros que são a tese e antítese dum pensamento de combate, de reforma e ação social, envolto de irreverência e iconoclastia revoltada. Na "Nota" final ao volume, subintitulada "Sobre a Missão Revolucionária da Poesia", Antero procura explicar o caráter da obra:

"Partindo deste princípio – a Poesia é a confissão sincera do pensamento mais íntimo de uma idade – o autor, na retidão imparcial da sua lógica, havia de necessariamente concluir com esta outra afirmação – a *Poesia Moderna é a voz da Revolução* – porque Revolução é o nome que o sacerdote da história, o tempo, deixou cair sobre a fronte fatídica do nosso século."

Com base nesse postulado, tece uma série de considerações a respeito, e conclui:

"A poesia que quiser corresponder ao sentir mais fundo do seu tempo, hoje, tem forçosamente de ser uma poesia revolucionária. Que importa que a palavra não pareça poética às vestais literárias do culto da *arte pela arte*? No ruído espantoso do desabar dos Impérios e das Religiões há ainda uma harmonia grave para quem a escutar com a alma penetrada do terror santo deste mistério que é o destino das Sociedades!"

Por isso mesmo, algumas composições acabaram por tornar-se verdadeiros panfletos incendiários, lançados contra as instituições então vigentes e todas as formas de cerceamento da liberdade individual. Para fazê-lo, Antero coloca-se debaixo do signo de Proudhon e Hegel, o primeiro no seu socialismo humanitarista e utópico, e o outro, em sua dialética (de que os oito sonetos sob o título *A Ideia* são índice nítido).

Assim, as crenças socialistas, as filosóficas e as científicas do tempo (excetuando-se o Positivismo de Comte, que Antero rejeitou), congregam-se para criar uma poesia "realista", luminosamente revolucionária e compromissada. Sente-se aqui, entretanto, um espírito só convencido pela rama das "verdades" que divulga ou aceita, fragilidade essa derivada do ensaio inútil de harmonizar as dúvidas que o atormentavam. O intelectual agredia, com as ideias novas, aquilo que tinha sido sua educação, e lhe estava ainda arraigado no espírito: Catolicismo. Tradicionalismo. O poeta, nessa altura, está sufocado pelo homem de ideias e princípios transformadores.

Com vistas a compreender essa primeira fase da poesia anteriana, torna-se imprescindível examinar a carta autobiográfica que o poeta enviou ao escritor alemão Wilhelm Storck, a 14 de maio de 1887. Referindo-se às ocorrências antecedentes à publicação de *Odes Modernas,* confidencia Antero:

"O fato importante da minha vida, durante aqueles anos, e provavelmente o mais decisivo dela, foi a espécie de revolução intelectual e moral que em mim se deu, ao sair, pobre criança arrancada do viver quase patriarcal de uma província remota e imersa no seu plácido sono histórico, para o meio da irrespeitosa agitação intelectual de um centro, onde mais ou menos vinham repercutir-se as encontradas correntes do espírito moderno. Varrida num instante toda a minha educação católica e tradicional, caí num estado de dúvida e incerteza, tanto mais pungentes, quanto, espírito naturalmente religioso, tinha nascido para crer placidamente e obedecer sem esforço a uma regra reconhecida. Achei-me sem direção, estado terrível de espírito, partilhado mais ou

# 250 • A LITERATURA PORTUGUESA

menos por quase todos os da minha geração, a primeira em Portugal que saiu decididamente e conscientemente da velha estrada da tradição."

Como se observa, os ares de Coimbra, impregnados de revolução, de ateísmo e de cientificismo, impelem-no a renegar a educação recebida. No entanto, homem sensível, visionário, continuou pela vida fora ligado às crenças religiosas de raiz, embora apelasse para a Razão e a inteligência a fim de substituí-las por novos credos antissentimentais: o elogio do Espírito, que a referida "Nota" às *Odes Modernas* tão claramente documenta, constituía invencível paradoxo. Jogado entre a tradição e a revolução, Antero optará pela segunda sem ultrapassar de todo a primeira, ao menos no plano do sentimento.

Embora o próprio poeta confesse que as *Odes Modernas* contêm poesia que "além de declamatória e abstrata, por vezes (...) é indistinta", a luta por afugentar os sentimentos de base e substituí-los pelas verdades novas, forma o núcleo do seu drama pessoal, e a inspiração para o melhor de sua poesia e sua prosa filosófica. Exemplo dela, na primeira metamorfose da poesia anteriana, é o soneto IV da série *A Ideia*:

"Conquista pois sozinho o teu futuro,
Já que os celestes guias te hão deixado,
Sobre uma terra ignota abandonado,
Homem – proscrito rei – mendigo escuro!

Se não tens que esperar do Céu (tão puro,
Mas tão cruel!) e o coração magoado
Sentes já de ilusões desenganado,
Das ilusões do antigo amor perjuro,

Ergue-te, então, na majestade estoica:
Duma vontade solitária e altiva,
Num esforço supremo de alma heroica:

Faze um templo dos muros da cadeia,
Prendendo a imensidade eterna e viva
No círculo de luz da tua Ideia!"

Ultrapassada a fase de virulência dos anos de Coimbra, inverte-se sensivelmente a direção da bússola anteriana: como que desabrochando dentro dele o poeta, antes confundido com o panfletário, Antero inicia uma caminhada de introvertido e torturado, consequência da tentativa fruste de conciliar os contrários de sua mente, e contemporânea da militância na luta por instalar e realizar o pensamento socialista em Portugal. Esse mergulho dentro da alma, a procurar o atalho para o equilíbrio interior, está documentado nos *Sonetos Completos,* "por acompanhar", no dizer de Antero a Wilhelm Storck, "como a notação dum diário íntimo e sem mais preocupações do que a exatidão das notas dum diário, as fases sucessivas de minha vida intelectual e sentimental. Ele forma uma espécie de autobiografia de um pensamento e como que as memórias de uma consciência".

Dir-se-ia que o modo de escrever poesia ("Fazer versos foi sempre em mim coisa perfeitamente involuntária; pelo menos ganhei com isso fazê-los sempre, perfeitamente sinceros") lhe permitia exteriorizar um denso conteúdo sentimental e religioso longamente sopitado pela razão. Espírito essencialmente religioso e educado à católica, é natural que agora lhe fosse despertando a necessidade dum mito para ocupar o lugar daqueles que derrubara na juventude. Deus – ou algo que o valha –, Antero afastara-o como verdade sentimental, e agora procurava-o por via intelectual ou racional. Todo o seu humanitarismo abstrato fazia pressupor alguém a substituir o mito católico pelo mito científico ou filosófico; no fundo, porém, era a mesma coisa.

O mais dramático disso tudo é o poeta ter nítida consciência da situação e de pressenti-la irrecorrível, pois é tarde para voltar ao ponto de partida e readquirir a posse da crença sentimental de Deus. Nasce daí um doloroso apelo transcendental: Antero indaga o Céu em busca de resposta, e só encontra o Nada. Ao sentimento dilacerante de que o equilíbrio é já impossível, soma-se agora o duma catastrófica solidão íntima ecoando a infinita mudez cósmica, como se pode ver no "Oceano Nox".

Para desfazer o dualismo interno, abater o pessimismo e encontrar uma unidade, Antero só podia contar com a morte, desde cedo transformada em *leitmotiv* de sua cosmovisão desesperada:

> "Morte! irmã do Amor e da Verdade!",
> "Morte, irmã coeterna da minha alma!",
> "Morte, libertadora e inviolável!"

Antes, porém, da hora derradeira e tanto ansiada, Antero debateu-se em atrozes dúvidas, inspirado ora no seu humanitarismo romântico e divinatório, ora num ceticismo amargo, de simultânea origem física e psíquica. Alimentada de "caóticas leituras", como confessa na carta autobiográfica, a sua mente era um cenário de pugnas ideológicas: de um lado, dogmas científicos e filosóficos bebidos na leitura sobretudo de pensadores alemães; de outro, as velhas crenças da infância e um temperamento de religioso, dum apóstolo das novas ideias, dum santo, como o chamou Eça de Queirós. Numa das faces, a descrença à Schopenhauer, transmutada numa frenética análise da sem-razão da vida, da inanidade de todos os esforços por alcançar a felicidade: "Para triste, para dor nasceste". Sonetos há, como "O Palácio da Ventura", que testemunham a inócua luta íntima por atingir um bem inexistente. Na outra face, localizam-se breves ilhas de esperança nos mitos infantis, Deus, a Virgem Maria, a paz, no reencontro das pulsões sentimentais, tranquilizado o coração depois de tanta batalha ociosa.

Mas tais momentos de bem-aventurança são logo sufocados pela consciência e o compromisso com as grandes causas coletivas: repugnava-lhe voltar-se para a contemplação e a solução do seu caso pessoal enquanto não visse o fim de todas as formas de injustiça social, missão para a qual se julgava destinado desde sempre: missão dum revolucionário, ou seja, dum santo moderno.

Por isso, é preciso atentar para a errônea disposição dos sonetos anterianos realizada por Oliveira Martins em 1886, pois, colocando ao fim os poemas da pacificação em Deus, dá a impressão de o poeta haver encontrado, no último lance da vida, a paz desejada. Na verdade, alguns desses sonetos foram escritos concomitantemente com outros de sentido oposto.

A Antero faltou, quer na aceitação dos mitos religiosos da infância, quer na absorção dos mitos intelectuais da idade madura, o empenho em caminhar num dado rumo. Doente da vontade, ansioso de espaço e de liberdade para a concatenação das ideias, aberto a estímulos desencontrados, incapaz de persistir por muito tempo na execução dum programa ou na perseguição duma ideia, Antero é um joguete dos nervos destrambelhados e das contradições íntimas. Impregnado dum espesso ceticismo, põe-se a duvidar de toda verdade que não seja hegelianamente dual ou matriz duma contrária. Assim, seduzido precisamente por aquelas ideias que contivessem paradoxos ou ambivalências, acaba negando os caminhos que se lhe escancaravam à frente. Uma outra solução possível, a síntese capaz de englobar em unidade as postulações antagônicas, – a tese e a antítese – ou não a tentou, ou não a encontrou, ou desde logo soube que era mais utópica do que o fervor socialista e revolucionário.

O dilema não encontrava solução por estar demais arraigado; resultado: feitas todas as tentativas, só lhe restava o suicídio. A ele se deu certamente acreditando em que alguma luz se lhe acenderia depois, o que confere ao seu gesto mais o caráter heroico que o covarde ou deprimido. O suicídio constituiu para Antero a natural culminância de sua peregrinação em busca duma coerência inalcançável senão através dum ato semelhante, que talvez o conduzisse para verdades menos contingentes. Com ele, estava completo seu ciclo poético e humano, e franqueado o lugar único que ocupa na Literatura Portuguesa, onde não há figura alguma, humanamente falando, que se lhe compare. Sua vida, expressa quase toda em poesia, sobretudo nos sonetos, tem uma significação e uma altura que ultrapassam qualquer outra em Portugal, e obrigam a um estalão próprio de juízo e reverência.

Ainda falta deter a atenção sobre dois volumes de poemas anterianos: *Primaveras Românticas* (1872) e *Raios de Extinta Luz* (1892). Do primeiro, trata lucidamente Antero na carta a Wilhelm Storck: "contém os meus *Juvenília*, as poesias de amor e fantasia, compostas na sua quase totalidade, entre 1860 e 65, que andavam dispersas por várias publicações periódicas, e que só em 72 reuni em volume, justamente com mais alguma coisa posterior, do mesmo caráter e estilo. Talvez a melhor maneira de caracterizar esse volume será dizer em francês que é *du Heine de deuxième qualité*". Portanto, típica poesia romântica, inspirada na tradição portuguesa de Garrett e Herculano, e no Romantismo europeu, sobretudo francês, em que avulta a figura de Baudelaire.

Com os *Raios de Extinta Luz*, ocorre idêntico fenômeno: enfeixa poemas escritos entre 1859-1863, sob a égide de Camões, Lamartine, além dos já referidos. Numa e noutra coletânea, estão presentes notas de filosofismo e metafísica, indecisos entre a tradição e a revolução, e contrastando com o lirismo-amoroso platônico e sentimental. Aí reside um dos focos de interesse destas obras: as composições postas de lado e só reunidas em 1872 ou esquecidas até que Teófilo Braga as publicasse logo após a morte de Antero, em 1892, documentam a existência desde cedo daquela ambiguidade que acompanhará o poeta até o fim dos dias, quase fazendo crer que o seu transcurso poético se divide em três fases e não em duas, ou em duas com uma primeira de caráter romântico-realista.

A prosa filosófica de Antero (*Tendências Gerais da Filosofia na Segunda Metade do Século XIX, Ensaios sobre as Bases Filosóficas da Moral ou Filosofia da Liberdade, O Sentimento de Imortalidade,* etc.) constitui a aguda documentação da consciência plena que o poeta tinha de sua dramática luta interior, sinete duma lucidez forte e perigosa a ponto de o destruir. A poesia que nasce do encontro do poeta e do filósofo é das mais estranhas, única em Língua Portuguesa, porquanto a emoção lírica é substituída pelo pensamento, a sensação pela ideia. Trata-se de poesia-filosófica ou filosofia-poética, e tem o alto mérito dessa dualidade, visto dar origem a uma singular equação dramático-filosófica, pela primeira vez posta em Língua Portuguesa. A Poesia e a Filosofia, ou, se quisermos, a sensação e a ideia, nele, não se separam. E se lembrarmos que Poesia e Filosofia são irmãs, na medida em que o máximo de uma e outra se situa no mesmo plano, apenas enfocado de modo diverso, a primeira, pela face estética, sentimental, emocional, a segunda, pela face especulativa, racional – logo ficará patenteado o alto valor da obra poética de Antero, par a par com a de Camões, Bocage e Fernando Pessoa.

## VELEIDADES PARNASIANAS

A poesia revolucionária, a do cotidiano e a metafísica constituem o melhor no gênero durante a época do Realismo. Quanto à tendência parnasiana, não logrou estabelecer-se em Portugal. De origem francesa, suas primeiras manifestações datam de 1866, quando um editor parisiense publica uma coletânea de poemas intitulada *Parnasse Contemporain*; em 1871 e 1876, saem outras duas coletâneas. Reagindo contra o sentimentalismo romântico, os poetas parnasianos pregam o princípio da "arte pela arte", isto é, defendem uma arte que não sirva a nada e a ninguém, uma arte *inútil*, uma arte voltada para si própria, para a sua condição estética. A obra de arte procuraria captar a beleza e a verdade que existiriam nos seres concretos, e não no sentimento do artista. Por isso, o belo confundir-se-ia com a forma que o reveste, e não com algo que existisse no seu interior.

Daí vem que os parnasianos sejam formalistas e preguem o cuidado da forma artística como exigência preliminar. Para consegui-lo, defendem uma atitude de impassibilidade diante das coisas: não se emocionar jamais; antes, impessoalizar-se tanto quanto possível pela descrição dos objetos, via de regra inertes ou obedientes aos movimentos próprios da Natureza (o fluxo e refluxo das ondas do mar, o voo dos pássaros, etc.). Esteticistas, anseiam uma arte universalista, contrariamente ao pessoalismo romântico. Por via desse repúdio ao subjetivismo, retomam o culto dos clássicos greco-latinos, seja pelo refinamento do estilo, seja pelo modo de encarar a realidade, inclusive com notas de sensualismo epicurista e uma concepção paganizante da mulher. Como é fácil de ver, trata-se dum programa sem muita possibilidade de êxito, e quando o alcançam, perpetram má poesia: a impassibilidade parnasiana atenta contra a característica fundamental da Arte, que é ser uma visão intuitiva, logo emotiva e pessoal, da realidade. Em toda a parte, observa-se esse contrassenso inerente ao Parnasianismo.

Em Portugal, tentou-se introduzir o movimento parnasiano; certamente, impregnou alguns poetas, exerceu influência, mas não passou de prurido, que pouco alterou o clima literário do tempo. Na verdade, o modo fortuito como alguns se deixaram contaminar pela nova moda poética revelava apenas veleidade francófila, em decorrência de razões de gosto pessoal ou de grupos restritos: faltou-lhes um intuito comum, organizado e combativamente antirromântico, à semelhança do que ocorria na poesia francesa e viria a ocorrer na brasileira. Por outro lado, as incidentais notas de formalismo parnasiano, encontráveis na poesia portuguesa dos fins do século XIX, ainda corriam por conta de tardias e mal assimiladas lições de purismo expressivo e de linguagem poética aprendida nos clássicos.

Para não alongar demasiadamente a linhagem, pense-se na influência de Filinto Elísio sobre Garrett e, especialmente, sobre Castilho: este, como se sabe, tornou-se o porta-voz dos princípios clássicos que acabaram colaborando para o aparecimento das veleidades parnasianas ao redor de 1870. Por intermédio de alguns poetas finisseculares, o seu fascínio não se interrompeu: Eugênio de Castro, conquanto tenha introduzido o Simbolismo em Portugal, é herdeiro de Castilho e das notas classicizantes (antirrevolucionárias também) que confluíram para o vago Parnasianismo português.

Mais ainda: pelo cotejo das datas, depreende-se que as tentativas parnasianas existiam, em Portugal, à margem e no desconhecimento do que se vinha fazendo em França. É que, diga-se a modo de remate, o ideal de casticismo formal acompanha passo a passo a história da poesia portuguesa. Assim, não

256 • A LITERATURA PORTUGUESA

é de surpreender que se confundisse, equivocadamente, a busca de perfeição estilística com o Antirromantismo da poesia parnasiana. Como a poesia de intenção parnasiana era antirromântica à sua maneira, estava completo o mal-entendido.

O introdutor das veleidades parnasianas em Portugal foi **João Penha** (1838-1919), com o jornal literário *A Folha* (que se publicou de 3 de dezembro de 1868 a 6 de abril de 1872). No "preâmbulo" com que abre o primeiro número, João Penha faz uma declaração de independência e ecletismo, de que se pode salientar o seguinte:

> "Todos sabem que temos entre nós, apesar de ser duvidoso que tenhamos uma literatura completa, duas escolas literárias: a dos metrificadores do ai, ou a de Lisboa; e a dos sacerdotes da ideia vaga, ou a de Coimbra."

A primeira correspondia ao Ultrarromantismo de *O Trovador, O Novo Trovador* e de *A Grinalda* (1855). A outra era a "escola de Coimbra", chefiada por Antero. Mais adiante:

> "Eu, que sou eclético em quase tudo, e que não pertenço a nenhuma das escolas, acho-as ambas excelentes: o belo é sempre belo, revista que formas revestir: querer que o encaremos dum só lado, duma só face, é querer obrigar-nos à monotonia, ao bocejo, ao sono."

Com efeito, João Penha aceitou a colaboração de Guerra Junqueiro, Teófilo Braga, Antero, Gomes Leal, Jaime Batalha Reis, Guilherme de Azevedo, Camilo Castelo Branco, Alberto Pimentel, Gonçalves Crespo e outros.

João Penha publicou os seguintes volumes de versos: *Rimas* (1882), *Viagem por Terra ao País dos Sonhos* (1898), *Novas Rimas* (1905), *Ecos do Passado* (1914), *Últimas Rimas* (1919), *O Canto do Cisne* (póstumo, 1923). Em prosa: *Por Montes e Vales* (1899). Na sua poesia, a nota mais impressiva é dada pelo artesanato rigoroso e eficaz do soneto, dentro dos melhores moldes da tradição literária portuguesa, coincidentemente aparentado com o formalismo parnasiano. Todavia, diminui tal semelhança certo pendor para assumir uma postura irreverente à Bocage, que leva o poeta a substituir o tradicional fecho de ouro por uma inconveniência provocadora do riso fácil:

"Ó camenas agrícolas, cantai-o!
Ela, a minha formosa, ela, fugindo
Deixou-me o coração, deixou-me o paio!"

Com isso, perdem sentido e força o halo poético e a perfeição formal, conduzindo logo à certeza de que um parnasiano convicto jamais procederia desse modo. Não obstante, a poesia de João Penha constitui uma brisa de sadio realismo na atmosfera piegas e sentimental deixada pelos ultrarromânticos, realismo esse de que proveio, como já se notou, o impressionismo de Cesário Verde.

Outros poetas podem ser alinhados sob a mesma epígrafe ao lado de João Penha. Um deles é **Gonçalves Crespo**, nascido no Rio de Janeiro, em 1846, e falecido em Lisboa, em 1883. Embora brasileiro, viveu desde os catorze anos em Portugal, onde alcançou nomeada graças inclusive ao casamento com Maria Amália Vaz de Carvalho. Recebendo diversificada influência de poetas franceses, portugueses e brasileiros, Gonçalves Crespo vacilou entre um Romantismo tardio e a aceitação de moldes novos. Com referência aos últimos, preocupou-se em demasia com o lado marmóreo, escultural, frio e apoético do Parnasianismo, de que foi um fervoroso adepto e propugnador. Escreveu *Miniaturas* (1870) e *Noturnos* (1882), de que se destaca o soneto "Mater Dolorosa", em memória de sua mãe, uma janela aberta à espontaneidade que afasta os excessos de brilho formal, vazios de poesia, e utiliza reminiscências da infância passada no Brasil, que encerram as notas melhores de sua poesia. "As Velhas Negras" e "Ao Meio-Dia" são ainda outros dois cromos da realidade brasileira, pintados com os olhos da memória e da saudade.

**Antônio Feijó** (1860-1917) é certamente o mais bem dotado representante dessa tendência, graças aos dotes pessoais e a uma rica sensibilidade, que o defendeu de tombar na frieza perseguida pelos parnasianos. Escreveu: *Transfigurações* (1882), *Líricas e Bucólicas* (1884), *Janela do Ocidente* (1885), *Cancioneiro Chinês* (1890), *Ilha dos Amores* (1897), *Bailatas* (1907), *Sol de Inverno* (1922) e *Últimas Bailatas* (1926). Poeta do amor e da morte, pendeu entre o Romantismo e o Realismo, ao mesmo tempo que chegou a aflorar temas caros à poesia simbolista. Antônio Feijó granjeou nomeada pelo soneto, "Pálida e Loira", em que conseguiu realizar plenamente o seu poder de captar nas malhas do poema, numa linguagem tersa e apropriada, fundos sentimentos amorosos nascidos de sua experiência sentimental:

"Morreu. Deitada no caixão estreito,
Pálida e loira, muito loira e fria,
O seu lábio tristíssimo sorria
Como num sonho virginal desfeito"

Dentre outros poetas contagiados de Parnasianismo, de mistura com tendências sociais, revolucionárias ou neorromânticas, citam-se: **Guilherme de Azevedo** (1839-1882), autor de *Aparições* (1867), ainda romântico, *Radiações da Noite* (1871) e *Alma Nova* (1874), este, o seu melhor livro, de inspiração revolucionária, com anúncios de Cesário Verde. **Guilherme Braga** (1845-1876), autor de *Heras e Violetas* (1869), *Os Falsos Apóstolos* (1871), *O Bispo* (1874) e *Poesias* (1898), obras cujo lastro de apetências românticas, à Victor Hugo, contracena com uma poesia panfletária e satírica.

Outros poetas, alguns deles de menor vulto e como que constituindo um neoparnasianismo: **Antônio de Macedo Papança** (Conde de Monsaraz) (1852-1913), autor da *Musa Alentejana* (1908) e de outras obras. **Antônio Fogaça** (1863-1888), autor de *Versos da Mocidade* (1887), nos quais uma imagética moderna e original faria supor um poeta capaz de ainda mais altos voos, caso não morresse tão prematuramente. **Paulino de Oliveira** (1864-1914), autor de *Cânticos Sadinos* (1888) e *Dor* (1893). **Manuel Duarte de Almeida** (1844-1911), autor de *Terra Azul* (1933). Cristóvão Aires, Hamílton de Araújo, Joaquim de Araújo, João Saraiva, e tantos outros.

## A PROSA REALISTA. O ROMANCE

Em consonância com o pensamento revolucionário da geração de 70, o romance abandona o esquema anterior, vigente no Romantismo, segundo o qual a prosa de ficção, como aliás a poesia em vários momentos, era baseada na intriga e visava ao entretenimento, além de ser a apologia do casamento e de suas implicações afetivas e morais. O romance passa a ser, no Realismo, obra de combate, arma de ação transformadora da sociedade burguesa dos fins do século XIX. Instrumento de ataque e demolição, por um lado, e de defesa de ideais filosóficos e científicos, por outro. A oposição ao romance romântico continua em vários aspectos, de resto obedecendo ao caráter antirromântico do Realismo. Procurando mostrar os erros básicos da mentalidade romântica, o romance realista (e o naturalista) propõe-se a revelar que seus alicerces estavam profunda e definitivamente abalados.

Por outras palavras: os três poderes, sobre os quais se apoiava o estilo de vida em moda no Romantismo, não tinham mais consistência e força suficientes para resistir ao impacto das novas descobertas científicas e filosóficas da segunda metade do século XIX. A Burguesia, como classe social dominante, a Monarquia, como classe imperante e reinante, e o Clero, como força ideológica desse organismo social, não eram capazes de transformar-se e adaptar-se aos novos tempos. Era forçoso abatê-los, destruí-los, substituí-los; de onde o caráter antiburguês, antimonárquico e anticlerical do romance realista.

Para pôr à mostra o declínio da instituição burguesa, os realistas atacaram de frente o seu núcleo, o casamento, trazendo a nu as misérias que o destroem como alicerce da Burguesia, misérias essas condensadas no adultério, tornado lugar-comum elegante. O casamento deixa-se corroer pelo adultério precisamente porque, em ligação com o pensamento burguês, de sentido pragmático e acomodatício, se funda na luxúria, no conforto material trazido pelo dinheiro ou nas hipócritas convenções sociais. Vem daí que, regra geral, o romance realista (e o naturalista) tenha o adultério por nódulo dramático e narrativo. O bisturi ia diretamente à grande chaga social e expunha-a friamente, no intuito inicial e principal de moralizar, reformar, pela revelação do erro. Dar-se-ia à Burguesia a possibilidade de tomar consciência da situação e de encontrar saída honrosa para ela.

A esse intento saneador juntava-se a preocupação de criar obra artística, o que implicava considerar o romance com uma seriedade desconhecida dos românticos. A criação estética não se faria mais em clima de febre ou de fogosa inspiração. O trabalho literário entra a ser encarado como sendo tão demorado e paciente quanto o científico, nos laboratórios ou nas pesquisas de campo. Daí que o romance seja concebido como peça harmônica, teorema perfeito, que existe antes da obra, mas de que esta vai dar a clara demonstração: caminha matematicamente, no destino certo, que é provar por a + b estar podre a sociedade burguesa e ser preciso reformá-la pela base. Por isso, o entrecho, a intriga, é sempre, ou quase sempre, comum, trivial, girando em torno do casamento fruste e do adultério consequente.

Esta estrutura simples, descarnada, como pediam as convicções científicas do tempo, serve a uma análise meticulosa do organismo social atacado de grave moléstia. Tudo progride devagar, em busca dos pormenores que, somados, dão o quadro total da psicopatologia das personagens, e faz prever a terapêutica correspondente. O valor do romance está nessa análise e na intriga. Põe-se a serviço desse intuito a preocupação pelo estilo, o controle preciso dos elementos que compõem a narrativa. E foi justamente essa preocupação estética que salvou alguns, como Eça de Queirós, de caírem na estreiteza de aceitar rigidamente os postulados realistas, criando obra pessoal, acima, ou à margem, das correntes científicas e filosóficas em moda.

O ROMANCE REALISTA E O ROMANCE NATURALISTA – Na Literatura Portuguesa, à semelhança do que ocorre na Literatura Francesa, parece claro o limite entre o romance realista e o romance naturalista, muito embora haja entre eles muitos pontos de contato, como não podia deixar de ser. As confusões nesse terreno nascem de não se levar em conta alguns aspectos relevantes. O romance naturalista é, cronológica e esteticamente, posterior ao realista: os romancistas naturalistas surgem *depois* dos realistas, nunca antes, como ocorre também na Literatura Francesa (Flaubert, autor de *Madame Bowary*, 1857, com o que se inicia o Realismo, e Zola, autor da *Thérèse Raquin*, 1867, com o que principia o Naturalismo).

Em Portugal, as coisas não se passam doutro modo: Eça publica o seu primeiro romance realista em 1875 (*O Crime do Padre Amaro*), e o mais ortodoxo e acabado representante do Naturalismo, Abel Botelho, dá a público sua primeira obra em 1891 (*O Barão de Lavos*). O pormenor cronológico, embora não condicione o outro, está-lhe intimamente ligado. Na sondagem dos problemas sociais, em busca da prova de que o organismo social está doente, o romance naturalista começa onde para o realista: este, leva até certo ponto, e o primeiro vai além.

Apenas com vistas a exemplificar, tomemos o caso das cenas adulterinas: nos romances realistas, é frequente que o ficcionista cerre as cortinas antes de iniciar-se o encontro genesíaco das personagens, como que levado por súbito pudor ou desinteresse, ou pela certeza de que é por demais conhecido e facil-

REALISMO • 261

mente imaginável o que acontece a seguir; nos romances naturalistas, o ficcionista abre as cortinas e acompanha minúcia a minúcia o desenrolar da cena, com interesse de cientista ou de sociólogo, a colher material para uma análise rigorosa e impessoal. O realista estaca, desinteressado e repelido por um espetáculo que julga moralmente asqueroso e digno de combate; o naturalista invade os aposentos a fim de examinar as nuanças e os caprichos do encontro patológico que se desenvolve ante seus olhos impassíveis e superiores.

Quanto à retaguarda ideológica (cientificismo, positivismo, republicanismo, teoria de Taine, literatura de ação social e panfletária, etc.), é a mesma para realistas e naturalistas, com algumas discrepâncias de ordem histórica (entre 1875 e 1891, em Portugal, operou-se radical transformação entre a gente culta). Contudo, distinguem-se uns dos outros no modo como empregam e refletem a comum fundamentação ideológica.

Para compreender a distinção entre eles, torna-se necessário não perder de vista que o romance naturalista veio a concretizar aquilo que era o intuito fundamental do romance realista, mas que este não levara adiante por ver-se ainda tolhido pela influência romântica. No romance realista, a base ideológica está *antes,* como preparação e fonte de argumentação; está *antes* e *durante,* no romance naturalista. O primeiro procura ver *esteticamente* os problemas sociais, como alguém que se pusesse num camarote a analisar com binóculos as chagas sociais, ou, quando delas se aproximasse, fizesse-o com luvas de pelica. O ficcionista, como que tomado por náusea ao enfrentar as misérias humanas, detém a análise em determinado ponto: as explicações filosóficas e científicas se tornam implícitas, ou indiretas; o drama das personagens resulta, não raro, da educação e de outros fatores morais e sociais.

Por seu turno, o romancista naturalista achega-se direta e *cientificamente* aos problemas, colocando luvas de cirurgião, e armado de instrumentos, como quem se dispusesse a perfurar as pústulas para libertar a sociedade de suas graves infecções; por isso, não se contém, indo à última minúcia, no intuito de conhecer toda a sintomatologia do caso clínico à sua frente. Quanto às explicações científicas e filosóficas, põe-nas no romance, quer na forma de diálogo, quer de intervenção ostensiva, suspendendo a narrativa para esclarecer os aspectos patológicos das cenas; e o drama das personagens resulta de causas patológicas, de taras genéticas.

262 • A LITERATURA PORTUGUESA

Assim, por exemplo, o adultério é explicado, no romance realista, como decorrência de causas predominantemente educacionais e morais: vício social, fruto de convenções, ainda que com bases patológicas. No romance naturalista, resulta de distúrbios fisiológicos e psiquiátricos, não obstante as relações sociais também estejam presentes.

O CONTO – O conto segue, pouco mais, pouco menos, idêntica orientação, tornando-se, com o Realismo, estrutura narrativa de eleição, espécie de pedra de toque da prosa de ficção da época. Tanto é assim que se trata de uma quadra de grandes romancistas, mas também de mestres do conto, divididos entre o Realismo e o Naturalismo, e algumas vezes contagiados de Impressionismo.

No cultivo do romance e do conto realista, são representantes de primeira grandeza Eça de Queirós e Fialho de Almeida, respectivamente. Merecem ainda ser lembrados, embora em plano inferior, os seguintes ficcionistas:

**Abel Botelho** (1854-1917), seguindo na esteira de Zola, preconizava "que de três sortes de faculdades, apenas, depende a solução do problema da nossa vida: – faculdades de sentimento, de pensamento e de ação". De tal modo que "o predomínio [...] de qualquer dessas faculdades, no doseamento dum caráter, origina desequilíbrios, aberrações e anormalismos patológicos". E com base nesses princípios, buscou fazer "a análise de [...] exemplares humanos tiranizados pela diátese das faculdades afetivas", numa série de romances sob o título de *Patologia Social (O Barão de Lavos,* 1891; *O Livro de Alda,* 1895; *Amanhã,* 1901; *Fatal Dilema,* 1907 e *Próspero Fortuna,* 1910). Fora da série: *Sem Remédio...* (1900) e *Os Lázaros* (1904), e um livro de contos, *Mulheres da Beira* (1898), situado entre o melhor que nos legou.

**Teixeira de Queirós** (1845-1919), à imitação de Balzac, também projetou erguer um painel da sociedade portuguesa coeva, com uma série de romances e contos divididos em *Comédia do Campo (Primeiros Contos,* 1876; *Amor Divino,* 1877; *Arvoredos,* 1895; *Amores, Amores...,* 1897; *A Nossa Gente,* 1900; *A Cantadeira,* 1913) e *Comédia Burguesa (Os Noivos,* 1879; *Salústio Nogueira,* 1883; *A Morte de D. Agostinho,* 1895; *O Famoso Galrão,* 1898; *A Grande Quimera,* 1919), das quais a primeira parte contém maior interesse que a segunda, visivelmente comprometida pelos esquematismos da crítica social, em moda no tempo.

**Trindade Coelho** (1861-1908) autor de *Os Meus Amores* (1891), uma coletânea de contos em que reflui a lembrança saudosa dum Trás-os-Montes edênico, vazada numa linguagem impressionistamente lírica, a ecoar aqui e ali a voz de Fialho de Almeida, mas sem lhe empanar o brilho original e o temperamento de autêntico narrador de histórias curtas. O *Conde de Arnoso* (Bernardo Pinheiro, 1855-1919) gozou de alguma notoriedade no tempo, graças inclusive ao prefácio de Eça de Queirós ao seu volume de contos, *Azulejos* (1886). Outros prosadores realistas e naturalistas, hoje esquecidos: José Augusto Vieira, Júlio Lourenço Pinto, Jaime de Magalhães Lima e outros.

## EÇA DE QUEIRÓS

José Maria Eça de Queirós nasceu na Póvoa de Varzim, em 25 de novembro de 1845. Em Coimbra, estuda Direito e liga-se a uma ruidosa geração acadêmica, entusiasmada com as ideias de Proudhon e de Comte. Conhece Antero e inicia sua carreira literária com a publicação de folhetins, mais tarde reunidos sob o título de *Prosas Bárbaras* (1905). Durante a *Questão Coimbrã,* mantém-se à margem, como simples espectador. Formado, segue para Lisboa, a tentar a advocacia. Mais adiante, liga-se ao grupo do *Cenáculo* (1868), liderado por Antero, depois de passar algum tempo dirigindo um jornal em Évora (*Distrito de Évora,* 1867). Em 1869, viaja ao Egito para fazer a reportagem da inauguração do Canal de Suez, de que vai resultar *O Egito,* publicado postumamente (1926). No regresso, participa das *Conferências do Cassino Lisbonense* (1871), e em seguida está em Leiria como administrador do Concelho, condição para que possa ingressar na carreira diplomática, como é do seu desejo. De sua estada em Leiria (seis meses), nasce-lhe a inspiração para escrever *O Crime do Padre Amaro* (1875). Aprovado em concurso, é nomeado cônsul em Havana (1873), mas no ano seguinte está em Brístol (Inglaterra), onde permanece até 1878. Finalmente, translada-se para Paris, realizando assim um velho sonho. Na paz bonançosa que alcança em Neuilly, casa-se e entrega-se mais do que nunca à criação literária. É ali que, cercado de familiares e amigos, falece a 16 de agosto de 1900.

Reunindo condições pessoais e históricas propiciadoras do trabalho intelectual, Eça de Queirós tornou-se dos maiores prosadores em Língua Portuguesa, alcançando ser, na esteira de Garrett, uma espécie de divisor de águas

264 • A LITERATURA PORTUGUESA

linguístico entre a tradição e a modernidade. Exerceu considerável influência em Portugal e no Brasil, ao longo do século XX.

Eça de Queirós cultivou o romance, o conto, o jornalismo, a literatura de viagens e a hagiografia. Romance: *O Mistério da Estrada de Sintra* (em colaboração com Ramalho Ortigão (1871), *O Crime do Padre Amaro* (1875), *O Primo Basílio* (1878), *O Mandarim* (1879), *A Relíquia* (1887), *Os Maias* (1888), *A Ilustre Casa de Ramires* (1900), *A Correspondência de Fradique Mendes* (1900), *A Cidade e as Serras* (1901), *A Capital* (1925), *O Conde d'Abranhos* (1925), *Alves e Cia.* (1925). Conto: *Contos* (1902). Jornalismo, literatura de viagens e hagiografia: *Uma Campanha Alegre* (2 vols., 1890-1891), *Cartas de Inglaterra* (1903), *Prosas Bárbaras* (1905), *Ecos de Paris* (1905), *Cartas Familiares e Bilhetes de Paris* (1907), *Notas Contemporâneas* (1909), *O Egito* (1926), *Últimas Páginas* (1912), *A Tragédia da Rua das Flores* (1980), etc.

Toda essa rica produção literária pode ser arrumada em três fases fundamentais, conforme o eixo em torno do qual girava a curiosidade de Eça. A primeira fase da carreira queirosiana começa com artigos e crônicas publicados entre 1866 e 1867, na *Gazeta de Portugal*, e postumamente coligidos no volume *Prosas Bárbaras,* e termina em 1875, com a publicação de *O Crime do Padre Amaro.* Fase de indecisão, preparação e procura, dum escritor ainda jovem e romântico, à mercê duma heterogênea influência, especialmente de origem francesa, tendo à frente Baudelaire e Gérard de Nerval. De mistura, o fascínio por Heine e Hoffman, tudo convergindo para atmosferas e ambientes de mistério e desgarrada fantasia, expressas numa linguagem lírica e melíflua.

Pertencem ainda a essa fase preparatória: *O Mistério da Estrada de Sintra,* uma espécie de romance policial, entre sério e jocoso, escrito de parceria com Ramalho Ortigão, e a colaboração de Eça às *Farpas,* jornal satírico dirigido por Ramalho, mais tarde reunida em *Uma Campanha Alegre.* Em suma: um jovem de talento, em disponibilidade para a aventura do espírito, experimentando armas, no encalço dum caminho próprio. Do ponto de vista literário, é a fase menos importante da carreira de Eça, embora tenha interesse para o seu conhecimento como homem durante a juventude, e do escritor num estágio ainda primário, mas em que já se vislumbra o prosador do futuro.

Com a publicação de *O Crime do Padre Amaro* (1875), que Eça vinha escrevendo desde 1871, e de que em 1876 e em 1880 saíram edições amplamente revisadas, inicia-se a segunda fase de sua carreira, que se estende mais ou menos até 1888, com a publicação de *Os Maias*. Aderindo às teorias do Realismo iconoclasta a partir de 1871, Eça coloca-se sob a bandeira da República e da Revolução, e passa a escrever, em coerência com as ideias aceitas, obras de combate às instituições vigentes (Monarquia, Igreja, Burguesia) e de ação e reforma social. Tais romances compromissam-se com o ideário da geração de 70, e valem como flagrante, embora deformado, retrato da sociedade portuguesa sua contemporânea, erguido em linguagem original, plástica, já impregnada daquelas qualidades características do seu estilo: naturalidade, fluência, vigor narrativo, precisão, oralidade, repúdio às soluções retóricas exageradas. Junte-se-lhes o pendor inato para certo lirismo melancólico e para a sátira e a ironia, utilizadas estas com sutileza e graça, facilmente transformadas em riso, que brota do ridículo daquelas criaturas escolhidas pelo escritor como exemplos típicos duma sociedade hipócrita, destituída de princípios morais, em caminho para a deliquescência.

Romances de "atualidade", "crônicas de costumes", ainda hoje parecem vivos, graças à focalização de algumas mazelas constantes do homem (como o Conselheiro Acácio, símbolo da vulgaridade pedante e viciosa, e o Primo Basílio, donjuan barato, e assim por diante). Certamente seguindo o exemplo de Balzac, e aproveitando a experiência de Flaubert, Eça intenta oferecer um painel tão variado quanto possível da sociedade portuguesa contemporânea: *O Crime do Padre Amaro* passa-se em Leiria, pequena vila de província, beata e soturna, onde um padre corrupto seduz e leva à morte a infeliz e ingênua Amélia, sob a proteção do confessionário e da superstição: aqui, a análise impiedosa do clero revela-o deteriorado, como, aliás, estava toda a obtusa sociedade provinciana, erguida sobre velhos preconceitos e uma moral de ocasião.

Com *O Primo Basílio*, Eça desloca-se para a cidade, a sondar as moléstias degenerescentes no centro nevrálgico da Nação, a Capital: o ficcionista penetra agora no recesso dum lar burguês pretensamente sólido e feliz, e nele descobre igual devassidão moral e física. Em meio a um matrimônio efetuado "no ar", Luísa, fútil, entregue a uma vida imaginativa e vegetativa, revela-se frágil com o afastamento do marido, Jorge, que vai para o Alentejo a fiscalizar as suas "minas", e a chegada do sedutor, o Primo Basílio. Composto o banal trio amoroso, o núcleo da organização burguesa, o casamento, deixa-se atingir mortalmente pelo adultério.

Com *A Relíquia,* Eça analisa com irreverência e ternura a hipocrisia religiosa. Teodorico engana a Titi até o fim dos dias com a sua falsa crença religiosa, até que a troca duma relíquia santa por uma peça feminina de *lingerie* desmascara os propósitos com que realizara a peregrinação aos lugares santos; o seu sonho com Cristo, que ocupa grande parte do romance, é um sinal carregado de simbologia: revela o oculto sentimento pessoal de Eça e o quanto ele talvez desejasse dizer que o regresso a Cristo em sua verdade humana poderia ser um caminho de salvação. Percebe-se, porém, no afastamento geográfico e social da personagem, uma atenuação da tese realista que orientou Eça nos romances anteriores.

Com *Os Maias,* volta ao cenário português, para examinar a alta sociedade lisboeta em suas principais camadas, de financistas, políticos, jornalistas, literatos, fidalgos, etc.: o romance tem como núcleo um caso de incesto que só se desvenda quase ao fim, servindo de pretexto para Eça pintar um largo afresco da aristocracia portuguesa em decomposição. Estruturalmente defeituoso, porquanto o primeiro volume é uma longa preparação para um caso absurdo e folhetinesco de amor físico entre dois irmãos, o romance vale sobretudo como documento social e pelo estilo em que Eça o construiu. É pouco, entretanto, para justificar que o ficcionista gastasse quase dez anos em sua elaboração.

Algumas das obras dessa fase, especialmente as primeiras, documentam o aparecimento do romance, *stricto sensu,* em Portugal, livre da contaminação novelesca ainda comum no Romantismo: atestam um momento de austeridade na história da ficção, transformada que foi em obra de rigor e estudo, e em arma de ação revolucionária e reformadora da sociedade. Apesar do lado perecível, algumas dessas obras, como *O Crime do Padre Amaro* e *O Primo Basílio,* permanecerão como romances-modelo, ao menos num estágio da evolução histórica do romance.

A terceira e última fase da carreira de Eça de Queirós corresponde aos anos seguintes à publicação de *Os Maias* (1888) até à morte do escritor (1900). Alcançando a maturidade, o escritor resolve erguer uma obra de sentido construtivo, fruto da consciência de ter investido inutilmente contra o burguês e a família. Ao derrotismo e pessimismo analítico da etapa anterior, sucede um momento de otimismo, de esperança e fé, transubstanciado em idealismo não mais científico, mas tendo por base o culto dos valores rechaçados. *A Ilustre Casa de Ramires* (1900), *A Correspondência de Fradique Mendes* (1900) e

*A Cidade e as Serras* (1901) contêm a viragem operada em sua carreira, dirigida agora no rumo da superação da ironia, pelo menos da ironia zombeteira, e da sátira dissolvente.

A crença substitui o ceticismo cínico e corrosivo de antes. O modo como se expressa o desvio para a direita é diverso em cada uma dessas obras; mas sempre evidente. No primeiro romance, Gonçalo Mendes Ramires encontra na África o epílogo feliz de uma existência de erros e de fraquezas, consumida na ânsia de ascender politicamente por qualquer meio, inclusive em troca da honra de Gracinha, sua irmã. Nos outros, especialmente em *A Cidade e as Serras,* põe-se a tese segundo a qual o homem só é verdadeiramente feliz longe da Civilização, do Progresso, da Máquina, isto é, no culto da Natureza e da Simplicidade.

Eça supera o esteticismo cientificista da fase anterior e admite uma concepção de vida mais livre e humanitária. Assim, atingia o máximo de suas possibilidades de artesão da prosa, muito embora, é certo, o romancista desaparecesse para ceder lugar ao memorialista, ao idealista, a refletir maduramente no significado da existência humana. Eça alargava uma opção ideológica antes presente em Júlio Dinis, e que, depois dele, será frequente no Simbolismo.

Ao longo da evolução sofrida pela mundividência de Eça de Queirós, vai-se operando análoga metamorfose em sua linguagem. Antes objetiva, definidora, repleta de pormenores indicativos de situações psicológicas e patológicas, experimenta agora um processo de decantação, de transfiguração, plasticizando-se em diafaneidades aladas, próximas do mais evanescente lirismo. Observe-se que Eça atinge, nessa quadra, o apogeu de estilista, mas em detrimento da estrutura narrativa, colocada em segundo plano. Tal mudança se presencia em alguns de seus contos, verdadeiramente modelares no gênero ("Singularidades de uma Rapariga Loura", "Perfeição", "Suave Milagre", "José Matias") e, ainda em *Últimas Páginas,* biografias de santos, em que o estilo, fluindo sonoramente, numa suavidade de fonte secreta, ganha transparência de salmo.

Ainda pertence a esse conjunto, num lugar de relevo, *O Mandarim*, graças não só à linguagem como também ao seu recheio, puxado ao fantástico, em que o poder da fantasia, do sonho, do sobrenatural, do idealismo e das alegorias, igualmente presente em *A Correspondência de Fradique Mendes*, prevalece sobre a fotografia da realidade circundante, num cenário mais próximo da ficção moderna do que as narrativas enfeudadas à teoria realista de arte.

Tudo o mais que deixou apresenta interesse relativo, salvo o romance póstumo *A Capital* (1925), fadado a mais alto destino, não fosse o ficcionista ter morrido antes de o rever: é possível que a semelhança com as *Ilusões Perdidas*, de Balzac, o tenha obrigado a relegar a obra ao esquecimento. Entretanto, não desmerece aquele que é, pelo conjunto da obra, o mais importante prosador do Realismo português e dos maiores da Língua.

A tradição tem reconhecido em Eça de Queirós o maior romancista da Literatura Portuguesa, chegando alguns a considerá-lo como tal para toda a Língua Portuguesa. Afora o exagero, o discutível e o subjetivo desta opinião, pondere-se que, no tocante à outra, existe meia verdade. Subjetiva igualmente, labora ainda no erro de confundir escritor com romancista, que são coisas diferentes. Em Eça, atrai mais o escritor que o ficcionista, sobretudo nas últimas obras: os romances da segunda fase, apesar de se terem esquivado de maior constrangimento estético, valem pelas qualidades de escrita, pois, como estrutura romanesca, deixam a desejar, por seu esquematismo psicológico e social.

Eça observava bem a sociedade do tempo, mas não possuía os dons de psicólogo e a imaginação transfiguradora que fazem o ficcionista superdotado, como Camilo Castelo Branco. Quanto ao domínio e brilho do estilo, ocupa lugar de topo, legando um rol de soluções expressivas de largo curso no século XX, que emprestam à sua linguagem sabor inconfundível. Por esse lado, Eça mantém-se vivo e atuante na memória ainda dos leitores de hoje. Está entre os mais lidos em Língua Portuguesa: aí reside, sem dúvida, o seu grande e permanente mérito. E se lhe juntarmos o de haver emprestado à ficção portuguesa um modo peculiar de escrever romances, estará sintetizada a sua importância nos quadros literários em nosso idioma.

## FIALHO DE ALMEIDA

José Valentim Fialho de Almeida nasceu em Vila de Frades (Baixo Alentejo), a 7 de maio de 1857. Filho dum professor de primeiras letras, ainda menino vai para Lisboa estudar. Forma-se em Medicina, enquanto trabalha numa farmácia para ganhar o sustento diário, e gasta o mais do tempo nos primeiros ensaios literários. Diplomado, foge de iniciar a vida profissional entregando-se à boêmia dos cafés e a uma crescente irritabilidade de fundo temperamental, que as pugnas e os despeitos literários mais acirram. Ganha inimigos em toda a parte, graças à sua veia satírica e crítica, que extravasa em *Os Gatos,* jornal polêmico êmulo de *As Farpas,* que se publica entre agosto de 1889 e janeiro de 1894. No fim da vida, desencantado com a Capital, retira-se para o campo e contrai matrimônio de conveniência. Falece em Cuba (Alentejo), a 4 de março de 1911.

Fialho de Almeida identifica-se pela bipolaridade, tanto na vida, como na obra. Um dos polos é representado por suas raízes alentejanas e campesinas, pela origem e pelo temperamento rústico e vibratilmente primitivo; o outro polo evidencia-se num anseio compensatório de aparecer, de conquistar na cidade grande, Lisboa, a fama e a glória literária. A sua obra pende entre esses dois núcleos de interesse.

Coloca-se em primeiro lugar a obra folhetinesca e panfletária, repassada de sombrio azedume, de ódio irritado à Burguesia, e de agressão violenta e biliosa a todas as convenções e instituições sociais. É o lado em que domina a indignação, expressa nos folhetins virulentos de *Os Gatos* (1889-1894) e nos demais escritos, geralmente de índole jornalística, em que a entranhada vadiagem despejava sarcasmo, irreverência e iconoclastia (*Pasquinadas,* 1890; *Vida Irônica,* 1892; *À Esquina,* 1903; etc.). É ainda aspecto ocasional, fruto de razões pessoais, composto de acontecimentos efêmeros e só entendível na atmosfera que lhe deu causa, mas fundamental para quantos queiram conhecer a época realista em Portugal e conviver com um estilo de raro vigor analítico.

A esse Fialho "das trevas" opunha-se o outro, que permanecia subjacente à violenta fobia antiburguesa, e se deixava surpreender pela contínua saudade do "paraíso perdido" (sua terra natal), em flagrante e dramática luta com aquela tendência. O segundo Fialho, o "das luzes", está fixado nos *Contos* (1881), em *A Cidade do Vício* (1882), em *Lisboa Galante* (1890), e destacadamente no admirável livro de contos *O País das Uvas* (1893), no qual se nota, ao lado da predileção pelo mórbido e pelos climas decadentes, frequente menção às belezas do campo, como se pode ver, por exemplo, em "As Vindimas":

"Oh! quem me dera ser um camponês, como que uma emanação da paisagem que o meu olhar abraça daqui, e bem forte, bem novo, bem fulvo, recolhendo ao anoitecer dos matos com o meu feixe de lenha à cabeça, a carreta de vindimador chiando por algum córrego pitoresco, e um cordeiro que balasse adiante, na linha dos antigos deuses foragidos, a elegia violenta do morrer do sol! E de roda de mim, por cima de mim, ouvindo as tristes gotinhas d'água cair, com seu *ting-ling* de fonte amorável, no coração dos musgos romanescos... – Evoé, padre Baco!"

Essa ambivalência, radicada profundamente na personalidade, constitui o fulcro de sua obra, a qual só pode ser compreendida à sua luz, porquanto os contrastes nascidos dessa oscilação, de essência trágica, formam os alicerces de uma robusta edificação estética, original, das mais singulares da atividade literária coeva. A face mais brilhante, representam-na os contos (Fialho não escreveu romances): marcados de sugestões do Realismo agonizante e das últimas e anacrônicas manifestações do Romantismo, encobertas em Decadentismo, traduzem a indecisão de quem morreu sem encontrar-se, ora mexendo em pustulências de sanatório, ora elevando o olhar para planos dum lirismo diáfano e decadente (veja-se, por exemplo, *Madona do Campo Santo*, uma das narrativas de *A Cidade do Vício*).

Fialho sustenta a dualidade com um nervosismo denunciador de turbulência psíquica, transposta num estilo de inegável riqueza plástica, como que oriundo de alucinações pictóricas. Dono de poderosa retina de observador histerizado, põe a seu serviço incomum poder verbal, evidente na escolha de soluções as mais raras, exóticas e individuais, na predileção por um vocabulário precioso e afrancesado, e no prazer que se diria físico de experimentar os coleamentos sintáticos. Escrevendo quase sempre em transe, "tomado" pelas vibrações de sua hiperemotiva sensibilidade, nem sempre o produto resultante era de primeira categoria.

O despeito pela glória alheia, sobretudo a de Eça de Queirós, espicaçava-lhe o rebuscamento estilístico e impelia-o, não raro, para o uso de barroquismos de duvidosa valia. Em mais de um passo, contudo, a sua como linguagem automática (que os surrealistas haveriam de transformar em núcleo da sua reivindicação estética) eleva-se e valoriza-se, embora sem renovar a prosa de ficção como fizera o autor de *O Primo Basílio*, e como ele próprio tanto desejara realizar. Em qualquer hipótese, a respeito de Fialho deve-se lembrar o Impressionismo, pois foi com os meios próprios dessa tendência que criou algumas das obras-primas do conto em vernáculo. Durante a vigência do Realismo, não há outro contista que se lhe compare. Não fosse o bastante, restaria o seu estilo para lhe conferir a posição de relevo que ocupa na Literatura Portuguesa.

# A PROSA DOUTRINÁRIA

Em estreita consonância com o pensamento revolucionário do Realismo, alguns dos homens do tempo dedicam-se à literatura de combate, doutrinária, panfletária, obra de propaganda e de ação civilizadora. Para realizá-la, empregam indiretamente a prosa de ficção e a poesia, e diretamente o panfleto e o folhetim. A primeira publicação no gênero destes últimos foram *As Farpas*, aparecidas em 1871, no ano mesmo das *Conferências do Cassino Lisbonense*, decerto inspiradas na revista satírica *Les Guêpes* (1839-1849), do francês Alphonse Karr (1808-1890), e escritas por **Eça de Queirós** e **Ramalho Ortigão**: o primeiro, até 1872, quando ingressa na carreira diplomática, e o segundo, dali por diante, até 1882. Em 1887, *As Farpas* voltam a circular por três anos, ainda sob a direção de Ramalho, o mesmo acontecendo entre 1911 e 1915. Nessas sucessivas reaparições, o periódico foi sofrendo gradual metamorfose, que, entretanto, não lhe alterou o caráter originário de órgão polêmico e crítico da sociedade portuguesa.

No tocante a Eça, reuniu a sua colaboração para *As Farpas* em dois volumes (1890-1891), com o título de *Uma Campanha Alegre*. Na "advertência", comenta o caráter da publicação, dizendo que "as páginas deste livro são aquelas com que outrora concorri para *As Farpas,* quando Ramalho Ortigão e eu, convencidos, como o Poeta, que a *tolice tem cabeça de toiro* decidimos farpear até à morte a alimária pesada e temerosa". E mais adiante: "Todo este livro é um riso que peleja. Que peleja por aquilo que eu supunha a Razão. Que peleja contra aquilo que eu supunha a Tolice." No primeiro número de *As Farpas*, estampava-se o programa de ação dos dois escritores, mas escrito por Eça, onde se lê que "na epiderme de cada fato contemporâneo cravaremos uma farpa. Apenas a porção de ferro estritamente indispensável para deixar um sinal!"

## RAMALHO ORTIGÃO

José Duarte Ramalho Ortigão nasceu no Porto, a 15 de novembro de 1836, e faleceu em Lisboa, a 17 de setembro de 1915. Educado ao ar livre, junto da terra, era o tipo acabado do anti-intelectual. Não fez curso superior, mas envolveu-se na *Questão Coimbrã* com independência e equilíbrio. Embora não participasse das *Conferências do Cassino Lisbonense,* no mesmo ano iniciou a publicação de *As Farpas,* com intuitos análogos aos dos realistas, a cujo grupo passou a pertencer. Viveu do jornalismo e de vagos empregos públicos. Infatigável curioso do espetáculo humano, e gostando de viajar, esteve na Holanda e na Inglaterra. Dessas viagens nasceram dois livros de impressões, hesitando entre o jornalismo e o diário íntimo: *A Holanda* (1885) e *John Bull e a sua Ilha* (1887). Fez parte do grupo de *Os Vencidos da Vida.*

Mais adiante, desiludido da vida pública, foi-se retirando cada vez mais para o campo e para os valores que lhe marcaram a infância. Em sua vasta bibliografia, ainda se incluem as *Notas de Viagem* (1878), *Pela Terra Alheia* (2 vols., 1878-1880), *Figuras e Questões Literárias* (2 vols., 1945), etc. Por mais diferentes que sejam os temas, Ramalho vaza-os numa linguagem límpida, extrovertida, respirando saúde e alegria de viver, fruto de sua concepção otimista, máscula e esportiva da existência. Na verdade, foi um autêntico repórter, repórter apaixonado por sua terra e que só a retratava asperamente porque nutria, à semelhança dos contemporâneos, ideais de recuperá-la e fortalecê-la.

Nisso, a sua orientação é exatamente oposta à de **Fialho de Almeida**, mas ambos se encontravam no mesmo desígnio: o da regeneração dos costumes por meio da sátira. *Os Gatos,* inspirados em *As Farpas,* começam a sair em agosto de 1889 e terminam em janeiro de 1894. Considerando *Os Gatos* uma "publicação mensal, de inquérito à vida portuguesa", como declara em subtítulo, Fialho esclarece no introito do primeiro fascículo: "Deus fez o homem à sua imagem e semelhança, e fez o crítico à semelhança do gato." E na conclusão diz:

> "Desde que o nosso tempo englobou os homens em três categorias de brutos, o burro, o cão e o gato – isto é, o animal de trabalho, o animal de ataque, e o animal de humor e fantasia – por que não escolheremos nós o travesti do último? É o que se quadra mais ao nosso tipo, e aquele que melhor nos livrará da escravidão do asno, e das dentadas do cachorro.
>
> Razão por que nos achará aqui, leitor, miando pouco, arranhando sempre, e não temendo nunca."

Pois é precisamente isso que vamos encontrar em *Os Gatos:* um temperamento verrinoso, implacável no ataque aos descalabros e ridículos públicos, paroxístico, vertendo fel, que, contudo, alcança por vezes páginas dum intenso vigor que, além de não desmerecerem o contista, ajudam a compreender-lhe a contraditória personalidade e oferecem-nos um panorama vibrante dos acontecimentos narrados ou comentados.

## A LITERATURA DE VIAGENS

No exame duma época tão rica como é a do Realismo, não poderia faltar a referência a outras formas de atividade literária, direta ou indiretamente ligadas às demais: a literatura de viagens, a historiografia e a crítica literária.

Como se sabe, a literatura de viagens remonta ao século XV. Praticamente, com as crônicas dos Descobrimentos, de que Azurara foi o iniciador, tem começo uma numerosa linhagem de viajantes que não se interrompe daí por diante, senão no século XVIII: nesse período, alinham-se de modo especial as narrativas da *História Trágico-Marítima,* a *Peregrinação,* de Fernão Mendes Pinto, a literatura de viajantes portugueses no Brasil, na África e na Ásia, etc.

No século XIX, o exotismo romântico repôs o interesse deambulatório; além das *Viagens na Minha Terra, de* Garrett, outros nomes podem ser lembrados: Antônio Pedro Lopes de Mendonça (*Recordações da Itália,* 1852-1853), Júlio César Machado (*Recordações de Paris e Londres,* 1862) e outros. Era, porém, fruto do artificial desejo de compensar a ânsia de infinito e de fuga para o exótico, nascida da hipertrofia do "eu". Ao cabo, era quase como se cada um ainda continuasse a viajar dentro de si próprio. Com o advento da estética realista, renasce o gosto das viagens, desta vez por força dum cosmopolitismo não de todo alheio às ideias coletivistas trazidas pelo Socialismo. Dentre os vários que cultivam, ao menos passageiramente, essa atividade literária, citam-se: Eça de Queirós (*O Egito,* 1926), Ramalho Ortigão (além dos já citados, *Em Paris,* 1868), Oliveira Martins (*A Inglaterra de Hoje,* 1893), Fialho de Almeida (*Estâncias d'Arte e de Saudade,* 1921), o Conde de Arnoso (*Jornadas pelo Mundo,* 1895), e outros.

De todos, porém, o mais importante é **Wenceslau de Morais**, nascido em Lisboa, a 30 de maio de 1854. Fez o Curso da Escola Naval e, depois de estagiar em Timor e Moçambique, está em Macau, como professor, altura em que

274 • A LITERATURA PORTUGUESA

trava amizade com Camilo Pessanha. Casa-se com uma chinesa, mas prefere morar no Japão, onde se liga a uma gueixa. Nesta época, já vai alto o seu processo de orientalização. Em 1889, torna-se cônsul em Kiobe; em 1913, vai para Tokushima, entregue a um recolhimento búdico, e ali falece a 1º de julho de 1929, deixando uma quantiosa bibliografia de assuntos orientais, especialmente nipônicos: *Dai-Nippon* ("O Grande Japão", 1897), *Cartas do Japão* (4 séries, 1902 a 1913), *Serões no Japão* (1905), *O Culto do Chá* (1905), *Paisagens da China e do Japão* (1906), *Bon-Odori em Tokushima* (1916), *Ó-Yoné e Ko-Haru* (1923), *Relance da História do Japão* (1924), etc.

Tais obras revelam aguda e sensível curiosidade pelas coisas do Oriente, sobretudo as do Japão, com as quais procurou identificar-se, mas sem o conseguir: a sua apaixonada visão da paisagem e das gentes orientais é ainda a de um ocidental e português, não obstante o desprezo, um tanto superficial, com que se refere à cultura e à civilização europeia sob o signo da máquina e do progresso.

## A HISTORIOGRAFIA. OLIVEIRA MARTINS

A atividade historiográfica durante a época do Realismo tem interesse não só por suas específicas características científicas (recolha e rigorosa interpretação dos textos e documentos, etc.), como pelo fato de ter sido exercida por vezes com preocupação estética. Dentre os historiadores do tempo, podem citar-se Costa Lobo (1840-1913), autor duma *História da Sociedade em Portugal no Século XV* (1904), Henrique da Gama Barros (1853-1925), autor duma *História da Administração Pública em Portugal dos séculos XII a XV* (4 vols., 1895-1922), Alberto Sampaio (1841-1908), autor dos *Ensaios Históricos e Econômicos* (2 vols., 1923), e sobretudo Oliveira Martins.

Joaquim Pedro de Oliveira Martins nasceu em Lisboa, a 30 de abril de 1845. As precárias condições financeiras afastaram-no dos estudos regulares, compelindo-o a ganhar a vida no comércio e depois como administrador das Minas de Santa Eufêmia (Córdoba, Espanha). Neste ínterim, filia-se ao grupo do *Cenáculo* (1868), e tenta instalar com Antero e José Fontana o pensamento socialista em Portugal (1870-1873). Ingressa na vida política, torna-se deputado pelo Porto e Ministro da Fazenda, depois de 1890, ao mesmo tempo que se consagra a um estafante labor intelectual, de que falece a 24 de agosto de 1894, na cidade natal.

Autodidata, a volumosa bibliografia de Oliveira Martins atesta-lhe semelhante condição, bem como as dificuldades que teve de arrostar para levar a cabo uma ingente tarefa de reconstituição historiográfica. Além dos problemas especificamente históricos, interessam-no os aspectos econômicos, políticos, antropológicos, mitológicos, geográficos e literários. De sua volumosa bagagem ressaltam-se: *Teoria do Socialismo – Evolução Política e Econômica das Sociedades na Europa* (1872), *Portugal e o Socialismo – Exame Constitucional da Sociedade Portuguesa e sua Reorganização pelo Socialismo* (1873), *O Helenismo e a Civilização Cristã* (1878), *História da Civilização Ibérica* (1879), *História de Portugal* (1879), *Portugal Contemporâneo* (1881), *História da República Romana* (1885), *Os Filhos de D. João I* (1891), *Camões, "Os Lusíadas" e a Renascença em Portugal* (1891), *A Vida de Nun'Álvares* (1892), *A Inglaterra de Hoje* (1893), *Cartas Peninsulares* (1895), *O Príncipe Perfeito* (1895), etc.

De formação positivista e socialista, Oliveira Martins encara a História como decorrente duma cadeia de causas ético-político-socioculturais, vinculadas a fatores sociológicos e econômicos. Procurando ter uma visão globalista da série histórica, diligenciou a realização duma obra capaz de contribuir para as reformas de base preconizadas pela geração realista. O seu caráter apostolar e a sua formação de autodidata ajudam a compreender por que boa parte de sua obra se prendeu a contingências de momento e a uma filosofia da História que acabou sendo pessimista à custa de ser exigente e "científica".

A tal ponto que o inquestionável merecimento como historiador tem sido postergado em favor de suas qualidades de estilista inspirado. Dotado de excepcional capacidade para erguer retratos, figuras, cenas, acontecimentos, beneficia-se dum estilo opulento, dinâmico, dando a impressão de não se entusiasmar com a reconstituição histórica, precisamente por causa dos princípios científicos que adota. Nesses casos, talvez o historiador perca autoridade, mas ganha o prosador, em virtude da imaginação de que era dotado, senhor de linguagem das mais originais e vigorosas do tempo; praticamente em qualquer de suas obras fundamentais, há páginas exemplares pela erudição, força e elegância de estilo.

276 • A LITERATURA PORTUGUESA

# A HISTORIOGRAFIA E A CRÍTICA LITERÁRIA

É com o Realismo que, a rigor, têm início, em Portugal, os trabalhos sistemáticos de historiografia e crítica literárias. Dois nomes merecem especial destaque, por terem-se dedicado a eles com exclusividade, num nível verdadeiramente superior: Teófilo Braga e Moniz Barreto.

**Teófilo Braga** nasceu em Ponta Delgada, a 24 de fevereiro de 1843, e faleceu em Lisboa, a 28 de janeiro de 1924. Pertenceu ao grupo anteriano que se envolveu na *Questão Coimbrã,* provocada inclusive por dois livros seus, a *Visão dos Tempos* e as *Tempestades Sonoras,* ambos de 1864. Formado, ingressa como professor no Curso Superior de Letras e põe-se a exercer notável ação no pensamento português, por meio da cátedra e dos livros. Positivista convicto, a República (1910) arrasta-o à presidência provisória da Nação. Exemplo de pertinaz, embora afoita, dedicação à vida intelectual, Teófilo cultivou a poesia, o conto, a doutrinação filosófica e política, mas foi na historiografia e na crítica literária que se destacou.

Comandado por invulgar força de vontade, e uma aplicação sistemática, diuturna, ao trabalho de pesquisa e escrita, planejou estabelecer as fundações da historiografia literária portuguesa, esquadrinhando, para isso, todos os seus aspectos. Na pressa com que elaborava, faltava-lhe tempo à reflexão e ao exame da rica, mas nem sempre fidedigna, documentação em que fundamentava suas teorias. A volúpia das grandes sínteses, sempre provisórias porque erguidas sobre alicerces em constante alteração, constitui outro ponto vulnerável de sua obra crítica.

Nada disso, contudo, lhe afeta os méritos: com o seu espírito pioneiro e infatigável, levantou dados e interpretações e desvendou caminhos até hoje legítimos para os que pretendam enveredar por esses assuntos. Desse ângulo, algumas de suas obras, como a *História do Teatro Português* (3 vols., 1870-1871), *A História do Romantismo em Portugal* (1880), *As Modernas Ideias na Literatura Portuguesa* (1892), e os volumes da "Recapitulação" (*Idade Média,* 1909; *Renascença,* 1914; *Os Seiscentistas,* 1916; *Os Árcades,* 1918) constituem fontes indispensáveis para o estudo das correspondentes épocas literárias, particularmente pela quantidade de informações e sugestões que oferecem.

Quanto a **Moniz Barreto**: nascido em Ribandar, Goa (1863), em Lisboa fez o Curso Superior de Letras e dedicou-se ao jornalismo; seguiu para Paris, onde faleceu precocemente, a 28 de dezembro de 1899, deixando pequena obra crítica esparsa em jornais e revistas. Com vocação de crítico, porventura a mais vigorosa e autêntica do século XIX português, ensaiou fazer crítica psicológica, apoiado nas conquistas científicas do tempo. A morte, porém, impediu-o de realizar o melhor de que o seu talento parecia capaz.

Não obstante, alguns de seus trabalhos ainda hoje infundem respeito pela acuidade e senso de equilíbrio com que se entregou ao exercício da crítica: A *Literatura Portuguesa Contemporânea* (1889), *Oliveira Martins, Estudos de Psicologia* (1892), *O Sr. Eça de Queirós. Estudo de Psicologia* (1897). Estes dois últimos e outros trabalhos estão reunidos em livro: *Ensaios de Crítica Literária* (1944) e *Estudos Dispersos* (1963). Interessou-se também pelas doutrinas estéticas, notadamente as de Taine e Ferdinand Brunetière acerca da "evolução dos gêneros em história literária", e pelas questões sociais e políticas da Europa sua contemporânea.

# IX

## SIMBOLISMO
## (1890 – 1915)

### PRELIMINARES

Como se viu, a geração de 70 evoluíra, à altura dos *Vencidos da Vida* (1887), para uma visão menos cientificista da realidade, o que significou o atenuamento dos ímpetos revolucionários, e o encontro, ou o reencontro, com valores éticos e estéticos repudiados até à época. *O Ultimatum* inglês (1890) veio levantar ainda mais a onda de insatisfação perante o futuro a que Portugal parecia destinado. Nessa atmosfera, em que desembocam várias correntes estéticas e ideológicas de origem francesa e alemã, era de esperar franca e decisiva reviravolta. Foi exatamente o que aconteceu.

No plano literário, nova geração, nascida ou formada em tal clima de saturadas indisposições ou de abatidos desalentos, ergue-se, com o peculiar entusiasmo reformador, fazendo centro, inicialmente, em duas revistas acadêmicas de Coimbra, *Os Insubmissos* e *Boêmia Nova,* ambas de 1889. Enfeixando colaboração de Eugênio de Castro, Alberto Osório de Castro, Alberto de Oliveira, Antônio Nobre, Agostinho de Campos e outros, divulgavam-se nelas os grandes nomes contemporâneos das letras francesas, notadamente aqueles empenhados no movimento simbolista e decadentista.

Dessa forma, as últimas caracterizações do Realismo, a partir de 1890, coincidem, inclusive nalguns aspectos intrínsecos de visão da Literatura, com

280 • A LITERATURA PORTUGUESA

os postulados da geração que inaugurava o movimento simbolista. A dificuldade em ver nitidamente as linhas mestras do fim do século XIX reside, sobretudo, na simbiose, meio fortuita e meio à revelia, que existiu entre realistas, na última fase da sua trajetória, e simbolistas.

## ORIGENS DO SIMBOLISMO

As origens remotas do movimento simbolista devem ser procuradas no Romantismo: aquele é uma espécie de continuação deste, mas com características próprias. Quando, mais adiante, examinarmos as doutrinas aceitas e defendidas pelos simbolistas, o nexo entre as duas estéticas deverá patentear-se cristalinamente.

As origens próximas do Simbolismo encontram-se na França: remonta a Baudelaire o início dum processo de modernização da poesia. As *Flores do Mal* (1857) e a teoria das "correspondências", nascida de um de seus sonetos, intitulado com aquela palavra, inaugurara verdadeira revolução poética, de que saiu o Simbolismo, como também o Decadentismo, o Surrealismo, e outros "ismos" modernos. Já no terceiro número do *Parnasse Contemporain* (1876) se observa o aparecimento de tendências reveladoras duma crise no ideário parnasiano e o despontar duma poesia nova, que ressuscitava o culto do vago em substituição ao culto da forma e do descritivo.

A partir de 1882, começa a usar-se o epíteto *decadente* para indicar esse gênero novo de poesia: o termo derivava dum artigo de Paul Bourget, publicado em *La Nouvelle Revue* (nº XIII, de 15 de novembro de 1881), em que o escritor procurava chamar a atenção para a ideia de decadência, evidente na poesia de Baudelaire, e derivava ainda dum soneto de Verlaine, "Langueur", que evoca imagens da decadência romana, assim como prega o desgosto da ação e a certeza de que a vida não vale a pena ser vivida.

Os *decadentes,* como então passaram a ser chamados os poetas da geração nova, seguindo os passos de Baudelaire, preconizavam a anarquia, o satanismo, as perversões, as morbidezas, o pessimismo, a histeria, o horror da realidade banal, ao mesmo tempo que cultuavam os neologismos e os vocábulos preciosos ("abscôndito", "adamantino", "fiavescente", "lactescente", "hiemal", "marcescente", "radiância", "fragrância", etc.). Entendiam que só lhes restava criar quimeras brilhantes, visto que viviam entediados e lassos numa civilização em decadência. Nesse aspecto, aproximavam-se dos realistas e naturalistas, que também pintavam e combatiam a sociedade do tempo por considerá-la em decomposição: tal semelhança desaparecerá quando, anos mais tarde, o Decadentismo se transformar em Simbolismo.

Entre 1871-1873, Verlaine concebera sua "Arte Poética", poema que só veio a publicar-se em 1884, constituindo grande passo no estabelecimento da doutrina simbolista: o primeiro verso, logo tornado célebre e pedra de toque das novas ambições estéticas, defendia o domínio "de la musique avant toute chose...", ou seja, o enlace da Poesia com a Música.

A 18 de setembro de 1886, Jean Moréas publica, no *Figaro Littéraire,* "Un Manifeste Littéraire", no qual define pela primeira vez o que chama de Simbolismo, termo que agora passa a substituir o anterior, Decadentismo, uma vez que este se revelara insuficiente para englobar todas as manifestações desconexas da poesia então dita decadente. O Simbolismo incorporou as conquistas decadentes, mas muitas delas continuaram a ter vida própria. Entre outras coisas, prega Moréas: "Inimiga do ensinamento, da declamação, da falsa sensibilidade, da descrição objetiva, a poesia simbolista procura vestir a Ideia duma forma sensível." Com o manifesto, estava instalado e definido o Simbolismo na França, e de lá se disseminaria pelo resto do mundo.

Concorre para a formação da atmosfera simbolista uma série de influências estéticas e filosóficas: de um lado, Baudelaire, que os simbolistas acolhem como a um mestre, por seu espírito rebelde e original, inimigo da moral e da poesia convencionais, oficiante de cultos satânicos, que desvendavam esferas interiores e exteriores até então insuspeitadas; de outro, o influxo exercido pela *Filosofia do Inconsciente* (1869), de Hartmann, que explicava o mundo pela existência duma força inconsciente que tudo regia onipotentemente.

Mais ainda: a filosofia de Schopenhauer, centrada sobre a ideia de que o mundo é uma "representação"; a invasão de novas teorias idealistas e metafísicas, do romance russo permeado de misticismo, e da música de Wagner, logo enaltecida como símile modelar da aspiração simbolista, graças à aliança com a poesia e a ação, em suas famosas óperas; a pintura impressionista, embora de base realista, agora domina amplamente e vai-se rarefazendo aos poucos, adquirindo luminosidade e fixando estranhas paisagens que logo se assemelham aos ideais simbolistas, até aparecer uma pintura simbolista ao pé da letra (o grupo dos "nabis"), etc. Com todas essas achegas, o ideal literário definido por Jean Moréas venceu em toda a linha, embora não sem a resistência dos adeptos das teses realistas e naturalistas.

## CARACTERÍSTICAS DO SIMBOLISMO

O Simbolismo é, antes de tudo, antipositivista, antinaturalista e anticientificista. Contrariando a objetividade aspirada pela geração de 70, a estética simbolista prega, e busca efetuar, o retorno à atitude psicológica e intelectual assumida pelos românticos, e que se traduzia no egocentrismo: opondo-se ao culto do "não eu", apanágio das tendências anteriores, volta o "eu" a ser objeto de cuidadosa atenção. Mas o individualismo simbolista não repete pura e simplesmente idêntica propensão romântica: o Romantismo estimulava a introspecção que apenas desvendava as primeiras camadas da vida mental do escritor, onde se localizam os conflitos e as vivências de ordem sentimental ou emocional. Pelo caráter feminizante e adolescente do Romantismo, compreende-se que as coisas não podiam passar-se doutro modo.

Os simbolistas voltam-se, agora, para dentro de si, em busca de camadas submersas, iniciando uma viagem interior de imprevisíveis resultados. Sucede, porém, que uma tão íntima sondagem ultrapassava o plano do razoável em que se moviam os românticos, mesmo os mais desgrenhados, graças ao caráter comportado e mais ou menos superficial dos sentimentos. E ultrapassando o consciente, tombavam no inconsciente: mergulhavam no caos, no alógico, no anárquico, a que se reduz, em última análise, a vida interior profunda de cada um.

Mas o contato com as vivências alógicas é uma coisa: o indivíduo podia examiná-las interminavelmente como vagas manifestações da sua interioridade vegetativa e inerte; outra coisa, muito diferente, é tentar traduzi-las de modo conveniente. A gramática tradicional, a sintaxe lógica, o vocabulário comum seriam incapazes de realizar uma empresa que necessitava de expressões e duma sintaxe novas para transmitir um conteúdo substancialmente novo. Como fazer? Criar os meios de expressão adequados: uma gramática psicológica, uma sintaxe psicológica e um léxico correspondente, recorrendo, se necessário, a neologismos, inusitadas combinações vocabulares, arcaísmos, ao emprego de cores, etc.

Na verdade, porém, as realidades interiores recém-descobertas eram inefáveis: além de jamais terem sido trazidas ao nível da palavra, constituíam um mundo vago e complexo, que poderia desfazer-se à simples menção de ser posto em palavras. Ao mesmo tempo, não haveria palavras para comunicar o indizível, o que por definição foge ao controle da fala ou mesmo do pensamento, e é próprio do sentimento, ou da *intuição*, termo empregado por Bergson, e que tanta voga teria durante o Simbolismo.

A fim de comunicar verbalmente o que não se diz, o indescritível, só lhes restava, portanto, o caminho da sugestão: daí defenderem que as palavras deveriam evocar e não descrever, sugerir e não definir. Significava que lhes cabia tão somente tentar uma aproximação com as realidades inefáveis, no esforço de encontrar expressões que lhes sugerissem o contorno e o conteúdo, sem lhes alterar a fisionomia. Espécie de "correspondência" no sentido baudelairiano (correspondência entre o mundo material e o mundo espiritual), acabou desaguando no *símbolo*: não tendo nada que ver com a palavra "símbolo" no sentido tradicional (por exemplo: a flor-de-lis era o símbolo da nobreza, o branco é símbolo de pureza, a bandeira é o símbolo da pátria, etc.), pretendia assinalar a tentativa de *simbolizar*, por meio de metáforas polivalentes, o conteúdo difuso e multitudinário do mundo interior do escritor. Em conclusão: esforço de apreensão do impalpável, o símbolo funciona como múltiplo e fugidio *sinal* luminoso duma complexa realidade mental.

Acontece, no entanto, que as vaguidades interiores são mais facilmente evocáveis pela música, graças ao seu caráter inobjetivo e adescritivo: de onde os simbolistas procurarem o apoio da música para expressar poeticamente o inefável. Quando a sondagem interior atinge estratos ainda mais fundos, dá-se o encontro entre o inconsciente individual e o que Jung viria a chamar inconsciente coletivo: o artista desvela uma inesperada identidade entre o conteúdo de seu inconsciente e o conteúdo do inconsciente do povo a que pertence. Por isso, ao procurar exprimir suas vivências, está simultaneamente buscando comunicar todo um conteúdo psicológico coletivo nele refletido, como se se tornasse porta-voz de multidões inteiras, que passam a vida sem descobrir-se por dentro, ou sem poder verbalizar os dados do seu "eu" profundo, quando conseguem captá-lo. Mas o poeta, agora, o alcança. E ao fazê-lo, põe-se a

284 • A LITERATURA PORTUGUESA

explorar temas do cotidiano burguês e pacato, ou a ressuscitar temas folclóricos e nacionais.

Quando a autossondagem chega mais longe e mais fundo, o poeta sente-se irmanado não só a um povo histórica, cultural e geograficamente delimitado, senão a uma comunidade de cultura e mesmo a uma religião: deriva desse alargamento do espectro analítico a predileção pelos assuntos medievais e místicos. Com efeito, opera-se uma espécie de segunda renascença da Idade Média durante o século XIX, e o reingresso nas zonas de misticismo, cavalaria andante, etc., em razão de o poeta se dar conta de que, afinal, dormem no seu inconsciente as vivências históricas ali depositadas, ao longo dos séculos, pelo povo em que se insere.

Por outro lado, seus estados de alma, porque caóticos e vagos, lembram estados místicos, como se de repente o poeta entrasse em transe e fosse descortinando um mundo de verdades puras e eternas: os simbolistas cultivam o Vago, o Oculto, o Mistério, a Ilusão, a Solidão numa "torre de marfim", que lhes permita sondar o mais além das aparências da realidade tangível. Tudo isso implica a recuperação da crença na Teologia e na Metafísica, antes escorraçadas pelo Positivismo.

No tocante à métrica, defendem o poema em prosa, o verso livre, os metros sonoros, coloridos, evocativos, com sinestesias (imagens resultantes da colaboração de todos os sentidos, como se pode ver nos seguintes versos do primeiro terceto do soneto "Correspondências", de Baudelaire: "Há perfumes frescos como carnes de crianças. / Doces como oboés, verdes como os campos"), tudo convergindo para o ritmo, logo para a musicalidade do verso. É, em suma, a busca da "poesia pura", isenta de contágio do mundo material, criação dum mundo entrevisto na "floresta de símbolos", utópico, apenas intuível por vias místicas ou metafísicas.

INTRODUÇÃO E EVOLUÇÃO DO SIMBOLISMO EM PORTUGAL – Considerando precursoras não só as manifestações poéticas dos moços que fizeram as revistas *Os Insubmissos* e *Boêmia Nova,* como de outros poetas em alguns passos de suas obras (Gomes Leal, Antônio Feijó, Cesário Verde, Antero e outros), a instalação do Simbolismo em Portugal deveu-se a Eugênio de Castro e à publicação do seu primeiro livro de poesia, *Oaristos,* aparecido em 1890. Compunha-se de 15 poemas, entre longos e curtos, antecedidos dum prefácio-programa da nova tendência. De suma importância, esse prefácio constitui a plataforma doutrinária do Simbolismo português. Baseando-se no manifesto de Jean Moréas, e no prefácio de Théophile Gautier às *Flores do Mal,* de Baudelaire, cujos nomes refere, não sem certa pedantaria, afirma o jovem poeta que, reagindo contra o estagnado da poesia portuguesa do tempo, assentada

> "sobre algumas dezenas de coçados e esmaiados *lugares-comuns* [...], este livro é o primeiro que em Portugal aparece defendendo a liberdade do Ritmo contra os dogmáticos e estultos decretos dos velhos prosodistas".

Depois de lembrar que corta o verso alexandrino com liberdade, desobedecendo à regra que mandava colocar a cesura na sexta sílaba, adianta que "pela primeira vez, também, aparece a adaptação do delicioso ritmo francês, *rondel".* E assim vai compondo o seu decálogo poético:

> "introduz-se o desconhecido processo da *aliteração* [...], ao contrário do que por aí se faz, ornaram-se os versos de rimas ricas, rutilantes [...], o vocabulário dos *Oaristos* é escolhido e variado [...]; o Poeta empregou esses raros vocábulos: em primeiro lugar, porque às fastidiosas perífrases prefere o termo *preciso;* em segundo lugar, porque pensa, como Baudelaire, que as palavras, independentemente da ideia que representam, têm a sua beleza própria. Assim: *gomil* é mais belo que *jarro, cerusa* mais belo que *alvaiade,* etc.; em terceiro lugar, pela simpatia que lhe merece esse estilo chamado *decadente,* que tão bem foi definido por Théophile Gautier".

Como se percebe, Eugênio de Castro atenta mais nos recursos formais que na essência poética: essa redução dos problemas estéticos relacionados com o Simbolismo corria por conta da sua vocação de neoclássico momentaneamente equivocada pelo influxo simbolista; e também corria por conta da confusão que fazia entre Decadentismo e Simbolismo, de resto explicável pelo fato de o manifesto de Moréas ser ainda muito recente.

Por outro lado, sob a rubrica de simbolistas enfeixavam-se poetas de várias tendências, algumas delas contraditórias, suficientes para nos dar a ideia de que o Simbolismo não constituiu um movimento nem uniforme, nem estático,

286 • A LITERATURA PORTUGUESA

nem dirigido, como foi o Realismo: à mercê dos individualismos mais diversos e das oscilações estéticas e filosóficas do tempo, foi vário e múltiplo em qualquer estágio de sua evolução. De tal forma que os poetas portugueses acabaram recebendo o apelativo de "nefelibatas" (pessoas que andam nas nuvens), e o nefelibatismo tornou-se uma espécie de adaptação portuguesa do Decadentismo e do Simbolismo francês.

Não obstante o modo abstruso como surgiu a ideia nova, o estardalhaço foi tão intenso que acabou por aliciar temperamentos em formação e mesmo poetas doutras fileiras partidárias, revelando que pouco ou nada custara para que vingassem as doutrinas decadentes e simbolistas em Portugal. Afora o *Exame de Consciência,* de Antônio de Oliveira Soares, vindo a público ainda em 1890, D. João de Castro (1871-1955) publica, no ano seguinte, *Alma Póstuma,* e Alberto de Oliveira, *Poesias;* em 1892, Júlio Brandão (1869-1947) lança o *Livro de Aglais,* Antônio Nobre, o *Só,* e Guerra Junqueiro, *Os Simples.* Era a definitiva consagração do novo gosto em Portugal.

Entenda-se, porém, que não é tão plena a reviravolta, uma vez que o pensamento realista e naturalista permaneceria em alguns, como por exemplo Teófilo Braga e Abel Botelho, e a exercer influência até princípios do século XX. É preciso cruzar a década de 90 para ver o domínio das novas ideias, mais adiante transfundidas nos cânones da geração do *Orpheu* (1915). Além disso, o ideal de Eugênio de Castro não foi seguido à risca nem por ele próprio, desviado mais adiante para o formalismo tradicionalista, e nos demais apenas se realizou parcialmente. Só com Camilo Pessanha o Simbolismo desligou-se de aderências realistas e de retardatárias formas de Romantismo sentimental.

Daí, nesse cruzamento estético e histórico, não ser fácil separar o que é simbolista do que não é, tal o embaralhamento operado nos fins do século XIX, verdadeiro cadinho onde se prepara o advento da modernidade. Acrescente-se ainda o retrocesso de alguns ou a retomada de posições românticas, graças às semelhanças entre o Simbolismo e o Romantismo, pois o movimento realista tinha alimentado veleidades de impedir o desenvolvimento do ideário romântico. O Simbolismo reconquista-o, mas aperfeiçoa-o com novos ingredientes culturais, trazidos pelos acontecimentos, alguns deles violentos, dos anos entre 1870 e 1890. Só assim se compreenderão determinadas opções estéticas, contraditórias em face do tempo e do ideário simbolista.

# A POESIA SIMBOLISTA

Começando poeticamente, é na poesia que o Simbolismo se realizou de modo amplo e patente, visto constituir um ideal estético que, em princípio, repugna à prosa narrativa, linguagem direta por excelência, ao menos conforme a tradição, ainda vigente, que remonta ao nascimento do romance, na segunda metade do século XVIII. Refletindo as condições que cercaram o aparecimento e a definição da estética simbolista, a poesia teve de seguir vários caminhos: recebeu influência do formalismo parnasiano, deixou-se impregnar de motivos da poesia decadente francesa, e, sobretudo por meio do neogarrettismo, que Alberto de Oliveira pôs a circular com *Palavras Loucas* (1894), apegou-se ao tradicionalismo de base historicista e folclórica. Liga-se-lhe o afã de transcendentalismo místico e de exílio da realidade, a célebre "torre de marfim", em fusão com as restantes características, como se fosse uma nota de exotismo na atividade literária portuguesa da época.

Uma incoercível necessidade de suporte concreto, no caso representado pelas amarras telúricas ou pelas tradições folclóricas e históricas, impedia o voo para as vaguidades e as diafaneidades que faziam o apanágio do Simbolismo francês, salvo incidentalmente e, de modo superior e visível, na poesia de Camilo Pessanha. Permanente estado de contradição, fruto dos caminhos abertos em várias direções, marca a poesia simbolista portuguesa, indecisa entre o eco do passado lusíada, confessional e regionalista, e o apelo cosmopolita e universalista, traduzido numa poesia de abstrações ausentadoras da realidade circundante. De onde a perplexidade daqueles que desejam ver claro e definidamente uma época tão complexa, como a do Simbolismo português.

Os grandes poetas do Simbolismo são Eugênio de Castro, Antônio Nobre e Camilo Pessanha, este último acima dos outros. Dos demais, embora perfilhassem a estética simbolista com certa desenvoltura, nenhum se aproximou deles. No entanto, além de Júlio Brandão, Alberto Osório de Castro, João Lúcio (1880-1918), Oliveira Soares e tantos outros, merecem destaque Alberto de Oliveira, Augusto Gil, Afonso Lopes Vieira e Roberto de Mesquita.

**Alberto de Oliveira** (Porto, 16 de novembro de 1873-23 de abril de 1940) fez parte do grupo da *Boêmia Nova* (1889). Em 1891, publica *Poesias,* alinhando-se com a estética decadente e simbolista, introduzida por Eugênio de Castro com *Oaristos* (1890). Em 1894, dá a público as *Palavras Loucas,* com que

288 • A LITERATURA PORTUGUESA

preconiza o retorno à tradição folclórica e nacionalista que, encontrando na ação e na obra de Garrett o seu modelo maior, inaugurou o chamado neogarrettismo da geração de 90. Amigo e admirador de Antônio Nobre, ao menos numa fase de sua vida, representou papel importante dentro do Simbolismo, mais por suas ideias literárias, politicamente passadistas, que por sua poesia.

Quanto a **Augusto Gil**, nasceu no Porto, a 31 de julho de 1873, e faleceu em Lisboa, a 26 de fevereiro de 1929. Assemelhando-se a João de Deus e a Guerra Junqueiro, de quem certamente recebeu influência, a sua poesia divide-se entre o lirismo intimista, melancólico e coloquial (*Luar de Janeiro*, 1910), místico (*Alba Plena. Vida de Nossa Senhora*, 1916), folclórico (*Avena Rústica*, 1927) e uma tendência compensatória para o epigrama satírico e chocarreiro (*Versos*, 1898; *O Canto da Cigarra*, 1910). Tornou-se conhecido e incluído em numerosas antologias graças à "Balada da Neve", onde se mistura um indisfarçável gosto do melancólico raiando pelo melodramático lacrimogênico, e uma musicalidade cantante, obediente a uma cadência fácil, popular, acessível inclusive à memória infantil. Poeta menor, reconhecia-o e confessava-o ironicamente, à entrada de *Luar de Janeiro*: "Aos que me censurem pela circunstância de não ter logrado, na minha subalterna categoria de poeta menor (...)".

Nascido em Leiria, a 26 de janeiro de 1878, **Afonso Lopes Vieira** faleceu em Lisboa, a 25 de janeiro de 1946. Simbolista retardatário, iniciou-se em 1897, com *Para quê?*, seguido de *Náufrago* (1898) e *Auto da Sebenta* (1899), de acordo com os chavões do movimento, mas sem comprometer as notas pessoais que já iam aparecendo. Engajou-se na vertente em favor da imagem e do espólio de Garrett, de que foi talvez o mais entusiasmado representante, inclusive vindo a pertencer ao Integralismo Lusitano, originário do nacionalismo da geração de 90.

Dessa forma, a sua adesão à corrente simbolista correspondeu ao esforço por reacender os valores poéticos tradicionais, remontando à Idade Média e encontrando em Camões e Garrett seus grandes pilares. Ainda escreveu: *O Poeta Saudade* (1901), *O Encoberto* (1905), *Ar Livre* (1906), *O Pão e as Rosas* (1908), *Canções do Vento e do Sol* (1911), *Ilhas de Bruma* (1917), *País Lilás, Desterro Azul* (1922), *Onde a terra se acaba e o mar começa* (1940). Em coerência com o seu nacionalismo, empreendeu campanhas de refortalecimento das tradições portuguesas, de que são exemplos significativos *A Campanha Vicentina* (1915), *Em Demanda do Graal* (1922), *O Romance de Amadis* (1923), etc.

**Roberto de Mesquita** nasceu e morreu na Ilha das Flores (Açores, 1871-1923). Em vida não publicou livro. Esparsos por jornais e revistas, os seus poemas foram coligidos após a morte no volume *Almas Cativas* (1931), reeditado, com inéditos e um prefácio de Jacinto do Prado Coelho, em 1973 (*Almas Cativas e Poemas Dispersos*), em que extravasa uma sensibilidade de açoriano tangido pelos ventos românticos, a evoluir para uma poesia de acentos simbolistas, "de que é um dos mais altos expoentes logo a seguir a Camilo Pessanha" (Jacinto do Prado Coelho), impregnada, como era frequente naqueles anos, de formalismo parnasiano. Tradicionalismo e populismo mesclam-se a temas bíblicos, orientais e medievais, repassados por vezes dum sentimentalismo e dum pastoralismo que a tendência para a poesia narrativa e os temas clássicos atenua:

> "No âmago de tudo, claramente,
> Eu descubro um espírito a cismar. [...]
> A saudade em causa, a vaga nostalgia
> Que enche como um perfume este apagar do dia,
> Gerou-se na minha alma ou acordou na tua?"

# EUGÊNIO DE CASTRO

Nasceu em Coimbra, a 4 de março de 1869. Em Lisboa, faz o Curso Superior de Letras, que termina em 1889. Durante a fase acadêmica, lança alguns livros de versos, mas sem conquistar notoriedade (*Cristalizações da Morte,* 1884; *Canções de Abril,* 1884; *Jesus de Nazaré,* 1885; *Per Umbram,* 1887; *Horas Tristes,* 1888). Formado, vai a Paris e entra em contato com a poesia decadentista. De regresso, lança a revista *Os Insubmissos* (1889) e publica *Oaristos* (1890), cujo prefácio audacioso e petulante, para a época, logo provoca escândalo e chama a atenção dos moços para a moderna literatura francesa. Daí por diante, dedica-se ao magistério, principiando pelo secundário, e finalizando pelo universitário (Faculdade de Letras de Coimbra), a partir de 1914, quando já começa a gozar de largo prestígio literário, que se mantém mais ou menos vivo até 17 de agosto de 1944, data de sua morte, em Coimbra.

As circunstâncias propiciaram a Eugênio de Castro ser, paradoxalmente, o introdutor em Portugal dum estilo poético, como é o Simbolismo, que de forma alguma se coadunava com o seu temperamento e seus inatos pendores artísticos. Tanto é assim que, mesmo desde *Oaristos* (1890), nele se manifestava a atração por um barroquismo de linguagem algo estranho àquilo que constituía o fundamento da estética simbolista. Barroquismo explicável por deficiente e intelectual assimilação dos recursos decadentistas, e ligado ao culto declarado das formalidades que se associam ao longínquo modelo camoniano, graças ao exemplo próximo de Castilho e do soneto de recorte nítido e solene, somente se acentua com o passar dos anos. O apego ao movimento simbolista, sendo mais do intelecto que da sensibilidade, já se mostrava vulnerável na primeira obra com a qual introduziu o novo gosto em Portugal.

O abalo desencadeado pelo *Oaristos* prossegue nas *Horas* (1891), em que Eugênio de Castro permanece às voltas com expedientes formais caros à poesia decadentista e simbolista. No prefácio, ainda se patenteia a mesma preocupação de impressionar escandalosamente:

"Silva esotérica para os raros apenas: abertas as eclusas, corvetas, como catedrais flutuantes, seguindo inéditos itinerários por atlânticos virgens; terraço ladrilhado de cipolino e ágata, por onde o SÍMBOLO passeia, arquiepiscopal, arrastando flamante simarra bordada de Sugestões, que se alastra, oleosa e polícroma, nas lisonjas; concerto de adequadas músicas, implorativas ou morosas, raro estridentes; complicadas decorações de legenda velha mantelando o pudor dos episódios simples; preces dum herege arrependido, votos castos dum antigo libidinoso, pesadelos e irreligiosas hesitações dum recente convertido.

Tal a obra que o Poeta concebeu *longe dos bárbaros,* cujos inscientes apupos, – al não é de esperar, – não lograrão desviá-lo do seu pobre e altivo desdém de nefelibata."

No prólogo e nos poemas de *Horas,* respira-se um clima de artificialidade, fruto sem dúvida do cerebrino prazer de escandalizar, em flagrante contraste com a aristocrática tendência para o comodismo e a discriminação poética de fundo academizante e burguês. Em suma: as novidades da poesia decadentista e simbolista batalhavam contra a tendência inata de Eugênio de Castro para a contensão clássica ou o formalismo da tradição.

Em 1894, publica duas obras em que manifesta claramente a superação do fascínio simbolista: *Interlúnio* e *Silva.* A primeira, aparecida no mesmo ano, mas depois da outra, constitui uma espécie de intervalo à Antônio Nobre: decerto por contágio do poeta do *Só*, Eugênio de Castro transfere a sua pose e militância literária para outras zonas, feitas mais de "literatura" que duma autêntica vivência dos temas escolhidos: além da Lua, servem-lhe de inspiração "o sino do cemitério", a morte, a decomposição, as casas abandonadas, a solidão, almas penadas, as bodas negras ("cheio de sangue e pus, duma donzela / Na boca virgem, o Cancro ri, às gargalhadas".), etc. Niilismo e pessimismo, como o próprio poeta reconhece no preâmbulo à segunda edição da obra (1911), confessando que tais "versos foram escritos numa passageira mas violenta fase de exaltação moral". É possível que sim, mas a observação não desmente o caráter artificioso e à Antônio Nobre dos poemas de *Interlúnio*.

Por outro lado, com *Silva* acentua-se a tendência academizante encarnada numa de suas metamorfoses oitocentistas, o Parnasianismo, com tudo quanto trouxe de frieza, o culto do marmóreo e das formas raras e descritivas. Significa que o "inspirado" que Eugênio de Castro equivocamente pareceu e desejou ser nos primeiros livros, cede lugar ao "artista" e ao artesão, que sempre foi. Desse modo, ganha corpo e começa a predominar em sua poesia um confesso neoclassicismo, em tudo oposto às pretensões simbolistas: para realizá-las, necessitava praticar a liberdade criadora preconizada pelo Simbolismo, e possuir algo como um senso divinatório do Universo. Mas era incapaz de fazê-lo, por uma espécie de impossibilidade constitucional, caracterizada pelo endurecimento da sensibilidade quando em face de aspectos não plásticos da realidade, que favorecia o engurgitamento dos sentidos sempre que se tratava de apreender cromatismos e sinestesias. Esteta voluptuoso de forma, cor, som e movimento, elegeu a palavra meio de expressão, como podia ter escolhido as tintas, a pauta musical, etc.

Assim, apesar de alguns momentos de realização simbolista, pela presença do vago, do onírico, da musicalidade, o poeta evolui francamente no rumo do neoclassicismo parnasiano, depois de *Belkiss* (1894), *Tirésias* (1895), *Sagramor* (1895), *Salomé e Outros Poemas* (1896), *A Nereide de Harlém* (1896), *O Rei Galaor* (1897), *Saudades do Céu* (1899) e *Constança* (1900). Esta última talvez seja sua obra mais bem conseguida, graças ao frêmito de lirismo e à simpatia pela desgraçada mulher de D. Pedro I, preterida por Inês de Castro e injustiçada pela tradição, que tendia a sobrestimar a amante do seu marido. Nessa fase, os motivos bíblicos, interpretados com frio esteticismo, dividem o terreno com o pastoralismo, a mitologia clássica, e outros componentes de origem greco-latina, como o elogio pagão e epicúreo da existência, etc.

Dali por diante, sobretudo em poemas narrativos (como *O Filho Pródigo*, 1910; *O Cavaleiro das Mãos Irresistíveis*, 1916) e em obras de fim de vida (*Canções Desta Negra Vida*, 1922; *Cravos de Papel*, 1922; *Descendo a Encosta*, 1924; *Chamas Duma Candeia Velha*, 1925, e *Últimos Versos*, 1938), o poeta cultiva igualmente um espiritualismo sentimental algo padronizado e superficial, insuficiente para erguer-lhe a poesia a mais altos níveis, se bem escreva, então, do melhor de sua obra.

Feito o balanço, Eugênio de Castro, afora o papel histórico que representou, distinguiu-se pela autêntica vocação de esteta da palavra, embora desamparada de sopros mais originais e mais amplos. À sua poesia, fidalga como ele, faltam as inquietações que fazem as obras poéticas superiores. O comedimento de raiz não lhe permite voos mais ousados, originando um lirismo bem comportado e aristocraticamente afetado. Apesar dessas limitações involuntárias (pois o poeta não é o que deseja ser, mas é o que é), e do isolamento em que se encontra relativamente às correntes literárias contemporâneas, logrou soluções felizes que tiveram carreira na poesia moderna. Este o seu mérito, para além de ter sido exímio versejador. O ápice da sua obra localiza-se em *Constança* e nos *Sonetos Escolhidos* (1946).

Se mais não realizou é também porque, formando-se numa época de transição e polêmica, se pôs, a partir de certo momento, à margem da nova poesia inaugurada pela perturbadora presença de Baudelaire. Tornou-se uma ilha de Classicismo, numa época preocupada com o libertarismo individual, que conduz à tomada de consciência da condição humana e ao desejo de tentar exprimi-la e compreendê-la.

Neste sentido, conquanto superiormente dotado de recursos expressivos, esteve aquém dos companheiros de geração, Antônio Nobre e Camilo Pessanha.

# ANTÔNIO NOBRE

Nasceu no Porto, a 16 de agosto de 1867. Depois dos primeiros estudos, segue para Coimbra com o intuito de estudar Direito, mas desgosta-se do ambiente acadêmico, sobretudo do trote de iniciação, que lhe causa profundo vexame.

Em consequência, refugia-se na sua "torre de Anto", longe do bulício e das *sebentas*. É já, nessa altura, um poeta hipersensível, todo voltado para dentro de si e para os distantes anos da infância em sua cidade natal. Reprovado duas vezes, segue para Paris a fim de levar a cabo o intento de bacharelar-se, o que finalmente consegue, não sem grandes sofrimentos morais. Esses anos parisienses são-lhe de grande importância, particularmente do ângulo poético: a sua poesia amadurece e frutifica num volume, o *Só*, publicado em 1892, sob a inspiração do Simbolismo francês, sobretudo de Verlaine, graças à consanguinidade de temperamento e sensibilidade. Nessa altura, senão antes, começam a aparecer-lhe os primeiros sintomas da tuberculose. De volta a Portugal, revisita os lugares queridos da infância em busca de saúde, que sente fugir-lhe progressivamente. A conselho médico, vai à Madeira, à Suíça e a Nova Iorque: tudo em vão, pois a moléstia lhe havia minado de vez o débil organismo. Regressa a penates, à espera da morte, que sobrevém no mesmo ano em que falece Eça de Queirós: 18 de março de 1900, com menos de trinta e três anos.

Ao falecer ainda moço, Antônio Nobre deixava publicado um único livro, o *Só* (1892), e inéditos que vieram a constituir dois volumes, as *Despedidas* (1902) e os *Primeiros Versos* (1921). Dotado de estranha e refinada sensibilidade, que o fazia um esquizoide e um alfenim, facilmente se deixava atingir pelas pessoas com as quais era obrigado a entrar em contato e pelas circunstâncias adversas que teve de enfrentar pela vida afora. Era, na essência de sua hipersensibilidade, um romântico acabado. A sua cosmovisão comprova-o: sentimental, emotivo, introspectivo até onde alguém pode ser, exilou-se da realidade circundante e passou a viver isolado, em sua "torre de Anto" real ou fictícia, entregue a um solipsismo doentio e narcisista.

Tal narcisismo denotava um temperamento passivo, feminoide, e uma debilidade psíquica e física, que o tornavam presa fácil das emoções mórbidas e da tuberculose que o vitimou. Mais ainda: fazia-se acompanhar duma nota de autocomiseração logo transformada numa melancolia e num tédio ensombrados pela presença da Morte, ao mesmo tempo desejada e odiada. Por sua vez, a autocontemplação enche-se de ternura e piedade consoladora, gerando um pessimismo de derrotado antes de lutar, próprio de quem contempla a inexorável passagem das horas sem poder interromper-lhe a progressão, e, pior ainda, tem a dolorosa sensação de que a vida se esvai inutilmente, antes de ser vivida.

O resultado é que o poeta acaba vendo tudo através duma cortina de lágrimas, tomado dum sentimento ambíguo e entristecedor: a um só tempo, desadora a vida porque esta lhe parece schopenhauerianamente um fio ininterrupto de dores, e lastima abandoná-la. Dela recebe não só amarguras, mas também um gozo estético e afetivo, no amor da Mulher ("Purinha"):

> "Aquela que, um dia, mais leve que a bruma,
> Toda cheia de véus, como uma Espuma,
> O Senhor Padre me dará para mim"

na contemplação comovida da terra natal e no encontro em plenitude enternecida, de seus familiares ("Viagens na Minha Terra"); no congraçamento com os deserdados da fortuna, nos quais o poeta enxergava irmãos de dores e aflições ("Males de Anto"):

> "Aos pobrezinhos enxugava-lhes o suor.
> A minha bolsa pequenina de estudante,
> Eras pros pobres"

e no encontro de outros valores espirituais. Mas o voltar-se para fora é ainda como se estivesse fletido para dentro de si, pois incorpora os seres e as paisagens que contempla como se fossem emanações orgânicas do seu "eu", hipertrofiado às raias do tamanho do mundo.

Entretanto, ao debruçar-se absortamente em seu mundo interior, Antônio Nobre realiza uma espécie de amarga reflexão sentimental da sua *via-crucis* dolorosa até à cova, sob o acalanto da Morte, do Fado inamovível ("A Morte, agora, é a minha Ama/ Que bem sabe acalentar!"). E ao meditar a sua obsessão, desintegra-se progressivamente, como se bastasse lembrar para diminuir, em vez de aumentar, o espaço que o separa do Nada temido, odiado e a um só tempo esperado.

Como se nota, desencadeia-se um movimento em espiral que envolve toda a pcesia de alguém que se julgava "o poeta-nato, o lua, o santo, o cobra!", um poeta pessoalíssimo, senhor dum individualismo narcisista que o afastou de influências constrangedoras: "poeta lusíada", pela retomada da tradição que se inicia na à Idade Média e pelo culto enternecido da paisagem e da gente portuguesas.

Para ele convergiam várias linhas poéticas em curso no tempo: algumas vinham do Romantismo, concentradas na pose e na vaidade em feminino, na artificialidade e na máscara teatral, herança de Garrett, seu mestre em dandismo e em poesia de requinte e finura:

"Ora, às ocultas, eu trazia
No seio, um livro e lia, e lia,
Garrett da minha paixão..."

Ao neogarrettismo juntava-se a presença de notas trazidas pelos ventos novos do Simbolismo (as vaguidades, as sinestesias, o "mistério" das coisas, o gosto do oculto, do supersticioso, as atmosferas neblinosas, etc.). Ainda se observa em Antônio Nobre qualquer coisa da poesia do cotidiano realista, mas, como sempre, acomodado ao seu peculiar feitio de sensitivo, incapaz duma rebeldia heroica:

"Olha! Estudantes, dando o braço às raparigas,
Caras de leite, olhos de luar, tranças d'estrigas"

Entenda-se, porém, que tudo isso constituem forças estimuladoras da atmosfera literária em que Antônio Nobre se formou, e não influência despersonalizadora: o poeta só aceitava os estímulos externos que correspondiam às suas mais íntimas propensões de romântico por natureza e sensibilidade. Demasiado egocêntrico para seguir outros caminhos que não os descortinados por sua intuição, nele essa faculdade parece coincidir com o chamado sexto sentido feminino, tão aguçada é no registro de vibrações mínimas da sensibilidade. Por conseguinte, torna-se difícil inscrever no Simbolismo um poeta dessa categoria, ainda para mais preso sentimentalmente ao solo natal, a ponto de exclamar nas "Viagens na Minha Terra":

"Ó paisagem etérea e doce,
Depois do Ventre que me trouxe,
A ti devo eu tudo que sou!"

A esse portuguesismo garrettiano, telúrico e apaixonado, vincula-se outra característica de Antônio Nobre: poeta emocional (com todas as restrições e

296 • A LITERATURA PORTUGUESA

sentidos que implica tal classificação), nele a razão ou a inteligência exerce pouca ou nenhuma influência. Pletórico de emoção, para ele o mundo é Portugal, "essa doida terra", "cheia de Cor, de Luz, de Som": uma visão estética, portanto, e emotiva, semelhante à da mulher, para não dizer que prolonga a do menino de "olhos tão doces" que foi. Antônio Nobre vive obcecado com a infância, seu "paraíso perdido":

> "Menino e moço, tive uma Torre de leite,
> Torre sem par!"

Tudo isso, mais o ensimesmamento de hipersensível alheio aos ruídos da vida literária, ajuda a explicar que não alcançasse em vida a nomeada de Eugênio de Castro. Soube realizar, no entanto, o que o companheiro de geração não pôde: graças à anarquia de base, que lhe punha romanticamente a alma em torvelinho, colaborou para libertar o sentimento poético da opressão das preceptivas e códigos literários, aceitos consciente ou inconscientemente por quase todos. Essa incapacidade para aderir às normas, esse inconformismo natural, tornou-o verdadeiramente um dos precursores da poesia moderna.

Antônio Nobre promoveu, em poesia, a revolução de linguagem análoga à empreendida por Garrett nos domínios da prosa: introduziu-lhe o tom narrativo, coloquial, quase prosaico, numa arritmia às vezes acompanhada do emprego de versos assimétricos. Estes, é certo, Eugênio de Castro os empregara desde o *Oaristos,* mas sem convicção, como se praticasse um mero exercício de expressão poética. Na poesia de Antônio Nobre, ganham travo moderno, graças ao à-vontade do poeta, que nos dá a impressão de criar os poemas à medida que falava, em vez de construí-los no silêncio do gabinete de trabalho.

O tempo constitui outra força motriz da poesia de Antônio Nobre, em que também se patenteia o seu perfil moderno: tempo quase sempre passado, indicativo dum poeta centrado nas lembranças autobiográficas, no culto mórbido da saudade. O saudosismo é outra marca de sua poesia: os poemas do *Só,* obra que mais de perto interessa, pois tudo o mais ou é póstumo ou reúne as primícias do poeta, têm como fulcro a saudade.

Mais importante que o tempo-saudade, para se aferir da modernidade de Antônio Nobre, é o tempo-duração, já vislumbrável em sua poesia: em mais de um passo, o poeta refere-se ao fluir irremediável do tempo e articula suas lembranças em dois planos pretéritos, como em "Antônio" ou "Lusitânia no Bairro Latino", planos esses correspondentes à noção de que o tempo transcorre, não em linha reta, mas em ondas que abarcam simultaneamente, o presente, o passado e o futuro.

Tudo isso revela um poeta moderno: inspirado, espontâneo, abriu caminho em Portugal para o reconhecimento da poesia como "ciência demoníaca", na esteira de Baudelaire, de cuja fascinante revolta não ficou totalmente alheio. O lirismo de Antônio Nobre respirava pureza e primitividade pouco frequentes, capazes, por isso, de abrir trilhas novas na poesia contemporânea e tornarse prenúncio da deificação do ato poético, preconizada e realizada pelo grupo de *Orpheu,* especialmente por Mário de Sá-Carneiro, tão emotivo e hipersensível quanto o autor do *Só.* Criticamente, este último provoca menos vibração intelectual que Camilo Pessanha, mas, se nos dermos à leitura de sua poesia sem preocupações de ordem crítica, e sim com o intuito de conviver com a beleza que gera emoção estética, – então haverá poucos poetas portugueses que se lhe comparem.

## CAMILO PESSANHA

Filho natural dum estudante e duma moça do povo, nasceu em Coimbra, a 7 de setembro de 1867. O seu primeiro poema, "Lúbrica", escreve-o a 14 de outubro de 1885. Ingressa na Faculdade de Direito e forma-se em 1891. Em 1889, colabora na revista *O Intermezzo* e num jornal de província (*O Novo Tempo,* de Mangualde). Formado, em 1894 parte para Macau, como professor do ensino secundário, onde trava amizade com Wenceslau de Morais. Também como este, orientaliza-se e contrai o vício do ópio. Em 1900, passa a Conservador do registro predial em Macau. Enquanto isso, publica em jornais de província estranhas composições. Visitou Portugal mais de uma vez (uma delas entre 1905-1909 e a outra em 1915), para matar saudades e em tratamento de saúde: é nesta última estada que João de Castro Osório recolheu alguns dos poemas que Camilo sabia "de memória", e instou para que "transpusesse" outros para o papel. Assim, reuniu boa parte de sua produção poética. Roído pelo ópio, com os nervos destrambelhados, faleceu em Macau, a 1º de março de 1926.

298 • A LITERATURA PORTUGUESA

Alguns dos poemas colhidos por João de Castro Osório foram publicados por Luís de Montalvor na revista *Centauro* (1916) e mais adiante, acrescidos de outros, vieram a formar um volume, – *Clépsidra* (1920) –, cuja ordenação obedeceu à vontade expressa do poeta, mas que só enfeixa parte de sua produção. Na edição de 1945, juntaram-se inéditos e dispersos, mas pode não ser tudo ainda, embora sua obra completa sempre venha a dar um magro volume: tendo os poemas de memória, é de crer que vários deles não chegaram a ser escritos, ou melhor, transcritos, por vezes com interferência dos editores. Graças à tentativa de uma edição crítica, vinda a público em 1994, vários passos foram reconstituídos conforme o que teria sido a vontade do poeta. Em 1944, publicou-se um volume, *China,* com artigos vários de Camilo Pessanha acerca da cultura chinesa.

Diferindo essencialmente dos demais poetas do tempo, Camilo Pessanha enquadra-se de modo transparente na estética simbolista. Nele, o Simbolismo manifesta-se em todas as suas características fundamentais, especialmente como música, sugestão e símbolo. E essa identificação resulta, antes do mais, duma vida exterior praticamente vazia de acontecimentos, e de uma vida interior em permanente ebulição, de maneira a dar a impressão de que, nele, a Poesia e a Vida são figuras congruentes, peça única. É que a obra poética de Camilo Pessanha se autentifica, em princípio, pelo sentido abstrato, hermético, vago, difuso, próprio de quem, simbolista nato e um temperamento ultrassensível, se sente inadaptado à existência, que somente lhe causa desengano e dor.

O poeta, contudo, deseja evadir-se, aplacar a dor que a pouco e pouco se transmuta em Dor, mas sabe que a Dor é, paradoxalmente, tudo quanto possui, pois, "sem ela o coração é quase nada", como assevera no primeiro soneto de "Caminho", a ponto de sentir saudades desta dor que em vão procura "do peito afugentar bem rudemente". Delineia-se, nesse quadro paradoxal, uma ambivalência de sentimentos que constitui o eixo de sua poesia. Quando tal bipolaridade se alarga, deparamos um poeta ansioso por

"Deslizar sem ruído,
No chão sumir-se, como faz um verme",

regressar a um estado de inércia que, prolongado, significa restabelecer condições de bem-estar peculiares a um estágio anterior ao nascimento, num limbo ou espécie de não vida. Qualquer coisa como saudade de haver pertencido a diverso tipo de realidade, descarnado da condição humana e reduzido a um desejo vago, ou ser informe antes de vir ao mundo. Ou, ainda, desejo búdico dum nirvana, para aplacar um doloroso sentimento schopenhaueriano da existência.

Por outro lado, a perscrutação do amanhã, do futuro, traz-lhe a inquietante certeza de continuar preso à perturbadora presença da Dor. Nasce daí a abulia, a doença da vontade, que resulta de tudo já existir no poeta como íntima e arraigada emoção que não se exterioriza, ou se exterioriza como desalento perante qualquer gesto concreto, prático, ao aderir à realidade que só desconforto e estranheza lhe causa. Em consequência, brota um pessimismo sem melancolia, sutil, despido de angústia, fruto dum sentimento de decadência. Esboroa-se o mundo em derredor, porque o "eu" do poeta se vai desmanchando aos poucos, à medida que os dias passam e aumenta a sensação de inócuo e de inutilidade cósmica. A própria vida é inútil. O poeta, dotado de agudíssima sensibilidade, que se conhece e se autoanalisa, só encontra motivo de ser naquilo de que foge tanto: a Dor, causa e efeito, princípio e fim. É, por isso, o poeta da Dor refinadamente sutilizada e diafanizada, a ponto de ela se tornar ídolo:

"Porque a dor, esta falta d'harmonia [...]
Sem ela o coração é quase nada".

O processo, desenvolvido até o limite, arrasta-o a uma espécie de delírio próximo da loucura, provocando-lhe a suspeita de que tudo é caos e alogicidade. Estranheza total que o convida a introjetar-se mais, perder-se e refugiar-se num monólogo que sabe anódino ou oriundo da Dor de existir sem remédio, sem causa, sem justificativa.

Trazendo para a Literatura Portuguesa tal sutileza, requintadamente artística mas vivencialmente humana, Camilo Pessanha refletia com nitidez o clima de degenerescência em voga na Europa do seu tempo, de que o Simbolismo e o Decadentismo eram as mais evidentes expressões literárias. Ao mesmo tempo, a sua poesia encontra motivos no seu caso pessoal, fazendo acreditar que o "exílio" (os vários anos do Oriente) tenha exercido enorme influência em sua compleição anímica, tanto mais próxima da atmosfera sim-

# 300 • A LITERATURA PORTUGUESA

bolista do tempo quanto mais afastado e mais solitário se encontrava o poeta. Camilo Pessanha seria simbolista mesmo sem o Simbolismo, tal a purificação que alcançou operar numa poesia, como a portuguesa, tirada ao declamatório e ao sentimentalismo piegas, quando não ao formalismo vazio de tantos neoclássicos.

Entenda-se, porém, que se trata dum típico poeta português: doutra forma não compreenderemos o núcleo sentimentalmente filial das suas composições, próprio de um hipersensível anelante de aconchego materno, mas que o recusa por sentir-lhe a força e o império, e porque deseja cultivar a Dor, com prazer masoquista. Se colocarmos, de um lado, a Pátria, a Mãe, a infância e o sentimento de saudade, e de outro, o culto da Dor, teremos estabelecido a equação do drama de Camilo Pessanha.

Já no poema "Inscrição", que serve de pórtico a *Clépsidra*, patenteia-se a dependência do poeta para com tudo quanto lhe enformara o espírito e a sensibilidade: "Eu vi a luz em um país perdido." Se entendermos por "país perdido" mais do que Portugal, isto é, a infância conjugada a um *sentimento* de pátria, não à *coisa* pátria, e despojado o adjetivo "perdido" de qualquer ideia polêmica, – atingimos o fulcro dramático da poesia de Camilo Pessanha.

Doutro lado, seus recursos de linguagem, traduzindo o desmoronamento do "eu" e do Cosmos, liquefazem-se, simplificam-se, despem-se da lógica tradicional e revestem uma sintaxe psicológica, interior, musical, de quem elabora o poema por automatismo, à procura das expressões capazes de sugerir tudo quanto lhe vai na alma. A palavra, nele, torna-se transparente, reduzida aos sons e aderida à própria sensação, o que impede o julgamento preciso e direto do seu conteúdo. Tudo isso, mais o à-vontade, acompanhado de imprevistas alianças gramaticais em apoio do enquadramento de intuições nascidas em planos diferentes (presente, passado, futuro; a cor, a música, o olfato, etc.), formando sinestesias contínuas e sutis, fazem dele um dos maiores poetas da Literatura Portuguesa, e permitem ver em sua obra alguns dos caminhos perseguidos por um Fernando Pessoa ou um Mário de Sá-Carneiro.

Servem como exemplo dos nexos com o poeta de "Dispersão" os versos já mencionados, em que Camilo Pessanha fala de seguir "a medo na aresta do futuro". Quanto a Fernando Pessoa, que lhe reconheceu o influxo sobre a sua personalidade, e conhecia-lhe versos de cor, leia-se o seguinte:

"Porque o melhor, enfim
É não ouvir nem ver...
Passarem sobre mim
E nada me doer!

Cessai de cogitar, o abismo não sondeis. [...]
Adormecei. Não suspireis. Não respireis."

Pelo que aí vai, compreende-se que o justo e merecido prestígio de Camilo Pessanha tenha aumentado de uns anos para cá, no conceito da crítica e dos leitores: em oposição a Antônio Nobre, é um poeta cuja profundidade somente se oferece aos poucos. Doutra forma, perde-se tudo quanto pode revelar, ao passo que Antônio Nobre, contagiando-nos de imediato com a transbordante carga emocional de sua poesia, exerce fascínio de escassa duração. A dificuldade que Camilo Pessanha levanta ao acesso em sua intimidade significa a oferta duma poesia autêntica e original, que perdura longamente na memória do leitor. Assim é o grande poeta, assim é Camilo Pessanha.

## A PROSA SIMBOLISTA

Sendo o Simbolismo por natureza um movimento poético (pois a poesia é linguagem metafórica por excelência), foi fácil para alguns poetas aderirem a seus postulados fundamentais. Tal facilidade, patente aos poetas autênticos, equivocou muitas mediocridades epigonais, levando-as a construir obras irrelevantes, com o emprego artificial dos *clichês* que haviam feito a fortuna dos corifeus do movimento simbolista. Se esse fenômeno de esclerosamento e de empobrecimento das fórmulas de expressão é comum a todas as estéticas literárias, com mais razão haveria de ocorrer durante o Simbolismo, em virtude de suas características fundamentais.

Diverso é o panorama apresentado pela prosa de ficção no curso da mesma época histórico-literária. Como se sabe, o conto, a novela e o romance – ao menos tradicionalmente – necessitam de falar diretamente ao leitor, para isso empregando uma linguagem isenta de vaguidades ou subterfúgios. Ao contrário, devem sustentar-se em categorias francamente antissimbolistas, quais sejam: o social, o ordenado, o "lógico", o "histórico". Por esse motivo, e por outros já su-

302 • A LITERATURA PORTUGUESA

geridos na introdução a este capítulo, entende-se que em Portugal a prosa simbolista (o conto, a novela e o romance) tivesse de mesclar-se com elementos realistas ou naturalistas.

Por outro lado, já nos últimos estádios do Realismo se observava a aceitação involuntária de ingredientes que punham em causa o cientificismo aceito até à data. Basta ter em mente as obras dum Eça de Queirós (*A Cidade e as Serras, A Correspondência de Fradique Mendes, Últimas Páginas* e alguns dos *Contos*), dum Fialho de Almeida (*Contos, A Cidade do Vício, O País das Uvas*), dum Trindade Coelho (*Os Meus Amores*), dum Abel Botelho (*Amor Crioulo, Os Lázaros*). Em tais escritores se encontram componentes ficcionais coincidentemente semelhantes àqueles que foram objeto de atenção por parte dos simbolistas.

Por isso, ainda quando alguns prosadores simbolistas se afastam da contaminação realista e naturalista e se aproximam mais do ideário que defendem, vão deixando de criar obras que se classificam numa das três modalidades tradicionais: conto, novela e romance. Em seu lugar, cultivam a chamada prosa poética ou o poema em prosa, ou comunicam às suas histórias e narrativas uma atmosfera de autêntico lirismo. No primeiro caso, trata-se simplesmente de poesia expressa numa forma que, à falta doutro nome, chamamos de prosística. Todavia, se aceitarmos um conceito de poesia que atente para a essência, não para a forma do poema, ficará claro que pouca diferença faz que seja em verso (ou em linhas descontínuas, simétricas, formando unidades chamadas estrofes), ou em prosa (ou em linhas contínuas, formando unidades denominadas parágrafos), o meio expressivo escolhido pelo poeta para a comunicação do seu mundo emocional.

De onde uma conclusão imediata: o poema em prosa é ainda poesia, e poesia simbolista. O outro caso é de contos, novelas e romances em que o aspecto poético se hipertrofia conforme a história narrada, chegando mesmo a reduzir a um mínimo inconsistente a fabulação e tudo o mais que a cerca (personagens, atos, gestos, etc.). Trata-se da chamada prosa poética, caso em que, quanto mais poético – e portanto mais próximo do Simbolismo – menos possui a estrutura de conto, novela ou romance; e vice-versa. No decurso do Simbolismo, encontramos uma coisa e outra com a natural predominância da segunda.

Pondo de lado os escritores subsequentes a 1915 que manifestam semelhança com a prosa poética simbolista, consideram-se filiados ao Simbolismo em prosa as seguintes figuras: Raul Brandão – o mais importante de todos –,

João Barreira, Manuel Teixeira-Gomes, Jaime de Magalhães Lima, Carlos Malheiro Dias, Antero de Figueiredo, Manuel Laranjeira, Antônio Patrício, João Grave e outros.

**João Barreira** (Chaves, 23 de dezembro de 1866-Paço de Arcos, 28 de abril de 1961) tem sido considerado um dos escritores portugueses que mais se aproximaram do ideal simbolista em prosa, com o seu livro *Gouaches (Estudos e Fantasias)* (1892), composto de poemas em prosa, o qual, segundo consta, era declamado em segredo e de joelhos pelos decadentes e simbolistas brasileiros. Ainda publicou: crítica de arte (*Arte Grega,* 1923; *História de uma Catedral,* 1937), prosa poética (*A Morte do Imaginário,* 1923; *Silva de Arte,* 1928; *As coisas falam,* 1933; *A Rota do Bergantim e Outras Alegorias,* 1947).

**Manuel Teixeira-Gomes** (Portimão, 27 de maio de 1860-Bougie, 18 de outubro de 1941), seguindo na esteira de Fialho de Almeida e remontando a Camilo Castelo Branco, traduz em sua prosa, construída segundo os rigorismos sintáticos e vocabulares a que o convívio dos clássicos o obrigava, uma volúpia pagã de existência próxima do helenismo e do amoralismo, graças a um temperamento profundamente individualista e estetizante.

A ficção de Teixeira-Gomes divide-se entre os temas decadentistas do cinismo, do grotesco, do cômico e do erotismo mais desenfreados, e uma voluptuosa e dionisíaca alegria de viver. Os contos de *Gente Singular* (1909) constituem exercícios preparatórios do romance *Maria Adelaide* (1938), história duma decaída explorada pelo sedutor, que dá azo ao ficcionista para descrever repetidas cenas eróticas, transcorridas numa atmosfera de decadência pagã. O modo despojado como tece o fio narrativo contém algo de moderno, mas por acaso, pois Teixeira-Gomes manteve-se à margem dos movimentos literários pós-simbolistas. Ainda escreveu *Novelas Eróticas* (1934), *Regressos* (1935), *Miscelânea* (1937), *Carnaval Literário* (1939), um drama (*Sabina Freire,* 1905), livros de viagens e impressões (*Inventário de Junho,* 1889; *Agosto Azul,* 1904, *Londres Maravilhosa,* 1942, etc.).

**Jaime de Magalhães Lima** (Aveiro, 1859-1936), em franca revolta contra as doutrinas materialistas vigentes no seu tempo, deriva para a defesa dum ideal de vida baseado no culto dos valores espiritualmente simples e cristãos e, amparado numa concepção de vida que põe a Natureza em primeiro plano, considera o casamento uma instituição sagrada e superior. Além das várias obras de caráter ideologicamente antipositivista e cristão, deixou romances em

# 304 • A LITERATURA PORTUGUESA

que discute as mesmas ideias de reforma espiritual no plano das relações sociais e domésticas (*Transviado*, 1899; *Na Paz do Senhor*, 1903; *Reino da Saudade*, 1904). Escreveu ainda uma espécie de poesia em prosa, que reuniu em dois volumes, as *Rogações de Eremita* (1913?) e os *Salmos do Prisioneiro* (1915). No misticismo de Magalhães Lima encontram-se ressonâncias da filosofia social e apostolar de Tolstói, que o escritor português conheceu pessoalmente.

**Carlos Malheiro Dias** (Porto, 13 de agosto de 1875-Lisboa, 19 de outubro de 1941) estreou literariamente no Rio de Janeiro, para onde fora ainda adolescente, com a publicação de *Cenários. Fantasias sobre a História Antiga* (1894), obra imatura e caótica. Em 1896, publica o romance *A Mulata*, em que faz o retrato do baixo-mundo carioca e critica azedamente a sociedade do tempo, com exageros dignos dum romântico vestido de naturalista. A obra resultou num dramalhão, com tuberculoses, traições e morte pelo meio, e acabou dando em escândalo, pois constituía declarada injustiça para com a então capital do País.

*O Filho das Ervas*, escrito pouco depois de *A Mulata*, saiu em 1900: não apresenta nem excessos retóricos nem as filosofanças fáceis e melodramáticas do anterior. Ao contrário, com estilo terso e acuidade psicológica, cria personagens verossímeis vivendo dramas reais, fazendo acreditar que havia nascido um sucessor para Eça de Queirós, de quem o romance recebera nítida influência.

Nas obras posteriores, todavia, Malheiro Dias não confirmou a impressão causada por *O Filho das Ervas*: talvez equivocado pela vocação que sentia despertar em si, ou ouvindo o canto das sereias, envereda na direção do romance histórico. E em lugar de prender-se à realidade viva diante de seus olhos, entra a fazer bisonha apologia dos valores pátrios e sentimentais, quase beirando o alambicamento melodramático de *A Mulata*. Como seria de esperar, essa adesão ao nacionalismo utópico e saudosista deu-lhe prestígio enquanto durou a moda correspondente. Analisada hoje, e com frieza, essa troca de casaca significou estacionamento, se não retrocesso.

É certo que Malheiro Dias veio a produzir um romance histórico de razoável interesse, sobretudo enquanto índice duma voga historicista no plano literário (*Paixão de Maria do Céu*, 1902), mas nem os demais (*Os Teles de Albergaria*, 1901; *O Grande Cagliostro*, 1905), nem os contos de *A Vencida* (1907) confirmaram os bons começos de *O Filho das Ervas*, que continua sendo sua obra mais válida. O abandono da ficção, pela historiografia e pelas campanhas de civismo (direção, coordenação e participação da *História da Colonização Portuguesa do Brasil*, 3 vols., 1921-1924; *Exortação à Mocidade*, 1925, etc.), denuncia claramente o caráter ocasional da ficção de Carlos Malheiro Dias, sobretudo daquelas obras de tema não histórico.

**Antero de Figueiredo** (Coimbra, 28 de novembro de 1866-Foz do Douro, 10 de abril de 1953) evoluiu dum Decadentismo "fim-de-século", expresso em poemas em prosa (*Trístia*, 1893; *Além*, 1895), para romances de fundo lírico, mas a que não são estranhas certas notas eróticas (*Cômicos*, 1908; *Doida de Amor,* 1910), passando a cultivar a ficção histórica revivescida na época (*D. Pedro e D. Inês,* 1919; *Leonor Teles,* 1916; *D. Sebastião,* 1924) e, ao cabo, para um idealismo de raízes católicas (*O Último Olhar de Jesus,* 1928; *Fátima,* 1936; *Amor Supremo,* 1940). Nem o acendrado nacionalismo, nem as qualidades de fino estilista foram suficientes para lhe dar permanência no interesse da crítica e dos leitores. Escreveu ainda relatos de viagens (*Recordações e Viagens,* 1904; *Jornadas em Portugal,* 1918; *Espanha,* 1923; *Toledo,* 1932).

# MANUEL LARANJEIRA

Nasceu em Vergada, Vila da Feira (distrito de Aveiro), a 17 de agosto de 1877, e faleceu em Espinho, a 22 de fevereiro de 1912. Médico, contraiu a sífilis precocemente e viveu anos seguidos em tremenda angústia e revolta, acicatado pela consciência do mal que o corroía. Um grosso tédio e um extremo desespero arrastam-no a uma depressão tal que o compele a acreditar no suicídio como única solução, o que afinal acaba praticando em plena mocidade. Escreveu poesia (*Comigo,* 1912), prosa (*Cartas,* 1943; *O Pessimismo Nacional,* 1955; *Diário Íntimo,* 1957; *Prosas Perdidas,* 1948), e teatro (*Amanhã,* 1902).

Todas essas obras, cada qual a seu modo, são páginas duma autobiografia escrita dia a dia: nelas plasmou um terrível drama íntimo, nascido dum niilismo pessimista, que lhe é imposto pela observação do mundo e da própria vida, mas que é repudiado pela consciência, ávida de crer em Deus ou em algo equivalente, e encontrar uma razão para a existência: "Fé na vida não a tenho [...] Crer é a arma de quem lida". O drama do poeta cresce porque sente necessidade de crer em Deus, ao mesmo tempo que se revolta por precisar da crença, ou da "ambição que incita / A ser Deus".

O resultado desse "tédio infinito por quanto existe" é uma profunda revolta e desesperação, cuja origem deve localizar-se no choque decorrido entre a formação científica e um exaltado idealismo, um anseio de transcendentalismo nutrido, como sempre, de perguntas sem respostas. O clima de crise, de "fim-de-um-mundo", típico dos últimos anos do século XIX, em que lhe transcorreram os anos melhores da juventude, ajuda a compreender a psicologia decadente e degenerescente que lhe informa todos os escritos, especialmente a poesia e o *Diário Íntimo*. Irremediavelmente solitário – que a um só tempo amava e odiava a solidão procurada e por vezes achada –, tornou-se, mais do que qualquer outro escritor contemporâneo, vítima e símbolo acabado da crise de consciência e cultura instalada com a passagem traumática do Positivismo para fórmulas, desequilibradoras e liberticidas, de idealismo intimista e derrotado. Por isso, o mérito de Manuel Laranjeira tem sido cada vez mais reconhecido, a partir do testemunho consagrador de Miguel de Unamuno, amigo e correspondente:

"Fué Laranjeira quien me enseñó a ver el alma trágica de Portugal, no diré de todo Portugal, pero sí del más hondo, del más grande. Y me enseñó a ver no pocos rincones de los abismos tenebrosos del alma humana. Era un espírito sediento de luz, de verdad y de justicia. Le mató la vida. Y al matarse, dió vida a la muerte" (Unamuno 1943).


# ANTONIO PATRÍCIO

Nasceu no Porto, a 7 de março de 1878, e faleceu em Macau, a 4 de junho de 1930. Situa-se na confluência do Simbolismo e do seu prolongamento novecentista, o Saudosismo, preconizado por Teixeira de Pascoaes. Escreveu poesia (*Poesias,* 1942), contos (*Serão Inquieto,* 1910) e teatro (*O Fim,* 1909; *Pedro, o Cru,* 1918; *Dinis e Isabel,* 1919; *D. João e a Máscara,* 1924). Nessas três facetas do seu talento estético, utilizou-se originalmente do arsenal metafórico próprio dos simbolistas, para exprimir as pulsões duma "alma que tem sede de divino", mas dum divino considerado sem Deus, pura emanação transcendental do homem em plenitude pagã, e uma obsessiva preocupação com a Morte (" – Venha no luar a Morte... no luar..."), que serve de contrapeso aos apelos do Além e lhes confere razão de ser.

Por outro lado, uma permanente vigilância ou contensão, que se diria de raiz clássica, impede-o de resvalar para o melodramático ou o vazio requintadamente decadente e simbolista. Poeta, ainda quando arquiteta prosa de ficção ou escolhe a dramaturgia como meio de expressão, e poeta de superior categoria, pela fusão tensa duma alta sensibilidade lírica e a intuição luminosa dos mitos eternos e das tragédias irremissíveis.

Repensando a história da Pátria em suas peças de teatro, ou detectando as profundezas e desvãos do moderno nos poemas e nos contos, Antônio Patrício exibe sempre invulgar cerebração a serviço de uma fantasia desbordante, insatisfeita e apetente de vastos painéis e situações, em que se congraçam o perene e o abstrato numa unidade que assinalaria a superação utópica da contingência e a visão do perfeito e do absoluto.

Reexaminado cuidadosamente, Antônio Patrício merece abandonar a obscuridade em que o lançaram o preconceito e a estreiteza crítica, para ascender a um plano que, se não é aquele em que se colocam Camilo Pessanha, Antônio Nobre e Eugênio de Castro, sem dúvida ultrapassa o dos demais poetas do Simbolismo. Os seus contos, apesar de escassos, distinguem-se como os mais densos que esse movimento suscitou, tornando-o sem favor o mais talentoso dos contistas dessa corrente, a exemplo do antológico "Suze". O mesmo se pode dizer do seu teatro, cuja envergadura cresce à medida que a crítica das últimas décadas o tem revisitado, para uma avaliação livre das injunções com que o encarou noutros tempos, à proporção que a estética simbolista saía do limbo a que tinha sido condenada.

# RAUL BRANDÃO

Raul Germano Brandão nasceu na Foz do Douro, a 12 de março de 1867. No Porto cursa, entre 1888 e 1896, a Escola do Exército. Graduado, segue para Lisboa na continuidade do serviço das armas, ao mesmo tempo que se entrega ao jornalismo e à vida literária, atividades que não abandona de todo até o fim da vida. Reformado em 1912, recolhe-se para a quinta da Casa do Alto, mas continua a escrever e ocasionalmente a visitar Lisboa. Faleceu em Lisboa, a 5 de dezembro de 1930.

308 • A LITERATURA PORTUGUESA

Raul Brandão inicia sua carreira literária em 1890, com *Impressões e Paisagens,* uma coletânea de contos à maneira naturalista, em torno da vida amoral e trágica da gente do povo. O interesse pelos humildes ainda continua nas reportagens que publica no *Correio da Manhã* entre 1895 e 1896, mas já agora sob o influxo do Decadentismo, que começara a manifestar-se em 1893, quando o escritor lança um folheto intitulado *Nefelibatas.* Na obra seguinte, o romance que tem por motivo a *História de um Palhaço — Vida e Diário de K. Maurício* (1896), mais tarde refundido com o título de *A Morte do Palhaço e o Mistério da Árvore* (1926), Raul Brandão adere francamente ao clima convulso e decadente do fim do século XIX, em que a sensibilidade coletiva e individual, aguçada ao extremo do delírio, faz acreditar no definitivo e absoluto caos cósmico, na deliquescência de todos os valores, no extermínio do homem sobre a face da Terra ou, ao menos, no esboroamento de todas as civilizações: em suma, o Apocalipse.

Uma vasta inquietação psíquica, afinal, sintonizada com o Decadentismo, a teoria da degenerescência de Max Nordau, e enriquecida com a descoberta deslumbrada do misticismo da alma russa, morbidamente expresso em arte e então a seduzir grande número de leitores em Portugal. Tolstói e, sobretudo, Dostoievski passam a ser avidamente lidos nessa altura, de envolta com tardias influências do macabro hoffmanniano e poeano. O sentimento de caos derradeiro correspondia à proliferação da síndrome de angústia, em decorrência de perderem sentido, para certas camadas intelectuais dos fins do século, as convicções do Positivismo. No seu diário, K. Maurício escreve:

> "Singulares criaturas devem nascer por este fim de século, em que a metafísica de novo predomina e a asa do sonho outra vez toca os espíritos, deixando-os alheados e absortos. A necessidade do desconhecido de novo se estabelece. A ciência, que por vezes arrastara a humanidade, que a supunha capaz de ir até ao fim — bateu num grande muro e parou. Que importam o princípio e o fim?"

Teme-se a derrocada de tudo quanto construíra a inteligência humana, e de repente entra a faltar a muita gente a base mínima para suportar a sensação de inutilidade da vida humana. K. Maurício, *alter-ego* de Raul Brandão, poeta alucinado por uma extremista sensibilização da vida, é ao mesmo tempo vítima e porta-voz do desmoronamento que chega a parecer total e irremediável:

"o drama de K. Maurício foi este – ter vivido tudo e nunca ter vivido; ter conheci-do a vida através dos livros e não saber dar um passo na vida. Habituou-se a so-nhar e ter medo de viver".

Ele próprio reconhece-o e confessa-o: "O sonho é o único refúgio que me resta." Ao fim de contas, trata-se de egolatria, dum pagão da decadência, so-terrado pelas ruínas dum mundo cujo desmonte ele acelera com os seus gestos de renúncia, passividade e fuga da realidade:

"Virei já do avesso todos os sonhos, esgotei-os, fui tudo em imaginação e não no fui na prática, falho de energia. Imaginei ser Deus e imaginei ser árvore."

Em tudo quanto constitui o drama de K. Maurício entrevê-se o fantasma do esteticismo: o seu decadentismo é só parcialmente verossímil, quer dizer, verossímil como símbolo dum estado de coisas real e vivo no último quartel do século XIX; o modo, porém, como o herói vive o seu drama e o modo como o escritor o focaliza contêm inverossimilhança, ou afetação.

Entretanto, quando esse clima de exageração psíquica chegar ao ápice, atenuando-se o traço "literário" em favor do exame direto das realidades so-ciais contemporâneas, Raul Brandão cria uma trilogia que constitui o melhor de sua obra, *A Farsa* (1903), *Os Pobres* (1906) e *Húmus* (1917), e mais tarde o *Pobre de Pedir* (1931), segundo o mesmo diapasão. Nessas obras, que pendem entre o romance e o poema em prosa, e daí serem propriamente exemplos su-periores de prosa poética, exacerba-se o trágico sentimento de que a existência é inócua, gratuita e plena de dor.

No diálogo que o homem trava com a realidade cotidiana, gera-se o "es-panto", a impressão fantasmagórica de que a vida não tem finalidade alguma, pois jamais se alcança o mínimo de realização concreta ou de entendimento capaz de justificá-la, como se o mundo fosse apenas habitado por espectros e fantasmas, sub-homens que formam um "enxurro humano" a ulular medonha e tragicamente. No mundo desses seres rastejantes só há lugar para o gemido, para a dor, rainha schopenhaueriana. Como impedir-lhe a presença imperati-va, o domínio soberano e despótico?

"Pelo sonho", respondem todos, na esteira do poeta K. Maurício, mas ago-ra guiados pelo sentimento da infinita miséria humana. Por outro lado, o sonho é não vida, é fuga, e fuga da realidade concreta, tornando-se ele próprio a única "realidade nesta noite quieta e caiada, com uma mancha vermelha de polo a polo", visto que "o único mundo real é o mundo irreal". Resultado: cai-se num círculo vicioso nessa procura estéril duma razão para a sem-razão da vida, dum apoio para o abandono em que vivem, até que, por fim, descreiam da vida e de Deus. Da primeira, por desnecessária e vazia, e porque "é uma tragédia esplêndida, com todos os seus crimes, sonhos, ódios", do segundo, porque não concede nem razão nem suporte à primeira, pois "a beleza não existe – existe a dor; Deus não existe – existe a dor". Mergulhado num turbilhão, agrilhoado à vida como um galé à mercê da injustiça, o homem reduz-se ao humilhado e ofendido dostoievskiano, que só pode salvar-se "pregando o Amor. Só o Amor nos pode salvar", pois "por cada homem que amontoa oiro, há cem criaturas morrendo no desespero e na aflição".

Daí a frequência, na obra de Raul Brandão dessa fase, sem dúvida a mais significativa de sua carreira, daquilo que constitui o "enxurro humano": sonhadores, meretrizes, vagabundos, líricos, alucinados, ansiosos, "criaturas a quem um montão de desgraças torna ainda mais ridículas: a ruína, a miséria, e a fome". A própria natureza exala gemidos secretos clamando por um pouco de paz, de felicidade impossível. A injustiça social lança para as vielas aqueles que muito esperam da vida e não se revoltaram, nem bajularam os senhores e os poderosos. Todos pedem a Deus para suavizar sua Dor, mas é inútil. Assim, percebe-se o transcendentalismo em confronto com o niilismo enraizado, conduzindo à sensação de que não vale a pena viver:

> "Aquela porta aberta para a tragédia e para o escárnio fica em frente do Hospital. As mulheres dos ladrões e dos soldados moram ao pé da dor. As paredes negras e úmidas – mãos ao roçarem-nas deram-lhes aflição, gritos abalaram-nas – foram construídas do mesmo sonho e da mesma pedra de que é feita a vida."

Toda essa sinfonia de vozes apocalípticas que choram, pedem, suplicam, guarda amor aos humildes e aos injustiçados, para os quais o mundo só oferece descrença integral, visto lhe faltar a menor certeza para oferecer em troca da miséria humana.

Na última fase, ao encontrar a rota própria, graças a desenvolver intuições latentes nas obras anteriores, logo transformadas em convicções, Raul Brandão evolui para o Cristianismo. Este último estágio corresponde a uma vida interior serena, equilibrada, graças ao aplacamento da revolta e à consciência de que é preciso aceitar o inexorável das coisas. É então que escreve *Pescadores* (1923), *As Ilhas Desconhecidas* (1927) e *Memórias* (3 vols., 1919, 1925, 1933), em que, a par do encontro com os valores simples da existência, ardorosamente desejados e procurados nas fases anteriores, passa a vibrar com o mundo das coisas e seres primitivos cheios de pureza, num naturismo que não esconde o melancólico e desalentado balanço de uma vida inquietada por trágicas visões e, ao mesmo tempo, uma revalorização comovida da paisagem portuguesa, naquilo que tem de mais autêntico e pitoresco.

O estilo de Raul Brandão, dúctil, hipermetafórico e ondulante, mais próximo da poesia que da narrativa, acompanha as fases evolutivas de sua carreira literária. Mais poeta que ficcionista (ou prosador), graças à linguagem estruturalmente poética, pelo jogo das imagens, pelo metafórico, pelo diáfano, pelo lírico, pelo ritmo emocional, pelo alógico e, acima de tudo, pela liberdade expressiva, como se escrevesse sem qualquer esforço de composição, aos jactos, numa incessante ebulição, a transmitir, em escrita automática, um delirante e onírico espanto do mundo, Raul Brandão tornou-se quem melhor realizou a tendência fundamental da prosa simbolista, acabando por ser o mais importante prosador do Simbolismo português e dos mais representativos do Idioma.

# O TEATRO

Durante a vigência do Simbolismo, a par dum teatro de temas históricos, neorromânticos ou realistas, cultivou-se o teatro poético, que procurava levar para o palco as doutrinas estéticas então predominantes. Dentre os vários dramaturgos que apareceram nessa altura e fizeram representar suas peças, destacam-se alguns, mas nenhum deles teve capacidade suficiente para erguer obra à altura de um Gil Vicente ou de Garrett: apesar de tudo, é uma quadra menor na história do teatro português. Raul Brandão cultivou o teatro, com *O Gebo e a Sombra* (1923), *O Rei Imaginário* (1923), *O Doido e a Morte* (1923), *O Avejão* (1929). Antônio Patrício também se ocupou da dramaturgia com especial talento cênico, como ficou assinalado no tópico referente à prosa simbolista.

312 • A LITERATURA PORTUGUESA

Além deles, destacam-se os seguintes: **D. João da Câmara** (27 de dezembro de 1852-2 de janeiro de 1908), cuja obra dramática, "de modo geral, [...] leva grandes vantagens sobre a dos contemporâneos" (Óscar Lopes), permitindo que seja considerado "o maior dramaturgo da geração finissecular" (Luiz Francisco Rebello), escreveu peças de caráter histórico (*Afonso VI*, 1890; *A Toutinegra Real,* 1895; *Alcácer-Quibir,* 1891*),* de caráter poético, simbolista, à maneira de Maeterlinck (*O Pântano,* 1894; *Meia-Noite,* 1899), de feição realista, à Júlio Dinis (*Os Velhos,* "comédia em três atos", 1893), "teatro lírico ligeiro" (*O Burro do Sr. Alcaide,* 1891), Júlio Brandão (1869-1947), já referido no capítulo da poesia, tentou igualmente o teatro poético (*A Noite de Natal,* 1899).

O comediógrafo talvez mais festejado em seu tempo foi **Marcelino Mesquita** (Cartaxo, 1º de setembro de 1856-Lisboa, 7 de julho de 1919): vacilando entre atitudes e soluções românticas e realistas, escreveu numerosas peças, em torno de vários assuntos e modalidades cênicas, das quais as seguintes: *Pérola* (1885), que chamou sobre si atenção negativa, sendo considerada imoral pelo fato de focalizar o ambiente da prostituição, *Leonor Teles* (1889), de caráter histórico, *Dor Suprema* (1895), *Velho Tema* (1896), *O Regente* (1897), também de tema histórico, *Peraltas e Sécias* (1899), tentativa de comédia de costumes, *Almas Doentes* (1905), *Envelhecer* (1909), *Margarida do Monte* (1910), em torno de situações da atualidade do dramaturgo, notadamente os que se referiam à senectude, *Pedro, o Cruel* (1915), ainda de argumento histórico, *Frineia* (1917), etc.

Entretanto, foi **Júlio Dantas** (Lagos, 19 de maio de 1876-Lisboa, 25 de maio de 1962) o dramaturgo que mais tempo conseguiu sobreviver no interesse do público. Cultivou o conto, a poesia (*Nada,* 1896; *Sonetos,* 1916), o romance, a crônica, o ensaio, mas é graças às peças teatrais que alcançou nomeada. Entre outras, escreveu e encenou: *O que morreu de amor* (1899), *A Severa* (1901), *O Paço de Veiros* (1903), *Um Serão nas Laranjeiras* (1904), *Rosas de Todo o Ano* (1907), *Sóror Mariana* (1915), *O Reposteiro Verde* (1921), *Frei Antônio das Chagas* (1947).

Todavia, a mais conhecida é *A Ceia dos Cardeais* (representada e publicada pela primeira vez em 1902), dezenas de vezes encenada e impressa. Neste drama, em um ato, como no resto de sua obra, observam-se as mesmas características: um acendrado portuguesismo, não raro derramando-se em sentimentalismo e esquematismo psicológico, e a predileção pelos temas amorosos. Em versos alexandrinos emparelhados, contrapõem-se três concepções do amor, a do cardeal francês, a do cardeal espanhol e a do cardeal português. Quando chega a vez de este último relatar aos dois convivas a sua experiência amorosa, começa por exclamar: "como é diferente o amor em Portugal!", a que os interlocutores respondem, ao final da peça: "foi ele, de nós três, o único que amou".

# X

# SAUDOSISMO
## (1910 – 1915)

### PRELIMINARES

Os primeiros anos do século XX europeu acusam profundas e amplas transformações culturais e estéticas, das quais não poucas tinham sido lentamente gestadas ao longo do século XIX: quase se diria que as mutações anteriores apenas serviram de ensaio para alguma coisa de novo que só veio a declarar-se, explosivamente, na alvorada daquela centúria.

Como sempre, Portugal procurou adaptar-se ao ritmo europeu e beneficiar-se do progresso cultural em curso, embora reduzindo-o à sua medida enquanto povo, história e cultura. Tanto é assim que, hipertrofiando uma tendência que vinha do Realismo (para não dizer que se iniciou com os românticos exaltados), avoluma-se a onda de insatisfação contra o regime monárquico, incapaz de resolver os problemas mais urgentes da Nação e oferecer um clima normal de tranquilidade e progresso. A ditadura de João Franco (1905-1906), com toda a sua coorte de injustiças, mais ainda acirra os ânimos contra a Monarquia reinante.

Até que, culminando a atmosfera de tensão que crescia incontrolavelmente, o Rei D. Carlos é assassinado por um homem do povo em 1908, quando voltava, em carruagem aberta, de uma de suas habituais estações de caça em Vila Viçosa. Generaliza-se a desordem e a sanguinolência. Como no atentado

316 • A LITERATURA PORTUGUESA

também falecera o príncipe herdeiro, D. Luís Filipe, imediatamente é chamado a ocupar o trono D. Manuel II, que sobrevivera ao morticínio no Terreiro do Paço. Muito jovem ainda (nascera em 1886) e ascendendo ao poder em clima de turbulências, o monarca equilibra-se até 1910, quando, precisamente a 4 de outubro, se instala a República em Portugal: em consequência, D. Manuel II exila-se na Inglaterra, onde falece em 1932. Proclamado o novo regime, chamam Teófilo Braga para assumir provisoriamente as responsabilidades do governo.

Perante a nova situação em que se encontra o País, logo se formam duas facções, opostas no modo como a encaram: uma delas, satisfeita, ou conformada com a República, procura dar-lhe bases, uma doutrina ou filosofia tipicamente portuguesa; a outra, a dos inconformados, dos insatisfeitos com o novo estado de coisas, assume caráter contrarrevolucionário e aglutina-se em torno de Antônio Sardinha (1888-1925), em 1914, formando o grupo do Integralismo Português, de que veio a sair o Estado Novo, em 1926.

Para a história das ideias em Portugal no século XX, o grupo dos republicanos satisfeitos ou conformados assume relevância maior, graças ao papel que desempenha desde a primeira hora em que se instaura o sistema republicano de governo. Em 1910, surge *A Águia,* revista mensal de "literatura, arte, ciência, filosofia e crítica social", logo tornada órgão da *Renascença Portuguesa,* rótulo que os conformados passaram a usar como expressão do seu programa de fundamentação e revigoramento, em moldes modernos, da cultura portuguesa. Teixeira de Pascoaes, Jaime Cortesão e Leonardo Coimbra distinguem-se como as principais figuras desse movimento. Ao primeiro coube o papel de mentor e de doutrinador, tendo por base o estabelecimento duma filosofia autenticamente lusitana, em torno da saudade, o Saudosismo:

> "O fim desta revista", diz Teixeira de Pascoaes no editorial com que abre a segunda série de *A Águia,* começada em 1912, "como órgão da 'Renascença Portuguesa' será, portanto, dar *um sentido* às energias intelectuais que a nossa Raça possui; isto é, colocá-las em condições de se tornarem fecundas, de poderem realizar o ideal que, neste momento histórico, abrasa todas as almas sinceramente portuguesas: – Criar um novo Portugal, ou melhor, ressuscitar a Pátria Portuguesa, arrancá-la do túmulo onde a sepultaram alguns séculos de escuridão física e moral, em que os corpos definharam e as almas amorteceram."

Passando para o exame da *alma portuguesa,* chega finalmente ao seu destino: a Saudade, que "é o próprio sangue espiritual da Raça; o seu estigma divino, o seu perfil eterno. Claro que é a saudade no seu sentido profundo, verdadeiro, essencial, isto é, o *sentimento-ideia, a emoção refletida,* onde tudo o que existe, corpo e alma, dor e alegria, amor e desejo, terra e céu, atinge a sua unidade divina. Eis a Saudade vista na sua essência religiosa, e não no seu aspecto superficial e anedótico de simples *gosto amargo de infelizes".* E mais categoricamente:

> "É na Saudade *revelada* que existe a razão da nossa Renascença; nela ressurgiremos, porque ela é a própria Renascença, original e criadora".

*A Águia* leva uma segunda série até 1916, e uma terceira até 1930, quando desaparece, mas em 1913 opera-se uma cisão interna que provoca o afastamento de Antônio Sérgio, Jaime Cortesão e Raul Proença, em desacordo com o caráter visionário que vai assumindo o Saudosismo de Pascoaes. Do cisma nascerá, em 1921, a *Seara Nova,* órgão em que o grupo dissidente procura levar a cabo um programa de reforma cultural de bases racionalistas, científicas e tanto quanto possível dentro duma visão universalista. Com esse desiderato, a revista se manteve até os nossos dias.

Entretanto, o visionarismo de Pascoaes consegue momentaneamente empolgar um grupo de jovens literatos de Lisboa, aparecidos entre 1912 e 1915, alguns deles inclusive chegando a colaborar em *A Águia,* como Fernando Pessoa e Mário de Sá-Carneiro. Em 1915, ainda refletindo o clima saudosista, lançam a revista *Orpheu,* com que tem início a modernidade em Portugal. Antes, porém, de entrar neste capítulo, é necessário descrever a trajetória literária de Teixeira de Pascoaes e de alguns seguidores do seu credo saudosista.

## TEIXEIRA DE PASCOAES

Pseudônimo de Joaquim Pereira Teixeira de Vasconcelos, nasceu em Gatão (Amarante), a 2 de novembro de 1877. Formado em Direito por Coimbra (1901), passa a advogar em Amarante e no Porto. Em 1912, despede-se das atividades advocatícias para se dedicar integralmente à literatura. Dirige

318 • A LITERATURA PORTUGUESA

*A Águia* e torna-se figura central do Saudosismo. De família abastada, logo se recolhe à vila natal, entregue a uma existência bucólica e idílica defronte à serra do Marão, e lá falece a 14 de dezembro de 1952, cercado de admiração e prestígio.

Teixeira de Pascoaes é das figuras mais representativas da primeira metade do século XX em Portugal. Autor de obra extensa, não só poética mas também em prosa de ficção, além de biográfica e doutrinária, e teatro. Infenso ao Simbolismo, pelo menos naquilo que é o seu fundamento, e, ao mesmo tempo, alheado das novas inquietações, que desencadearam a modernidade e as tendências de vanguarda, é um caso à parte. Herdeiro do tom declamatório de Guerra Junqueiro, recebeu influência de Antero, João de Deus e Antônio Nobre, tudo caldeado com uma imaginação poderosamente transfiguradora, o que o vincula, por uma inclinação de raiz, ao ideário romântico, de que acaba por ser o último e mais extremado representante.

"Encarnou de modo único na história da literatura portuguesa o ideal romântico do poeta mensageiro do divino, profeta, guia das almas", no dizer de Jacinto do Prado Coelho, na introdução às *Obras Completas* do poeta. Este neorromantismo, acrescenta o crítico, distingue-se do Romantismo por "certo misticismo panteísta ou pampsiquista que dá à poesia um sentido cósmico: entende-se a poesia como aventura espiritual, busca-se a associação da poesia e da filosofia ou pelo menos de certa filosofia intuitiva".

Tanto é assim que o agnosticismo de Pascoaes, herança provável do ambiente mental dos fins do século XIX, não destruiu a crença no Abstrato, no Incognoscível, como se o mundo fosse habitado por fantasmas e espectros. A heterodoxia e o paganismo, nascidos da sensação de grandeza e de euforia que provém de contemplar a Natureza, não anulam a ingênua crença na Imaginação ou na Quimera como única realidade possível. Entretanto, o dado imaginativo tem por base o concreto, do qual jamais se afasta, numa como que incapacidade de abstrair, de ver "realidades-em-si", que é apanágio do Simbolismo. Ao contrário dos penumbristas, engolfados no esteticismo simbolista, a buscar climas brumosos para ambientar os seus poemas, Teixeira de Pascoaes situa na fantasia mais alada o conteúdo dos seus versos: era a imaginação, ou mesmo a Imaginação, a correr livre por espaços irreais, que lhe ditava o gosto das nebulosidades, à semelhança da bruma ou da névoa perpetuamente a circundar os cimos do Marão.

Para o poeta, tudo se concentra no sentimento difuso, paradoxal, vago e agridoce, da Saudade, na linha de Garrett:

"Saudade! gosto amargo de infelizes,
Delicioso pungir de acerbo espinho [...]
— Mas dor que tem prazeres — Saudade!",

Saudade feita de Esperança e de Lembrança:

"A saudade o alegrava e entristecia...
É que ela faz a dor e o prazer,
Como a mesma luz faz a noite e o dia...".

Daí deriva um estado místico e metafísico ao mesmo tempo, porque a Saudade tem nele sentido etéreo, inespacial e intemporal: é o Homem perante o Destino, perante a Saudade, mas esta é a

"Saudade revelada, a qual se ergue à altura duma *religião*, duma *filosofia* e duma *política*, portanto. Dentro dela, Portugal, sem deixar os maiores progressos de qualquer natureza".

Em suma, o culto da saudade, na sua forma extrema, que somente um português seria capaz de nutrir, a saudade na qual se fundem inextricavelmente o Paganismo e o Cristianismo. De onde o "lusitanismo", outra nota relevante do seu caráter e da sua poesia, servindo-lhe, inclusive, aos propósitos doutrinários, expressos em obras como *O Gênio Português na sua Expressão Filosófica, Poética e Religiosa* (1913), *A Arte de Ser Português* (1915), *Os Poetas Lusíadas* (1919).

A sua poesia, que pouca ou nenhuma influência exerceu, dada a inflexão muito pessoal e um tanto anacrônica, porquanto continha um recuo no tempo e uma fuga aos compromissos da cultura e da sociedade, tem dissociado a crítica em dois setores, um dos quais é entusiástico a ponto de o colocar logo após Camões, e o outro, mais comedido e exigente, considera-o poeta de alto nível, mas sem a grandeza do autor de *Os Lusíadas,* dum Antero ou dum Fernando Pessoa. A verdade parece estar com estes últimos.

De todas as maneiras e quaisquer que sejam as ressalvas, obras como *Jesus e Pã* (1903), *Para a Luz* (1904), *Vida Etérea* (1906), *As Sombras* (1907), *Senhora da Noite* (1909), e notadamente *Marânus* (1911), *Regresso ao Paraíso* (1912),

320 • A LITERATURA PORTUGUESA

*Elegias* (1913), *O Doido e a Morte* (1913), *Elegia da Solidão* (1920), *Elegia do Amor* (1924), *Últimos Versos* (1953), etc., testemunham entranhada fidelidade à Poesia e uma intuição lírica em alguns momentos raiando pelo gênio, ainda que decaia, por vezes, a tons de trivialidade versificada. Merece, indubitavelmente, destaque na história da Literatura Portuguesa.

*Marânus* é considerada quase unanimemente a sua obra-prima: tendo por pano de fundo a infância e os lugares por onde andou, em torno da casa paterna, nela a cosmovisão de Teixeira de Pascoaes encontra uma síntese perfeita. Além de ser a obra poética que melhor lhe expressa o talento, constitui o seu testamento e testemunho de visionário, uma espécie de epopeia lírica centrada no enigma da Saudade, ou antes, um misto de elegia e égloga transcendental, de olhos postos no cenário quimérico da infância e da serra do Marão, sempre contemplada e admirada na maturidade e na velhice:

"mística paisagem",
"Incorpórea paisagem sublimada,
Feita de ignotas sombras e mistérios,
Em roxo véu de lágrimas veladas..."
"povoada
De sonhos, de fantasmas e de espantos",
rodeada de "espantos e de assombros":

"Marânus e a Saudade caminhavam,
Por denegridos píncaros ascéticos.
E seus olhos de amor se deleitavam
Na pintura longínqua das paisagens. [...]
E a trágica distância se alongava,
Turbando, enevoando, anoitecendo
A face do horizonte que sonhava... [...]
A Saudade e Marânus caminhavam,
Ébrios de sol, de azul e de amplidão,
Vestindo, com a luz enamorada
De seus olhos, a serra do Marão"

Pascoaes ainda escreveu biografias-romanceadas (*São Paulo,* 1934; *S. Jerônimo e a Trovoada,* 1936; *Napoleão,* 1940; *O Penitente* [Camilo Castelo Branco],

1942; *Santo Agostinho,* 1945), narrativas (*O Empecido,* 1950; *Dois Jornalistas,* 1951), teatro (*Dom Carlos,* 1935), etc.

# MÁRIO BEIRÃO

Nascido em Beja, a 1º de maio de 1890, e falecido em Lisboa, a 19 de fevereiro de 1965, iniciou-se em 1913, com *O Último Lusíada,* não deixando dúvidas quanto ao cerne da sua visão de mundo, assim como à sua inserção no Saudosismo de Teixeira de Pascoaes. Todavia, já mostrava sinais da originalidade que lhe distinguiria a longa trajetória até *O Pão da Ceia* (1964), entremeada pela publicação de *Ausente* (1915), *Lusitânia* (1917), *Pastorais* (1923), *A Noite Humana* (1918), *Novas Estrelas* (1940), *Oiro e Cinza* (1946), *Mar de Cristo* (1957). Enriquecido com inéditos e dispersos, acompanhados de testemunhos críticos, o seu espólio literário encontra-se reunido, sob a organização de Antônio Cândido Franco e Luís Amaro, no volume *Poesias* (1996).

Para além de remanescentes simbolistas, especialmente na linha de Antônio Nobre ("Anto, meu pálido Anto"), presentes nos decênios iniciais do século XX, a modernidade do seu lirismo revelou-se desde o começo, graças a soluções estilísticas que, de certo modo, antecipam as ousadias formais de Mário de Sá-Carneiro e outros integrantes de *Orpheu.* Assim é, por exemplo, o poema "Êxtase", que abre com os seguintes versos:

"Êxtase... O Mar é um sonho de oiro e espuma!

Deliram oiro os areais... Em frente,
Sonâmbulas do Longe que as esfuma,
Murmuram luz as vagas, ao poente...
Murmuram luz!"

ou a recorrente menção de "pauis", que estariam na origem do Paulismo concebido por Fernando Pessoa. Em determinado instante do livro inaugural, volta-se para temas rurais, como a antecipar a maneira neorrealista, que viria a público depois de 1940, como evidenciam, dentre outros poemas, "A Elegia das Grades", "A Elegia dos Ganhões", "A Epopeia dos Malteses".

Ainda é de assinalar que o saudosismo de Mário Beirão preserva, de modo geral, o gosto da forma escorreita, que se diria de extração parnasiana não fossem os ecos clássicos que se ouvem, como se difundidos pela voz tormentosa de Camões, o "grande Desterrado" e, decerto, o seu nume tutelar. Ao contrário de Teixeira de Pascoaes, mira um horizonte povoado menos de visões do que de abstrações, sonhos, sensações, "miragens dum ideal perfeito", de "uma outra esfera!":

> "Ó Realidade feita de Quimera,
> Visão alada a palpitar de luz"

O resultado é uma contensão, um equilíbrio entre a estrutura métrica e a inventividade imaginária, que faz compreender por que razão Pessoa nele discernia um "estilo definidamente próprio" e "a perfeição artística como flagrante característico", Mário de Sá-Carneiro o considerava "um alto poeta, um soberbo artista" e João Gaspar Simões chegou a afirmar que era "o poeta mais genuíno da geração saudosista e o único que de algum modo se conservou fiel ao nacionalismo filosófico".

# OUTROS POETAS E PROSADORES

O grupo da "Renascença Portuguesa" ainda reunia outros colaboradores de *A Águia*, embora nem sempre em compasso com as diretrizes saudosistas. O **Visconde de Vila-Moura** (1877-1935), voltado para o ensaio (*A Vida Mental Portuguesa*, 1909) e para a prosa ficcional (*Nova Safo*, 1912; *Doentes de Beleza*, 1913, etc.), e **Carlos Parreira** (1890-1950), cultor da prosa poética (*A Esmeralda de Nero*, 1915; *Bizâncio*, 1920, etc.), preferiram continuar vinculados à corrente decadentista a singrar as águas de Pascoaes.

Por seu turno, **Leonardo Coimbra** (1883-1936) enveredou pela filosofia antipositivista, de acentos bergsonianos, numa série de obras (*O Criacionismo. Esboço de um Sistema Filosófico*, 1912; *O Pensamento Criacionista*, 1915; *A Alegria, a Dor e a Graça*, 1916; *A Luta pela Imortalidade*, 1918; *Adoração*, 1921; *Do Amor e da Morte*, 1922; *A Razão Experimental*, 1923; *Jesus*, 1923, etc.), reunidas nas *Obras* (1983), assinaladas por frequentes passagens que o identificam "como o mais interessante poeta de prosa lírica" (Óscar Lopes), enquanto **Álvaro Pinto** (1887-1956) se concentrou na direção de *A Águia*.

**Afonso Duarte** (Ereira, Montemor-o-Velho, 1º de janeiro de 1884-Coimbra, 5 de março de 1958) publicou os três primeiros livros sob a égide da doutrina saudosista: *Cancioneiro das Pedras* (1912), *Tragédia do Sol-posto* (1914), *Rapsódia do Sol-nado seguida do Ritual do Amor* (1916), este sob a chancela da *Renascença Portuguesa*. Ainda que denotassem o culto da saudade, da tradição, que remonta a Camões e passa por Antônio Nobre, davam sinais de um poeta independente, dotado de voz própria, que anunciava, no imprevisto das imagens e nas soluções formais, por vezes à maneira de Mário de Sá-Carneiro, a modernidade em curso.

Enriquecidas de novas composições, as três obras seriam reunidas em *Os Sete Poemas Líricos* (1929), sob a chancela da *Presença*. Com *Ossadas* (1947), o poeta assume a modernidade com toda a força de um longo e apurado tirocínio e de uma progressiva evolução das matrizes anímicas e estéticas cedo reveladas, em versos breves, elípticos, epigramáticos, à maneira de Pessoa ou de Sá-Carneiro.

Em vez da saudade transcendente, difundida pelo lirismo de Pascoaes, cultiva a saudade atenta à realidade empírica ("A hora da saudade é uma serpente"), como bem exprime a sucinta "arte poética" estampada em *Ossadas*, mas que serve de núcleo à totalidade da sua criação: "Calai os versos abstratos". O *Post-scriptum de um Combatente* (1949) evidenciará uma visão da realidade próxima do Neorrealismo. No ano seguinte, publicará *Sibila*, e logo depois, *Canto de Babilônia* e *Canto de Morte e Amor*, ambos em 1952. Nesta fase, tangido por forte e superior vibração épica, timbre da poesia de primeira água, recolhe tudo quanto disseminara pelo caminho, num cenário onde refulge Camões e transitam outros numes tutelares, como Pessoa, D. Dinis, Gil Vicente.

Embora não voltados exclusivamente para a poesia, outros integrantes do Saudosismo merecem referência. **Jaime Cortesão** (Ança, Cantanhede, 29 de abril de 1884-Lisboa, 14 de abril de 1960), que ganharia ampla nomeada como historiador, começou a sua trajetória pelo culto às musas, publicando, em 1910, *A Morte da Águia*, "poema heroico" em sete cantos, de nietzschiana reverberação ("Sonhos de Deus, esboços do Sublime, / Formas da primitiva criação!"), seguida de *Glória Humilde* (1914), expressão de um lirismo que já pulsava antes, feito de "evocação, / Memória, sonho, saudade", de "Saudades, memórias vivas", "saudades duma nova esfera", e do "frêmito do Amor", sinônimo de "Frêmito d'Almas". Situado "na tradição mais genuína do lirismo português", Jaime Cortesão, que ainda publicará *Missa da Meia-Noite e Outros*

324 • A LITERATURA PORTUGUESA

*Poemas* (1940), parece anunciar o lirismo de Miguel Torga (David Mourão-Ferreira). Ainda publicará duas peças (*O Infante de Sagres*, 1916; *Egas Moniz*, 1918), revelando uma faceta de poeta dramático, sob a qual pulsava, desde o começo, a vocação de historiador. Em 1913, Fernando Pessoa referia-se, com acerto, ao "impulso heroico" ou "dinamismo heroico" que caracteriza a poesia de Jaime Cortesão.

**Augusto Casimiro** (1889-1967) vazou nos poemas de *A Vitória do Homem* (1910), *A Evocação da Vida* (1912), *A Primavera de Deus* (1915), etc., uma "Sede infinita de Arte e de Beleza", a crença de que "a luz, o Bem, o Amor se amam em Deus!", evidenciando uma "religiosidade saudosista que se funda na imanência ao humano de todo o divino" (Óscar Lopes).

Em semelhante clave, situa-se **Américo Durão** (Coruche, 26 de outubro de 1892-Lisboa, 7 de março de 1969), da segunda geração saudosista, cujo legado poético consiste de *Penumbras* (1914), *Vitral da Minha Dor* (1917), *Tântalo* (1921), *Lâmpada de Argila* (1930), *Tômbola* (1942), *Ecce Homo* (1954), *Sinal* (1963), enfeixados nas *Poesias Completas* (1999).

Uma tão longa trajetória propiciaria o contato com algumas das correntes modernas, a começar da simbolista/decadentista, evidente já no título da obra inicial. Ao contágio, ou coincidência, com a revolução de *Orpheu*, seguir-se-ia, mais adiante, a vizinhança com alguns aspectos da poesia da *Presença*, mas sem perder as características originais ou desenvolvidas à sombra do grupo de Pascoaes.

Dotado de singular força imaginária, anímica, sensível, apoiada num grande virtuosismo formal, emprestava à variedade e novidade do conteúdo uma engenhosa e original diversidade das soluções formais. Distingue-se entre os poetas de extirpe saudosista por uma inquietude que talvez lhe abrisse caminhos insuspeitados se os timbres órficos ou presencistas houvessem ecoado com mais força. A sua versátil tonalidade temática (amorosa, religiosa, trágica, elegíaca, etc.) faz pensar, ora em Sá-Carneiro ou Pessoa, ou mesmo em Augusto dos Anjos, ora em Régio e Torga. Experimentou os versos heterométricos sem comprometer o apego ao formalismo da tradição, sobretudo ao soneto, em que se tornou mestre consumado e festejado, notadamente para Florbela Espanca, a quem se ligou por sólida amizade.

Integrando também a segunda geração saudosista, **Anrique Paço D'Arcos** (Lisboa, 2 de setembro de 1906-1993) estreou com *Versos sem nome* (1923), seguidos por *Divina Tristeza* (1925), *Mors-Amor* (1928), *Peregrino da Noite* (1931), *Cidade Morta* (1939), *Estrada Sem Fim* (1947), *História de Jesus* (1962), *Círculos Concêntricos* (1965), mais tarde reunidos nas *Poesias Completas* (1993; 2ª ed., 2006, com exclusão de *História de Jesus*). Herdeiro da poesia simbolista, cultivou a tríade "saudade-mágoa-tristeza", ali, uma "saudade absoluta", aqui, uma "divina tristeza", que o levariam a um certo sebastianismo e a um catolicismo extremo, tudo vazado em metros ou formas populares, de permanente fluência e musicalidade.

# XI

# ORFISMO
## (1915-1927)

## PRELIMINARES

Como se viu, o Saudosismo de Teixeira de Pascoaes e *A Águia* atraíram Fernando Pessoa, Mário de Sá-Carneiro, Mário Beirão (1890-1965), Afonso Duarte (1886-1957), Raul Leal (1886-1964) e outros. Em pouco tempo, todavia, alcançam superar, uns mais, outros menos (como Mário Beirão, autor de *Sintra*, 1912; *O Último Lusíada*, 1913, etc.), a iniciação saudosista. E à luz das modernas correntes europeias no terreno estético e no filosófico (Picasso, o Cubismo, o Futurismo, Max Jacob, Apollinaire, etc.) evoluem para as tendências de vanguarda, por momentos confundidas com o Futurismo.

Em 1915, Fernando Pessoa, Mário de Sá-Carneiro e Raul Leal, mais Santa-Rita Pintor, Luís de Montalvor, Almada-Negreiros, Rui Coelho, Tomás de Almeida, Alfredo Guisado, Armando Côrtes-Rodrigues e, de passagem, o brasileiro Ronald de Carvalho, resolvem fundar uma revista para servir de porta-voz e concretização de seus ideais estéticos, em consonância com o que acontecia no restante da Europa. Nasce o *Orpheu,* cujo primeiro número, correspondente a janeiro-fevereiro-março, aparece em 1915, sob a direção de Luís de Montalvor, para Portugal, e de Ronald de Carvalho, para o Brasil (na verdade, a ideia surgira numa conversa entre ambos, travada no Rio de Janeiro, quando o primeiro era funcionário da Embaixada do seu país). Na "intro-

328 • A LITERATURA PORTUGUESA

dução" com que abre o número inicial da publicação, Luís de Montalvor procura fazer a profissão de fé literária de todo o grupo. Referindo-se à revista, diz:

"Puras e raras suas intenções com seu destino de Beleza é o do: – Exílio!
Bem propriamente, ORPHEU, é um exílio de temperamentos de arte que a querem como a um segredo ou tormento...
Nossa pretensão é formar, em grupo ou ideia, um número escolhido de revelações em pensamento ou arte, que sobre este princípio aristocrático tenham em ORPHEU *o seu ideal esotérico* e bem nosso *de nos* sentirmos e conhecermo-nos"

E mais para o fim:

"E assim, esperançados seremos em ir a direito de alguns desejos de bom gosto e refinados propósitos em arte que isoladamente vivem para aí, certos que assinalamos como os primeiros que somos em nosso meio, alguma cousa de louvável e tentamos por esta forma, já revelar um sinal de vida, esperando dos que formam o público leitor de seleção, os esforços do seu contentamento e carinho para com a realização da obra literária de ORPHEU"

No entanto, é da pena de Fernando Pessoa que saem dois breves textos mais incisivos, escritos precisamente em 1915, tentando definir os propósitos do grupo que encabeçava:

"Criar uma arte cosmopolita no tempo e no espaço [...]. a verdadeira arte moderna tem de ser maximamente desnacionalizada – acumular dentro de si todas as partes do mundo. Só assim será tipicamente moderna. Que a nossa arte seja uma onde a dolência e o misticismo asiático, o primitivismo africano, o cosmopolitismo das Américas, o exotismo ultra da Oceania e o maquinismo decadente da Europa se fundam, se cruzem, se interseccionem. E, feita esta fusão espontaneamente, resultará uma arte-todas-as-artes, uma inspiração espontaneamente complexa..."

De acordo com essas ideias estetizantes e um tanto esotéricas, põem-se a criar uma poesia alucinada, chocante, irritante, irreverente, com o fito de provocar o burguês, símbolo acabado da estagnação em que, a seu ver, se encontra a cultura portuguesa. A poesia, elevada ao mais alto grau, entroniza-se como a forma ideal de expressar a nova cosmovisão, e sintetiza toda uma filosofia de vida estética, sem compromisso com ideologias de caráter histórico, político, científico ou equivalente. A adesão ao pensamento moderno significa, pois, a ruptura com o passado, inclusive em sua feição simbolista, embora dela fosse caudatária.

Por outros termos, corresponde a um momento em que as mentes se elevam para planos de universal indagação, para a tomada de consciência de uma angústia geral, fruto da crise que engolfa a Europa e o Mundo. A guerra de 14 é manifestação nítida dessa crise, provocada pela necessidade de abandonar as velhas e tradicionais formas de civilização e cultura (de tipo burguês) e de buscar novas fórmulas substitutivas.

O ser humano, posto à frente do espelho, sozinho perante a própria imagem, angustia-se, pois vive uma quadra de ausência de verdades absolutas, capazes de explicar-lhe a incoerência visceral e a sem-razão de existir. A anarquia instala-se como fruto do relativismo, nascido com a grande viragem histórica representada pela cultura romântica, de que as vertentes modernas, vanguardistas, são legítimas continuadoras. Está-se no ápice do processo, ou no início dum estágio mais avançado, como os anos posteriores vieram mostrar. Nessa atmosfera de fim de linha, a poesia substitui os mitos, transformando-se, ela própria, num mito.

Um segundo número de *Orpheu* é publicado, em 1915, sob a direção de Fernando Pessoa e Mário de Sá-Carneiro, confirmando o alcance da nova revista e provocando escândalo suficiente para determinar a reviravolta cultural preconizada pelos moços. Um terceiro número, embora no prelo, não chega a sair: Mário de Sá-Carneiro, que vinha sustentando financeiramente o periódico, suicida-se. Apesar da efêmera duração, o órgão havia alcançado seu objetivo, ao mesmo tempo que introduzia o modernismo estético em Portugal.

Nos anos seguintes, outras revistas e jornais foram aparecendo com semelhante propósito, ainda que obedecendo a diversa orientação: *Centauro* (1916), *Portugal Futurista* (1917), *Athena* (1924-1925), *Contemporânea* (1922-1923), *Bizâncio* (1923), etc.

Dos participantes de *Orpheu,* merecem destaque Fernando Pessoa, Mário de Sá-Carneiro e Almada-Negreiros.

# FERNANDO PESSOA

Fernando Antônio Nogueira Pessoa nasceu em Lisboa, a 13 de junho de 1888. Órfão de pai aos cinco anos, é levado pela mãe e o padrasto para a África do Sul. Em Durban, faz o curso primário e o secundário com excepcional brilho, chegando a alcançar o prêmio de redação em Inglês. De regresso a Lisboa, em 1905, matricula-se na Faculdade de Letras e cursa Filosofia por algum tempo. A seguir, passa a viver como correspondente comercial em línguas estrangeiras, função que desempenha até o fim da vida. Em 1912, colabora em *A Águia* como crítico. Em 1915, lidera o grupo de moços que publica o *Orpheu*. Dispersos os seus membros logo após o desaparecimento da revista, Pessoa recolhe-se a uma vida solitária e inteiramente voltada para a criação duma extraordinária obra poética e em prosa, de que uma pequena parte vai publicando em órgãos como *Centauro, Athena, Contemporânea* e *Presença*. São os membros desta última que lhe descobrem o superior talento e se dispõem a divulgá-lo como a um verdadeiro mestre e guia. Em 1934, candidata-se ao prêmio de poesia instituído pelo Secretariado de Propaganda Nacional, de Lisboa, com a *Mensagem,* único livro em Português que publica em vida, alcançando apenas o segundo lugar. Já nessa altura começam a acentuar-se os sintomas provenientes dos desregramentos alcoólicos. Corroído pela cirrose hepática, baixa ao hospital e dias depois falece, a 30 de novembro de 1935.

Fernando Pessoa é dos casos mais complexos e estranhos, senão único dentro da Literatura Portuguesa, tão fortemente perturbador que só o futuro virá a compreendê-lo e julgá-lo como merece. Por ora, mal decorridos alguns decênios após a sua morte, é ainda muito cedo para aquilatar-lhe toda a importância, o significado da obra que escreveu e a influência exercida, não só enquanto viveu, como também depois de morto. Tudo, portanto, que se disser hoje como análise e julgamento de sua poesia, não passa duma tentativa provisória de compreender uma insólita personalidade literária e uma obra de carregada e densa problemática. Basta começar por entender que ele integrou em sua personalidade tudo quanto constituía conquista válida do lirismo tradicional, aquele que, a largos traços, tem seus pontos altos nas cantigas de amor, em Camões, Bocage, Antero, João de Deus, Cesário Verde, Camilo Pessanha, etc.

ORFISMO • 331

Todavia, fez mais do que uma simples integração: com base em uma genialidade inata, que não exclui possíveis raízes patológicas (ele se dizia "hísteroneurastênico"), conseguiu superar e enriquecer a velha herança recebida. E a tal ponto procedeu na superação e no enriquecimento das matrizes poéticas portuguesas, que alcançou realizar um feito semelhante ao de Camões: enquanto neste começou um ciclo poético que veio a receber o epíteto de camoniano, em Fernando Pessoa principia o ciclo pessoano, evidente nas novidades que vem revelando, seja de conteúdo, seja de forma poética, aqui separados apenas por motivos de clareza.

Noutros termos: do mesmo modo que o ciclo camoniano se caracteriza por uma série de *clichês* expressivos, assim o ciclo pessoano corresponde ao encontro de novos achados poéticos, expressos numa linguagem nova, logo tornada *clichê* à custa de repetida. Como havia um modelo camoniano de transmitir a impressão causada pelo mundo e os homens na sensibilidade do poeta, atualmente há um molde pessoano. O ciclo camoniano termina quando se inicia o ciclo pessoano, evidente na influência além e aquém-Atlântico exercida por Fernando Pessoa.

Por outro lado, é preciso compreender que o poeta não só assimilou o passado lírico de seu povo como refletiu em si, à semelhança dum poderoso espelho parabólico, as grandes inquietações humanas no primeiro quartel do século XX. Com suas sensíveis antenas, captou as várias ondas que traziam de pontos dispersos a certeza de que a Humanidade vivia uma profunda crise de cultura e de valores. Por isso, para compreender-lhe a poesia há que ter em mira, além do aproveitamento que efetuou do espólio literário português, as turbulências verificadas na cultura ocidental durante os anos em que formou o seu caráter e divisou um caminho. Em consequência, a sua poesia tornou-se uma espécie de gigantesco painel de registro sismográfico das comoções históricas havidas em torno e em razão da guerra de 1914.

Uma ideia dessa grandeza e amplitude pode oferecer-nos o fato de que Pessoa integrou a brilhante geração europeia composta de Einstein, Rutherford, Bergson, Charles Chaplin, Freud, Jung, Picasso, Antonio Machado, e tantos outros, que iluminaram aqueles anos com a luz da genialidade nos vários setores da cultura ocidental, encerrando o ciclo das tendências em voga no século XIX ou levando-as ao seu ponto extremo.

Fernando Pessoa evoluiu do Saudosismo para o Paulismo e daí para o Interseccionismo e o Sensacionismo, três formas de requintamento da poesia saudosista, graças ao exacerbamento deliberado do culto ao "vago", ao "sutil" e ao "complexo", e à influência simultânea do Cubismo e do Futurismo. Essas categorias líricas, o poeta atinge-as por via duma consciente intelectualização daquilo que no Saudosismo era apenas nota instintiva e emotiva.

Superadas as fases iniciais em que o poeta procura, ao mesmo tempo que *épater le bourgeois,* um rumo autêntico para sua poesia (sem com isso querer dizer que os seus poemas "paúlicos", "sensacionistas" e "interseccionistas" sejam de inferior qualidade), com a publicação de *Orpheu* começa verdadeiramente a criar a sua singular poesia. Mas, em que medida singular? Num esforço de síntese que naturalmente deixará muitos aspectos de fora, teríamos o seguinte: Fernando Pessoa parte sempre de proposições apenas aparentemente axiomáticas, e aparentemente porque, primeiro, resultam dum longo e acurado trabalho de reflexão analítica em torno daquilo que é motivo de seus poemas; e segundo, porque contêm sempre urna profunda tensão dialética que lhes destrói facilmente a fina crosta de verdade dogmática. Dentre elas, algumas das quais tornadas *clichês* de largo uso, indispensáveis sempre que se trata de assuntos poéticos, podemos salientar as seguintes: "O Nada que é Tudo", "O que em mim sente 'está pensando'", e uma estrofe de complexo e rico sentido como doutrina poética ou expressão da complexidade inerente à criação literária:

"O Poeta é um fingidor.
Finge tão completamente
Que chega a fingir que é dor
A dor que deveras sente"

Com base nesses postulados – e em outros mais, que seria ocioso enumerar –, Fernando Pessoa diligencia erguer a sua cosmovisão, que implica ordenar o caos à sua volta. Sentindo-se imerso no plano das relatividades, à sua luz dispõe-se a compreender os seres e coisas. Seu objetivo, no entanto, situa-se além: atingir, pela análise ordenadora do real fragmentado, o nível de qualquer absoluto, ou seja, de verdades capazes de resistir à impressão de desmoronamento total, ou de superar a inconstância relativa de tudo.

ORFISMO • 333

Por outras palavras: descrendo, pela análise e *a priori,* num Absoluto em si, mas considerando-o indispensável para explicar o caos cósmico e conferir-lhe a ordem perdida pela especulação racionalista, – o poeta parte do relativo (ou Relativo) para o absoluto (ou Absoluto). Tudo se passa como se ele, fenomenologicamente colocado diante do mundo, tentasse reconstruí-lo ou ordená-lo partindo do nada, recebendo como se fosse pela primeira vez os impactos mil vezes sofridos pelos homens no curso da História e sentindo-os como descoberta "pura", isenta das anteriores deformações intelectuais.

Tal processo pressupõe, necessariamente, a multiplicação do poeta em quantas criaturas compuseram e compõem a Humanidade na sequência dos séculos: apenas desse modo, somando as múltiplas e relativas visões de toda a espécie humana no tempo e no espaço, e de cada homem ao longo de sua vida particular, seria possível alcançar uma imagem aproximada do Universo como um todo, e tentar reconquistá-la ao caos das relatividades. O fulcro, portanto, da mundividência pessoana é constituído pelo ingente esforço de *conhecer* o Universo, como um absoluto possível e para além da contingência individual. Em suma, era preciso ser todos que existiram, existem e existirão, aprender a sentir como eles, ser um eu-cidade, um eu-Humanidade, "uma série de contas-entes ligadas por um fio-memória", ou, como afirma pela voz de Álvaro de Campos:

"Multipliquei-me, para me sentir,
Para me sentir, precisei sentir tudo,
Transbordei-me, não fiz senão extravasar-me"

Só assim lhe seria possível alcançar uma medida menos provisória e menos contingente. Mas, ao proceder à multiplicação interior, como se fosse um imenso poliedro, o poeta paga um alto preço: o de sua despersonalização enquanto indivíduo, o da desintegração do "eu". Ambíguo, esse processo atomizante da personalidade torna Fernando Pessoa uno e diviso ao mesmo tempo e salva-o duma egolatria, que poderia conduzi-lo ao suicídio ou à loucura, os caminhos abertos aos companheiros de geração (Mário de Sá-Carneiro suicida-se, Ângelo de Lima morre no hospício). Ora – e aqui está o ponto a que se pretende chegar –, é desse múltiplo e desintegrante desdobramento de personalidade que nascem os "heterônimos" de Fernando Pessoa.

# 334 • A LITERATURA PORTUGUESA

Nada tendo que ver com "pseudônimos" (como se sabe, são nomes falsos para encobrir o verdadeiro), querem referir a existência de *outros nomes,* isto é, outros poetas, com identidade, "vida" e sentido autônomos, vivendo dentro do poeta, de forma que este se torna um e vários ao mesmo tempo. Como sabemos, a dupla personalidade é fenômeno frequente, não assim a multipersonalidade. Mediante essa dispersão anímica, Fernando Pessoa habilita-se a ver o mundo como os outros o veem, no presente, viram no passado e verão no futuro. Assim, explicando e transcendendo o caos geral, imagina-se capaz de aproximar-se de alguma verdade menos efêmera no labirinto da floresta de relativismo em que se acha embrenhado.

Os heterônimos constituem, por isso, meios de conhecer a complexidade do real, impossível para uma única pessoa. O poeta não poderia, obviamente, multiplicar-se em número igual aos seres viventes nas três dimensões temporais. Em vista disso, multiplica-se em heterônimos-símbolos, como se lhe fosse possível chegar a cosmovisões arquetípicas, necessariamente pouco numerosas, nas quais se enquadrariam todas as cosmovisões particulares, incapazes de se expressar como tal. Seria como encontrar as visões-matrizes da realidade, apenas alteradas no plano do indivíduo, e portanto passíveis de limitar-se, ao menos inicialmente, a um pequeno número, embora fosse inviável prever qual seria: a visão pessoana da realidade descortinaria comportamentos-padrões sem conhecer-lhes o número exato.

Entre as dezenas de heterônimos que Fernando Pessoa "descobriu" no fio dos anos, três avultam em densa complexidade: Alberto Caeiro, "nascido" a 8 de março de 1914 e mestre dos demais, é o poeta que foge para o campo, pois, sendo poeta e nada mais, poeta por natureza, deve procurar viver simplesmente como as flores, os regatos, as fontes, os prados, etc., que são felizes apenas porque, faltando-lhes a capacidade de pensar, não sabem que o são. E por isso ensinam a ver:

"O essencial é saber ver.
Saber ver sem estar a pensar.
Saber ver quando se vê.
E nem pensar quando se vê,
Nem ver quando se pensa"

Ricardo Reis, por sua vez, simboliza uma forma humanística de ver o mundo, evidente na adesão ressuscitadora do espírito da Antiguidade clássica, de que o culto da ode e dum paganismo da decadência, anterior à noção do pecado, constituem apenas duas particulares mas expressivas manifestações:

"Assim façamos nossa vida *um dia,*
Inscientes, Lidia, voluntariamente
Que há noites antes e após
O pouco que duramos"

Álvaro de Campos é o poeta moderno, século XX, engenheiro de profissão, que do desespero extrai a própria razão de ser e não escapa da sua condição de homem sujeito à máquina e à cegueira dos semelhantes, tudo transfundido numa revolta a um só tempo atual e permanente, própria dos contestadores:

"Na véspera de não partir nunca
Ao menos não há que arrumar malas
Nem que fazer planos de papel"

Além desses heterônimos, ficou outro incompleto, Bernardo Soares, cuja existência se documenta pelo *Livro do Desassossego* (1982), e outros, como Alexander Search, que escrevia em Inglês, Vicente Guedes, A. Mora, C. Pacheco, e outras dezenas mais, alguns deles meramente esboçados ou projetados. A par da poesia heteronímica, há que considerar a poesia ortônima, escrita por Fernando Pessoa "ele-mesmo": é o poeta lírico, dialético, de gosto levemente barroco, esteta, que escreve os seus versos "à beira-mágoa":

"Há uma vaga mágoa
No meu coração"

É fácil compreender e provar que toda a diversidade heteronímica de Fernando Pessoa radica numa unidade, que vem das semelhanças substanciais existentes entre os heterônimos e do fato de, afinal de contas, serem eles *alter-ego* do poeta que divisam o mundo cada qual dum ângulo específico. Por outro lado, o processo corresponde a uma genial mistificação, porquanto os heterônimos acabam sendo intrinsecamente dramáticos, encarnações, ou

336 • A LITERATURA PORTUGUESA

máscaras, de que se vale o poeta para um dúplice papel: esconder-se atrás delas para melhor revelar-se, mas revelando-se às avessas, ou antes, indiretamente, exigindo do leitor um trabalho de recomposição do caminho percorrido pelo poeta no seu mascaramento: esconder-se para se revelar e revelar-se para despistar.

Neste sentido, creio ser possível afirmar que Fernando Pessoa chegou a um supremo requinte, no qual só atentamos depois dum contato demorado com os heterônimos: quer-me parecer que, ao fim e ao cabo, a poesia ortônima é ainda poesia heterônima. Mais ainda: se se pusesse o falacioso problema da sinceridade, dir-se-ia que através de Álvaro de Campos o poeta se revelava "sincero" e despojado; Álvaro de Campos seria o "Fernando Pessoa" de quem Fernando Pessoa seria heterônimo, como se, na verdade, tivéssemos um poeta, Álvaro de Campos, e um seu heterônimo, Fernando Pessoa. Teríamos, enfim, um heterônimo-pseudônimo (Álvaro de Campos) e um ortônimo-heterônimo (Fernando Pessoa). Como, ao menos, sugerir uma demonstração? Basta ver o quanto Álvaro de Campos, por ser moderno, integra em sua visão do mundo elementos que andam dispersos pelos demais, e que poderiam gerar outros heterônimos.

Em qualquer hipótese, seja qual for o heterônimo em causa, Fernando Pessoa usa sempre da inteligência com extrema severidade indagadora e analítica. Auxiliado por ela e pela intuição, aplica-se a investigar os dados de sua rica e invulgar sensibilidade, a fim de conhecê-los e fixá-los. Ao invés de apenas transmitir, ou tentar transmitir, a emoção pura e simples, como fazem os poetas menores, gênero Garrett, submete-a ao exame da inteligência ou da razão poética (distinta, evidentemente, da razão científica, filosófica, etc.).

Pessoa transforma, desse modo, a emoção, antes estática, em emoção-pensada, em pensamento-emoção, ou, ainda, surpreende a íntima identidade que existe entre as sensações e as ideias. O fato pode ser explicado do seguinte modo: sendo extremamente mutável e passageira, a emoção tenderia a desaparecer caso o poeta não a comunicasse. O trabalho criativo reside, portanto, em apreendê-la e transmiti-la: o poeta menor é essencialmente emocional, ou melhor, dispensa o concurso das outras faculdades mentais na captação das emoções, de que resulta transmitir-nos antes uma lembrança das emoções, que elas próprias. O grande poeta detecta-as, analisa-as, fixa-as, empresta-lhes forma e enriquece-as por meio do intelecto: são as próprias emoções que nos oferece, como se fosse ele apenas o instrumento de sua transmissão, e as emoções se mantivessem inalteradas desde o momento em que tocaram a sensibilidade.

Assim trabalha Fernando Pessoa o que lhe vai na mente, mas tal processo equivale a um jogo permanente entre ser e não ser, que está na base de sua poesia: em razão do poder dissolvente da inteligência, nada se lhe resiste à sondagem, de forma que toda afirmação ou ideia feita é simplesmente destruída. Como se, para conhecer a intimidade do objeto, fosse necessário estilhaçá-lo, à semelhança das crianças e seus brinquedos.

Em consequência, Fernando Pessoa acaba por negar toda assertiva que não implique contradição, e as demais – sempre paradoxais ou antitéticas –, ele as desmonta com paciência de relojoeiro, peça a peça, em busca duma essência que só existe, precisamente, na ambiguidade, ou polivalência, revelada: o relógio faz-se em dezenas de peças, pois que o relógio só existe no congraçamento harmônico de todas elas, e jamais de cada uma em particular ou do mero ajuntamento caótico, como ocorre depois do desmonte silencioso, paciente e alquímico, em busca dum mito, "o nada que é tudo".

A prospecção na intimidade das coisas – embora tenha a justificá-la o alto propósito duma compreensão unificadora do Cosmos – importa em aniquilá-las, com desvendar-lhes o paradoxo interior. E este, repetido *ad infinitum,* leva aos caos. Neste ponto, o jogo de reconstruir começa, para se interromper mais adiante, quando vem à tona outra fração de caos determinando outro recomeço em busca de harmonia, e assim sucessivamente, até o limite do utópico e do imaginário. Ao longo desse reinício de Sísifo, o poeta sente na consciência o que vai demolindo no encalço de reconstruir o mundo, e o que, em troca, vai construindo (a poesia), à medida que aprofunda o olhar cansado no recesso do caos:

"Sol nulo dos dias vãos,
Cheios de lida e de calma,
Aquece ao menos as mãos
A quem não entras na alma!"

Daí que o pensamento, explorando atentamente o núcleo da emoção (que em Fernando Pessoa importa mais que o seu foco gerador), acaba reduzindo a nada as "verdades" aceitas pela tradição imobilizante e o comodismo intelec-

338 • A LITERATURA PORTUGUESA

tual, revelando que não passam dum conjunto de ideias-feitas ou platitudes que o simples ato de pensar mostra serem falsas, inconsistentes ou contraditórias. Antidogmático por natureza, Pessoa experimentou todos os caminhos a ver se lograva arquitetar uma síntese, mesmo que relativa, para uma tradição cultural desuniforme e uma realidade contemporânea em ebulição. Alguns dos seus poemas mais longos, sobretudo os escritos por Álvaro de Campos, como "Ode Marítima", "Ode à Noite" ou, mais especificamente, "A Tabacaria", encerram sinopses da sua visão do mundo.

Por isso, foi "degenerescente" com Max Nordau, autor de *Degenerescência* (1893-1894), que exerceu larga influência, e abandonou-o quando verificou ser incapaz o estudioso de examinar o seu objeto sem distorcê-lo ou sem equivocar-se; foi ocultista, porque as teses herméticas situavam-se no cerne da sua visão da realidade; elogiou a ditadura e depois satirizou o tirano; exaltou o paganismo; foi messianicamente sebastianista, etc., sempre com a mesma força original e tudo divisando como "estrangeiro aqui como em toda parte", com olhos de "emissário de um rei desconhecido" que cumpre "informes instruções de além", dum visionário racionalista e frio gestaltianamente a divisar estruturas em vez de aparências, no esforço de chegar a uma síntese esotérica do Mundo, em vez dum "retrato" dele.

Por outro lado, esse olhar que sonda para além-da-superfície-das-coisas pode induzir à ideia de que Fernando Pessoa não passava de um cético, pelo menos em relação à vida humana entendida como fim último do homem; um niilista, diríamos, empregando o vocábulo em sua denotação mais vulgar. Ao contrário, era uma extraordinária organização intelectual à procura dum absoluto (ou do Absoluto) que a sua razão negava e a sua sensibilidade repudiava. O modo como procedeu foi o de quem investiu a razão e a sensibilidade na análise dissolvente e procurou um caminho novo, ou um método anterior ou imanente ao indivíduo, estruturado segundo os padrões de civilização. Buscou uma qualquer via de acesso ao desvendamento das antíteses imanentes nas coisas e nas ideias, sabendo inútil a busca, mas certo de que só lhe restava essa porta de entrada ao enigma que o obsidiava. Enfim, não tinha como escapar da sua condição, a de quem, por superintelectualizado e supersensível, pregava a libertação do homem por meio do despojamento da mente, a fim de captar a realidade *como* é, na essência, não como nos parece. E com isso perdeu-se e ganhou-se, ambivalentemente.

Esse pendor intelectualista, estribado em linguagem não raro concentrada em sínteses de recorte discursivo ou oracular, destinadas a transformar-se em estilemas de ampla repercussão, aproximam-no do filósofo, que ele é ao mesmo tempo que poeta. E se este predomina, é pelo fato de a base da mundividência pessoana ser ainda a emoção, embora emoção pensada.

Fundamentalmente filosofante, propulsionado por uma concepção épica do mundo e da existência, Fernando Pessoa é já considerado um dos maiores poetas da Língua, ao lado dum Camões e dum Antero. A tal ponto que a crítica estrangeira não teme classificá-lo a mais alta vocação poética da Europa do século XX. Tudo isso evidencia que estamos em face duma excepcional aparelhagem estético-literária, das mais privilegiadas e estranhas da Literatura Portuguesa de todos os tempos.

Em vida, além de *Mensagem* (1934), Fernando Pessoa apenas publicou versos ingleses (*Antinous*, 1918; *35 Sonnets*, 1918; *Inscriptions*, 1920), reunidos nos *English Poems, I, II e III* (1921), e alguma prosa: *Aviso por causa da Moral* (1923) e *Interregno-Defesa e Justificação da Ditadura Militar em Portugal* (1928). A maior parte de sua produção estampou-se em jornais e revistas ou manteve-se inédita: de suas *Obras Completas*, iniciadas em 1942, saíram vários volumes de poesia: *Poesias* de Fernando Pessoa (1942), *Poesias* de Álvaro de Campos (1944), *Poemas* de Alberto Caeiro (1946), *Odes* de Ricardo Reis (1946), *Mensagem* (1945), *Poemas Dramáticos* (1946), *Poesias Inéditas*. 1930-1935 (1955), *Poesias Inéditas*. 1919-1930 (1956), *Quadras ao Gosto Popular*) (1965); parte de sua prosa foi coligida em volume: *Páginas de Doutrina Estética* (1946), *Páginas Íntimas e de Autointerpretação* (1966), *Páginas de Estética e Teoria e Crítica Literária* (1966), *Textos Filosóficos*, 2 vols. (1968), *Cartas de Amor* (1978), *Sobre Portugal. Introdução ao Problema Nacional* (1979), *Da República* (1910-1935) (1979), *Textos de Crítica e de Intervenção* (1980), *Ultimatum e Páginas de Sociologia Política* (1980), etc.

Outros textos foram publicados em edições para bibliófilos por um estudioso do Porto que usava o pseudônimo de Petrus (*Análise da Vida Mental Portuguesa*, *Apreciações Literárias*, *Regresso ao Sebastianismo*, *Sociologia do Comércio*, *Apologia do Paganismo*, *Crônicas Intemporais*, etc.), todos sem data de publicação, e que devem ser compulsados com muitas reservas. Outras edições mais apuradas, corrigindo leituras anteriores de acordo com os mais exigentes princípios da ecdótica, ou acrescentando textos inéditos, têm sido feitas nos últi-

340 • A LITERATURA PORTUGUESA

mos anos, sem esgotar o famoso baú, atualmente incorporado no acervo da Biblioteca Nacional de Lisboa, em cento e trinta e quatro rolos de microfilme, num total de mais de 27.000 páginas. Para se ter uma ideia da amplitude desse empreendimento editorial, a recente publicação do volume VII, em dois tomos (2006), da edição crítica da obra pessoana, levada a efeito pela Imprensa Nacional-Casa da Moeda, enfeixa mais de mil páginas de "escritos sobre gênio e loucura".

## MÁRIO DE SÁ-CARNEIRO

Mário de Sá-Carneiro nasceu em Lisboa, a 19 de maio de 1890. Filho único dum engenheiro, depois dos estudos secundários, segue para Paris em 1912, com o intuito de seguir o curso de Direito. Nesse mesmo ano publica um livro de contos, *Princípio*. Em 1914, está de volta a Lisboa, em gozo de férias; junta-se a Fernando Pessoa e a outros, que no ano seguinte lançariam o *Orpheu*. Durante a sua estada na Capital, publica *Dispersão* e *A Confissão de Lúcio*. De volta a Paris, entra em graves dificuldades financeiras: o pai, em África, procurando refazer a fortuna perdida, corta-lhe a mesada. Desesperado, suicida-se a 26 de abril de 1916, com 26 anos incompletos.

Escreveu contos (*Princípio*, 1912; *Céu em Fogo*, 1915), "narrativa" (*A Confissão de Lúcio*, 1914), poesia (*Dispersão*, 1914, a que se juntaram os poemas de *Indícios de Oiro*, formando as *Poesias Completas*, publicadas em 1946), teatro (*Amizade*, 1912, em colaboração com Tomás Cabreira Júnior). Em 1958-1959, apareceram as *Cartas a Fernando Pessoa*, em dois volumes, de indiscutível importância para se compreender o seu caso íntimo e a trajetória estética.

Poeta e tão somente poeta, inclusive nos contos, no teatro e na narrativa, Mário de Sá-Carneiro ocupa lugar à parte na história da Literatura Portuguesa, tal a marca de individualidade e originalidade que imprimiu a tudo quanto escreveu. O seu caso pessoal condicionou-lhe a obra, e esta corresponde a um registro vivo dele.

Se Fernando Pessoa alcançou salvar-se do caos graças a poderosa força raciocinante, o mesmo não aconteceu a Sá-Carneiro, que submergiu tragicamente. Primeiro que tudo, porque constitui um dos casos mais raros em nosso idioma de uma tal identidade entre a vida e a arte que uma se desenvolve em função da outra, de modo a impedir que se descubra onde termina a primeira e onde começa a segunda. E foi essa identificação que o arrastou ao suicídio em plena mocidade e lhe inspirou a obra poética.

Dono de insólita sensibilidade, aguçada ao extremo do delírio e da loucura, ganhou muito cedo a angustiante sensação de ser alheio à vida, e de esta lhe ser igual e totalmente estranha. O sentimento de estranheza gera-lhe outro: o de inadaptado ao mundo; egocêntrico, vaidoso, megalomaníaco, sente que o mundo é que não se lhe adapta e o repele como a uma incômoda presença. Em consequência, retrai-se para dentro de si num ensimesmamento saturado de narcisismo e orgulho, imaginando-se o "Emigrado Astral", a errar na terra o seu "exílio" perpétuo, como expiação ditada pelos Astros. "Rei exilado, / vagabundo dum sonho de sereia", enerva-se diante da vida, que lhe suscita um "desdém Astral", guiado pelo desejo de "ficar sempre na cama, nunca mexer, criar bolor".

Esse isolamento de ave ferida guarda no íntimo uma egolatria feminoide e passiva ("Paris da minha ternura", "Quisera dormir contigo, / Ser todo a tua mulher!.. "), traduzida numa egolatria patológica que lhe reduz a zero os ímpetos positivos da existência comum e lhe determina sensações depressivas e derrotistas, como a da inutilidade das coisas, a de viver num mundo irreal, etc. Origina-se daí uma tibieza física e psíquica, que arrasta ao anestesiamento nirvânico do corpo ("Esfinge Gorda"), logo tornado igualmente estranho à custa de não mais ser "localizado", sentido como entidade concreta, em suma, desmaterializado:

> "Não sinto o espaço que encerro
> Nem as linhas que projeto:
> Se me olho a um espelho, erro –
> Não me acho no que projeto"

Quando o processo de estranheza atinge o máximo, o poeta volta-se angustiadamente para a própria alma, cujo labirinto passa a sondar na esperança de se encontrar como vivente ao atingir o "eu" profundo, ou de encontrar o espaço adequado à sua inquietação sideral. Procura, em síntese, "um suporte" interior para compensar a falta de um equivalente, fora de si; carece precisamente daquilo sem o quê a sua geração se percebe mergulhada no caos: uma verdade

# 342 • A LITERATURA PORTUGUESA

absoluta que desfaça as contradições erguidas pela inteligência ao se descobrir cercada duma cadeia de relativismos e votada a uma vida sem rumo. Impossibilitado de achar um "suporte" em Deus ou num ente sobrenatural, pois confessa: "fui-me Deus / No grande rastro fulvo que me ardia"; impossibilitado de situá-lo no "outro" (ou "Outro"), ao sentir-se "Pilar da ponte de tédio / Que vai de mim para o Outro", só lhe resta a peregrinação na alma, em busca dum sustentáculo qualquer. Mas mesmo esse caminho lhe é interditado:

> "Perdi-me dentro de mim
> Porque eu era labirinto,
> E hoje, quando me sinto,
> É com saudades de mim"

Demora, aí nessa autoanálise alucinada e trágica, a força motriz da poesia de Sá-Carneiro. Perigosa introjeção, significa lenta e irremediável desintegração da sua personalidade, pois o progressivo desvendamento interior vai-lhe revelando com trágica nitidez os desertos em que erra o seu desespero e em que arrasta a existência de "Rei-lua". O desmoronamento do "eu" opera-se ao longo dum duplo e simultâneo processo de autoflagelação e de autocontemplação envaidecida. Aliás, um está na base do outro e um se complementa obrigatoriamente com o outro. Pelo primeiro, psiquicamente negativo, o poeta desenvolve ou desvela correspondentes imagens do "eu", condensadas numa só: sente-se

> "o dúbio mascarado, o misterioso"
> "o falso atônito;
> Bem no fundo o covarde perigoso...
> Em vez de Pajem bobo presunçoso..."
> "O balofo arrotando Império Astral", etc.

Em suma: o Sá-Carneiro *clown* ("Chora em mim um palhaço às piruetas"). Pela enternecida autocontemplação, o poeta sente-se eufórico de grandezas absurdas, colocado no ápice da escala humana:

> "E eu que sou o rei de toda esta incoerência";
> "Lord que eu fui de Escócias doutra vida", etc.

A culminância desse processo ambivalente encontra-se na última emoção que lhe restava experimentar ante o espetáculo de um mundo insólito, em que "só as Cores são verdadeiras": o suicídio. Antes de praticá-lo (como quem lapida uma imagem poética ou ingere beberagens exóticas, provocadoras de "paraísos artificiais"), vive os contínuos lances duma depressão que anula toda diferença entre o real e o irreal, imerso que está numa atmosfera de louco genial.

Pouco afeito ao pensamento logicamente estruturado, só lhe restava, à semelhança dum Van Gogh que só sabia ver cores, sentir as coisas banhadas a Oiro, "tocado de Estrela e Cobra", conduzindo tudo ao paroxismo, a ponto de morrer "à míngua, de excesso". É esta luta que se estampa flagrantemente no poema "Quase", uma de suas obras-primas:

> "Um pouco mais de sol – eu era brasa,
> Um pouco mais de azul eu era além.
> Para atingir, faltou-me um golpe de asa.
> Se ao menos eu permanecesse aquém.."

Todas essas características fazem de Sá-Carneiro um herdeiro direto do Decadentismo francês e de Baudelaire, a que não ficam alheias as manifestações do Paulismo, do Interseccionismo, do Sensacionismo, do Cubismo e do Futurismo, e um precursor do Surrealismo, ao mesmo tempo que uma das maiores vocações poéticas do século XX em Portugal.

Poeta sempre e acima de tudo, inclusive nas obras em prosa, Sá-Carneiro plasmou pela primeira vez em Língua Portuguesa realidades até então insuspeitadas. Para tanto, refutou a ineficaz e espartilhante gramática tradicional e passou a usar uma sintaxe e um vocabulário novos, que lhe permitissem manipular fórmulas expressivas pessoais, plásticas, maleáveis e aptas a surpreender o fluxo das ondas oníricas, o vago, o alucinado, as febres, o incêndio dos sentidos, a desmaterialização das coisas, a materialização das sensações, os sentimentos mais abstrusos e sutis, as sinestesias mais inusitadas, as associações mais inesperadas. Apenas como exemplo, observe-se a formação do vocábulo composto e da regência verbal no verso seguinte do poema "Além-Tédio": "E doente-de-Novo, fui-me Deus", ou, ainda no poema "Não":

344 • A LITERATURA PORTUGUESA

"Tudo é oiro em seu rastro";
"Adivinho alabastro. . .
Detenho-me em luar", etc.

Tudo isso, intrinsecamente ligado a seu caso de filho-família, constitui nota viva na Literatura Portuguesa moderna: nele se revelam pela primeira vez dimensões poéticas apenas entrevistas na obra de Gomes Leal, que lhe é anterior, e na de Camilo Pessanha, seu contemporâneo. E, graças aos dons pessoais e à convergência dum rol de circunstâncias histórico-culturais, conseguiu realizá-las de modo original; por isso, ficou isolado, sem continuadores ou imitadores, embora sua lição anárquica viesse a frutificar, diluidamente, na poesia da *Presença* e tendências seguintes, a partir do Surrealismo.

Vinculado à tradição francesa, sobretudo na parte relativa a Baudelaire, ao Decadentismo e ao Simbolismo, não basta esse parentesco e essa afinidade para lhe explicar a obra. É preciso, ainda, levar em conta que a influência recebida sofreu o caldeamento de sua especial e mórbida sensibilidade, como poucas em vernáculo. Por esse lado, a sua poesia eleva-se como nexo entre o clima da *belle époque,* derradeira metamorfose do agonizante século XIX (que só termina realmente em 1914), e a consciência dessa mesma derrocada civilizacional, que veio a tornar-se o centro das várias facetas da modernidade portuguesa.

É, assim, arauto e guia dum mundo que começa, e vítima derradeira dum mundo que finda. De qualquer forma, impõe-se como o grande poeta da geração de *Orpheu,* em companhia de Fernando Pessoa, de quem difere essencialmente por ser uma vocação de poeta-poeta, enquanto no outro se insinua um racionalismo de iluminado, à beira da alquimia, do hermetismo, um tanto dissolvente, que poderia atenuar, mas não atenua, o alcance de seus achados poéticos.

# ALMADA-NEGREIROS

José Sobral de Almada-Negreiros nasceu em S. Tomé (África), a 7 de abril de 1893, e faleceu em Lisboa, a 15 de junho de 1970. Após os estudos secundários, terminados em 1912, enceta uma intensa campanha cultural visando a colaborar para que Portugal se nivelasse às demais nações europeias. Em 1915,

ORFISMO • 345

participa explosivamente da renovação poética proposta pelo grupo de *Orpheu*, ao mesmo tempo que se insurge contra todas as modalidades de academismo, simbolizadas então por Júlio Dantas (*Manifesto Anti-Dantas e por Extenso*, 1915) e forceja por difundir em seu país as modernas correntes estéticas (Futurismo, Cubismo, etc.). Em 1919, vai a Paris estudar pintura, e lá permanece até o ano seguinte. As artes plásticas ainda o levarão à Espanha, onde vive de 1927 a 1932. De regresso à Pátria, prossegue na campanha de esclarecimento e divulgação das vanguardas.

Ao longo da vida, dispersou o seu talento pela poesia, a pintura, o desenho, o romance, o teatro, a conferência, a crítica de arte, etc., tudo num afã de totalidade e diversificação que não oculta o sopro genial que lhe enforma a visão do mundo. Nos últimos anos, dedicou-se mais às artes plásticas. Faleceu em Lisboa, a 14 de junho de 1970. Escreveu: *O Moinho* (1913), *Os Outros* (1914), *23, 3º Andar* (1914), *Manifesto Anti-Dantas e por Extenso* (1915), *K4, O Quadrado Azul* (1917), *Ultimato Futurista às Gerações Portuguesas do Século XX* (1917), *Litoral* (1917), *A Engomadeira* (1917), *Antes de começar* (1919), *A Invenção do Dia Claro* (1921), *Pierrot e Arlequim* (1924), *Deseja-se mulher* (1928), *S.O.S.* (1929), *Portugal, Direção Única* (1932), *Elogio da Ingenuidade* (1936), *Nome de Guerra* (1938), *Mito-Alegoria-Símbolo* (1948), *Orpheu* (1965), reunidos, com outros textos, em *Obras Completas* (1970 e 1988).

Como artista plástico, situou-se desde cedo entre as figuras de proa da arte moderna portuguesa, seja pelo vigor e inventividade de suas telas, painéis e vitrais, seja pela atmosfera vertiginosamente vanguardista que instilou em todas as suas criações estéticas e empresas reformadoras. Dotado de uma ampla e insatisfeita curiosidade intelectual, propôs, em 1926, a perspectiva considerada mais adequada do políptico de São Vicente, de Nuno Gonçalves (pintor do século XV), e manteve-se permanentemente atualizado com a incessante reformulação pictórica do século XX, inclusive chegando a exercitar-se, sempre com os peculiares rasgos de genialidade, na pintura concreta.

Veemente e ciclópica como tudo que criou, a sua poesia documenta um convívio íntimo com os vários "ismos" em voga no tempo (Futurismo, Dadaísmo, Cubismo, etc.), e um inquieto senso de novidade que o transformou em arauto do Surrealismo em Portugal, o que de resto andava no ar durante a aventura órfica de Fernando Pessoa, Mário de Sá-Carneiro, dele e de outros. "A Cena do Ódio", destinada ao *Orpheu* III, expressa de modo eloquente não

346 • A LITERATURA PORTUGUESA

só as suas virtudes e tendências, como também do grupo a que pertenceu na primeira juventude:

"Sou Narciso do Meu Ódio!
– O meu ódio é Lanterna de Diógenes [...]
O Meu Ódio é Dilúvio Universal sem Arcas de Noé: só Dilúvio Universal!
e mais universal ainda:
sempre a crescer, sempre a subir.
até apagar o Sol!"

Antiacadêmico, anticonvencional, anti-tudo-que-seja-mau-e-falso-em-arte, como declara iconoclastamente no *Manifesto Anti-Dantas,* a sua cosmovisão, sendo a dum modernista ferrenho e polêmico, fundamenta-se numa espontaneidade lúcida e alerta, em que o poder quase divinatório de surpreender o ridículo e o postiço dos homens enriquece o seu "primitivismo" autêntico e rebelde. "Enfant terrible" da geração órfica, o seu universo poético, que se prolonga nos poemas em prosa de *Invenção do Dia Claro* e no romance *Nome de Guerra,* edifica-se em torno duma bipolaridade: a "surpresa" surrealista, o "espanto" cósmico equilibra-se com uma inteligência agudíssima e hipercrítica, mas que não se acidifica devido à energia instintiva que não parece ter fim. E esta, que funciona como uma espécie de couraça protetora contra a corrosão intelectualizante, não o arrasta para o desconexo ou o desencontro amorfo e insensato, graças à inteligência vigilante e o espírito crítico.

Se alguma coisa do seu gosto juvenil de escandalizar envelheceu irremediavelmente, basta o caráter exótico e avançado de *Nome de Guerra,* o único e grande romance que *Orpheu* propiciou, ou a voltagem épica e avassaladora de "A Cena do Ódio", para nos oferecer uma ideia do seu talento criador e renovador: é, sem dúvida alguma, dos vultos supremos da modernidade em Portugal.

## OUTROS POETAS

Além dos nomes em destaque, merecem referência outros integrantes da geração de *Orpheu.* Considerado, com muita razão, "o mais injustamente esquecido dos poetas do *Orpheu"* (Óscar Lopes), **Alfredo Guisado** (Lisboa, 30 de

ORFISMO • 347

outubro de 1891-30 de novembro de 1975) publicou *Rimas da Noite e da Tristeza* (1913), *Distância* (1914), *Elogio da Paisagem* (1915), *As Treze Baladas das Mãos Frias* (1916), *Mais Alto* (1917), *Ânfora* (1918), reunidos, com um estudo de Urbano Tavares Rodrigues, em *Tempo de Orfeu* (1969). De fora, ficaram as obras anteriores a 1915. Postumamente, alguns poemas inéditos ("Tapeçarias", "Nossa Senhora da Alma", "Sonetos", "Lírica de Filomeno Dias") foram enfeixados em *Tempo de Orpheu II* (1996), volume editado na Galiza, terra dos ascendentes do poeta.

A herança simbolista/decadentista, passando pela poesia saudosista de Teixeira de Pascoaes, está presente no sensacionismo de Alfredo Guisado. Constitui traço marcante a transfiguração do real, como se as coisas do mundo concreto fossem vislumbradas através de vitrais, ou num infindável sonho, devaneio, magia, êxtase místico, em compasso com os signos de irrealidade ou mesmo da surrealidade, que seria apanágio de André Breton e seguidores, de modo a parecer que o real das coisas é que é, na verdade, irreal. A metáfora de cunho sinestésico, instrumento de eleição para exprimir esse quadro, não se processa tão somente entre os sentidos, mas também entre as esferas do real, centradas num imaginário de mil pontas, em rosácea, que se correspondem, como se a lógica formal ou a separação entre elas se esfumasse:

"Então suas palavras eram cores
E arcos-íris os ecos que perdia";
"Meus sentidos são medalhas
Sobre o peito do meu Sonho";
"Minha Alma é uma mesa de marfim
Desenhada nas mãos duma princesa,
Mãos que são barcos e o cismar convés"

E quando não há acomodação sintática ou morfológica, como regências inesperadas ("Na voz doce, febril, das fontes que deliro...") ou palavras compostas imprevistas ("Arcadas-sensações"), para expressar o insólito, o estranho, o maravilhoso, o sobrenatural, estes se manifestam por meio de nexos regulares, com semelhante resultado.

O clima geral de esteticismo, abstração, vaguidade onírica, indício de uma sensibilidade apurada em busca da beleza mais transcendente ou da "poesia pura", sendo marca registrada da poesia de Alfredo Guisado, é também de todo o grupo de *Orpheu*, notadamente de Sá-Carneiro:

"No palácio, os pavões são apenas dizê-los...
As asas cor do longe, erguidas sobre mim.
Existem os pavões... O meu sentir-me é vê-los,
E o meu sonhar-te, além, são lagos no jardim."

Não menos esquecido ficou **Luís de Montalvor** (São Vicente, Cabo Verde, 31 de janeiro de 1891-Lisboa, 2 de março de 1947), pseudônimo de Luís Filipe de Saldanha da Gama da Silva Ramos. Nascido em Cabo Verde, em tenra idade mudou-se para Lisboa. Passou algum tempo no Rio de Janeiro, exercendo funções diplomáticas, ocasião em que projetou, juntamente com Ronald de Carvalho, uma revista luso-brasileira, que viria a ganhar corpo em 1915, sob a direção de ambos, com o título de *Orpheu*. Breve foi a sua carreira poética, entre 1910 e 1916, e escassa a sua produção, que já em 1915 projetava coligir num volume, a intitular-se *Para as Salvações de Poetas de Hoje*. Entretanto, somente em 1960 alguns de seus poemas foram reunidos em livro, e em 1998 todo o seu espólio conhecido veio a público em *O Livro de Poemas de Luís de Montalvor*, organizado por Arnaldo Saraiva.

Também na linha do Decadentismo, a sua poesia é marcada por um tom de mágoa e descrença que faria prenunciar-lhe o fim trágico, talvez suicídio, ao despencar, nas águas do Tejo, o automóvel em que ia, na companhia dos familiares: "embala a minha alma atra solidão!"; "E assim a vida é como um fardo / leve, em mãos, não se sustendo...". Movido por uma "fome de Beleza", é no poema "Narciso", provavelmente a sua obra-prima, dedicado a Fernando Pessoa e publicado em *Orpheu II*, que utiliza soluções formais próprias da sua geração:

"Sois o sonho de mim ao colo da Alegria! [...]
Vossos cabelos, ai! Chovem como ouro, à noite!
como fios de horror da teia do mistério... [...]
Contemplo o meu destino em mim.
                    Ninfas, adeus!
Meus gestos irreais têm séculos de Deus!"

Nem faltam, na sua dicção, versos que lembram Alberto Caeiro ("Meus pensamentos são rebanhos") ou ecos do Antero revolucionário, em "Revolução" e "A Plebe", uma faceta poética que não chegou a ser desenvolvida, talvez por não corresponder ao mais fundo da sua visão da realidade, mas deixando à mostra uma força lírica que certamente o levaria a resultados mais significativos fossem outras as condições em que produziu a sua obra literária.

Nascido no Porto, a 31 de julho de 1872, e morto em 14 de agosto de 1921, **Ângelo de Lima** deixou um pequeno espólio, organizado, com prefácio e notas, por Fernando Guimarães, publicado, em 1971, sob o título de *Poesias Completas*, e reeditado, com emendas, em 1991. A sua trajetória literária percorreu desde os últimos fulgores românticos até a revolução órfica, passando por um "simbolismo sensato", que "Ergue Hermes em Sidon!...", acicatada por uma febril tensão entre poesia e loucura.

A moléstia, que cedo se revelou e que se manteve ao longo da sua vida, condenou-o ao manicômio por algumas vezes (1894-1898; 1901-?). E a poesia que lhe brotou da pena oscilava entre ser a expressão dos momentos de lucidez e o extravasamento dos transes que, desequilibrando-o mentalmente, o exilavam da realidade concreta. Em qualquer dos casos, um constante turbilhão psíquico subjaz em seus versos, mesmo os que, pela observância das regras da metrificação, se filiavam à tradição clássica. É o caso, por exemplo, dos tercetos que retomam a figura de Inês de Castro.

Todo esse quadro faz lembrar o nosso Sousândrade e a sua poesia de inflexão épica e mítica, mas é a semelhança com a poética de *Orpheu* que ressalta nos versos fragmentados, em síncopes imprevisíveis, a refletir certamente a desarticulação que lhe ia na mente. Em carta à mãe, num desses rasgos de lucidez, que parecem fruto da mesma força interior que ditara "o que em mim sente 'stá pensando" pessoano, diz ele: "Eu sinto sempre o que escrevo. / Posso muita vez não sentir nem pensar o que digo, mas o que escrevo, sinto-o sempre, e sempre o penso". Uma certa irmandade radical explica por que oito de seus poemas ganharam acolhida em *Orpheu II*, como se fossem de um autêntico membro da geração reunida em torno dessa revista. E quando novamente veio a público, em *Sudoeste* (número 3, novembro de 1935), o poema que mais nitidamente lhe revela o superior talento devastado pelas trevas da demência, Fernando Pessoa anexou-lhe uma nota consagradora: "[...] aquele soneto – dos maiores da língua portuguesa – em que o poeta descreve a sua entrada na loucura, em que longos anos viveu e em que morreu":

"Para-me de repente o Pensamento...
– Como se de repente sofreado
Na Douda Correria... em que, levado...
– Anda em Busca... da Paz... do Esquecimento.

– Para Surpreso... Escrutador... Atento
Como para... um Cavalo Alucinado
Ante um Abismo... ante seus pés rasgado...
– Para... e Fica... e Demora-se um Momento...

Vem trazido na Douda Correria
Para à beira do Abismo e se demora
E Mergulha na Noute, Escura e Fria
Um Olhar d'Aço, que na noute explora...
– Mas a Espora da dor seu flanco estria...
– E Ele Galga... e Prossegue... sob a Espora!"

**Mário Saa** (Caldas da Rainha, 18 de junho de 1893-Ervedal, 23 de janeiro de 1971), de nome completo Mário Pais da Cunha e Sá, ganhou notoriedade como ensaísta brilhante e paradoxal, inclinado a uma escrita filosófica de estrutura aforística, e a um certo esoterismo (*Evangelho de S. Vito*, 1917; *Portugal Cristão-Novo ou Os Judeus na República*, 1921; *Camões no Maranhão*, 1922; *A Invasão dos Judeus*, 1925; *A Explicação do Homem*, 1928; *Erridânia – Geografia Antiquíssima*, 1936; *As Memórias Astrológicas de Camões*, 1940). Cultivou também a poesia, disseminada em revistas como *Athena, Contemporânea* e *Presença*, há pouco reunida, com mais outros poemas dispersos ou inéditos, além de substanciosa introdução e outros aparatos editoriais, por João Rui de Sousa, em *Poesia e Alguma Prosa* (2006).

Animado pela ideia de que a "poesia é transcendência pura", Mário Saa equilibra-se entre notas surrealizantes e megalomaníacas, que sugerem o influxo, por semelhança dramática, de Mário de Sá-Carneiro ("O que é este meu tédio?!... Ânsia d'Além"; "Maior que tudo, eu sou gigante eterno / Aclamado no alto junto aos céus, / Ponho um pé nos abismos do inferno, / Levanto um braço e [vou] para além de Deus"). Nessa ambivalência ressoa, com "originalidade mais profunda" (Guimarães 1994: 136), a inflexão lírica de *Orpheu* ("Xácara do Infinito"):

> "Fazia papa-luaça
> com lama azul dos pauis;
> e embaciava a vidraça;
> ou de olhos baços, azuis,
> parados, largos, serenos,
> como o silêncio dos mudos,
> ou fitos, picos, pequenos,
> venenos de ângulos agudos.
> [...]
> Deste tudo e deste nada
> nasceu a forte razão
> que separa o *sim* do *não*
> e os valores de *tudo* e *nada*!"

Os traços precursores do Surrealismo já são visíveis nesses versos, mas é em "O José Rotativo (fragmento do meio)", publicado na *Presença* (n⁰ 20, 1929), e integrado naquele volume antológico, que mais flagrantemente se observa essa antecipação: "o gosto pela insubmissão, a procura do *ponto supremo* onde todas as contradições se anulam, a coincidência dos opostos, o automatismo, o sonho, o *nonsense* e a procura do andrógino ideal" (Maria de Fátima Marinho), tudo impregnado de *agudeza barroca*, como bem sublinhou Fernando Guimarães.

As notas surrealistas estão patentes no título indeterminado, assim como no curso da narrativa, que abre com reticências um jorro verbal, à maneira dum interminável automatismo do inconsciente ou dum sonho febril, um "delírio da transciência – a posse externa pela posse interna! [...]; o reino da transcendência, o delírio dos fantasmas [...] É a delirante afirmação do único! É o hipercivilizado, o monge-Tudo que alcança esse delírio da Sensação", delírio esse de que se extraísse uma passagem. Não se trata, a rigor, de conto, senão do "fragmento do meio" de uma prosa poética indefinida, ou, porventura, uma tentativa de poema em prosa, de impulso órfico e desenvolvimento pautado por um ritmo freudiano-surrealista.

## 352 • A LITERATURA PORTUGUESA

Participando das linhas de força que norteavam Mário de Sá-Carneiro e Pessoa, **Armando Côrtes-Rodrigues** (Vila Franca do Campo, S. Miguel, Açores, 28 de fevereiro de 1891-Ponta Delgada, 14 de outubro de 1971) colaborou no *Orpheu I* e *II* com poemas interseccionistas e paúlicos, alguns deles com o nome de Violante Cysneros, "personalidade inventada", cujos poemas "são uma maravilha sutil de criação dramática", nas palavras do autor da "Tabacaria" ("Nós os de *Orpheu*"):

> "As minhas sensações – barcos sem velas –
> Erram de mim. Ocaso roxo. Cismo.
> Meus olhos de Não-ver-me são janelas
>         Dando sobre o Abismo.

> Abismo de Outro-Ser. E a hora chora,
> Nostálgica de Si; mas eu. De vê-las,
> Erro de Ser-me, e a noite, sem estrelas,
>         Apavora"

Após a fase órfica, Armando Côrtes-Rodrigues seguiu outros caminhos, que foram desembocar num lirismo de feição tradicional, cujos frutos recolheria em *Ode a Minerva* (1923), *Em Louvor da Humildade* (1924), *Cântico das Fontes* (1934), *Cantares da Noite* (1942, em que também se encontram os poemas órficos, *Horto Fechado e Outros Poemas* (1953).

A esses nomes vale acrescentar o de **Antônio Ferro** (Lisboa, 17 de agosto de 1895-11 de novembro de 1956): ligado por laços de amizade com Mário de Sá-Carneiro desde os anos de liceu, viria a tornar-se o editor de *Orpheu*, apesar de ser o mais jovem do grupo. Engajado no futurismo de D'Annunzio, não colaboraria naquela revista, mas em *Exílio* (1916) e *Contemporânea* (1922-1926). Além da atividade jornalística e de promoção intelectual, cultivou a poesia, ao início de acentos tradicionais (*Árvore de Natal*, 1920). Postumamente, vieram a público os seus poemas inéditos, escritos em versos livres, de caráter introspectivo e melancólico (*Saudades de Mim*, 1957).

Ainda se dedicou ao teatro, com *Mar Alto*, peça de escândalo, acusada de imoral, obscena, estreada em S. Paulo, na noite de 18 de novembro de 1923, com a presença do autor, inclusive no papel de um dos atores. Mas a obra em que fala mais alto o seu andar "pela Arte à busca do inédito", como declara em prefácio à peça, é *Leviana* (1921): subintitulada "novela em fragmentos", de estrutura moderna, avançada, com muita probabilidade teria influenciado *Serafim Ponte Grande* (1933), de Oswald de Andrade (Saraiva 1986: 269).

# XII

# INTERREGNO

## PRELIMINARES

Com a morte de Sá-Carneiro, desaparece o *Orpheu,* mas não o espírito que o orientou. Embora dotadas de caráter diverso e autônomo, outras revistas vêm ocupar-lhe o lugar e continuar-lhe o intuito de agitar o estagnado ambiente literário português. Entre outras, citam-se as seguintes: *Revista de História* (dirigida por Fidelino de Figueiredo, 1912-1928), *Centauro* (1916), *Portugal Futurista* (1917), *Seara Nova* (1921), *Contemporânea* (1922), *Athena* (1924), *Lusitânia – Revista de Estudos Portugueses* (1924-1927), etc., além de *Nação Portuguesa* (1914-1938), órgão do Integralismo Português e, portanto, avesso ao sentido das primeiras.

Todavia, à margem dos acontecimentos que envolvem estas publicações, e não levando em conta escritores de épocas anteriores que ainda continuam a produzir depois de instalado o movimento órfico, dois nomes alcançam nomeada e produzem obra de merecido relevo: Florbela Espanca e Aquilino Ribeiro. Ressalte-se que o último pertenceu ativamente ao grupo fundador da *Seara Nova.*

# FLORBELA ESPANCA

Florbela de Alma da Conceição Espanca nasceu em Vila Viçosa (Alentejo), a 8 de dezembro de 1894. Em Évora, faz estudos secundários e escreve os poemas reunidos postumamente em *Juvenília* (1931). Casa-se então e é infeliz. Vai para Lisboa estudar Direito (1919). Nesse mesmo ano, publica a primeira coletânea de poemas, o *Livro de Mágoas,* que não provoca maior interesse por parte da crítica. Um segundo volume, o *Livro de Sóror Saudade* (1923), também passa despercebido. Separa-se do marido e tenta inutilmente uma nova experiência matrimonial. Deprimida, desiludida e doente, retira-se do convívio social, apenas cultivando os raros amigos que lhe restam; mal colabora em jornais ou revistas, com breves composições. Recolhe-se a Matosinhos, em busca de melhora, alentada agora por um novo casamento com um homem à altura do seu talento. Mas é tarde: na noite de 7 para 8 de dezembro de 1930, falece naquela cidade, enquanto dorme profundamente, graças à ingestão excessiva de barbitúricos. Suicídio? Acidente? Não se sabe ao certo. Além dos volumes referidos, saíram postumamente: *Reliquiae* (1931), *Charneca em Flor* (2ª ed., 1931) e dois livros de contos (*As Máscaras do Destino* e *Dominó Negro,* ambos de 1931).

Florbela Espanca tem sido considerada muito justamente a figura feminina mais importante da Literatura Portuguesa. Sua poesia, mais reveladora do seu talento que os contos, e produto duma sensibilidade exacerbada por fortes impulsos eróticos, corresponde a um verdadeiro diário íntimo, no qual extravasa as lutas que travam dentro dela tendências e sentimentos opostos. Trata-se duma poesia-confissão, por meio da qual ganha relevo eloquente, cálido e sincero, toda a desesperante experiência sentimental duma mulher superior pelos dotes naturais, fadada a uma espécie de donjuanismo feminino. A poetisa, como a desnudar-se por dentro, sem pejo ou preconceito de nenhuma espécie, põe-se a confessar abertamente as suas íntimas emoções de mulher apaixonada. O modo como procede, a temperatura da confidência amorosa, os reptos e os fulgores duma paixão incontrolável e escaldante, só encontra semelhança nas *Cartas de Amor,* de Sóror Mariana Alcoforado. Aliás, a semelhança entre elas é muito maior do que parece, quanto mais não fosse, por serem alentejanas...

A trajetória poética de Florbela inicia-se sob a égide de Antônio Nobre, seja nos versos que vão compor a *Juvenília,* seja no *Livro de Mágoas:* esteticismo, narcisismo e culto literário da Dor, herdado de Antônio Nobre: "Poeta da

Saudade, ó meu poeta q'rido", "ó Anto! Eu adoro os teus estranhos versos", "os males d'Anto toda a gente os sabe!".

Fase tateante ainda, mas onde já se vislumbra o encontro dum caminho autêntico, duma dicção poética pessoal e forte. Com o *Livro de Sóror Saudade*, Florbela amadurece liricamente: o soneto, descoberto como a forma ideal para se exprimir, passa a ser largamente cultivado, embora sob a influência sensível dos sonetos anterianos. Conquistava, assim, o veículo que melhor lhe permitia confessar o drama íntimo, num estilo cada vez mais límpido: com a definição do sentimento conflitivo, ganha energia a expressão correspondente. Erótica e emocionalmente insatisfeita, sofre porque a sociedade não lhe compreende o conflito interior, e põe-se a escorraçá-la por querer a realização de apetências que catalogam de imorais, sem lhes compreender o alcance e a altitude. Mais, porém, que a hipócrita condenação social, faz sofrer à poetisa a ausência dum "outro", ou melhor, do "Outro", para lhe satisfazer a procura dum amor mais forte que a vontade e as convenções burguesas:

> "O amor dum homem? Terra tão pisada,
> – Gota de chuva ao vento baloiçada...
> – Um homem? – Quando eu sonho o amor dum Deus!"

Uma tão obsessiva e poderosa capacidade de amar, sendo incorrespondida, derrama-se na Natureza, originando poemas de tons panteísticos logo transformados em melancólica ternura pela terra-mãe, por Évora, pelos lugares da adolescência e por ela própria. Exaustos de suplicar um amor integral, seus sentidos pedem o repouso no solo de onde provinha toda a demoníaca força que lhe vai nas entranhas. A Morte, agora, põe-se a substituir o seu anseio de Vida:

> "Deixai entrar a Morte, a iluminada,
> A que vem para mim, pra me levar,
> Abri todas as portas par em par
> Como asas a bater em revoada"

Está-se na fase derradeira da poesia de Florbela, representada pelos sonetos de *Charneca em Flor* e *Reliquiae:* ainda que menos impressionante e comovente como estado confessional, pois o relativo apaziguamento da luta

358 • A LITERATURA PORTUGUESA

interior vem acompanhado de renúncia e prostração, corresponde ao ápice artístico da sua carreira de poetisa. Seus sonetos atingem agora um refinamento raro e uma imediata força comunicativa, próprios duma sensibilidade que subtilizou o amor a pouco e pouco até assumir olímpica resignação, de quem traz "no olhar visões extraordinárias", e só tem "os astros, como os deserdados...", passando por fugazes momentos de realização amorosa, numa plenitude que a leva a confessar ao Outro: "Dentro de ti, em ti igual a Deus!...". Em matéria poética expressa em vernáculo, outra voz feminina igual não se ergueu até hoje.

## AQUILINO RIBEIRO

Aquilino Ribeiro nasceu em Carregal da Tabosa (Beira Alta), a 13 de setembro de 1885. Depois de iniciar em Viseu cursos de Filosofia e Teologia, em 1907 está em Lisboa, envolvido no movimento revolucionário. Preso após um atentado a dinamite, consegue escapar e vai para Paris, onde cursa a Sorbonne e publica sua obra de estreia, *Jardim das Tormentas* (1913). De volta a Portugal no ano seguinte, abraça o magistério por algum tempo e depois entra para conservador da Biblioteca Nacional, onde fica até 1927. Decorrida uma breve estada em Paris, regressa, envolve-se em nova conspiração, é preso e foge. De novo em Portugal, entrega-se à elaboração de sua obra literária e à atividade política, segundo os mesmos princípios republicanos de antes. Tendo já escrito dezenas de volumes, e cercado de glória, falece em Lisboa, a 27 de maio de 1963.

Em cinquenta anos de atividade literária, Aquilino produziu romances, contos, novelas, ensaios, biografias e literatura infantil. Afora esta última, que não vem ao caso no momento, em ficção escreveu: *Jardim das Tormentas* (contos, 1913), *A Via Sinuosa* (romance, 1918), *Terras do Demo* (romance, 1919), *Filhas de Babilônia* (novelas, 1920), *Estrada de Santiago* (contos, 1922), *Andam faunos pelos bosques* (romance, 1926), *O homem que matou o Diabo* (romance, 1930), *Batalha sem Fim* (romance, 1931), *As Três Mulheres de Sansão* (romance, 1932), *Maria Benigna* (romance, 1933), *São Banaboião, Anacoreta e Mártir* (romance, 1937), *Mônica* (romance, 1939), *Volfrâmio* (romance, 1944), *A Casa Grande de Romarigães* (novela, 1957), *Quando os lobos uivam* (romance, 1958), etc.; ensaios e biografias: *O Cavaleiro de Oliveira*. Estudo Crítico e Biográfico

(1922), *O Galante Século XVIII* (1936), *Anastácio da Cunha. O Lente Penitencia-do* (Vida e Obra) (1936), *Camões, Camilo, Eça e Alguns mais* (1949), *Luís de Camões, Fabuloso e Verdadeiro* (2 vols., 1950), *O Romance de Camilo.* Biografia e crítica (1956), etc. Embora nestas últimas obras estejam patentes as qualidades de lucidez e de estilo que o caracterizam, os contos, novelas e romances é que lhe granjearam o prestígio de que desfruta ainda hoje.

Aquilino inscreve-se numa linhagem de prosadores que, passando por Eça e Fialho entre os nacionais, e por Anatole France entre os estrangeiros, remonta a Camilo Castelo Branco, pelo menos no que toca ao culto da "escrita-artística" e perfeita como pureza e precisão vernaculares. Sendo antes de tudo um escritor, mais do que um ficcionista, falto que era dos dotes de imaginação que sobejavam em Camilo, Aquilino acreditou a vida toda no ofício de escrever como vocação e como realização da sentença buffoniana de que "o estilo é o homem". Para atingir o seu objetivo, teve de levantar um exuberante vocabulário e uma sintaxe, e não duvidou em fazer uso de arcaísmos e modismos regionais de sua província natal, a Beira Alta. Sua primeira marca, portanto, é a pesquisa estilística, a volúpia da forma cinzelada e brilhante, descendo por vezes a barroquismos de duvidoso efeito.

Além disso, especialmente nas primeiras obras, Aquilino recebeu influência do Decadentismo, por via do exemplo de Fialho, mas temperando-a com a sua maneira peculiar, que lhe faria a fortuna de escritor voltado para a terra e para as matrizes do Idioma. Despontavam então algumas das suas características fundamentais, que iriam confluir para formar a vertente melhor da sua volumosa produção: aquela em que o ficcionista estampa autêntica simpatia pelo homem rústico das Beiras, vivendo rudes dramas de criatura reduzida à condição de animal irracional, paganicamente embrutecido pelo exclusivo contato com a terra áspera e primitiva, e com velhos e gastos preconceitos sociais, firmemente arraigados nos meios rurais. É o que se observa na maior parte de suas narrativas, especialmente *Terras do Demo, Andam faunos pelos bosques, São Banaboião.* Neste particular, o melhor de sua obra está na novela "*O Malhadinhas*", inserta em *Estrada de Santiago.*

Em matéria de narrativa longa, mas ainda com estrutura de novela, *A Casa Grande de Romarigães* leva a palma. O escritor subintitula-a de "Crônica romanceada" e no prefácio narra as peripécias de sua composição, inclusive respondendo ambígua e jocosamente a um "acadêmico de Argamasilha, ou lente de Coimbra": "– Um romance...? Deus me livre! A minha ambição foi bem ou-tra. Isto é monografia histórica local, história romanceada, se quiser, agora no-vela, abrenúncio!" Para o leitor habituado a ler Camilo, esse procedimento despistador é francamente familiar, e não deve iludir.

Como por artes duma metempsicose, a semelhança continua: trata-se, a rigor, duma novela, não dum romance ou de qualquer dos rótulos dados pelo escritor, e novela histórica, precisamente como era vezo de Camilo.

Assim procedendo, Aquilino liberta-se da observação e da memória obse-dante, sobretudo na parte concernente à Beira, e pode dar curso mais ou me-nos livre à imaginação, visto que a verossimilhança é muito relativa em matéria de reconstituição histórica duma família de fidalgos de Romarigães. Ao mes-mo tempo, os possíveis documentos compulsados talvez o amparassem contra a falta de ar que sentiria no mergulho temporal, ele que vivia afeito a tirar da memória individual e da observação direta a matéria de sua ficção. Para culmi-nar: ali se encontram faculdades de exímio narrador, incluindo as do estilo, agora despojado das aderências pegajosas do linguajar regional e erguido a um nível "clássico", graças ao equilíbrio, justeza, altura, força, etc.

Quando, porém, Aquilino abandona o seu *habitat* próprio e focaliza temas urbanos, como em *Maria Benigna* e *Mónica,* é patente que só alcança resultados menos convincentes como ficcionista, embora ainda se mantenha em pé como estilista: nessas obras avulta a presença duma tendência negativa em Aquilino, a de ser um estilo à procura de assunto.

# XIII

## PRESENCISMO

## (1927-1940)

### PRELIMINARES

Em 1927, um grupo de estudantes (José Régio, João Gaspar Simões e Branquinho da Fonseca) funda, edita e dirige em Coimbra a revista literária *Presença*. Tendo por subtítulo *Folha de Arte e Crítica,* o primeiro número sai a 10 de março de 1927. Em 1930, com o número 27 da revista, Branquinho da Fonseca abandona-lhe a direção, secundado por Miguel Torga (então assinando Adolfo Rocha, seu verdadeiro nome) e Edmundo de Bettencourt, que deixam de colaborar: na carta que enviam aos demais diretores da *Presença,* datada de 16 de junho de 1930, iniciam afirmando que a *"Presença* que se propunha, como folha de arte e crítica, defender o direito que assista a cada um de seguir o seu caminho, começou a contradizer-se", e mais adiante lembram que a *"Presença* concebe mestres e discípulos com aquela interpretação convencional, em que os mestres fazem lições para os que se reputam alunos".

Em lugar de Branquinho da Fonseca, no ano seguinte entra Adolfo Casais Monteiro, e assim a revista permanece até 1938, quando termina a primeira fase de sua existência: a II Guerra Mundial, tumultuando tudo, decreta o fim do periódico, cuja ação, aliás, chega também ao termo. Agora secretariada por Alberto de Serpa, a revista sai em novembro de 1939, seguida dum segundo e

362 • A LITERATURA PORTUGUESA

último número da fase nova, em fevereiro de 1940. Missão cumprida: nesse mesmo ano, o Neorrealismo aparece com toda a sua força revolucionária.

No primeiro número da *Presença*, José Régio sintetiza o programa de ação da revista no artigo intitulado *Literatura Viva:*

"Em Arte, é vivo tudo o que é original. É original tudo o que provém da parte mais virgem, mais verdadeira e mais íntima duma personalidade artística. A primeira condição duma obra viva é pois ter uma personalidade e obedecer-lhe."

E mais adiante:

"Pretendo aludir nestas linhas a dois vícios que inferiorizam grande parte da nossa literatura contemporânea, roubando-lhe esse caráter de invenção, criação e descoberta que faz grande a arte moderna. São eles: a falta de originalidade e a falta de sinceridade."

E, por fim, como à procura duma síntese programática:

"Eis como tudo isto se reduz a pouco: Literatura viva é aquela em que o artista insuflou a sua própria vida, e que por isso mesmo passa a viver de vida própria. Sendo esse artista um homem superior pela sensibilidade, pela inteligência e pela imaginação, a literatura viva que ele produza será superior; inacessível, portanto, às condições do tempo e do espaço."

No terceiro número, de 8 de abril de 1927, José Régio fala *Da Geração Modernista* e proclama Fernando Pessoa, Mário de Sá-Carneiro e Almada-Negreiros "mestres contemporâneos, porque mestres contemporâneos são os homens que, pior ou melhor, exprimem as tendências mais avançadas do seu tempo, isto é: a parte do futuro que já existe no presente. Enfim: são os *futuristas*. Sucessores destes serão os que exprimem o futuro ainda não expresso por estes – os *futuristas* de depois. E sempre assim, para diante."

Com o artigo intitulado *Literatura Livresca e Literatura Viva,* publicado no número 9, saído a 9 de fevereiro de 1928, José Régio lança o manifesto do seu grupo: "A finalidade da Arte é apenas produzir-nos esta emoção tão particular, tão misteriosa, e talvez tão complexa: a emoção estética." E mais adiante, na secção cujo título, "A Arte pela Arte, ou a Literatura artística e as lunetas dos nossos críticos", é significativo por si só, afirma o líder presencista:

"O ideal do Artista nada tem com o do moralista, do patriota, do crente, ou do cidadão. Quando sejam profundos e quando se tenham moldado a uma certa individualidade, tanto o que se chama um vício como o que se chama uma virtude podem igualmente ser poderosos agentes da criação artística: podem ser elementos de vida duma Obra."

E falando desta, declara: "A finalidade da Obra será, consciente ou inconscientemente, a finalidade estética."

Noutros termos: continuando na linha de *Orpheu,* defendem o primado da "literatura viva" sobre a "literatura livresca". Para tanto, antepõem o individual ao social, a intuição a qualquer verdade objetiva ou racional, o "mistério" ao realismo fotográfico, etc. Propugnam, enfim, por uma "literatura artística". Em busca duma "literatura original, viva, espontânea", associam-se a refinadas e vanguardeiras concepções de arte, embora submetidas a rigoroso crivo crítico. Ao mesmo tempo, "descobrem" e divulgam escritores europeus, como Proust, André Gide, Apollinaire, Jean Cocteau, Max Jacob, Valéry, André Salmon, Pirandello, Reverdy, etc.

Afinal de contas, constitui uma reviravolta aquilo que o grupo da *Presença* procurava realizar: simultaneamente à consolidação da herança de *Orpheu,* implantava, ao menos do ponto de vista teórico, um ambiente de rigor e severidade que não deixou de produzir excelentes frutos, sobretudo na parte referente à crítica literária.

Liga-se ao movimento presencista um elenco notável de poetas, prosadores e críticos, uns em função diretiva, ou mais ativa que outros, apenas incidentalmente colaboradores, ou irmanados por diretrizes estéticas coincidentes: José Régio, Miguel Torga, Adolfo Casais Monteiro, José Rodrigues Miguéis, Antônio Botto, Edmundo de Bettencourt, Antônio de Navarro, Alberto de Serpa, Saul Dias, Francisco Bugalho, Carlos Queirós, João Gaspar Simões, Branquinho da Fonseca, Fausto José, Irene Lisboa, Vitorino Nemésio, Pedro Homem de Melo, Tomaz de Figueiredo, entre outros. Muitos desses, alguns dos quais já têm lugar marcado na Literatura Portuguesa, cultivaram mais de um gênero, no encalço de atingir a consciência esteticamente criadora que julgavam essencial. Dentre todos, merecem destaque especial José Régio, Miguel Torga, Adolfo Casais Monteiro, José Rodrigues Miguéis, Branquinho da Fonseca, Antônio Botto, Vitorino Nemésio, Irene Lisboa, Tomaz de Figueiredo.

# JOSÉ RÉGIO

José Régio, pseudônimo de José Maria dos Reis Pereira, nasceu em Vila do Conde, a 17 de setembro de 1901. Ainda estudante na Faculdade de Letras de Coimbra, inicia sua carreira literária com *Poemas de Deus e do Diabo* (1925). Em 1927, funda, edita e dirige, com João Gaspar Simões e Branquinho da Fonseca, a revista *Presença*. Formado, segue para o Porto, onde fica algum tempo, e de lá para Portalegre, como professor no Liceu Mousinho da Silveira. Faleceu a 22 de dezembro de 1969, na cidade natal.

Ao longo duma intensa e persistente atividade literária, num recolhimento que nada concedia aos "grupos" ou "igrejinhas", José Régio dedicou-se à poesia, ao teatro, ao conto, ao romance e à crítica. Em poesia, além dos *Poemas de Deus e do Diabo,* escreveu: *Biografia* (1929), *As Encruzilhadas de Deus* (1936), *Fado* (1941), *Mas Deus é grande* (1945), *A Chaga do Lado* (1955), *Filho do Homem* (1961), *Cântico Suspenso* (1968), *Música Ligeira* (1970). Teatro: *Primeiro Volume de Teatro (Jacob e o Anjo)* (1941), *Benilde ou a Virgem-Mãe* (1947), *El-Rei Sebastião* (1949), *A Salvação do Mundo* (1954) e *Três Peças em um Ato* (1957). Contos: *Histórias de Mulheres* (1946), *Há mais mundos* (1962), *Davam grandes passeios aos domingos...* (1941). Romances: *Jogo da Cabra-Cega* (1934), *O Príncipe com Orelhas de Burro* (1942), e o ciclo novelesco de *A Velha Casa: Uma Gota de Sangue* (1945), *As Raízes do Futuro* (1947), *Os Avisos do Destino* (1953), *As Monstruosidades Vulgares* (1961), *Vidas são vidas* (1966). Crítica: *Críticos e Criticados* (1936), *Antônio Botto e o Amor* (1938), *Em Torno da Expressão Artística* (1940), *Pequena História da Moderna Poesia Portuguesa* (1941), *Ensaios de Interpretação Crítica* (1967), *Três Ensaios sobre Arte* (1967), etc. *As Confissões de um Homem Religioso* vieram a público postumamente (1971).

Em todas essas formas de expressão, é sempre o mesmo intelectual convicto e superiormente cônscio da importância de sua múltipla atividade literária, como que nascida do imperativo duma espécie de missão civilizadora que não se curva a nada, mesmo a uma espessa solidão, capaz de levá-lo ao desespero. O centro nevrálgico da sua obra, especialmente a poética, é representado por um problema de simultânea raiz intelectual e sensitiva: a do diálogo entre Homem e Deus, em que o primeiro manifesta irrecorrível carência de Absoluto.

O poeta quer Deus, desespera-se, angustia-se na procura, mas ao mesmo tempo gostaria de não o querer, tal o seu egocentrismo: o debate íntimo nasce do fato de sentir a necessidade do Absoluto, que lhe dá a medida de sua relatividade. Quando a desesperança vence o orgulho, o poeta arrasta-se, despoja-se, rendido e entregue à visão da transcendência, ao mesmo tempo temida e desejada:

> "Sobre o verme que sou, lento, descia
> O olhar desses dois poços de clarões.
> Sua boca selada se entreabria
> Como as ondas, as rosas, os vulcões.
> E a sua voz, imensa sinfonia
> De palrar de águas e ecos de trovões,
> Disse à pobre minh'alma confundida:
> 'Tu me recusas, tu, que achaste a Vida?'"

Dessa atmosfera dramática, trágica, brota uma obra forte, quente e austera como poucas: o poeta ergue o seu canto quando uma "voz" o compele e lhe dita os poemas em que derrama sua torrencial vida interior. Em José Régio, a poesia irrompe aos jactos, mas sem afetar a permanente lucidez reflexiva, pronta a vigiar e a entender, que confere travamento e solidez às intuições.

Pelo aspecto religioso, José Régio repõe uma problemática antes encontrada em Antero e em Guerra Junqueiro: ao primeiro assemelha-se pela gravidade posta na solução dum problema vital, o da crença religiosa, apenas diferindo no fato de que Antero a perdera na mocidade e passara a vida toda à procura dum impossível sucedâneo; ao segundo, pela veemência revoltada, exuberante, que não se detém inclusive diante dos mais profundos e perigosos abismos declamatórios. Entretanto, "o caso" que dá origem à sua poesia é tão forte e sincero, e serve-se de tão excepcionais recursos intelectuais, que logo faz compreender tratar-se de uma das obras mais bem realizadas dos nossos dias.

Diga-se, contudo, a bem da justiça que a trajetória poética de José Régio descreve uma curva ascendente, com o ápice marcado por *As Encruzilhadas de Deus:* na verdade, o *Fado,* e mormente *A Chaga do Lado,* em que ensaiava utilizar uma de suas possibilidades técnicas, o epigrama, traíam uma perda de *tonus,* que o *Filho do Homem* e *Cântico Suspenso,* derradeira obra lírica publicada em vida, confirmaram.

Entretanto, "a Poesia voltara, após uma longa ausência, a visitá-lo inesperadamente", confidenciava o poeta, nos começos de 1969, a Alberto de Serpa, amigo desde a juventude: dessa visita constituem registro fulgurante os poemas que integram o volume *Música Ligeira,* postumamente dado a lume. De fato, José Régio readquirira nos últimos meses de vida a pulsação lírica da juventude, enriquecida de um despojamento, uma leveza e um hermetismo novos, quem sabe fruto da clarividência trazida pela antevisão da morte. Mas as outras obras não chegam a comprometer-lhe o mérito de ser uma das mais vigorosas e originais vozes da moderna literatura em Portugal.

Em ficção, observam-se as mesmas qualidades: embora não seja um contista autêntico, pois a sua cosmovisão pede amplos panoramas, é sempre um prosador de primeira ordem. Nas narrativas longas e mais complexas, realiza algo do que há de mais consistente na ficção psicológica e costumbrista criada pelo grupo da *Presença:* neste sentido, o romance *Jogo da Cabra-Cega* e, em registro um tanto diverso, de caráter novelesco, o ciclo de *A Velha Casa* constituem autênticos marcos.

Vocacionado como raros para a linguagem teatral, deixou peças das mais bem ideadas e construídas da moderna dramaturgia portuguesa: sem dúvida um dos mais talentosos comediógrafos do século XX em Portugal, arquitetou um teatro denso, onde vazou a mesma problemática de sua poesia e onde também realizou o melhor do seu polimórfico talento. Enquanto crítico, José Régio mantém-se no mesmo nível: procurando fazer crítica de compreensão estética e psicológica, alcança não raro sínteses interpretativas que o situam desde logo entre as principais vocações críticas aparecidas depois de 1930. Neste particular, alguns dos capítulos de sua *Pequena História da Moderna Poesia Portuguesa* constituem peças modelares, como súmulas duma interpretação global de Camilo Pessanha, Antônio Nobre e outros.

## MIGUEL TORGA

Miguel Torga, pseudônimo literário do médico Adolfo Correia da Rocha, nasceu em São Martinho de Anta (Trás-os-Montes), a 12 de agosto de 1907. Formado em Medicina por Coimbra, pertenceu ao grupo inicial da *Presença.* Desligando-se dela em 1930, em companhia de Edmundo de Bettencourt e de Branquinho da Fonseca, com este último lança no mesmo ano a revista *Sinal* e depois *Manifesto.* Viveu em Coimbra, entre a clínica e a Literatura, até a morte, a 17 de janeiro de 1995.

Cultivou a poesia, a prosa de ficção e, incidentalmente, o teatro. Em poesia, escreveu: *Ansiedade* (1928), *Rampa* (1930), *Tributo* (1931), *Abismo* (1932), *O Outro Livro de Job* (1936), *Lamentação* (1943), *Libertação* (1944), *Odes* (1946), *Nihil Sibi* (1948), *Cântico do Homem* (1950), *Alguns Poemas Ibéricos* (1952), *Penas do Purgatório* (1954), *Orfeu Rebelde* (1958), *Câmara Ardente* (1962). Em prosa: *Pão Ázimo* (1931), *A Criação do Mundo* (6 vols, 1937, 1938, 1939, 1974, 1981), *Bichos* (1940), *Contos da Montanha* (1941), *O Senhor Ventura* (1943), *Novos Contos da Montanha* (1944), *Vindima* (1945), *Pedras Lavradas* (1951), *Fogo Preso* (1976). Em poesia e prosa: *Diário* (16 vols., 1941-1994). Em teatro: *Terra Firme e Mar* (1941), *Sinfonia* (1947), *O Paraíso* (1949). Livros de viagens: *Portugal* (1950), *Traço de União* (1955).

Toda essa extensa e variada obra gira em torno da mesma ideia motivadora: Miguel Torga é sempre o mesmo homem de pés fincados na terra transmontana, porque nela espera encontrar a explicação para a condição humana, imediatamente transformada em sua mente num problema teológico-existencial, armado ao redor de indagações-chave, do gênero "quem somos?". Do jogo paradoxal em que se envolvem as perguntas, nasce-lhe a revolta, indignada e violenta algumas vezes, serena e branda outras, mas orientada contra tudo quanto constitui a "circunstância" na qual está mergulhado, e logo transfigurada numa ira titânica contra os Elementos ou Deus, cujo poder não consegue compreender, aceitar ou abater.

No afã de viver intensamente o desespero consciente, o seu telurismo abre-se em diversos caminhos, desde a blasfêmia herética e pagã até a entrega às forças contra as quais luta em vão, ou converte-se num panteísmo nervoso e tenso, quando não deprimido: em suma, uma "agonia" permanente, a lembrar o mesmo transe em que viveu Manuel Laranjeira, igualmente a debater-se por entre as malhas de dúvidas cruéis e de apelos sem resposta:

"Me confesso de ser Homem!
De ser o anjo caído
Do tal céu que Deus governa:
De ser o monstro saído
Do buraco mais fundo da caverna"

Na essência, Miguel Torga constitui um poeta de largas e humaníssimas medidas interiores, a procurar impaciente e inocuamente converter em reali-

368 • A LITERATURA PORTUGUESA

dade concreta um sentimento de solidariedade que não encontra eco na terra, no mar, ou no Alto. A consequência para um tal Prometeu amarrado à vida é a solidão, a sensação de condenado a mover-se entre estímulos opostos e a buscar na terra de origem um consolo utópico. O embate em que se empenha o poeta, manifesta-se em estertores e brados ansiosos, apesar da calma ocasional (como em *Bichos)*, produzindo um lirismo dos mais vigorosos da Literatura Portuguesa contemporânea, em que palpita uma vibração cósmica de remotas e acendradas raízes ibéricas. Melhor que a poesia e a prosa de ficção, documenta a visão do mundo de Miguel Torga o seu longo *Diário,* registro sismográfico da atração pelo abismo e o seu incorrespondido humanitarismo: neste particular, talvez ali se encontre o ponto alto da sua carreira literária.

## BRANQUINHO DA FONSECA

Antônio José Branquinho da Fonseca nasceu em Mortágua, a 4 de maio de 1905. Ainda estudante de Direito na Universidade de Coimbra, integrou a direção dos periódicos *Tríptico* e *Presença*. Formado, ingressa mediante concurso nos serviços do Registro Civil e Predial. Foi também funcionário graduado da Fundação Calouste Gulbenkian, com sede em Lisboa. Usou o pseudônimo de Antônio Madeira. Publicou poesia: *Poemas* (1926), *Mar Coalhado* (1932); teatro: *Posição de Guerra* (1929), *Teatro 1* (1939); romance: *Porta de Minerva* (1947), *Mar Santo* (1952); contos: *Zonas* (1932), *Caminhos Magnéticos* (1938), *O Barão* (1942), *Rio Turvo e Outros Contos* (1945), *Bandeira Preta* (1957). Faleceu em Cascais, a 16 de maio de 1974.

Conquanto se dedicasse ao teatro e à poesia, é na ficção, sobretudo nos contos, que Branquinho da Fonseca atingiu a posição de relevo que ostenta nos quadros da moderna Literatura Portuguesa. Inserido no movimento da *Presença,* o seu mundo ficcional caracteriza-se pela tendência introspectiva e intelectualista, próxima das correntes de vanguarda herdeiras do Simbolismo. Com efeito, as figuras que lhe protagonizam os contos e os romances pertencem a várias camadas sociais, mas o prosador não parece interessado em provar nada por intermédio delas, nem teses idealistas nem realistas.

A esse ar de gratuidade, de ausência de pose, ou de esteticismo, acrescenta-se o pendor para transformar o dado observado em alegoria ou apólogo, mas colocando entre parênteses as minúcias irrevelantes, de molde a sugerir toda a complexidade imanente nas demais. Fundindo o real e o ideal, o universo das formas sensíveis com o das formas intuíveis, o escritor cria um surrealismo poético, que emana da própria sondagem no interior das realidades palpáveis.

Tal processo de alegorização, ou de simbolização, alcança o pináculo em *O Barão,* a incontestável obra-prima de Branquinho da Fonseca. Aguçando até onde é possível a perspicácia psicológica, o narrador vai compondo, estilhaço a estilhaço, o caráter do protagonista, dum modo simultaneamente abstrato e concreto, o que empresta à narrativa uma fisionomia ao mesmo tempo portuguesa e universal.

Por outro lado, a teatralidade surrealista e o tom onírico e mítico que perpassam o conto, vinculam-no com a ficção do último quartel do século XIX, de que Raul Brandão foi o representante máximo em Portugal. E a estranha beleza lírica, vazada numa linguagem de acentos etéreos e vibráteis, constitui outra faceta de *O Barão,* inequivocamente uma das obras mais acabadas da modernidade portuguesa, suficiente para tornar Branquinho da Fonseca um dos mais renomados contistas do século XX em seu país:

> "Mais tarde tive notícias dele. Mandava-me dizer que lá me esperava.
> Sim, Barão!... Hei de voltar, um dia. E havemos de tornar a perder-nos pelos caminhos sombrios do nosso sonho e da nossa loucura; e mais uma vez havemos de cantar às estrelas, e dar a vida para ires depor outro botão de rosa na alta janela da tua Bela Adormecida!..."

**Adolfo Casais Monteiro** nasceu no Porto, a 4 de julho de 1908, onde se licenciou em Ciências Históricas e Filosóficas, na extinta Faculdade de Letras. Em 1931, está em Coimbra como codiretor da *Presença.* Inicia então a sua carreira poética, com o volume *Confusão.* Em 1933, volta ao Porto para lecionar no Liceu Rodrigues de Freitas, ao mesmo tempo que publica um livro de ensaios, *Considerações Pessoais,* revelador duma segunda faceta do seu temperamento e do caminho que segue daí por diante. Transferiu-se para o Brasil em 1954, onde continuou a sua obra de poeta e crítico, a par da atividade como professor universitário, e onde faleceu a 24 de julho de 1972, em S. Paulo.

Ainda escreveu os seguintes livros de versos: *Poemas do Tempo Incerto* (1932), *Sempre e sem Fim* (1937), *Versos* (reunião dos três livros anteriores,

1944), *Canto da Nossa Agonia* (1943), *Noite Aberta aos Quatro Ventos* (1943), *Europa* (1945), *Simples Canções da Terra* (1949), *Voo sem Pássaro Dentro* (1954). Em crítica: *De Pés Fincados na Terra* (1941), *O Romance e os seus Problemas* (1950), *Estudos sobre a Poesia de Fernando Pessoa* (1958), *Clareza e Mistério da crítica* (1961), *A Palavra Essencial* (1965), etc. A ficção atraiu-o fortuitamente, com o romance *Adolescente* (1946).

Na sua condição de poeta, Casais Monteiro tem andado injustamente esquecido em favor do ensaísta. Desabrochada e desenvolvida no ambiente da *Presença,* a sua poesia flui entre a tradição de ritmos límpidos e vincados, armados segundo repetidas escalas de valor, e a lírica moderna, como realização dum canto libertário e anárquico. Penetrando a camada significante de sua poesia, teríamos, de um lado, um sentimento existencial desalentado e melancólico, inserido na linha tradicional do lirismo português, mormente em sua conformação romântica; e de outro, um racionalismo consciente, intelectualista, que não passa dum disfarce para esconder o tumulto que lhe vai na sensibilidade. Essa ambivalência torna sua poesia muito moderna, ao mesmo tempo que revela um esforço de adaptação afinal impossível, precisamente por causa do sentimento que habita as camadas íntimas do poeta.

Por isso, no choque pessoano entre o poeta-que-pensa e o poeta-que-sente, este leva a melhor, não raro graças a uma transparência lírica que o próprio impulso racional pretende, inutilmente, apreender e fixar. E é em consequência desse resultado favorável ao sentimento que o poeta atinge uma espécie de "canto puro": sendo aquele em que a palavra se volatiliza, um universo sonoro em permanente ebulição, alcança-o quando se entrega ao sentimento que o liga indissoluvelmente ao passado e dá foros de permanência à sua poesia:

"Pelos caminhos incertos
dum país de sonho e bruma
vou desvairado à procura
de qualquer coisa que sinto
fugir-me por entre os dedos"

Como ensaísta, Casais Monteiro caracteriza-se por não adotar métodos ou esquemas prévios ou científicos de julgamento. Ao contrário, pratica uma crítica estética, ou crítica como criação, ou recriação, à procura sempre dum comportamento isento, desprevenido e espontâneo diante do texto, que não significa desprezo algum pelo apoio da inteligência na investigação textual. Rotulada de "impressionista", sua crítica por vezes desequilibra-se, assumindo tons polêmicos, explicáveis pela paixão literária que a enforma e a orienta.

**Antônio Botto** nasceu em Concavada (Abrantes), a 17 de março de 1897. Amigo de Fernando Pessoa, que lhe dedicou um estudo consagrador, colaborou em várias revistas de vanguarda, como *Athena, A Águia, Contemporânea, Presença,* etc. Cercou-se de escândalo, não só pelo conteúdo da sua poesia, como ainda pelo seu comportamento. Terminou os seus dias no Rio de Janeiro, a 16 de março de 1959.

Escreveu poesia: *Trovas* (1917), *Cantigas da Saudade* (1918), *Motivos de Beleza* (1923), *Curiosidades Estéticas* (1924), *Pequenas Esculturas* (1925), *Olimpíadas* (1927), *Dandismo* (1928), *Ciúme* (1934), *Baionetas da Morte* (1936), *A vida que te dei* (1938), *Sonetos* (1938), – reunidos no volume *As Canções de Antônio Botto* (1941, primeiro volume das *Obras Completas), Ódio e Amor* (1947), etc.; e *Os Contos de Antônio Botto, para crianças e adultos* (1942), etc.

A poesia de Antônio Botto pende entre dois polos líricos: de um lado, um erotismo exacerbado ao máximo, graças às pulsões duma fogosa imaginação e duma privilegiada sensibilidade, e por isso mesmo invertendo o sinal do apelo físico: em lugar de voltar-se para uma mulher, dirige-se a um adolescente. O tom é apolíneo, clássico, paganizante, em que se cultua a beleza masculina pelo equilíbrio de formas e a harmonia das linhas fundamentais.

Do outro lado, uma poesia aparentemente antagônica, dado o caráter socialmente realista: o poeta retrata o baixo-mundo lisboeta, onde impera o fado, canção de escorraçados. Nessa poesia nucleada no cotidiano de Lisboa perpassa um eco longínquo de Cesário Verde. No movimento pendular – de caráter feminino-masculino –, o "outro" do poeta é já mulher, donzela ou fadista, como a compensar a tendência oposta:

"Anda um ai na minha vida
Que me lembra a cada passo
A distância que separa
O que eu digo do que eu faço".

Os contos parecem testemunhar uma espécie de paisagem moral sobre a qual balançam e se compensam mutuamente as duas tendências marcantes do

## 372 • A LITERATURA PORTUGUESA

temperamento de Antônio Botto. Ambiguamente escritas para crianças e adultos, pois servem a todos com o seu intuito pedagógico, as narrativas têm qualidades e defeitos resultantes desse mesmo caráter moralizante: assumindo atitudes à La Fontaine e à Esopo, o contista cometeu erros de base que por pouco não anulam o sentido da obra toda. Procurando manter-se equidistante entre falar às crianças e aos adultos, algumas vezes derrama-se piegasmente, ou torna-se artificial quando pretende inserir notas de ingenuidade na *moral* com que coroa as narrativas.

Com isso, parece comunicar-se apenas com o público infantil, pois para os adultos não satisfaz o conteúdo ético das conclusões. E mesmo para crianças, havia que ponderar a ocasional ausência de *moral* ou a sua impropriedade. Sempre, contudo, temos um prosador de primeira água, dotado de transparência, fulgor, singeleza e variedade. A tais dotes soma-se o pendor para a poesia: é justamente a prosa poética, que adquire por vezes um tom de apólogo, ou de linguagem oracular, o mérito dos *Contos,* que se aparentam a *Os Meus Amores,* de Trindade Coelho, sobretudo pela esvoaçante fantasia que lhes serve de lastro, expressão de crença no mundo dos sonhos ou anseio de fuga para atmosferas de beleza essencialmente imaginativa.

Nascido em Braga, a 6 de julho de 1902, e falecido em Lisboa, a 29 de abril de 1970, **Tomaz de Figueiredo** formou-se em Direito. Com a publicação de *A Toca do Lobo* (1947), iniciaria uma série de romances (*Nó Cego,* 1950; *Uma Noite na Toca do Lobo,* 1952; *A Gata Borralheira,* 1961; uma tetralogia sob o título de "Monólogo em Elsenor", composta de *Noite das Oliveiras,* 1965; *A Má Estrela,* 1969; *Túnica de Nesso,* 1989; *Memorial de Ariel,* 2007), uma "crônica heroica" em dois volumes, sob o título de *Dom Tanas de Barbatanas: O Doutor Geral* (1962), *O Magnífico e Sem Par* (1964), e narrativas curtas (*Procissão dos Defuntos,* 1954; *Vida de Cão,* 1963; *Tiros de Espingarda,* 1966; *A Outra Cidade,* 1970; *Novelas e Contos,* 2 vols., 2006). Ainda cultivaria a poesia, em *Guitarra* (1956) e *Viagens no Meu Reino* (1968), reunidos, com mais quinze livros inéditos e prefácio de Antônio Cândido Franco, em *Poesia* (2 vols., 2003). Ainda tentaria a dramaturgia, na linha do teatro do absurdo e da estética surrealista, com *Teatro I* (1965), reunido, com inéditos e prefácio de Antônio Manuel Couto Viana, em *Teatro* (2003).

Conquanto não pertencesse ao grupo da *Presença,* Tomaz de Figueiredo não só fez, nos seus poemas, numerosas referências aos adeptos e colaboradores da revista, como ainda empregou o *Nó Cego* para retratar, encoberto pelo expediente de nomes fictícios, a geração coimbrã sua contemporânea. E não é preciso muito esforço para se perceber, em sua obra poética e narrativa, traços que lembram o código estético defendido por José Régio e demais companheiros.

Tendo experimentado as agruras do recolhimento num manicômio, não poderia deixar de exibir sinais dessa traumática experiência: mescladas, como se entre elas houvesse permanente intercâmbio, a sua poesia e a sua prosa narrativa distinguem-se por brotar antes da reclusão no manicômio ou durante a sua estada. Lembrando Ângelo de Lima, que por sinal é citado em determinado momento, ou o brasileiro Qorpo Santo (1829-1883), autor de peças do absurdo numa quadra em que ainda não se previa a voga desse tipo de teatro, Tomaz de Figueiredo está atento "a quanto absurdo espreita a vida".

Insólita, inventiva, é a sua linguagem, fruto da loucura ou da penumbra entre o brilho da razão e as trevas do "eu profundo", "sob as esporas negras da demência!", ou, o que dá no mesmo, "sob a espora do Ângelo [de Lima]". Chega a dizer que a sua essência "é a Poesia...", mas que odiava a Poesia, "bruxa fria para quem vivi" (*"Anathema Sit"*), numa antítese que nasce do próprio estado demencial em que mergulhou por algum tempo. Produz "versos loucos" e ao mesmo tempo se reconhece dotado de "louca lucidez", visitado pela "grandeza estelar de ser Poeta", "consciente de estar doido! Mal sem cura. [...] Consciente de estar louco!", convicto de que "é a noiva do gênio a Loucura". Entretanto, desse conúbio é que lhe vem a desgraça maior: "Assinalou-me o Gênio. Eis a desgraça. [...] E eu perdido! Doido, sem que o esteja!".

A anarquia dos versos, refletindo o desarranjo mental, respeita no geral as bordas da estrutura e da medida tradicionais, como se a loucura preservasse o conhecimento da metrificação ou esta fosse a camisa-de-força contra a qual se debatia nas vascas da insanidade. Nesse quadro paradoxal, é significativo que os sonetos bem comportados sejam menos bem realizados do que os doidos ou delirantes, repassados de "louca lucidez". Momentos há, nos poemas de catorze versos de "Caixa de Música", em que os segmentos perdem a desarmonia formal sem perder o brilho poético que singulariza o lirismo do autor:

"Conta-se a história dum relógio. Era
da Fábrica de Deus. Marcava a Ideia,

374 • A LITERATURA PORTUGUESA

o sentimento, os surtos da Quimera,
o latejar do Amor, de veia em veia."

As consoantes em letra maiúscula decorrem de duas fontes, a megaloma-
nia latente ou insinuada ao longo dos poemas (e também das páginas em prosa), ou a remota influência das matrizes simbolistas, como bem revela a
admiração por Camilo Pessanha, "ó sutil / que tanto amo, / sem sentir que
amo!", e Mário de Sá-Carneiro, decerto por neles encontrar uma consanguinidade, não só lírica como psíquica, e assemelhados, como Antônio Nobre, Eugênio de Castro, Antônio Feijó.

*Orfeu e Eurídice*, transcrita ao fim da *Poesia II*, é uma espécie de Epopeia da
Loucura, ou, nas palavras do autor, "Tragédia viva [...] Tragédia abstrata", mas
outro tanto se pode dizer de toda a sua obra poética, que se coloca ante a sua
prosa como ao espelho, ou vice-versa. Quando ainda não acicatado pela noite
da demência, prefere a narrativa com enredo e um andamento febricitante, à
maneira do Camilo de *A Queda dum Anjo*, duma perspectiva satírica, francamente contra "a pategocracia chamada Nacional-Seminarismo", ou seja, Salazar, razão por que *Fim*, "livro de combate", iniciado a 29 de junho de 1940, se
interrompeu a 31 de janeiro do ano seguinte.

*A Toca do Lobo* ocuparia a atenção do autor em 1945, num ritmo em que
facilmente se adivinha o estado mental do autor/narrador e do protagonista,
seu *alter ego*, Diogo Coutinho. Tudo flui, diz aquele nas "poucas palavras ao
leitor", como "rio da memória em carne-viva, de monte a monte elevando o
*Nunca Mais! do Corvo!*", acrescentando que, "harmônica, plástica, polícroma,
sonora, assim a escrita busque o imponderável do pensamento, o inefável do
sentimento, o estertorar e o amar".

Tal lucidez pode até mesmo ser a da loucura, mas é não só patente como
acompanhada sempre de impenitente autocrítica ou autoflagelação. Agora, o
autor volta-se para dentro de si, no encalço da reconstituição do passado, por
meio da autobiografia ou do relato das memórias. O tom é de quem faz
auto(psico)análise, a um só tempo sujeito e objeto da interação psicanalítica,
de que resulta a liberação do inconsciente em escrita automática, à maneira
dos surrealistas: dizendo-se, em *Orfeu e Eurídice*, "super-real [...], no simultâneo / oposto dos silêncios e do som", conclui que havia sido "Jano de face
dupla e duplo crânio [...] Uns dois decênios antes do Breton". Ao contrário

de Proust, o narrador não está em busca do tempo perdido, mas, sim, do "Bem perdido".

De onde a estrutura da narrativa evocar uma série de quadros justapostos: o narrador recorda o seu pretérito como se transcorresse numa galeria, em que o tempo se congela, e cada tela é um presente que se esgota em si, tornando cada capítulo, que o narrador chama de "historieta", um episódio da memória repleto de lirismo, sem vínculo algum com os anteriores e os subsequentes. Essa fieira de presentes sucessivos compõe, ao ver do autor, um "romance estático", onde se diria ecoar a voz de Fernando Pessoa e o seu teatro "estático", inclusive pelo Sebastianismo e pela crença no 5º Império, "império conquistado pela nossa Língua Portuguesa: império de amor", o mesmo Pessoa que Diogo Coutinho considera "ser o maior poeta português da atualidade e um dos maiores de sempre, um desses gênios [...] que só de séculos a séculos nascem a uma nação".

As duas *Tocas*, na sua linguagem escorreita, sem prejuízo da inventividade levada ao extremo da loucura ou por ela estimulada, e na agudeza com que se reconstituem os quadros do passado do narrador, nos quais parece refletir toda uma comunidade em dado momento, são bem exemplo dessa utopia, sonhada, fantasiada ou discernida por entre as brumas de um olhar que visiona quimeras e resiste ao canto das sereias que lhe querem roubar a "louca lucidez" de que era dotado. Após tantos anos da sua morte e do silêncio que se fez em torno da sua obra, é chegada a hora de reconhecer em Tomaz de Figueiredo, graças à edição em curso do seu espólio literário, a relevância que lhe cabe e o lugar merecido à sua espera no panteão das letras portuguesas do século XX.

## OUTROS POETAS

O movimento presencista alcançou elevados níveis poéticos, não só às mãos das suas figuras centrais, mas também daquelas que gozaram de menos visibilidade, em razão de circunstâncias ocasionais ou do timbre menos combativo da sua ação ou do seu lirismo na vida literária do tempo. Dentre elas, destaca-se **Saul Dias**, pseudônimo de Júlio Maria dos Reis Pereira (Vila do Conde, 1º de novembro de 1902-17 de janeiro de 1983), irmão de José Régio. Deixou uma pequena, mas densa e original, obra poética: ... *mais e mais* (1932), *Sangue*

376 • A LITERATURA PORTUGUESA

(1952), *Tanto* (1934), *Ainda* (1938), *Gérmen* (1960), *Essência* (1973), *Vislumbre* (1979), reunida em *Obra Poética*, cuja 3ª edição (2001), editada e prefaciada por Luís Adriano Carlos, inclui dispersos e inéditos. Dividiu-se entre a poesia e a pintura, campo em que se tornou conhecido pelo prenome civil.

A obra que construiu, seja a poética, seja a plástica, exibe, no entanto, o congraçamento harmônico das duas aptidões estéticas. O seu lirismo é o de um visualista encantado com os aspectos plásticos da realidade humana ou natural: impressionista, com notas expressionistas quando a tônica recai sobre os seres humanos, notadamente de uma bem-amada mais sugerida que descrita, identifica-se ainda pelo intimismo, de música em surdina, que se diria de viés simbolista.

Marca-o, no entanto, a contensão da forma, não raro ecfrástica, que faria escola mais adiante, assinalada pelo empenho de reduzir o discurso poético a duas palavras ("Quisera que os meus versos / fossem duas palavras apenas") ou mesmo a uma só ("só quero dizer uma palavra"), ou ainda sem palavras ("Um poema / quase sem palavras"), como a reconquistar o velho ideal da poesia como pintura que fala, ou da pintura como poesia muda.

Enquanto Saul Dias escolheu uma via pessoal, mas permanecendo de algum modo no âmbito presencista, **Edmundo de Bettencourt** (Funchal, 7 de agosto de 1899-Lisboa, 1º de fevereiro de 1973) desligou-se da *Presença* ao sentir-se um estranho no ninho e perceber que o horizonte da sua criação poética seria norteado pela heterodoxia. Após o livro de estreia (*O Momento e a Legenda*, 1930), sob a chancela da *Presença*, recolheu-se a um compacto silêncio por mais de três décadas, mas povoado de constante, embora escassa, produção poética. Apenas em 1963 viriam a público os inéditos e dispersos (*Rede Invisível*, 1930-1933; *Poemas Surdos*, 1934-1940; *Ligação*, 1936-1962), juntamente com o livro de 1930, no volume *Poemas*, marcos luminosos duma trajetória cujo apogeu se localiza nos *Poemas Surdos*.

Enraizado numa tradição de modernidade iniciada com Rimbaud, e que encontraria no grupo de *Orpheu* a sua realização mais avançada em língua portuguesa, Edmundo de Bettencourt caracteriza-se pelas múltiplas e intercorrentes facetas da sua poesia. Não só no espaço de cada poema, senão também de um poema para outro, o seu lirismo é por excelência poliédrico: nele, a lógica racional cede lugar a uma lógica da imaginação, que mescla níveis distintos e distantes da realidade/irrealidade/surrealidade, como em busca de coerência entre a liberdade absoluta e uma ordem que não é cópia do mundo concreto, senão inerente ao discurso do poema.

Se de alguma mimese se trata, é ela imanente no tecido poético, guiada por uma "dorida fantasia", ainda que sem romper totalmente os vínculos com a exterioridade objetiva. Esse processo criativo, afastando o poeta a um só tempo do lirismo presencista e do neorrealista, aproxima-o da estética surrealista, menos por influência de André Breton e companheiros de jornada que das vozes interiores, amparadas numa intuição divinatória. Decorre daí a sua originalidade e grandeza nos quadros da modernidade portuguesa:

> "Halo do respirar da noite,
> bem distante lá na gruta marinha
> onde a sereia cantava à porta do café"

Após cultivar, em *Quadras* (1924) e *Evoé* (1924), um tradicionalismo formalista e convencional, **Alberto de Serpa** (Porto, 12 de dezembro de 1906-7 de outubro de 1992) transitou para o ideário presencista, com *Varanda* (1934), *Descrição* (1934), *Vinte Poemas da Noite* (1935), *A vida é o dia de hoje* (1939), *Dramas: Poemas da Paz e da Guerra* (1940), *Fonte* (1943), *Nocturnos* (1944), *Rua* (1945), *Almanaque de Lembranças Luso-Brasileiro* (1954), *Novo Almanaque de Lembranças Luso-Brasileiro* (1954), *Mais uns Versos de Castela* (1957), *Os Versos Secretos* (1981), reunidos em *A Poesia de...*, em 1981 e 1998.

A sua poesia válida é representada pelos volumes que a *Presença* não só em parte editou como estimulou. Ao início, a sua dicção poética timbra por uma fluência não raro descritiva: esteta sensível, imantado à ideia de que "a Poesia está na alma do poeta / e na sua vida", Alberto de Serpa vai à procura da beleza, num tom que por vezes lembra o penumbrismo pós-simbolista, expressa numa forma sempre vigiada, em versos regulares ou livres:

> "– tristeza que tem de ser um poema
> cheio de cadência, como as ondas do mar numa noite
>  de verão"

Sentimento e tema recorrente, a tristeza não implica um conflito, que somente aflora quando, à José Régio, sente que "dentro de nós lutam Deus e o

Diabo", embora não como evidência de um drama pessoal, mas universal. Com *Fonte*, esse lirismo de quem se confessa "um pobre poeta espontâneo e triste..." ganha nervura e densidade, ambiguidade e abstração, dignas da melhor poesia, decerto a espelhar o impacto renovador do grupo órfico, Pessoa à frente. O poeta elege, paradoxalmente, a versificação uniforme dos primeiros livros para exprimir o novo estado de ânimo, como se enfim descobrisse, na tensão entre o sentimento sutil e a regularidade métrica, o pulsar da mais alta inspiração poética:

> "Banalmente passaste.
> O rastro é que foi tudo:
> nada vem que desgaste
> o instante breve e mudo"

Além de pertencer ao grupo de poetas sem drama íntimo, do qual fizesse o nascedouro da sua inspiração, **Francisco Bugalho** (Porto, 26 de julho de 1905-Castelo de Vide, 29 de janeiro de 1949) deixou apenas três livros (*Margens*, 1931; *Canções de entre Céu e Terra*, 1940; *Paisagem*, 1947), reunidos com inéditos e dispersos em *Poesia* (1960, reeditada em 1998), de qualidade lírica evidente, mas deixando transparecer um amadurecimento em processo que a morte interrompeu.

Engajado no ideário da *Presença* por uma empatia visceral, a sua poesia é de um visualista encantado com a paisagem alentejana, mas que se nega a ser um puro paisagista, que usasse a paleta, com tintas impressionistas, em vez da máquina fotográfica fria e realista. A eleição da paisagem radica num sentimento profundo, de modo a operar-se a fusão da natureza com o "eu lírico", ou do "dentro" com o "fora", numa unidade sem frinchas. O resultado é uma representação plástica ambígua: o olhar do poeta divisa, a um só tempo, a paisagem interior e a exterior, como se a natureza, transpirando o clima romântico ou simbolista, fosse um estado d'alma:

> "E não chego a saber se esta luz de oiro,
> Que hoje me toca e me comove assim,
> É deste sol o íntimo tesoiro
> Ou se é tesoiro que descubro em mim..."

Uma tal fusão deriva para uma esperada forma de heteronímia – "Naqueles seres que fui dentro de um ser"; "Dessas vagas e vãs melancolias, / De um outro que já fui ou me suponho" –, contendo não só um sinal de filiação à poética de *Orpheu*, mas também do aprofundamento das matrizes poéticas, que a fatalidade cortou em pleno voo.

Nessa mesma fonte bebeu **Antônio de Navarro** (Viseu, 9 de novembro de 1902-Lisboa, 20 de maio de 1980), que se ligou à *Presença* logo no seu início, e onde publicou alguns poemas. Reuniu-os, mais tarde, juntamente com outros, em *Ave de Silêncio* (1943) e *Poema do Mar* (1957). Ainda publicaria *Poemas de África* (1941), *Águia Doida* (1961), enfeixados, com outros poemas de assunto africano, em *Coração Insone* (1971), e *Metal Translúcido*, antologia (1968).

Talvez em dúvida quanto ao melhor rumo a tomar, a sua poesia titubeou entre várias fontes de atração. A temática africana, que ocupa boa parte do seu espólio, deixa transparecer o gosto da convenção, como bem assinalou a crítica, ao denunciar o caráter de cartão postal das imagens colhidas durante uma estada de dois anos em Moçambique (Eugênio Lisboa). Um certo nacionalismo serve de base à visão da África, como declara o autor em nota inserta em *Coração Insone*. A essa inflexão nacionalista acrescenta-se o viés católico, expresso mais de uma vez ao longo do mesmo livro.

É, porém, a sua adesão aos princípios da *Presença* que deu melhor ideia de um talento que, por ser dispersivo, não realizou completamente as virtualidades que se podem adivinhar no seu estilo e na sua dicção poética: aqui, a sua inclinação à modernidade avançada, que se vinha manifestando antes do aparecimento da *Presença*, encontra formas de expressão que fariam vaticinar-lhe outro destino, se essa vertente se desenvolvesse cabalmente. Sinais de influxo da geração de *Orpheu*, na forma de certo futurismo pintalgado de um surrealismo espontâneo, podem ser observados em alguns poemas, como "O Braço de Arlequim":

"E lá, no arraial palhaço,
vai um braço
d'Arlequim,
a pinchos.
Leva guizos nos dedos lassos
e nos braços,

380 • A LITERATURA PORTUGUESA

um esgar dissimulado
no avesso
de cada losango de cetim
já desbotado.
O corpo, esse, ficou partido
a esmo disperso
nos risos do populacho divertido,
lá do arraial."

**Carlos Queirós** (Lisboa, 1907-Paris, 28 de outubro de 1949) colaborou na *Presença*, bem como em outros periódicos, e dirigiu *Panorama* (1941) e *Litoral* (1941). Publicou dois livros de poesia: *Desaparecido* (1935), reeditado, com outros poemas, em 1950, sob o título de *Desaparecido e Outros Poemas,* e *Breve Tratado de Não Versificação* (1948), ambos reunidos postumamente no volume *Poesia de Carlos Queirós* (1966) e em 1984, sob a rubrica de *Obra Poética de Carlos Queirós* e com prefácio de David Mourão-Ferreira, no qual se anunciava mais um volume futuro, com o título de *Epístola aos Vindouros e Outros Poemas,* que não chegou a sair.

Vibrante duma intensa emoção, que se manifesta num compasso em que se fundem o rigor clássico e a dicção afinada com a modernidade instaurada pelo grupo de *Orpheu*, o Carlos Queirós do livro de estreia insere-se no ambiente presencista pela sinceridade de sentimento e o apuro da forma. Numa clave em que a música em surdina predomina, a concisão se estabelece em decorrência de um certo intimismo, de uma certa contensão que é também do sentimento, onde se notam ecos do lirismo de Antônio Nobre, ouvidos mais fortemente nos momentos de "delicada, feminina arte", repassados de melancolia e tons elegíacos:

"Vou ao cais da saudade acenar com um lenço
À última, à maior, à mais bela ilusão..."

Poeta de obra pequena, não porque a morte o ceifasse em plena maturidade, mas porque nele os poemas breves derivam duma lenta e comovida destilação, que lhe consome o mais dos dias, mas cujo resultado final é uma poesia da melhor água. Contrasta, nesse intrínseco decoro em abrir-se por meio de versos esparramados, dramáticos, com a maneira característica dum José Régio ou dum Miguel Torga. Entretanto, o que perde em amplitude, ganha em minúcia tonal e gravidade. Em vez de audiências largas, de cenário teatral, Carlos Queirós parece dirigir-se a públicos seletos, habituados à música de câmara, onde o silêncio ambiental, ressoando o congraçamento do sentimento mais íntimo, lhe serve de espaço e de caixa de ressonância ("Cantam ao Longe"):

"Cantam ao longe. Anoitece,
Faz frio pensar na vida;
E a Natureza parece
Dizer, em voz comovida,
Que o homem não a merece"

O *Breve Tratado de Não Versificação* revela uma outra faceta da poesia de Carlos Queirós: o acento na propensão para a síntese e concisão epigramática, fruto da ênfase no aspecto reflexivo da sua sensibilidade, atravessado pela análise do fazer poético e por certo hermetismo, onde não é exagero descortinar a influência de Fernando Pessoa:

"O mais secreto, o mais íntimo
De todos os sentimentos
–Tão íntimo, tão secreto,
Que de nós próprios se esconde –

É a saudade dos deuses"

Nem por isso a emoção desaparece: à semelhança de Pessoa, funde-se ao pensamento, gerando uma aliança característica da melhor poesia. Razão por que David Mourão-Ferreira abre o prefácio com este juízo consagrador: Carlos Queirós é autor de "uma das obras poéticas mais secreta e seguramente inovadoras – pela variedade da inspiração, pela densidade dos motivos, pela sutileza das relações intertextuais, pelo rigor e pela sedução das formas – de toda a poesia portuguesa do século XX, se é que não mesmo, sob inúmeros aspectos, uma das mais perduravelmente fascinantes de toda a longa história do nosso lirismo".

Embora não pertencesse ao grupo da *Presença*, **Cabral do Nascimento** (Funchal, 22 de março de 1897-Lisboa, 2 de março de 1978) lá encontrou certo reconhecimento com os poemas de *Litoral* (1932), decorrente, porventura,

382　　● A LITERATURA PORTUGUESA

duma semelhança espontânea. A sua trajetória percorreu, desde a obra de estreia, *As Três Princesas Mortas num Palácio em Ruínas* (1916), várias fases da modernidade, sempre em busca de uma dicção própria, de uma "beleza ideal".

As obras seguintes – *Além-Mar* (1917), *Hora de Noa* (1917), *Alguns Sonetos* (1924), *Descaminho* (1926), *Arrabalde* (1929) – denunciam, em meio a momentos de um tradicionalismo epidérmico, notas de extração simbolista, pautadas por um rigor formal que o culto do soneto, aqui e nas obras restantes, bem expressa. A partir de *Litoral, 33 Poesias* (1941), *Cancioneiro* (1943), *Confidência* (1945), *Digressão* (1953), *Fábulas* (1955), desenvolve-se a porção mais válida do seu espólio poético, reunida, sem os volumes anteriores, sob o título de *Cancioneiro*, em 1963.

Impelido por ondas de efusão sentimental – "Tudo o que sinto ponho em verso / Para vivê-lo com mais força" –, Cabral do Nascimento é o protótipo do lírico, introspectivo e contemplativo, repassado de vivência – "Não me falta experiência, / Vivo de realidade" –, a invocar o auxílio da fantasia – "Ando a ver se alguém me empresta / Um pouco de fantasia. / A que eu tinha já não presta" – e um pensamento desentranhado da sensação, à maneira de Fernando Pessoa:

> "Apenas quero
> Ver-me no espelho,
> Saber quem sou"
> *
> "A vida, como foge a cada instante!
> Ou o tempo é que foge e a vida não?"

Ainda merecem registro outros poetas, como **Pedro Homem de Melo** (Porto, 6 de setembro de 1904-5 de março de 1984), autor de extensa obra, iniciada com *Caravela ao Mar* (1934), a que se seguiram *Jardins Suspensos* (1937), *Segredo* (1939), *Estrela Morta* (1940), *Pecado* (1942), *Príncipe Perfeito* (1945), *Bodas Vermelhas* (1947), *Miserere* (1948), *Grande, grande era a cidade* (1955), *Há uma rosa na manhã agreste* (1971), *Ecce Homo* (1974). Poeta de recorte tradicional, de uma sensibilidade afinada com o lirismo egocêntrico, a sua produção revela diversidade de temas e motivos, que tem na poética romântica o seu berço. E também se descortinam sinais dos movimentos poéticos que repuseram, a seu modo, os padrões românticos. Assim é, por exemplo, o extravasamento da mágoa, da tristeza, da melancolia, o culto da morte, da Saudade, o pessimismo, atravessados por nítidos ecos de Antônio Nobre: "Ai! A desgraça /De ser Poeta!" ("Farol"), "Eis este livro triste" ("Prefácio"); "É porque a beleza / É feita de mágoa" ("Companheiro"). Em suma ("Ilha"):

> "Procuro o Paraíso.
> E nasce, em mim, a mágoa.
>
> Estranho mal o meu:
> O mal da poesia!
>
> – Surdez de não ouvir senão a água...
> Cegueira de não ver senão o dia"

Essa fase, identificada pela fusão de um lirismo ancestral com o formalismo clássico (de que o culto do soneto talvez constitua a marca de eleição), durou até o momento em que a modernidade presencista cobrasse o seu preço, como se observa desde *Jardins Suspensos* até *Pecado,* cujos poemas trazem acentos novos. Sem perder a fluência da dicção, a espontaneidade do sentimento, em que repercute, sem esforço ou cálculo algum, a voz do povo, Pedro Homem de Melo alcança a aceitação do seu estro e passa a ocupar um nicho especial entre os poetas da geração presencista.

Os seus versos ganham, "em certos momentos, um abandono rítmico, um balouçar [...] que acompanha a vagueza, a indecisão, a leveza dos sentimentos e estados de espírito que traduzem" (Adolfo Casais Monteiro). Tudo se passa como se o seu intimismo, ao gozar da liberdade formal que antes os versos regulares não permitiam, ganhasse ainda mais espaço para se expandir. Mas nem por isso abandonará de vez o emprego da regularidade métrica: como alguns críticos sugerem, com razão, alcançava ele a modernização do seu tradicionalismo.

Em clave semelhante situa-se **Antônio de Sousa** (Porto, 25 de dezembro de 1898-16 de fevereiro de 1981): iniciando-se saudosista, com *Cruzeiro de Opalas* (1918) e *O Encantado* (1919), engajou-se mais adiante nas hostes da *Presença,* não sem antes percorrer por outras revistas dos anos 20. Nessa fase, lançou vários tomos de poesia, alguns dos quais sob a chancela da *Presença: Caminhos*

(1933), *Ilha Deserta* (1937), *Sete Luas* (1943), *O Náufrago Perfeito* (1944), *Janga-da* (1946), *Livro de Bordo* (1950), *Linha de Terra* (1951), *Terra ao Mar* (1954).

Quanto a **Fausto José** (dos Santos) (Aldeia de Cima, Armamar, 13 de mar-ço de 1903-1975), após dirigir a revista *Bizâncio* (1923), integrou o grupo fundador da *Presença*. Publicou *Fonte Branca* (1928), *Planalto* (1930), *Remoi-nho* (1933), *Síntese* (1934), *Solstício* (1940), *Embalo* (1946), *Dona Donzela Se-nhorinha* (1946), *É El-Rey que vai à caça* (1951), *Voz Nua* (1957), *O Livro dos Mendigos* (1966). Cultivou um lirismo assinalado pelo gosto da tradição e por acentos regionalistas e saudosistas.

# JOSÉ RODRIGUES MIGUÉIS

Nasceu em Lisboa, a 9 de dezembro de 1901. Após o curso de Direito na Uni-versidade de Lisboa, realiza na Bélgica estudos avançados de Pedagogia, sobre-tudo na área das crianças anormais e delinquentes. Licenciando-se em Ciências Pedagógicas pela Universidade de Bruxelas, regressa a Portugal e dedica-se ao magistério e à advocacia (1933-1935). A seguir, passa a viver nos E.U.A. En-cetada em 1932, com *Páscoa Feliz,* a sua carreira literária conhece então um longo hiato, apenas cortado pela publicação de *Onde a noite se acaba* (1946). Em 1957, retorna à Pátria, e dá a lume *Léah e Outras Histórias*, que lhe granjeia significativo prêmio (o "Camilo Castelo Branco" do mesmo ano) e lhe confere merecido reconhecimento e prestígio. Faleceu a 27 de outubro de 1980, em Nova Iorque.

Escreveu ficção: *Páscoa Feliz,* romance (1932), *Onde a noite se acaba,* contos, *Saudades para a Dona Genciana,* conto (1956), *O Natal do Clandestino,* conto (1956), *Léah e Outras Histórias,* contos (1957), *Uma Aventura Inquietante,* ro-mance (1959), *Um homem sorri à morte com meia cara,* romance (1959), *A Escola do Paraíso,* romance (1960), *Gente da Terceira Classe,* contos (1962), *Nikalai! Ni-kalai!,* romance (1971), *Comércio com o Inimigo,* contos (1973), *O Milagre Segun-do Salomé,* romance (2 vols., 1974); ensaio: *É proibido apontar – Reflexões de um Burguês* (1964), *As Harmonias do "Canelão" – Reflexões de um Burguês. II* (1974); crônicas: *O Espelho Poliédrico* (1973); teatro: *O Passageiro do Expresso* (1960).

No exame da obra de José Rodrigues Miguéis, o primeiro aspecto a frisar diz respeito ao escasso relevo assumido por sua peça teatral: não obstante exiba as qualidades mestras que encontramos noutras configurações do seu talento, constitui mais um exercício engenhoso e inteligente que uma realização marcante. Posição análoga ocupam as "moralidades" de *É proibido apontar*, em que pesem a oportunidade e o vigor da notação satírica. A ficção, que consiste, pois, no melhor de sua criação literária, apresenta duas maneiras mais ou menos distintas.

A primeira, exemplificada por *Páscoa Feliz*, romance típico do introspectivismo presencista, caracteriza-se por uma atmosfera à Raul Brandão e à Dostoievski. A segunda, que enfeixa as obras posteriores a *Léah*, manifesta o benéfico influxo da Literatura Norte-Americana sobre a formação psicologizante de José Rodrigues Miguéis, a ponto de emprestar contensão à sondagem proustiana, que empreendeu com *A Escola do Paraíso*, no universo infantil e na Lisboa dos começos do século XX. Numa e noutra, porém, o sinete diferenciador é dado pelo estilo, nutrido nas matrizes clássicas do Idioma, despojado, límpido e preciso, sem deixar de ser brilhante e original.

Em José Rodrigues Miguéis, a vívida e diversificada experiência dos homens e países, filtrada por sua poderosa e rara sensibilidade, funda-se numa imaginação multímoda, capaz de uma gama variegada, que vai desde o humor à inglesa, que motiva sorrisos, ou a picardia ibérica, que deflagra o riso desopilante, até o dramático ou o patético. É que sabe conciliar, como poucos, a dimensão da fantasia, composta de situações exóticas ou psicologicamente insólitas, e a dimensão da realidade concreta, de molde a transfigurar a reportagem do cotidiano numa visão de perenidade e universalidade. Marca, sem dúvida, de um escritor de superior categoria.

Essencialmente ficcionista, o que significa equacionar a sua mundividência em torno da tensão dialética, não apenas entre o "eu" e o Universo, como também entre o "eu" e os homens, José Rodrigues Miguéis atingiu nos contos o ápice do seu potencial criador. Neles, não se sabe mais que admirar, se a flagrância e o senso de realidade com que detecta e reconstitui o âmago das cenas que colhe em suas andanças diárias, se a psicologia vivaz das personagens, que se diria de corpo presente no magma da fabulação, se o halo poético e a fraternidade humana que envolve tudo, se a justeza e a elegância da linguagem. Seja como for, trata-se de um dos mais bem dotados dos prosadores portugueses da modernidade instalada em 1915 e um dos seus principais contistas.

# VITORINO NEMÉSIO

Vitorino Nemésio Mendes Pinheiro da Silva nasceu na Ilha Terceira (Açores), a 19 de dezembro de 1901. Após os estudos secundários em Angra do Heroísmo, no arquipélago natal, ruma para Coimbra com o fito de cursar Direito e Letras, mas transfere-se para Lisboa. Em 1931, formado em Letras, passa a integrar o corpo docente da Faculdade em que se licenciara. A seguir, vai para o estrangeiro, como leitor em Montpellier e Bruxelas. Em 1939, quando já havia conquistado renome como ensaísta, poeta e ficcionista, ascende a catedrático da Faculdade de Letras de Lisboa. Faleceu na capital portuguesa, a 20 de janeiro de 1978.

Temperamento proteiforme, dedicou-se à poesia: *Canto Matinal* (1916), *Nave Etérea* (1923), *La Voyelle Promise* (1935), *O Bicho Harmonioso* (1938), *Eu, Comovido a Oeste* (1940), *Festa Redonda* (1950), *Nem Toda a Noite a Vida* (1952), *O Pão e a Culpa* (1955), *O Verbo e a Morte* (1959), *Poesia/1935-1940/* (1961), *O Cavalo Encantado* (1963), *Andamento Holandês e Poemas Graves* (1965), *Canto de Véspera* (1968), *Sapateia Açoriana, Andamento Holandês e Outros Poemas* (1976); à ficção: *Paço do Milhafre,* contos (1924), *Varanda de Pilatos,* romance (1926), *A Casa Fechada,* novelas, (1937), *Mau Tempo no Canal,* romance (1944), *O Mistério do Paço do Milhafre,* contos (1949); à crítica literária e à historiografia: *A Mocidade de Herculano até a volta do exílio /1810-1832/* (1934), *Sob os Signos de Agora* (1932), *Isabel de Aragão, Rainha Santa* (1936), *Relações Francesas do Romantismo Português* (1937), *Exilados /1828-1832/* (1947), *Ondas Médias* (1945), *O Segredo de Ouro Preto e Outros Caminhos* (1954), *O Campo de São Paulo* (1954), *Corsário das Ilhas* (1956), *Conhecimento de Poesia* ( 1958), *O Retrato do Semeador* (1958), *Vida e Obra do Infante D. Henrique* (1959).

A poesia de Vitorino Nemésio gravita especialmente em torno da lembrança da infância e da imagem deixada em sua memória pela ilha natal, uma e outra transfiguradas magicamente e aureoladas pelo signo dum paraíso perdido para sempre. Daí que os temas folclóricos e popularescos, de origem ilhoa, dividam o território lírico com outros de circunstância, tendo por fulcro a Bahia, a Espanha, a Bélgica. Entretanto, à medida que evolui, sua poesia vai-se tornando concisa, hermética e oracular. E aos poucos, à visão magoada do passado remoto e do arquipélago revisitado pela saudade, sucede o encontro duma "pátria" transcendental, em que as duas matrizes de sua inspiração parecem fundir-se numa só.

Esteta por excelência, ourives da palavra e do pensamento justos e contidos, no terreno da ficção, além de alguns contos de primeira água, deixou um dos romances mais discutidos dos últimos anos, de alto nível, quando menos, como performance estilística e redução da estrutura romanesca a seus princípios essenciais, *Mau Tempo no Canal,* espécie de saga proustiana das ilhas dos Açores.

E os trabalhos de crítica e historiografia literária e não literária estadeiam a pronunciada inclinação estética de Vitorino Nemésio. Afeiçoado ao culturalismo crítico, busca sempre as visões panorâmicas e as conexões íntimas entre os fatos e as ideias, mas procede como um esteta que criticasse ou historiasse, ou seja, como se criasse ou recriasse por meio do julgamento ou da descrição dos acontecimentos. Alguns de seus livros e estudos constituem, por isso, peças indispensáveis ao esclarecimento de certos aspectos da cultura portuguesa, como por exemplo, os relativos a Bocage, Herculano e Gomes Leal. Em qualquer uma de suas facetas, Vitorino Nemésio impõe-se como admirável escritor, dono de um dos estilos mais opulentos e plásticos da Literatura Portuguesa do século XX.

## IRENE LISBOA

Nasceu em Casal da Murguinheira (Arruda dos Vinhos), a 25 de dezembro de 1892. Professora primária a vida inteira, estreou nas Letras em 1926, com o volume *Contarelos*. Outras obras se lhe seguiram, levando para a escritora um lento mas seguro prestígio, muito embora se mantivesse até os últimos dias afastada dos meios intelectuais. Além da prosa de ficção e da assídua colaboração na *Seara Nova*, publicou obras de Pedagogia, e usou os pseudônimos de João Falco e Manuel Soares. Faleceu em Lisboa, a 25 de novembro de 1958.

Publicou ficção: *Contarelos* (1926), *Solidão* (1939), *Começa uma vida*, novela (1940), *Lisboa e quem cá vive*, novela (1940), *Esta Cidade!*, crônica lisboeta (1942), *Uma mão cheia de nada, outra de coisa nenhuma*, contos (1955), *O Pouco e o Muito*, crônica urbana (1956), *Voltar atrás para quê?*, novela (1956), *Título qualquer serve para novelas e noveletas* (1958), *Queres ouvir? Eu conto* (1958),

388　•　A LITERATURA PORTUGUESA

*Crônicas da Serra* (1961), *Solidão II* (1975); poesia: *Um Dia e Outro Dia...* (1935), *Outono havias de vir, latente e triste* (1937), *Folhas Volantes* (1940); vária: *Modernas Tendências da Educação* (1942), *Apontamentos,* crítica (1943), *Inquérito ao Livro em Portugal* (2 vols., 1945-1946).

A despeito da seriedade e combatividade que instilou em seus escritos pedagógicos, e da vibração que emprestou a seus poemas, Irene Lisboa realizou-se na prosa de ficção, inclusive aperfeiçoando dotes de observação e intuição apenas aflorados nas outras facetas do seu talento criador. E na prosa de ficção ocupam lugar destacado as narrativas curtas, os contos, que a escritora denomina modestamente de "crônica" ou "reportagem". A bem da verdade, há que creditar-lhe alguma dose de razão, uma vez que suas histórias pairam entre o conto propriamente dito e a crônica.

Anima-as um motivo permanente: a paisagem urbana lisboeta, não a classe privilegiada, senão o povo, a massa anônima, os humildes, os que vivem os pequenos-grandes dramas cotidianos. Em torno deles, Irene Lisboa tece breves enredos, como que extraídos diretamente da fonte, com uma naturalidade e espontaneidade sem par, que refletem comovida simpatia pelos humilhados e ofendidos: o dia a dia transfigura-se ao simples olhar da narradora, e a pena tão somente registra a transubstanciação que a sensibilidade opera na matéria contemplada.

De onde os quadros dramáticos parecerem vislumbrados através de lágrimas, ou emoldurados dum véu de ternura que a "cronista" nem dissimula, nem esconde. Tal empatia assinala um verdadeiro temperamento poético, que não se extravasa doutro modo, pois o mundo exterior parece a superfície em que se esbate o mundo interior da prosadora: o humilde funciona como a encarnação palpitante dos sentimentos que a habitam; ela divisa os sofredores como extensões de sua própria condição. Símbolos, mais do que personagens autônomas, personificam a "irremediável solidão" que Irene Lisboa confessa em *O Pouco e o Muito.*

Visão do mundo em que a melancolia torna passado o contato direto com o presente, dela não foge após mesmo o romance *Voltar atrás para quê?,* que a ficcionista chama de "narrativa". E o estilo que a reveste, com a sua desafetação coloquial, que apenas acentua, em vez de atenuar, o lirismo de base, serve admiravelmente para confirmar que estamos em face de um dos mais altos valores da Literatura Portuguesa da primeira metade do século XX.

No âmbito da ficção, ainda cabe uma referência às tentativas levadas a efeito por **João Gaspar Simões** (Figueira da Foz, 25 de fevereiro de 1903-Lisboa, 6 de janeiro de 1987). Além da regular e constante atividade como crítico e ensaísta, recolhida em numerosos volumes, escreveu romances (*Elói ou o Romance Numa Cabeça*, 1932; *Uma História de Província I – Amores Infelizes*, 1934; *Uma História de Província II – Vida Conjugal*, 1936; *Pântano*, 1940; *O Marido Fiel*, 1942; *Internato*, 1946) e contos (*A Unha Quebrada*, 1941), calcados nos princípios estéticos da sua geração, que punham a tônica nos conflitos de natureza psicológica, em detrimento das questões de ordem sociológica ou ideológica, e sem alcançar o nível de outros ficcionistas da *Presença*.

# XIV

# NEORREALISMO
## (1940-1974)

### PRELIMINARES

Em plena vigência do movimento presencista começam a surgir as primeiras reações contrárias, motivadas pelo repúdio ao seu caráter estético e pela descoberta da ficção norte-americana e brasileira dos anos 30, de fisionomia sócio-realista. Dentre os escritores norte-americanos que então se revelam, distinguem-se os seguintes: Michael Gold, John Steinbeck, Upton Sinclair, Sinclair Lewis, John dos Passos, H. G. Carlisle, Erskine Caldwell, Ernest Hemingway, etc. Ao mesmo tempo, os romancistas brasileiros do Nordeste, em especial Jorge Amado, José Lins do Rego, Graciliano Ramos, Amando Fontes, José Américo de Almeida e Raquel de Queirós, chamam a atenção para o grave problema socioeconômico das secas e a luta de classes em torno do açúcar e do cacau.

As duas vertentes de ficção assemelham-se, *grosso modo,* nas novidades introduzidas: a objetividade, que não pressupõe negação do lirismo autêntico e realista, a simpatia generosa por tudo quanto determina altos propósitos de reconstrução social, o desejo de fazer literatura não com heróis pré-fabricados ou estereotipados pela tradição, mas com os humildes, os injustiçados, os marginais, uma tentativa de estruturação cinematográfica do romance, etc.

## 392 • A LITERATURA PORTUGUESA

Contemporaneamente a esse influxo, opera-se um movimento contrário às doutrinas presencistas. É no jornal *O Diabo* (iniciado a 2 de junho de 1934), órgão independente e eclético, ao menos no começo, que encontramos as primeiras manifestações direta ou indiretamente antipresencistas. Com efeito, no número 10, saído a 2 de setembro de 1934, Ferreira de Castro escreve acerca da *Literatura Social Brasileira,* logo seguido por outros colaboradores que batem na mesma tecla. Aos poucos, o jornal vai perdendo seu cunho polifônico e adquirindo diretriz única, evidente a partir de 1938: a 31 de dezembro desse ano, Joaquim Namorado estampa um artigo intitulado *Do Neorrealismo. Amando Fontes,* onde possivelmente se empregou pela primeira vez o rótulo por meio do qual a nova corrente literária pouco depois viria a tornar-se conhecida.

Seguem-se agora colaborações várias dentro do novo credo, dos quais merecem relevo as seguintes: Alves Redol publica o conto "Lua de pé", a 26 de agosto de 1939, já de caráter neorrealista, focalizando a vida de pescadores; Seabra Novais trata da *Literatura Populista,* a 4 de outubro do mesmo ano; Antônio Ramos de Almeida publica umas *Notas para o Neorrealismo,* a 21 de setembro, 5 e 26 de outubro e 9 de novembro de 1940. O evidente caráter polêmico adquirido pelo periódico e a divisão extremista de campos ideológicos, motivada pela II Guerra Mundial, explica o seu fechamento, a 21 de dezembro de 1940. Como se verá, trata-se apenas duma troca de tocha olímpica, pois o movimento renovador continua, embora doutro modo.

Neste ínterim, a reação antipresencista ainda se faz atuante por meio de uma revista, *Sol Nascente,* que começa a publicar-se a 30 de janeiro de 1937, na qual os seus dirigentes estampam, em nota de abertura, uma espécie de programa de ação, afirmando entre outras coisas o seguinte:

> "Tendo como fim contribuir para o elevamento do nível cultural português, juntando os seus esforços aos outros nobres esforços que se afirmam, *Sol Nascente* não esquece a frase límpida do nosso *Eça:* 'O fim de toda a cultura humana consiste em compreender a Humanidade.'"

Decorridos pouco mais de dois anos, no editorial do número publicado a 19 de março de 1939, o caráter da revista define-se limpidamente:

> "*Sol Nascente* surgiu como um quinzenário cultural de orientação um pouco esfumada e imprecisa, limitando-se nos seus primeiros vinte números quase só à mis-

são passiva de *arquivar*. Em dado momento, porém, começou a pronunciar-se dentro da revista uma certa linha de pensamento, um certo *método*, que, pela simpatia conquistada, depressa conduziu à aceitação de uma doutrina. A partir de então, a missão de *Sol Nascente* tornou-se marcadamente ativa, dinâmica. *Sol Nascente* passou assim a ter o seu programa completo, e a sua posição intransigente sobre múltiplos problemas. Assim é que reage contra a metafísica e contra o psicologismo, apoiando-se na obra crítica do pensamento diamático; combate pelo neorrealismo como forma necessária da humanização da arte: defende um Humanismo integral que seja verdadeiramente um humanismo humano."

O texto fala por si: a 15 de abril de 1940, o *Sol Nascente* deixava de circular, certamente pelas mesmas razões que determinaram o encerramento de *O Diabo*.

Em 1941, começa a publicar-se o *Novo Cancioneiro*, título de obras em que poetas jovens, alguns deles parcialmente ligados à *Presença*, reúnem as suas composições, cada qual em volume separado. O primeiro deles é *Terra*, de Fernando Namora, seguido pelas obras de Mário Dionísio (*Poemas*, 1941), João José Cochofel (*Sol de Agosto*, 1941) Joaquim Namorado (*Aviso à Navegação*, 1941), Álvaro Feijó (*Os poemas de...*, 1941), Manuel da Fonseca (*Planície*, 1941), Carlos de Oliveira (*Turismo*, 1942), Sidônio Muralha (*Passagem de Nível*, 1942), Francisco José Tenreiro (*Ilha de Nome Santo*, 1942), Políbio Gomes dos Santos (*A voz que escuta*, 1944).

Dentro do espírito neorrealista, ao *Novo Cancioneiro* seguiu-se a coleção *Galo*, dirigida por Carlos de Oliveira e Joaquim Namorado, em que se publicaram *Poesia I* (1948) e *Poesia II* (1950), de José Gomes Ferreira, e *Esperança Desesperada* (1948), de Armindo Rodrigues. Na mesma coleção saiu *Post-Scriptum de um Combatente* (1949), de Afonso Duarte, que não pertencia às hostes neorrealistas.

No exame das manifestações precursoras do Neorrealismo, há que levar em conta o fato de que Ferreira de Castro vinha construindo, desde 1928, uma ficção bastante parecida com aquela que os neorrealistas objetivavam. Entretanto, a obra que se considera introdutora da nova tendência é *Gaibéus*, de Alves Redol, publicada em 1940 (na verdade, a obra apareceu em dezembro de 1939). Nesse romance, em que são flagrantes as infiltrações insinuativas do lirismo realista dum Jorge Amado, retrata-se o drama anônimo mas comovente dos *gaibéus,* modestos trabalhadores do campo, no Ribatejo. No pórtico da obra, o romancista declara:

> "Este romance não pretende ficar na literatura como obra de arte.
> Quer ser, antes de tudo, um documentário humano fixado no Ribatejo.
> Depois disso, será o que os outros entenderem."

Afinal, que pretendem os neorrealistas? Como se viu, sabem o que *não* querem ser, mais do que o que querem ser (ou, na verdade, o que de fato querem ser, sem o declarar abertamente): ao contrário da *Presença,* movimento crítico por excelência e acompanhado de um corpo definido de teorias, o Neorrealismo instala-se em 1940 com relativa pobreza doutrinária. As doutrinas, essas foram discutidas nos anos seguintes, sem chegar a definitivo acordo, uma vez que as teorias colidiam com as obras, ou estas, quando lhes correspondiam, acabavam não raro por se transformar em panfleto. Por outro lado, a evolução interna das obras escritas e das ideias orientadoras justifica a dificuldade em ver com isenção um momento literário, como o Neorrealismo, vivo por muito tempo e a provocar polêmicas e debates, as mais das vezes determinadas por questões extraliterárias.

Antônio José Saraiva, um dos principais críticos do movimento neorrealista (a despeito das suas posteriores divergências), resume em três os seus aspectos fundamentais:

> "uma visão mais completa e integrada dos homens, a consciência do dinamismo da realidade e a identificação do escritor com as forças transformadoras do mundo" (Saraiva 1955, *apud* Pereira 1956).

Se o materialismo histórico se entrevê nessa tríade doutrinária, nos romances neorrealistas, ao menos os ortodoxos e polêmicos, torna-se patente. Daí que o Neorrealismo tenha sido um movimento em que se restaurou a ideia de literatura social, de consciente ação transformadora, literatura *engagée,* a serviço da redenção do homem do campo ou da cidade, injustiçado e humilhado por estruturas sociais envelhecidas: na linha do pensamento marxista, os neorrealistas punham o problema da luta de classes, na equação senhor x escravo, que se desgastou à custa de tanto ser repetida, e que por vezes atrofiou a dimensão literária de certas obras, reduzindo-as a panfletos.

Na ordenação dos adeptos do Neorrealismo, é preciso ter em conta o seguinte: 1) alguns foram conscientemente neorrealistas, de obra, de ação e, não raro, de pensamento político; constituíram o grupo dos ortodoxos; 2) alguns outros foram neorrealistas por coincidência, ou numa fase da sua trajetória, quer seguindo os ditames da vocação literária pessoal, quer recebendo os naturais influxos do ambiente neorrealista, em especial durante os anos da II Guerra Mundial. Seja entre os do primeiro grupo, seja entre os do segundo, houve escritores que não aceitaram senão parcialmente a nova moda, e evoluíram por trilhas próprias, tornaram-se autônomos e muitas vezes contraditórios: também houve outros que foram atenuando, no decurso de sua trajetória, a rigorosa ortodoxia do começo.

Além de Alves Redol, podemos agrupá-los, indistintamente: Soeiro Pereira Gomes, Faure da Rosa, Carlos de Oliveira, Manuel da Fonseca, Romeu Correia, José Marmelo e Silva, Leão Penedo, Manuel do Nascimento, Vergílio Ferreira, Fernando Namora, Rogério de Freitas, Afonso Ribeiro, Aleixo Ribeiro, Assis Esperança, Alexandre Cabral, Tomás Ribas, Garibaldino de Andrade e tantos outros. Ainda há que acrescentar a figura de Ferreira de Castro, cuja obra romanesca prenuncia claramente o movimento neorrealista.

## FERREIRA DE CASTRO

José Maria Ferreira de Castro nasceu em Salgueiros (Oliveira de Azeméis), a 25 de maio de 1898. Órfão de pai aos oito anos, aos doze anos emigra para Belém do Pará, e emprega-se num seringal, em plena selva amazônica, de cuja experiência tirará o motivo para *A Selva* (1930), uma de suas obras capitais. Quatro anos depois, está de volta a Belém: publica o seu primeiro romance (*Criminoso por Ambição*, 1916), que distribui em fascículos. Seguiram-se outras narrativas, já depois do regresso a Portugal (*Carne Faminta,* 1922; *O Êxito Fácil,* 1923, etc.), todas de escasso valimento, razão suficiente para o romancista as ter eliminado do rol das obras definitivas. A publicação, em 1928, de *Emigrantes,* fruto de experiências pessoais, dá-lhe imediato prestígio, que só cresceu nos anos subsequentes, até a sua morte, no Porto, a 29 de junho de 1974.

Suas obras fundamentais dividem-se em dois tipos: primeiro, aquelas em que fixa observações em torno de emigrantes (*Emigrantes,* 1928; *A Selva,* 1930); segundo, as de caráter continental ou europeu, em que focaliza dramas semelhantes àqueles do primeiro grupo (*Eternidade,* 1933; *Terra Fria,* 1934; *A Tempestade,* 1940; *A Lã e a Neve,* 1947; *A Curva da Estrada,* 1950; *A Missão,* 1954; *Instinto Supremo,* 1968). Entre a primeira fase e a segunda há evidente unidade, que advém de Ferreira de Castro procurar como personagens dos romances os que sofrem injustiças sociais, todos quantos, esmagados pelas condições adversas, clamam por atenção menos fria, o que significa apelo constante ao calor humano.

Simples, humildes e desgraçados sempre, quer sejam do Amazonas, do interior de São Paulo, quer das zonas frias da Serra da Estrela, une-os a mesma infelicidade de serem párias sociais, irmãos apesar de toda diferença temporal ou geográfica. Romance social, documentário ou reportagem, a sua obra contém um testemunho contemporâneo das classes inferiores em luta contra a moderna engrenagem social.

Daí decorre a fidedignidade do retrato, o realismo que não se detém perante qualquer situação, um pensamento de raiz preso às ideias socialistas. Estas, implícitas nos dois primeiros romances da melhor fase (depois de 1928), surgem declaradamente nos posteriores, o que põe em risco o seu mérito. Tanto é assim que *A Curva da Estrada,* o mais tendencioso deles, se mostra marcado dessa preocupação. Com isso, o melhor de sua obra está em *Emigrantes* e *A Selva* e, dentre os outros, *Eternidade* (não obstante a preocupação de jogar com o problema do Socialismo), e *A Lã e a Neve,* pelo trágico que alcança comunicar, próprio de vidas cinzentas lançadas contra as oligarquias e a natureza inclemente.

Na obra de Ferreira de Castro está viva a vocação de narrador que se utiliza de recursos fáceis, porque deseja atingir o público mais simples, o que o leva a não temer a repetição ou a solução menos apropriada, visto conter uma "mensagem" por si só eloquente. O domínio do ofício de narrar, o estilo quase sempre direto, a simpatia humana, pronta a comover-se com o drama alheio e a conter súplicas à Justiça ou à caridade, são as características marcantes da ficção de Ferreira de Castro.

# ALVES REDOL

Antônio Alves Redol nasceu em Vila Franca de Xira, distrito de Lisboa, a 29 de dezembro de 1911. De família humilde, após quatro anos de internato, em que estudou contabilidade, entrou a ganhar a vida trabalhando, inclusive em Luanda (África), para onde seguiu com 16 anos, e de onde regressou em 1930, rico de experiências mas parco de dinheiro. Em dezembro de 1939, iniciou a carreira de ficcionista e o Neorrealismo em Portugal, com *Gaibéus,* romance que patenteava influência da ficção brasileira do Nordeste, e da norte-americana, inspirada na depressão dos anos 30. Assim como os contemporâneos de geração, havia descoberto semelhanças entre o drama dos pobres gaibéus, autênticos servos da gleba, e os retirantes nordestinos, escorraçados pelas secas e pela fome, e os "oakies" famintos e miseráveis. O êxito da obra de estreia, marcada pela "prosa incendiada e barroca de Fialho", como declara o prosador no prefácio à 6ª edição de *Gaibéus,* estimulou-o a desenvolver suas aptidões literárias e até o induziu a viver exclusivamente da pena. Faleceu em Lisboa, a 29 de novembro de 1969.

Cultivou o teatro: *Maria Emília* (1945), *Forja* (1948); o romance e a novela: *Gaibéus* (1940), *Marés* (1941), *Avieiros* (1942), *Fanga* (1943), *Anúncio* (1945), *Porto Manso* (1945), *Horizonte Cerrado* (1949) ["Ciclo Port-Wine", 1], *Os Homens e as Sombras* (1951) ["Ciclo Port-Wine", II], *Vindima de Sangue* (1953) ["Ciclo Port-Wine", III], *Olhos de Água* (1954), *A Barca dos Sete Lemes* (1958), *Uma Fenda na Muralha* (1959), *Cavalo Espantado* (1960), *Barranco de Cegos* (1961), *O Muro Branco* (1966); o conto: *Nasci com passaporte de turista* (1940), *Espólio* (1943), *Noite Esquecida* (1959), *Constantino, Guardador de Vacas e de Sonhos* (1962), *Histórias Afluentes* (1963).

Embora tenha escrito peças de teatro, contos e estudos (como *Glória, uma Aldeia do Ribatejo,* 1938; *A França, da República à Renascença,* 1948), Alves Redol destaca-se no panorama da modernidade portuguesa por seus romances. Introdutor do Neorrealismo, influenciado pela ficção social dos anos 30 que se produzia entre nós (Graciliano Ramos, Jorge Amado, José Lins do Rego e outros) e nos E.U.A. (John Steinbeck, Michael Gold, John dos Passos e outros), toda a sua obra romanesca traduz o esforço de documentar, polemicamente, a escravidão do homem à terra e ao senhor dela. De fato, exceto *Anúncio,* seu centro de interesse reside no drama do injustiçado social, do campo ou das regiões ribeirinhas, seja ele gaibéu, avieiro, fangueiro, seja ele vinhateiro do Douro (romances do "Ciclo Port-Wine"), sempre vergado a um destino ingrato e sombrio.

Ortodoxamente neorrealista, não consegue divisar as personagens sem adesão fraternal ou profunda emoção, de que resulta uma literatura de tese, voltada para os aspectos socioeconômicos, estribada na ideologia socialista. A fim de alcançar a denúncia de um estado de coisas requerente, a seu ver, de transformações radicais, lança mão de um estilo de reportagem, que procura captar os tipismos da localidade em que a fabulação transcorre. Os pormenores plásticos e o ritmo poético das frases completam a impressão de que Alves Redol compõe, na verdade, sagas apaixonadas, tendo como herói o trabalhador preso ao fado adverso.

Decerto, o processo neorrealista, à custa de repetido, tornar-se-ia esquemático e artificial caso Alves Redol não diligenciasse ultrapassar a sujeição rígida ao código político-estético em que se alinhou desde a primeira hora. Não só o lirismo compensava o que havia de postiço e panfletário no enquadramento materialista de seus romances, como também se notava, a partir de *A Barca dos Sete Lemes,* uma mudança de rumo, não propriamente de superação da ortodoxia, mas de alargamento de vistas, em que se incluíam patentes e promissoras contradições, à semelhança do que ocorria em *Barranco de Cegos.* Evidenciava-o nitidamente o estilo, que, continuando a apresentar a orquestração lírica, mesmo épica, de antes, já se casava melhor à narrativa. A morte, porém, não permitiu que levasse às últimas consequências as saídas que tais mudanças pareciam implicar.

# FERNANDO NAMORA

Nasceu em Condeixa (distrito de Coimbra), a 25 de abril de 1919. Formou-se em Medicina pela Universidade de Coimbra. Durante anos, dividiu o seu tempo entre a clínica e a atividade literária, em Lisboa. Até que passou a dedicar-se integralmente à elaboração de sua obra, principiada em 1938, com os poemas de *Relevos* e o romance *As Sete Partidas do Mundo,* obras de adolescente ainda incerto perante as seduções do Presencismo agonizante e as novidades neorrealistas. Faleceu em Lisboa, a 31 de janeiro de 1989.

Cultivou a poesia (*Relevos*, 1938; *Mar de Sargaços*, 1940; *Terra*, 1940; *As Frias Madrugadas*, 1959; *Marketing*, 1969), o romance (*As Sete Partidas do Mundo*, 1938; *Fogo na Noite Escura*, 1943; *Casa da Malta*, 1945; *Minas de San Francisco*, 1946; *A Noite e a Madrugada*, 1950; *O Trigo e o Joio*, 1954; *O Homem Disfarçado*, 1957; *Domingo à Tarde*, 1961; *Os Clandestinos*, 1972; *Cavalgada Cinzenta*, 1977; *Resposta a Matilde*, 1980; *Rio Triste*, 1982), o conto (*Retalhos da Vida de um Médico*, duas séries, 1949 e 1963; *Cidade Solitária*, 1959), a biografia (*Deuses e Demônios da Medicina*, 1952), a crônica romanceada (*Diálogo em Setembro*, 1966) e "cadernos de um escritor" (*Um Sino na Montanha*, 1968; *Os Adoradores do Sol*, 1971; *Estamos no Vento*, 1974).

Na trajetória de Fernando Namora há que considerar três fases, a primeira, caracterizada pelo realismo psicológico, espécie de fusão entre a influência presencista e a tendência neorrealista, que se documenta nas obras iniciais e em *Fogo na Noite Escura*. Na fase seguinte, iniciada com *Casa da Malta*, o realismo psicológico cede lugar a um realismo de tônica social: a mudança obedecia à disposição de Fernando Namora para a análise dos dramas sociais.

Tal propensão, estimulada pelo cânone estético preconizado pelos neorrealistas, ainda se desenvolvia graças à profissão de médico, que permitia ao escritor conviver com as classes desfavorecidas da província, e, assim, enriquecer-se de uma grande experiência de vida, que transferia quase ao natural para os romances e contos. Entretanto, não tendo outro propósito senão fixar situações dramáticas e trágicas de gente simples e sofredora, Fernando Namora dirigia-se para uma forma atenuada de realismo, muito mais interessado no que vai nas consciências do que no corriqueiro atrito social.

De tal forma que, com *O Homem Disfarçado* e *Domingo à Tarde*, o escritor como que voltava ao realismo psicológico, agora sem aderências presencistas, e desenvolvido, subtilizado, pela experiência adquirida e por uma capacidade maior de penetrar a intimidade das personagens: o psicologismo converte-se em introspectivismo. Afinal de contas, este período e o anterior constituem as duas faces da mesma moeda.

Ao longo dessa evolução, o estilo de Fernando Namora torna-se cada vez mais descarnado e econômico, ajustado ao propósito de insinuar e surpreender o para-além das aparências. E colabora eficazmente para equacionar a linha ascendente do escritor: embora as obras anteriores a *O Homem Disfarçado* ostentem específica valia, é com esse romance que alcançou o ápice da sua tra-

400 • A LITERATURA PORTUGUESA

jetória, suficientemente alto para situar-se na primeira plana entre os prosadores portugueses da sua geração.

## MANUEL DA FONSECA

Nasceu em Santiago do Cacém (distrito de Setúbal), a 15 de outubro de 1911. Terminados os estudos secundários em Lisboa, emprega-se no comércio e na indústria. Foi caixeiro-viajante, redator duma revista médica, funcionário de publicidade. Seus primeiros escritos, estampou-os no jornal *O Diabo,* mas apenas com *Rosa dos Ventos,* volume de poemas saído em 1940, chama a atenção sobre si. Passados dois anos, lança *Aldeia Nova,* que iria revelá-lo como um contista de escol. Ainda escreveu: *Cerromaior,* romance (1944), *O Fogo e as Cinzas,* contos (1953)*, Seara de Vento,* romance (1958), *Planície,* poesia (1941), *Poemas Completos* (1ª ed., 1958, 2ª ed., aum., 1965), *Um Anjo no Trapézio,* contos (1968), *Tempo de Solidão,* contos (1973). Faleceu em Lisboa, a 11 de março de 1993.

Integrado desde as primeiras horas na corrente neorrealista, nem por isso Manuel da Fonseca abdicou de sua autonomia e lucidez para acolher mecanicamente os postulados estéticos então vigentes. Sua ficção constitui um hino ao Alentejo, a ponto de os livros de contos e os romances formarem um largo afresco daquela província, a saga dum povo que, padecendo longamente toda sorte de inclemências, aguarda com resignação a hora do despertar e da redenção.

Os contos fixam cenas em torno de personagens que retornam em mais de uma narrativa, vegetando no mesmo vilarejo apático, à mercê do sol, do vento e da chuva. A aldeia (*Aldeia Nova)* simboliza todas as outras irmãs gêmeas espalhadas pelo mundo, e, ao fim, representa uma situação mais ampla, como se fosse a prisão do homem tolhido em sua condição e em sua angústia. Interessado nos transes psicológicos, empatizado com o povo humilde, sem intuito polêmico à mostra, o afeiçoamento aos temas regionais não se dobra nunca ao pitoresco ou ao folclórico: o objeto de análise é o homem, mas sem preconcepções ideológicas deformantes e esquemáticas. Seu mundo é o do lirismo, o das relações humanas mais íntimas, em que o psicológico e o lírico antecedem o social.

Em suma: realismo lírico ou poético, subterraneamente indignado, expresso numa linguagem direta, incisiva, plástica, em que a objetividade da prosa se mescla com a subjetividade da poesia. Comovido e comovente, o ficcionista anseia focalizar o homem em estado natural, despido de qualquer ranço de civilização ou de ideias-feitas. E para lhe narrar as agonias, escreve contos à maneira tradicional, sem conceder nada aos expedientes estruturais de vanguarda, como se compusesse velhos "romances" à terra de nascimento e eleição, destinados ao mesmo povo que lhe serve de herói.

De notar que, em sua poesia, a revolta neorrealista irrompe à flor da palavra, e determina versos intencionalmente prosísticos, espécie de crônica ou de gesta alentejana, de onde parece expulso o lirismo presente na sua ficção. E ao contrário do que lá ocorre, um erotismo algo adolescente também cruza o texto. Tirante, porém, tal discrepância, o panorama de sua poesia prolonga o dos romances e contos: Manuel da Fonseca constitui, sem nenhuma dúvida, uma das figuras principais de sua geração.

## CARLOS DE OLIVEIRA

Nasceu em Belém do Pará, a 10 de agosto de 1921. Licenciado em Ciências Históricas e Filosóficas pela Universidade de Coimbra, estreou em 1942, com *Turismo,* volume de poemas integrado no "Novo Cancioneiro", coleção de textos poéticos surgida em 1941, com intenções neorrealistas. A seguir, publicou poesia: *Mãe Pobre* (1945), *Colheita Perdida* (1948), *Descida aos Infernos* (1940), *Terra da Harmonia* (1950), *Poesias (1942-1950)* (1960), *Poesias (1945-1960)* (1962), *Sobre o Lado Esquerdo, Lado do Coração* (1968), *Micropaisagem* (1968), *Entre Duas Memórias* (1971), *Trabalho Poético* (reunião dos livros anteriores e mais um inédito, *Pastoral,* 1976); romances: *Casa na Duna* (1943), *Alcateia* (1944), *Pequenos Burgueses* (1948), *Uma Abelha na Chuva* (1953), *Finisterra* (1978); crônica: *Aprendiz de Feiticeiro* (1971). Faleceu a 1º de julho de 1981, em Lisboa.

Coerentemente com os princípios postulados por sua geração, a poesia de Carlos de Oliveira inicia-se convulsa, batida por uma rebeldia indignada, desesperada, colérica, mas que jamais abandona sua condição poética: a própria estrutura dos poemas, a cadência, a rima, o tom, a temperatura, etc., denunciam-no de modo inequívoco. Bem por isso, aos poucos a poesia, enternecendo-se, abre espaço para as sombras, para o vago, malgrado persista latejante a nota empenhada.

Na verdade, o poeta não consegue ocultar a emoção, o íntimo estremecimento lírico; nele, a ira humanista e social consiste, no interior dos poemas, mais num impulso fraternal da sensibilidade que do intelecto. E este, por seu turno, em momento algum corta o voo à intuição, que corre livre, generosa e aderida. Resultado: a poesia que desponta desse consórcio entre a indignação contra a exploração do homem pelo homem, e o sentimento que lhe serve de mola, situa-se entre as mais relevantes do Neorrealismo.

Não menor grandeza alcança a sua ficção. Com estilo despojado, enxuto, denso, compacto, que por si só o distinguiria dentre os ficcionistas portugueses do século XX, e compartilhando do Neorrealismo sem esquematismos nem apriorismos deformantes, narra, com notável senso de harmonia, histórias em torno de situações observadas pelo olhar exigente, e reinventadas pela imaginação, fluindo num tempo que escoa à nossa frente com incrível naturalidade.

Explica-se: o narrador desdenha os nexos formais do tempo em favor dos vínculos interiores, além de procurar apenas o enquadramento dos fatos capitais, numa parcimônia de episódios e de atritos dramáticos que logo se comunica ao leitor, inclusive graças à verossimilhança psicológica dos retratos e dos conflitos.

A despeito de transparecer que o romancista se fundamenta numa retaguarda ficcional que remonta a Camilo, Eça, Fialho e, provavelmente, Graciliano Ramos, é patente a sua originalidade, seja como estilo, seja como essência: à primeira vista, não parece que estruturou a sua cosmovisão dentro do perímetro neorrealista, decerto porque escapou desde as primeiras horas às simplificações enganadoras, que induziriam aos paradigmas ortodoxos e, por conseguinte, a localizar a obra romanesca nas vizinhanças do panfleto. De qualquer modo, dois de seus romances podem erguer-se já como definitivas conquistas desse movimento: *Casa na Duna* e *Uma Abelha na Chuva*.

# VERGÍLIO FERREIRA

Nasceu em Melo, concelho de Gouveia (Serra da Estrela), a 28 de janeiro de 1916. Formado em Filologia Clássica pela Faculdade de Letras da Universidade de Coimbra (1940), ingressou no magistério secundário oficial, e, após ensinar em Faro e Évora, transferiu-se para Lisboa. Iniciou cedo a sua carreira literária, com ensaios (*Teria Camões lido Platão?*, *Sobre o Humorismo de Eça de Queirós*), mas somente entrou a ganhar prestígio com os primeiros romances (*O caminho fica longe* e *Onde tudo foi morrendo*), prestígio esse plenamente confirmado e alargado ao receber o "Prêmio Camilo Castelo Branco" de 1959, com o romance *Aparição*. Faleceu em Lisboa, a 1º de março de 1996.

Escreveu romances: *O caminho fica longe* (1943), *Onde tudo foi morrendo* (1944), *Vagão "J"* (1946), *Mudança* (1949), *Manhã Submersa* (1955), *Aparição* (1959), *Cântico Final* (1960), *Estrela Polar* (1962), *Apelo da Noite* (1963), *Alegria Breve* (1965), *Nítido Nulo* (1971), *Rápida, a Sombra* (1975), *Signo Signal* (1979), *Para Sempre* (1983), *Até ao Fim* (1987), *Em Nome da Terra* (1990), *Na Tua Face* (1993), *Cartas a Sandra* (1996); contos: *A Face Sangrenta* (1953), *Contos* (1976); ensaios: *Do Mundo Original* (1957), *Carta ao Futuro* (1959), *Malraux* (1963), *Espaço do Invisível* (4 vols., 1965-1987), *Invocação ao Meu Corpo* (1969); diário: *Conta-Corrente* (5 vols., 1980-1987), *Conta-Corrente – Nova Série* (4 vols., 1993-1994).

Romancista e ensaísta dos mais vigorosos e genuínos dentre os revelados depois dos anos 40, as suas primeiras obras de ficção ligavam-se ao Neorrealismo, então recentemente surgido. Todavia, a adesão ao movimento já continha a independência estética e doutrinária que, aliada a uma indiscutível originalidade de invenção romanesca e de pensamento condutor, lhe caracterizou a longa trajetória de modo cada vez mais acentuado. E a razão disso provém do fato de que desde as obras iniciais se lhe evidenciava a inclinação para os problemas de ordem existencial e filosófica, a digladiar com a outra, de feição participante, neorrealista, talvez mais aceita por circunstâncias de momento que por qualquer afinidade essencial. Em *Vagão "J"*, o afeiçoamento neorrealista alcança o ponto culminante. Entretanto, o acendrado interesse pelo homem, não só como animal gregário e injustiçado, mas como um feixe de conflitos interiores, preludiava a metamorfose operada em *Mudança*.

A dualidade evidente nas obras anteriores desfaz-se em favor de um dos polos: o psicologismo que sonda as camadas profundas da "condição humana", começa a substituir o retrato duma sociedade escravizada a costumes e padrões tradicionais, estratificada em senhores, dum lado, e servos, do outro. Decidindo-se, por dentro, pela propensão mais autêntica do seu perfil de homem e de

404 • A LITERATURA PORTUGUESA

escritor vigilante, daí por diante, numa progressão ascensional até o fim, Vergílio Ferreira veio perscrutando a problemática existencial com uma acuidade verdadeiramente incomparável nos quadros das literaturas de Língua Portuguesa.

Com *Aparição,* o romancista chegaria à maturidade e ao nível de grandeza que permite situá-lo entre os primeiros, se não o primeiro ficcionista português, da segunda metade do século XX. Ao mesmo tempo, assinalava o instante em que o romancista e o ensaísta, nele, se davam as mãos pela primeira vez. A sequência apenas se interrompeu com *Apelo da Noite,* que aguardou treze anos para vir a público ("iniciado há uns treze anos, logo após *Mudança*", como declara o autor numa nota liminar à obra) e que resulta ainda do balanço procedido pelo escritor em seu passado "indeciso".

As obras seguintes (*Cântico Final, Estrela Polar, Alegria Breve, Nítido Nulo,* etc.) e os livros de ensaio manifestam de modo insofismável uma privilegiada organização romanesca e especulativa debruçada ansiosamente sobre o drama vital de nosso tempo, a diagnosticar-lhe as causas e a intuir-lhe o desenvolvimento, numa espécie de microscopia ao vivo dos problemas morais da atualidade (a "condição humana", a morte, as transcendências).

A altitude conseguida em *Aparição* manteve-se até os últimos dias, ao mesmo tempo que se operava o desenvolvimento duma pesquisa no campo da técnica romanesca, semelhante à que se verifica no romance moderno de vanguarda. Tal pesquisa confirma-se e apura-se em *Alegria Breve,* em que se fundem no próprio corpo da narrativa as preocupações ensaísticas e o pendor para as complexas estruturações ficcionais, e continuou nas obras seguintes, numa ascensão jamais interrompida.

A massa e a qualidade estética e filosófica da obra de Vergílio Ferreira, em que não raro se consorciam o ficcionista e o ensaísta, patenteiam uma consciência crítica progressivamente erguida a planos duma universalidade poucas vezes encontrável na prosa de ficção (e mesmo na ensaística) luso-brasileira do século XX.

## OUTROS PROSADORES

Outros prosadores neorrealistas houve, e não poucos, que empenharam a sua ficção na luta contra o *status quo* imperante até 1974. A maioria deles, preocupada mais com esse intuito do que com produzir obra de arte, legou obra menos resistente à corrosão do tempo. E a tendência para repetir, na visão da realidade coeva, o mesmo esquema binário das forças sociais, acabou fazendo o resto. Não obstante, colaboraram, cada qual à sua maneira e à sua medida, para a fase de efervescência vivida pela narrativa no pós-guerra.

Dentre eles, são de recordar os seguintes: Joaquim **Soeiro Pereira Gomes** (Gestaçô, Baião, 14 de abril de 1909-Lisboa, 5 de dezembro de 1949), autor de contos (*Refúgio Perdido*, 1950; *Contos Vermelhos*, s.d.) e romances (*Esteiros*, 1941; *Engrenagem*, 1951), reunidos, com esparsos e crônicas, em *Obras Completas* (1979). *Esteiros*, que se pode tomar como parceiro de *Gaibéus* na instalação da literatura neorrealista em Portugal, é protagonizado por meninos que vivem e trabalham nos esteiros, às margens do Tejo, antes de se deixarem seduzir pela vida citadina. Num estilo transparente, despojado, como se tivesse em mira ser entendido pelos próprios atores em cena, o texto flui sem maiores dramas: é uma série de quadros do dia a dia nos esteiros, com algumas notas de lirismo, sem heróis individuais, centrado na tensão dialética entre o trabalho no forno de tijolos e a fábrica grande, que lembra *Capitães de Areia*, de Jorge Amado.

*Engrenagem*, deixado inédito pelo autor, embora terminado em setembro de 1944, e ainda por corrigir, conforme advertência expressa no manuscrito, gira ao redor do mesmo esquema dialético da obra de estreia, formado pelo "camponês [...], escravo da terra" e a fábrica, sempre com a sujeição daquele à siderúrgica que o atraía com ilusões de vida nova. À semelhança dos pintores de cenas coletivas, engajados no Neorrealismo, o relato organiza-se como um painel social, obediente ao ritmo que igualmente preside os contos, tendo por centro o embate entre forças sociais antagônicas, cujo desfecho, fácil de antever, não surpreende, mesmo porque estribado na tese defendida pelo narrador.

A linguagem ganha vivacidade, ausente no tom monocórdico que predomina em *Esteiros*, como se as notas líricas fossem trocadas por um amplo leque dramático, pontilhado pelos conflitos domésticos, de ordem afetiva, notadamente os que derivam dos azares sofridos pelos pobres lavradores: rendendo-se ao canto de sereia, tornam-se operários na siderúrgica, que acaba fechada em razão da guerra de 39, mas terminam por admitir que "a culpa não é da fábrica. É de quem faz as guerras e a fome", rumando, em grupo, para a vila a defender os seus direitos, tangidos pela desgraça ("Aqui não se encontra que comer", diz um deles, mais aguerrido), a reclamar "trabalho ao administrador".

406 • A LITERATURA PORTUGUESA

As duas narrativas de Soeiro Pereira Gomes parecem capítulos sucessivos de uma obra com o mesmo tema e cenário, além das mesmas personagens, com diverso nome e em diversa idade: a linearidade do relato põe uma cronologia progressiva entre as duas partes do painel social, tendo como núcleo a dialética povo-fábrica, antes e depois da construção da siderúrgica.

O impacto da ficção de Jorge Amado ainda se pode notar na obra de **Romeu Correia** (Almada, 17 de novembro de 1917-12 de junho de 1996), autor de *Sábado Sem Sol*, contos (1947), *Trapo Azul*, romance (1948), *Calamento*, romance (1950), *Gandaia*, romance (1952), reeditado sob o título de *Tanoeiras*, 1976), etc. Quanto a **Faure da Rosa** (Nova Goa, Ex-Índia Portuguesa, 2 de junho de 1912-Lisboa, 23 de janeiro de 1985), escolheu a temática citadina em torno do trabalhador e seus dramas domésticos ligados à sobrevivência *(Retrato de Família*, 1952; *Espelho da Vida*, 1955; *De Profundis*, 1959; *Escalada*, 1961; *As Imagens Destruídas*, 1966; *O Massacre*, 1972; *Adágio*, 1974; *Nós e os Outros*, 1979; todos romances, e *A Cidade e a Planície*, 1962, livro de contos). **José Marmelo e Silva** (Paul, Serra da Estrela, 7 de maio de 1913-Espinho, 11 de outubro de 1991), autor de narrativas centradas nos problemas da adolescência: *Sedução* (1937), *O Sonho e a Aventura* (1943), *Adolescente* (1948), mais tarde refundido sob o título de *Adolescente Agrilhoado* (1958), *O Ser e o Ter* seguido de *Anquilose* (1968), sendo que *Anquilose* voltaria a ser editada isoladamente, em edição refundida e ampliada, em 1971, *Desnudez Uivante* (1983), reunidas, com um inédito *(O Cabo Elísio)*, estudos críticos e bibliografia, em *Obra Completa* (2003), edição coordenada por Maria de Fátima Marinho. **Manuel Ferreira** (Gândara dos Olivais, Leiria, 18 de julho de 1917-Linda-a-Velha, 17 de março de 1992), autor de *Grei*, contos (1944), *A Casa dos Motas*, romance (1956), *Morna*, contos (1948), *Morabeza*, contos (1958), *Hora Di Bai*, romance (1962), *Voz de Prisão*, romance (1971), interessado, desde *Morna*, nos temas cabo-verdianos, e não só em ficção como também em ensaios, antologias, etc.

**Leão Penedo** (1916-1976), autor dos romances *Caminhada* (1944) e *A Raiz e o Vento* (1954); **Alexandre Cabral** (Lisboa, 17 de outubro de 1917-1996), autor de *Malta Brava*, romance (1955), *Histórias do Zaire*, contos (1956), *Margem Norte*, romance (1961), etc.; **Mário Braga** (Coimbra, 14 de julho de 1921), autor de contos *(Serranos*, 1948; *Caminhos Sem Sol*, 1948; *Quatro Reis*, 1957), *Histórias da Vila*, 1958; *O Cerco*, 1959; etc.; **Antunes da Silva** (Évora, 31 de julho de 1921 – 21 de dezembro de 1997), autor de contos *(Gaimirra*,

1946; *Vila Adormecida*, 1948; *O Amigo das Tempestades*, 1958; *Sam Jacinto*, 1959) e romances (*Suão*, 1960; *Terra do Nosso Pão*, 1964); **Rogério de Freitas** (1910-?), autor de A *Porta Fechada* (1952), *Um Resto de Esperança* (1955), *Tempo de Angústia* (1958), *Memória Destruída* (1973); **Assis Esperança** (1892-1975), autor de *O Dilúvio*, contos (1932), *Gente de Bem*, romance (1939), *Servidão*, romance (1946), *Trinta Dinheiros*, romance (1958), *Pão Incerto*, romance (1964), *Fronteiras*, romance (1973); **Alexandre Pinheiro Torres** (1923-1999) (*A Nau de Quixibá*, 1977; *Tubarões e Peixe Miúdo*, 1986; *Espingardas e Música Clássica*, 1987; *A Quarta Invasão Francesa*, 1995), **Aleixo Ribeiro** (*Bússola Doida*, 1938), **Afonso Ribeiro** (1911-?) (*Ilusão na Morte*, 1938; *Aldeia*, 1943; *Trampolim*, 1944; *Escada de Serviço*, 1946; *Povo*, 1947; *O Pão da Vida*, 1956; *Os Comedores de Fomes*, 1983), **Tomás Ribas** (1918-?) (*Montanha Russa*, 1946; *Cais das Colunas*, 1959; *Giovanna*, 1965), **Garibaldino de Andrade** (Ponte de Sor, 1914-1970) (*Árvores no Caminho*, 1958; *As Sete Espigas de Milho*, 1959), **Joaquim Ferrer** (*Rampagodos*, 1941; *Ilha Doida*, 1945), **Armando Ventura Ferreira** (1920-1987) (*Noturno*, 1956); e tantos outros.

Encontrando na prosa de ficção o meio expressivo mais adequado ao seu engajamento estético-político, os autores neorrealistas dedicaram-se, no geral, menos à poesia, mas com o mesmo afinco. No caso de **Políbio Gomes dos Santos** (Ansião, 8 de agosto de 1911-3 de setembro de 1939) deu-se que a elaboração de poemas ocupou-lhe exclusivamente a atenção: publicou apenas um livro na sua curta vida: *As Três Pessoas* (1938). Postumamente, saiu A *voz que escuta* (1944), e *Poemas* (1981), reunião de todo o seu espólio literário.

A partir do emprego dos versos livres, distinguia-se por uma dicção original e por uma temática nova. A grande maturidade, evidente nos primeiros versos, explodiria no segundo livro, com uma força que enganaria pelo seu aparente prosaísmo, pela recusa da melopeia da tradição e do ritmo emocional, em favor do ritmo do pensamento, ainda que repassado de emoção, presente na melancolia ou no pessimismo de quem parecia antever ou desejar a morte próxima. A originalidade da dicção, já pós-pessoana, molda-se em versos livres construídos como esculturas, de forte e poética consistência. Apesar de escassos, enfeixados em duas magras plaquettes, os seus poemas exibem grande intensidade e luz própria, pondo à mostra um caso estético e humano que a morte não permitiu que evoluísse até a plenitude, quando, certamente, a sua lucidez de poeta alcançaria horizontes ainda mais amplos e profundidades maiores.

# XV

# SURREALISMO
# (1947-1974)

## PRELIMINARES

Terminada a guerra de 1939-1945, em pleno clima neorrealista começaram a formar-se grupos de dissidência ou de individualismo inapetente das fórmulas aceitas ou em voga. Na verdade, prolongavam sintomas de rebeldia e vanguardismo observados desde 1935, com Antônio Pedro e sua teoria do Dimensionismo, com laivos surrealistas, e 1940, com a pintura de Antônio Dacosta, que se beneficiava do libertarismo surrealista.

Até que, em outubro de 1947, por iniciativa de Cândido da Costa Pinto, cria-se em Lisboa o Grupo Surrealista, congraçando, além do seu idealizador, Marcelino Vespeira, Fernando Azevedo, Antônio Domingues, Alexandre O'Neill, José-Augusto França, Antônio Pedro, Moniz Barreto e Mário Cesariny de Vasconcelos. A primeira manifestação do agrupamento constituiu-se de uma homenagem a Gomes Leal por ocasião do seu centenário, intitulada *Só Gomes Leal / o Mago Lesel / o Póro da Noite,* publicada a 4 de agosto de 1948.

A eles acrescentar-se-iam no ano seguinte outras figuras interessadas no Surrealismo, mas dissidentes das diretrizes assumidas pelo Grupo: Pedro Oom, Henrique Risques Pereira e Antônio Maria Lisboa. Finalmente, em carta de 29 de setembro de 1948, Mário Cesariny de Vasconcelos desliga-se da agremiação, por julgá-la "nem grupo nem surrealista", e organiza com os três últi-

410 • A LITERATURA PORTUGUESA

mos mencionados o grupo dos Surrealistas Dissidentes. Entre 19 e 31 de janeiro do ano subsequente, o Grupo Surrealista de Lisboa faz realizar uma exposição de arte, que escandalizou o público e provocou o clima propício aos fins renovadores que objetivava.

Expuseram: Alexandre O'Neill, Antônio Dacosta, Antônio Pedro, Fernando Azevedo, João Moniz Pereira, José-Augusto França e Marcelino Vespeira. Nesse mesmo ano de 1949, a 6 de maio, os Surrealistas Dissidentes lançam a sua primeira comunicação, sob o título de *A Afixação Proibida,* apenas dada a lume em 1953. A proclamação vinha assinada por Antônio Maria Lisboa, Pedro Oom, Henrique Risques Pereira e Mário Cesariny de Vasconcelos, mas, segundo declaração do seu editor em 1953, a autoria do documento coube ao primeiro e ao último dos signatários.

Ainda são de assinalar, no ano de 1949, os seguintes acontecimentos ligados aos Surrealistas Dissidentes: a realização de uma exposição em julho, e o lançamento, em novembro, de um "Comunicado *adversus* A. Pedro e J. A. França", subscrito por Mário-Henrique Leiria, Mário Cesariny de Vasconcelos, João Artur Silva, Artur do Cruzeiro Seixas e Carlos Eurico da Costa, que circulou datilografado e mais tarde foi recolhido, com aquele título, por Petrus no vol. III de *Os Modernistas Portugueses.* E também uma polêmica em torno da questão surrealista, envolvendo os nomes de João Gaspar Simões, Alexandre O'Neill, José-Augusto França, Mário Cesariny de Vasconcelos e Pedro Oom, portanto, membros das duas facções e um crítico de formação presencista.

No ano seguinte, registra-se uma exposição dos Surrealistas Dissidentes, e em 1951 dão-se as derradeiras escaramuças entre os grupos surrealistas. Finalmente, Mário-Henrique Leiria elabora, em janeiro de 1952, trechos do *Manifesto Coletivo dos Surrealistas Dissidentes,* que se manteve inédito até a sua inclusão na série *Os Modernistas Portugueses,* compilada por Petrus; e Antônio Maria Lisboa publica *Erro Próprio,* conferência-manifesto, proferida em 30 de maio de 1950. Deste último aparece, em cópia datilografada, o *Aviso a Tempo por causa do Tempo,* espécie de profissão de fé escrita a 4 meses da sua morte, ocorrida em novembro de 1953, e que encerra a fase polêmica e agremiativa do Surrealismo.

Na década de 60, em meio às propostas apresentadas pela "poesia 61" e pela "poesia experimental" e o surgimento de uma nova geração de neorrealistas, o movimento surrealista voltaria a chamar a atenção sobre si, graças a três empreendimentos editoriais de Mário Cesariny de Vasconcelos, a *Antologia do Cadáver Esquisito* (1961), *Surreal/Abjeccionismo* (1963), coletânea enfeixando obras de vários adeptos, antigos e novos, do movimento, e A *Intervenção Surrealista* (1966), recolha de documentos referentes às teses preconizadas.

Por fim, "mais importante e ativo [...] foi o aparecimento de um renovado Surrealismo/Abjeccionismo caracteristicamente de Lisboa, na Antologia *Grifo,* em 1970, procurando e atingindo uma ação social e política de verdadeiro *underground*" (Melo e Castro 1973: 35). Tais iniciativas, denotando o contorno histórico então assumido pelo Surrealismo, não significavam a reaglutinação de seus membros, dispersos, aliás, em consonância com os postulados estéticos que defendiam, desde meados dos anos 50.

E quais postulados eram? Na esteira de Breton, um dos fundadores do Surrealismo (*Manifestos do Surrealismo,* 1924, 1930), entendiam que a Arte deveria buscar a expressão do que paira *além* da realidade, *acima* da realidade, evidente no prefixo francês *sur.* Em repúdio ao Neorrealismo, propunham uma visão do mundo que recolocasse o "eu profundo" do artista em lugar das questões sociais; que desvelasse o caos cósmico, as verdades oníricas e fantásticas, os arcanos secretos do inconsciente individual, que a Psicanálise vinha perscrutando desde as primeiras sondagens de Freud nos mistérios da mente. Em suma,

> "automatismo psíquico puro, através do qual se procura expressar, tanto verbalmente como por escrito, ou de qualquer outro modo, o funcionamento real do pensamento. Ditado do pensamento, com exclusão de todo o controle exercido pela razão e à margem de qualquer preocupação estética ou moral. [. . .] O Surrealismo repousa sobre a crença na realidade superior de certas formas de associação que haviam sido subestimadas, na onipotência do sonho, na atividade desinteressada do pensamento. Tende a provocar a ruína definitiva de todos os outros mecanismos psíquicos, e a suplantá-los na solução dos principais problemas da vida" (Breton 1988: 328).

Quanto ao abjeccionismo, substituto ou metamorfose portuguesa do Surrealismo, define-se, de acordo com Pedro Oom, um dos participantes do grupo que se reunia no Café Gelo, nos seguintes termos:

> "é, antes de tudo, uma atitude concebida para a sobrevivência do indivíduo sem lhe coartar a livre floração da personalidade [...]; também se acredita numa Reali-

412 • A LITERATURA PORTUGUESA

dade Absoluta e o seu fim é o mesmo do surrealismo: a transformação dos valores básicos da sociedade 'moderna', dita civilizada, através da transformação moral e espiritual do indivíduo isolado, isto é, considerado isoladamente como um todo e não como peça da coletividade, pois os homens não trabalham e sofrem com o pensamento na coletividade, mas somente para a felicidade própria. [...] A diferença fundamental entre surrealismo e abjeccionismo está no seguinte: nós também acreditamos na existência de um determinado ponto do espírito onde a vida e a morte, o alto e o baixo, o sonho e a vigília, etc., deixam de ser contraditoriamente apercebidos, mas cremos igualmente na existência de um outro ponto do espírito onde, simultaneamente à resolução das antinomias se toma consciência das forças em germe que irão criar novos antagonismos" (Pedro Oom, in Vasconcelos 1966: 290-91).

Não obstante a história do Surrealismo português durasse escassos anos, o movimento exerceu profunda influência, até hoje visível, não só pela ebulição crítica que estimulou e de que se prevaleceu, mas também pelos caminhos estéticos que abriu. E dos vários participantes do movimento surrealista português, destacam-se os nomes de Antônio Pedro, Mário Cesariny de Vasconcelos, Antônio Maria Lisboa e Alexandre O'Neill.

## ANTÔNIO PEDRO

Antônio Pedro da Costa nasceu em Cabo Verde, a 9 de dezembro de 1909, e faleceu a 17 de agosto de 1966, no Minho. Estudou Direito e Histórico-Filosóficas em Lisboa. Esteve, às vezes por longas temporadas, em África, Rio de Janeiro, Paris, Londres. Na capital francesa, juntamente com mais vinte e cinco figuras do mundo literário e das artes, como Vicente Huidobro, Joan Miró, Kandinsky, Delaunay, Calder, Hans Arp, assina, em 1935, o "Manifesto Dimensionista", inspirado no Cubismo, no Futurismo e nas noções de espaço-tempo difundidas por Einstein. No ano seguinte, divulgará um "Manifesto-Resumo do Dimensionismo", em que advoga a velha fusão entre a poesia e a pintura:

"A poesia precisa cada vez menos de palavras. A pintura precisa cada vez mais de poesia. Ao encontrarem-se as duas no mesmo caminho nasceu uma nova arte – chama-se poesia dimensional. Ficarão além dela a pintura e a poesia tal como nasceram: uma para os muros e por inteiro, outra, e por inteiro, para a boca das cantadeiras da rua" (Petrus, vol. III: 58).

Em 1942, frequenta o grupo surrealista inglês, tornando-se, ao regressar à pátria, pioneiro do Surrealismo e um dos fundadores do Grupo Surrealista de Lisboa, em 1947.

Consagrou-se ao teatro, à pintura, à poesia, à narrativa e ao ensaio. Na poesia, praticou ao início um lirismo com acentos simbolistas e saudosistas, além de inspirado no Orfismo de Pessoa e Mário de Sá-Carneiro: *Ledo Encanto* (1927), *Distância* (1928), *Devagar* (1929), *Máquina de Vidro* (1931), reunidos, com inéditos, em *Primeiro Volume. Canções e Outros Poemas* (1936); *Diário* (1929), *A Cidade* (1932), *Casa de Campo* (1938), *Onze Poemas Líricos de Exaltação e o Folhetim* (1938). Transitou a seguir para o Surrealismo de *Protopoema da Serra d'Arga* (1948), em que o refinamento da fase anterior se casa com uma irreverência que corresponde ao avesso de uma sensibilidade apurada e vigilante.

Na esfera da prosa ficcional também deixou evidência desse binômio, com *Apenas uma Narrativa* (1942), uma das mais relevantes obras surrealistas em Portugal, "que se afasta totalmente das formas tradicionais de contar, para estar totalmente de acordo com as concepções bretonianas do romance" (Maria de Fátima Marinho). Deixou as seguintes peças teatrais – *Desimaginação* (1937), *Teatro* (1947), *Andam ladrões cá em casa* (1950) – que foram reunidas, juntamente com *Reginaldo Coral, Antígona* e *O Lorpa* ( 1956), sob a coordenação de Antônio Brás de Oliveira e com prefácio de Luiz Francisco Rebello, em *Teatro* (1981).

# MÁRIO CESARINY DE VASCONCELOS

Nasceu em Lisboa, a 9 de agosto de 1923, e faleceu na mesma cidade, a 26 de novembro de 2006. Estudou música e artes plásticas. Tomou parte no Grupo Surrealista de Lisboa (1947) e chefiou o grupo dos Surrealistas Dissidentes. Dedicou-se ao jornalismo. A sua obra espraia-se pelas obras plásticas, teatro, prosa de ficção e ensaio, mas é a poesia que lhe granjeou lugar especial nos quadros do Surrealismo, graças à numerosa e densa produção nessa área: *Corpo Visível* (1950), *Discurso sobre a Reabilitação do Real Cotidiano* (1952),

# 414 • A LITERATURA PORTUGUESA

*Louvor e Simplificação de Álvaro de Campos* (1953), *A Afixação Proibida* (1953), *Manual de Prestidigitação* (1956), *Pena Capital* (1957), *Alguns Mitos Maiores Alguns Mitos Menores Propostos à Circulação pelo Autor* (1958), *Nobilíssima Visão* (1959), *Poesia* (1961, reúne vários dos livros anteriores), *Planisfério e Outros Poemas* (1961), *19 Projetos de Aldonso Ortigão seguidos de Poemas de Londres* (1971), *Burlescas. Teóricas e Sentimentais* (1972), *Titânia e a Casa Queimada* (1977), *Primavera Autônoma das Estradas* (1980). Ainda publicou *As Mãos na Água / a Cabeça no Mar* (1985), reunião de ensaios e artigos. *Titânia* é um texto narrativo, não propriamente um romance, no qual, "seguindo de perto as doutrinas bretonianas, Cesariny constrói um universo onde o insólito, o disperso, o maravilhoso e a ironia andam de mãos dadas" (Maria de Fátima Marinho 1987).

Se não o mais ortodoxo dos surrealistas portugueses, Mário Cesariny de Vasconcelos foi o mais persistente de todos: quando os grupos se desfizeram, permitindo que cada um seguisse o rumo apetecido, permaneceu fiel às suas ideias e intuições. E quando, com o tempo, se processou natural mutação na obra dos surrealistas da primeira hora, manteve-se convicto.

Passados anos, ergue-se como o grande remanescente do movimento, a ponto de não se poder falar em Surrealismo em Portugal sem o mencionar, e vice-versa. Assim, apesar de haver sentido, em 1944, o impacto provocado pelo Neorrealismo, não só fez a sátira desse movimento em "Nicolau Cansado Escritor", atacando "o romantismo idealista, 'pré-hegeliano' dos poetas do *Novo Cancioneiro*", como acabou por levar a efeito uma criação poética autenticamente surrealista, e da melhor que se produziu no espaço cultural português. Marca-a uma dialética tensa e dinâmica entre o real e o imaginário, entre o concreto e o mágico: vergado sobre o real cotidiano, Mário Cesariny transfunde-o à custa duma fantasia próxima da alucinação.

De forma tal que a realidade se desfigura, se desmembra, num caos que apenas não se totaliza graças ao lirismo comovido que atravessa o percurso descrito entre o mundo e a imaginação. Não poucas vezes, a comoção diante do real, sempre reinventado ou redescoberto, condensa-se em frases emblemáticas de superior efeito transfigurador. E o resultado, tirante certa propensão para o ludo verbal inconsequente, o humor, o culto do absurdo, o nonsense propriamente surrealista, fruto duma especial habilidade no manejo da linguagem recriadora do mundo, é frequentemente de alto nível:

"Ruas onde o perigo é evidente
braços verdes de práticas ocultas
duendes
barcos de silêncio que atravancam
cadáveres à tona de água"

# ANTÔNIO MARIA LISBOA

Nasceu em Lisboa, a 19 de agosto de 1928. Após breve passagem por uma escola industrial, dedicou-se à Arte e à Filosofia. Em 1949, viajou para Paris, onde se iniciou no Ocultismo. De regresso, participou dos Surrealistas Dissidentes, e em 1950 revisitou Paris, já doente da tuberculose que o vitimaria a 11 de novembro de 1953, em Lisboa. Poeta, ainda quando vazava em prosa os seus "delírios", deixou as seguintes obras: *A Afixação Proibida* (1953), manifesto surrealista que escreveu em colaboração com Mário Cesariny de Vasconcelos, Henrique Risques Pereira e Pedro Oom, *A Verticalidade e a Chave*, prosa doutrinária (1956), *Aviso a Tempo por causa do Tempo*, prosa doutrinária (1959), *Erro Próprio*, prosa doutrinária (1951), *Exercício sobre o Sonho e a Vigília de Alfred Jarry seguido de O Senhor Cágado e o Menino*, prosa doutrinária (1958), *Ossóptico*, poesia (1952), *Poesia* (antologia, 1962), *Poesia de...* (ed. de Mário Cesariny de Vasconcelos, 1977, 1995).

Com flama de gênio, espécie de Rimbaud lusíada, Antônio Maria Lisboa visiona a realidade como numa "viagem ao inferno", em que a palavra, alquimia verbal incandescente, busca ansiosa e incompletamente apreender o paraalém e as associações que um cérebro enfebrecido e uma imaginação paroxística desvendam num ritmo acelerado e sem fim. Vertigem, ultrapassamento do mundo físico, fusão candente das realidades vistas e sonhadas, intercâmbio entre as várias notações de tempo e espaço, visão simbólica, épica e ocultista do mundo, tudo expresso numa linguagem torrencial, vulcânica, – eis em síntese o universo poético de Antônio Maria Lisboa, cuja larga e polifacetada dimensão tem sido ascendentemente reconhecida com o passar dos anos.

Deixando apenas um breve livro de poesia, mais tarde enriquecido de outros poemas, a obra de Antônio Maria Lisboa é, como bem observa Cesariny, "escassa mas nem por isso menos fulgurante". A sua poesia timbra pela desconexão, que lembra o "cadáver esquisito" em voga no Surrealismo, como se fruto de vários "eus" (heterônimos?) que a um só tempo captassem a mesma realidade e elaborassem o mesmo poema. A lógica tradicional cede lugar a uma lógica outra, informada pelo hermético, pelo oculto, pelo esotérico, no encalço da alquimia poética, sustentada na lógica do inconsciente, que resultasse de múltipla força perceptiva, capaz de detectar os ângulos difusos, antagônicos ou autônomos, da realidade.

O plano surreal mostra-se mais no multifacetado "EU abismo" que no mundo empírico. De onde "a construção dos poemas" ser verdadeiramente "A CONS / TRU / ÇÃO DOS / POEMAS", vale dizer, um desmembramento que culmina em destruição: "destruir é *realizar-se* outro objeto ou noutro mas nunca construí-lo": jogo poético, de que o "cadáver esquisito" é o resultado natural, o poema constitui uma aventura do *ego* a errar dentro dos seus limites, dando vazão à linguagem automática preconizada pelo Surrealismo, na qual o mundo empírico se reflete e ganha forma. Vejam-se os seguintes versos de "Poema do Começo":

> "Eu num barco a remos a atravessar a janela
> da pirâmide com um copo esguio e azul coberto de escamas"

A prosa doutrinal de Antônio Maria Lisboa gira em torno dos mesmos princípios ou das mesmas convicções, assumindo, por isso, especial relevo no cenário do surrealismo português. Apesar de rebelar-se contra as ideias de Breton, os seus textos teóricos recolhem, substancialmente, a doutrina que os manifestos surrealistas difundiam. Todavia, procurou ir mais adiante, acrescentando-lhe aspectos inspirados num fundo imemorial de hermetismo, de ocultismo, de esoterismo, de magia, visando a uma "metaciência" que tudo explicasse e tudo incentivasse: "a *chave iniciática* [...] é o Automatismo".

# ALEXANDRE O'NEILL

Nasceu em Lisboa, a 19 de dezembro de 1924, e faleceu na mesma cidade, a 21 de agosto de 1986. Participou ativamente na instalação do Surrealismo em Portugal, ocorrida em torno de 1947, num engajamento que logo se manifestou por meio da publicação de *A Ampola Miraculosa* (1948), segundo o novo figurino. Outras obras viriam a público – *Tempo de Fantasmas* (1951), *No Reino da Dinamarca* (1958), *Abandono Vigiado* (1960), *Poemas com Endereço* (1962), *Feira Cabisbaixa* (1965), *De Ombro na Ombreira* (1969), *Entre a Cortina e a Vidraça* (1972), *A Saca de Orelhas* (1979), *As Horas já de Números Vestidas* (1981) – reunidas, com *O Princípio de Utopia, O Princípio de Realidade,* etc. e dispersos (1986), mais de uma vez, entre 1982 e 2000, nas *Poesias Completas.* E ainda *Anos 70 – Poemas Dispersos* (2005) .

*A Ampola Miraculosa* continha um "romance", como dizia o subtítulo (ulteriormente mudado para "poema gráfico"), de 12 páginas, feito de "imagens disparatadas recolhidas de velhos almanaques" (José-Augusto França), acompanhadas de legendas, uma espécie de narrativa composta de colagens, à maneira do que fizera Max Ernst em *A Mulher 100 Cabeças* (1929) e *Uma Semana de Bondade* (1934). O tom de *blague* acabou ocultando a experiência de arte que aí se desenvolvia, embora funcionasse como exemplo acabado do que pretendia o ideário surrealista. Cedo, porém, O'Neill entrou em conflito com o grupo de que fazia parte, resultando na sua dissidência, com a publicação de *Tempo de Fantasmas*, que abria com um "Pequeno Aviso do Autor ao Leitor", em que declarava o seu desejo de "se libertar" da "aventura surrealista".

Abraça, a seguir, o Neorrealismo, mas os volumes restantes da sua obra poética denunciarão em mais de um momento a persistência dos padrões estéticos e linguísticos da arte surrealista. O humor, colateral da linguagem automática de extração psicanalítica, já patente no poema-colagem de 1948, estará presente ao longo da sua carreira. Humor por vezes ácido, pondo à mostra "o poder de provocação", aponta para um realismo irônico, satírico, na linha de certos poetas do século XVIII, como Nicolau Tolentino, ou para Cesário Verde, "quando o sórdido dá as mãos ao sublime". Tal filiação deixa entrever o cerne da personalidade do autor: uma sensibilidade e uma inteligência crítica, afinadas com o núcleo conceptual do Surrealismo.

Alexandre O'Neill induz-nos a pensar que teria sido surrealista ainda que André Breton e seguidores, caminhando nas pegadas do Dadaísmo, não houvessem tomado a frente da vanguarda literária. E a razão está em que tal inclinação para o humor, para a ironia, casava-se melhor com os princípios surrealistas do que com os neorrealistas. Impelido por seu caráter inconformista, decerto buscaria no Surrealismo um clima em que a matriz do seu modo de ser encon-

418 • A LITERATURA PORTUGUESA

trasse condições ideais. Daí não ter alcançado resposta positiva às suas aspirações após a dissidência: a adesão às teses neorrealistas não foi completa nem absoluta, uma vez que teimavam em persistir fortes vestígios surrealistas, pois representavam uma tendência mais funda do que pedia uma corrente literária.

Acrescente-se o domínio de um estilo puxado à concisão epigramática, e infenso à eloquência derramada, para que o quadro da sua originalidade fique completo. Servem de exemplo as denominadas "Três Prosas em Prosa", cujo título irônico visa a ferir de morte o velho poema em prosa, emprestando-lhe outra roupagem, na qual se inclui o conteúdo, surrealista, das três composições. É de notar que pertencem a *Poemas com Endereço*, de 1962, bem como "Presságio", que se transcreve a seguir:

> "A caminho dum olho (por sinal bem bonito!)
> aguça-se um estilhaço de contente,
> como um dente que vê um manjar 'esquisito'...
> Leva anos, ainda, a assassina viagem:
> o estilhaço, por enquanto, é só um mito,
> e, plácido, o olho deixa entrar a paisagem..."

## OUTROS POETAS E PROSADORES

A estética surrealista atraiu, de vários modos, outros escritores, como **Natália Correia,** nascida a 13 de setembro de 1923, na ilha de São Miguel (Açores), e falecida a 16 de março de 1993, em Lisboa. Deixou, além de ensaios e antologias, obras poéticas: *Rio de Nuvens* (1947), *Poemas* (1955), *Dimensão Encontrada* (1957), *Passaporte* (1958), *Comunicação* (1959), *Cântico do País Emerso* (1961), *O Vinho e a Lira* (1967), *Mátria* (1969), *As Maçãs de Orestes* (1970), *A Mosca Iluminada* (1972), *O Anjo do Ocidente à Entrada do Ferro* (1973), *Poemas a Rebate* (1975), *Epístola aos Iamitas* (1976), *O Dilúvio e a Pomba* (1979), *O Armistício* (1985), *Sonetos Românticos* (1990), reunidos, com inéditos e um prefácio da autora, em *Obra Poética: O Sol nas Noites e o Luar nos Dias* (1999), *Antologia Poética*, com prefácio de Fernando Pinto do Amaral (2002); romances: *Anoiteceu no Bairro* (1946), *A Madona* (1968), *As Núpcias* (1990); contos: *A Ilha de Circe* (1983); peças de teatro: *Sucubrina ou A Teoria do Chapéu* (1952),

SURREALISMO • 419

de parceria com Manuel de Lima, *O Progresso de Édipo* (1957), *O Encoberto* (1969), *Erros Meus, Má Fortuna, Amor Ardente* (1981), *A Pécora* (1983).

Após breve fase de lirismo tradicional, a poesia de Natália Correia ingressa na modernidade, que remonta a *Orpheu,* e deriva para o Surrealismo, ambiente em que desenvolverá daí por diante a sua trajetória poética. Neste particular, o título *Dimensão Encontrada* é verdadeiramente emblemático: indica o encontro, "por instinto", do seu destino estético, um instinto visceral que se define como "uma vocação poderosamente dionisíaca" (Fernando Pinto do Amaral), que norteará, ainda quando latente, a sua visão da realidade – "Essa lua na algibeira, / É o vinho de Corinto /Que me dá a bebedeira / Da gaivota que me sinto"; "Vou ao cinema de braço dado com um ectoplasma"; "Num dia demasiadamente raivoso para caber no Zodíaco nasci a metade de um endecassílabo quebrado em dois" – denunciando a posse de uma "humanidade poética anarquista", mesclada à consciência de estar habituada a "práticas de uma magia maior e estranha a que ela dava o nome de Poesia", em verso e prosa.

Com a *Carta aos Iamitas*, entra na quadra final da sua carreira, ao focalizar a revolução de 1974 dum ângulo nem surrealista, nem neorrealista, – testemunhal: "de alma inteira a acusar a história de nos ter escondido que todas as revoluções foram até hoje desnaturados exercícios da Verdadeira". Daí por diante tentará, em versos redondilhos, o andamento próprio do romanceiro, voltará os olhos para a Idade Média, compondo "cantigas de risadilha", sátira política, até o momento em que assina *O Armistício*, testemunho de que a longa batalha chegara ao fim, graças ao descortino do "caminho do Espírito" que leva aos deuses gregos, e revisita a sátira política ("Cancioneiro Joco-Marcelino"), antes de render-se inteiramente à essência da sua cosmovisão ("Eu sou romântica"), nos *Sonetos Românticos*, última das obras poéticas, e ápice de um lirismo com marcas próprias, vibrante de sinceridade e coragem:

"Uma dor fina que o peito me atravessa,
A escuridão que envolve o pensamento,
Um não ter para onde ir cheio de pressa,
Um correr para o nada em passo lento.

Um angustiante urgir que não começa,
Um vazio a boiar no alheamento,

# 420 • A LITERATURA PORTUGUESA

Uma trôpega ideia que tropeça
No vácuo de um estranho abatimento.

É tédio? É depressão? Talvez loucura?
É, para além de mim, passagem escura?
Um ir por ir que não tem outro lado?

É, sem máscaras, a esperança enfim deposta,
Ou no extremo da verdade exposta
A ironia feroz de um deus calado?"

Quanto à prosa de ficção, passa-se "entre o riso e a paixão", ou entre a comédia e a tragédia: o clima tragicômico, ainda impulsionado pela energia surrealista, tende a perder coesão, uma vez que o enredo, mesmo sendo conciso (como em *A Ilha de Circe*), alarga o tecido dramático e suscita o riso que amortece a coloração trágica.

Quanto a **Manuel de Lima** (1918-1976), é autor de *Um Homem de Barbas,* romance-*divertissement,* com prefácio de Almada-Negreiros (1944), *Malaquias ou A História de um Homem Barbaramente Agredido,* romance, com prefácio de Antônio Maria Lisboa (1953), *A pata do pássaro desenhou uma nova paisagem,* romance (1972), *O Clube dos Antropófagos,* teatro (1965; reeditado, com um "Interfácio", em 1973, juntamente com uma versão em prosa), obras nas quais, "servindo-se do realismo para desfazer o próprio realismo, acaba por nos introduzir sem peias no mundo da ficção" (Almada-Negreiros), sendo que *Malaquias* "não é uma história de que somos espectadores, mas um sonho que o autor tem que nós e Malaquias vivemos" (Antônio Maria Lisboa). O humor negro posto na visão da realidade, a repercutir porventura o Almada-Negreiros de *Nome de Guerra* (1935), acaba convergindo para o absurdo, o *nonsense,* em voga naqueles anos, cujo avesso encerra uma sátira alegórica, impiedosa, contra o quadro histórico reinante, tornando as personagens e as situações focalizadas símbolos ou representações de pessoas e círculos socialmente identificáveis.

**Virgílio Martinho** (Lisboa 1928-4 de dezembro de 1994), autor de *Festa Pública,* narrativa (1958), *Orlando em Tríptico e Aventuras,* contos (1961), de cunho fantástico e poético, de acordo com as prescrições surrealistas, enveredaria no rumo do Neorrealismo, devotando-se a uma escrita de "intervenção e denúncia", a partir de *O Grande Cidadão,* romance (1963), *Filopópolus,* teatro

(1973), *Relógio de Cuco,* memórias (1973), *A Caça,* romance (1974), *O Concerto das Buzinas,* narrativa (1976), *O Herói Chegado da Guerra e Outros Textos em Teatro* (1981); **Mário-Henrique Leiria** (Lisboa, 2 de janeiro de 1923-Cascais, 9 de janeiro de 1980), além de poemas dispersos ou inéditos, é autor de *Pas Pour les Parents* (1951), um "romance", inédito, à maneira de *A Ampola Miraculosa,* de Alexandre O'Neill, *Contos do Gin-Tonic* (1973), *Imagem Devolvida* (1974), *Novos Contos do Gin-Tonic* (1978), nos quais é constante o humor, "chegando, por vezes, a atingir o famoso humor negro surrealista" (Maria de Fátima Marinho); **José Viale Moutinho** (Funchal, 1945), autor de contos (*No País das Lágrimas,* 1972; *Jogo Sério,* 1974; *Cabeça de Porco,* 1976; *Apenas uma Estátua Equestre na Praça da Liberdade,* 1977; *Romanceiro da Terra Morta,* 1988; *Arqueologia da Terra Prometida,* 1989; *Pavana para Isabella de França,* 1992; *Cenas da Vida de um Minotauro,* 2003) e de poesia (*Atento como um Lobo,* 1975; *Crônica do Cerco,* 1978; *Os Laços,* 1979; *Correm turvas as águas deste rio,* 1982; *Sombra de Cavaleiro Andante,* 1975-2002), derivou das incursões surrealistas, ao começo, para o enfoque neorrealista, tendo a revolução de 25 de abril como epicentro; **Luiz Pacheco** (Lisboa, 7 de maio de 1925), autor de *Crítica de Circunstância* (1966), *Exercícios de Estilo* (1971), *Literatura Comestível* (1972), *Textos Malditos* (1977), *Textos de Guerrilha* (1979), *Textos de Barro* (1984), em que ocasionalmente utilizou instrumentos verbais postos em moda com o Surrealismo, embora tenha editado vários autores dessa corrente literária.

À semelhança de Mário Cesariny de Vasconcelos, outros surrealistas também cultivaram as artes plásticas e a poesia: **Artur do Cruzeiro Seixas** (1921) ganhou mais prestígio como pintor, em razão de concentrar-se nas artes plásticas e, porventura, de a grande massa de seus poemas ter ficado esparsa ou inédita até o aparecimento integral, graças a Isabel Meyrelles, que a reuniu na *Obra Poética,* cujo primeiro volume, de 2002, seria acompanhado de outros três nos anos subsequentes, na linha das tendências surrealistas.

Inédita na maior parte ficou a poesia de **Henrique Risques Pereira** (1930). Graças ao empenho de Perfecto E. Cuadrado, foi coletada em *Transparência do Tempo* (2003), que abre com o seu poema justamente mais conhecido, "Um gato partiu à aventura", uma espécie de arte poética impulsionada pela "abstração hipnótica do rosa íris" e a "harmoniosa vibração azul", de acordo com a vertente inaugurada por André Breton, ao passo que as restantes composições nem sempre se valem de procedimentos surrealistas.

422 • A LITERATURA PORTUGUESA

Por seu turno, **Antônio José Forte** (1931-1988) aderiu ao surrealismo abjeccionista, numa série de coletâneas (*40 Noites de Insônia de Fogo de Dentes Numa Girândola Implacável e Outros Poemas*, 1958; *Uma Faca nos Dentes*, 1983; *Azuliante*, 1984; *Dia a Dia Amante*, 1986; *Caligrafia Ardente*, 1987), reunidas, com um conjunto de poemas vindos a público postumamente (*Desobediência Civil*, 1989), e mais inéditos ou dispersos, em prosa e verso, com prefácio de Herberto Helder, em *Uma Faca nos Dentes* (2003).

Em vez de praticar o humor, que seria o resultado mais imediato da linguagem automática que dá forma aos conteúdos do inconsciente, a sua poesia move-se no circuito do pessimismo, do negativismo, alimentada que é pela "cabeça em fúria do poeta", pela antevisão da morte, a cólera, a revolta, em suma, a "desobediência civil". Pertencente ao grupo do Café Gelo, "um grupo iconoclasta e libertário", Antônio José Forte representa a faceta engajada do surrealismo, que arrasta ao anarquismo, à "rebeldia contra todos os poderes", guiado pela ideia de que "o Poeta [é] o insurrecto por excelência", numa fúria eruptiva que, parecendo ser dadaísta, chega por vezes a expulsar o surrealismo do seu horizonte. O poema "Libertação", de caráter apocalíptico, infernal, é bem o retrato dessa insurreição contra tudo e todos, condenados a descerem cada vez mais, "até chegar à orla do inferno chorarem as últimas lágrimas / e partirem de vez".

Diverso é o panorama oferecido pela poesia de **Fernando Alves dos Santos** (1928-1992): além de *Diário Flagrante. Poemas* (1954) e *Textos Poéticos* (1957), deixou inédita outra coletânea de poemas (*De Palavra a Palavra*), as três enfeixadas, juntamente com demais composições esparsas ou inéditas, em *Diário Flagrante* (2005), com prefácio e edição de Perfecto E. Cuadrado. Como se voltasse, involuntariamente, às fontes (românticas) do Surrealismo, a sua poesia gravita em torno do tema do amor:

"Obrigado meu amor, obrigado
Pelo medo da tua morte,
pela paisagem rara de humanidade,
pelos longínquos sopros do silêncio: – OBRIGADO";
"e beijar na própria epiderme
a nossa lucidez amatória do universo";
"Que a estranha melancolia branca do sol ponha entre as mãos um momento de oiro que eu não quero uma vida inventada sem amor".

E dum certo narcisismo, visível no emprego frequente da primeira pessoa:

"Espreito pela esquina e venero-me porque ainda posso desejar";
"Mais rei / acompanho a minha antiguidade";
"Desespero-me e desolo-me neste vago orgulho taciturno"

Daí uma espécie de surrealismo moderado, na medida em que a metaforização por vezes escapa ao hermetismo e às imprevistas aproximações verbais, como a sinalizar o domínio parcial do inconsciente na enunciação dos versos ou a cerrada vigilância do consciente sobre a linguagem automática. Casos há em que parece ultrapassar as barreiras surrealistas, como em "Três Poemas Numa Noite Serena" ou "Dois Poemas da Tranquilidade", de modo a dar vazão a um lirismo amoroso intemporal e sem compromisso com a poética surrealista. Não poucos dos poemas inéditos enquadram-se nessa categoria, em razão de o poeta decerto suspeitar que, embora de boa qualidade, fogem ao padrão surrealista, pois carecem da "epifania das imagens", que costuma prenunciar a irrupção da lava inconsciente.

**Isabel Meyrelles** (Maria Isabel Sobral Meireles) (1929) manifestou desde o início preferência pela poesia: estreou com *Em Voz Baixa* (1951), a que se seguiram *Palavras Noturnas* (1954) e *O Rosto Deserto* (1966), este, escrito em francês e traduzido para o vernáculo por Natália Correia, *Le Livre du Tigre* (1976), traduzido para o vernáculo pela autora, todos recopilados por Perfecto E. Cuadrado, juntamente com um volume inédito, *Le Messager des Rêves* (O Mensageiro dos Sonhos), traduzido para o idioma por Vítor Castro, em *Poesia* (2004).

Tendo como núcleo o tema do amor, os volumes iniciais exibem escassos estilemas surrealistas. Com a obra de 1976, a modulação surrealista, notadamente no plano das imagens e das metáforas, começa a avultar. Persiste, no entanto, a obediência às regras da gramática padrão, inclusive no emprego dos sinais de pontuação, sem qualquer indício da linguagem automática posta em moda desde Breton, a exemplo dos seguintes versos da obra inédita:

"O signo cisne
é um cavalo a galope
montado por um minúsculo cavaleiro em chamas
nascido do sonho febril da fênix"

424 • A LITERATURA PORTUGUESA

Convém observar que **Marcelino Vespeira**, também engolfado na sua obra pictórica, deixou apenas alguns poemas de inflexão surrealista, mas que traem um visualismo de pintor: "Unhas / moles e sujas / sulcam / paredes e camas / e a boca dos outros".

Pertencente aos primeiros tempos do Surrealismo, **Pedro Oom** (Santarém, 24 de junho de 1926-Lisboa, 26 de abril de 1974) deixou obra esparsa, reunida postumamente em *Actuação Escrita* (1980), mas a sua nomeada deve-se acima de tudo ao conceito de Abjeccionismo, assunto de um manifesto redigido em 1949, que infelizmente se extraviou. Em situação análoga encontra-se **Carlos Eurico da Costa** (Viana do Castelo, 1928), que se distingue "mais pela sua participação no plano teórico do que pela produção poética" (Maria de Fátima Marinho), enfeixada em *Sete Poemas da Solenidade e um Réquiem* (1952), e pelo fato de abraçar, nos livros seguintes (*Aventuras da Razão*, 1965; *A Fulminada Imagem*, 1968), o ideário neorrealista. Ainda são de mencionar: **Eduardo Valente da Fonseca** (1927?-2003), que participou da antologia *Grifo* (1970) com oito breves narrativas e publicou os seguintes livros: *A Cidade e os Homens e Outros Poemas* (1956), *Os Poemas* (1956), *Tempo dos Manequins*, poesia (1957), *Mitologia do Nosso Quotidiano*, poesia (1959), *Os Criptogâmicos,* prosa (1973), *Os Casos do 14*, poesia (1996), *O Horóscopo de Delfos*, narrativa (1998), *71 Poemas* (2001); e **Fernando Lemos** (Lisboa, 1926), que cultivou a poesia (*Teclado Universal,* 1953) e a pintura de feição surrealista. Dentre tantos outros filiados ao Surrealismo, ou que lhe devem instrumentos de percepção e de ordem expressiva, sobressaem Jorge de Sena, Ruben A., Herberto Helder, circunstanciados noutro lugar.

# XVI

## TENDÊNCIAS CONTEMPORÂNEAS – I
## (1950-1970)

### PRELIMINARES

No exame da Literatura Portuguesa das últimas décadas, resta circunstanciar a atividade de outros escritores que, ainda quando não filiados ortodoxamente a grupo nenhum, se deixaram contagiar pelas tendências em voga, como o Neorrealismo, o Surrealismo ou as linhas de vanguarda dos anos 60, ou pelo clima posterior à revolução de 1974, que deu fim ao longo regime salazarista. Mas como falta a perspectiva histórica necessária à interpretação serena dos fatos, é óbvio que o presente capítulo equivale a uma arrumação provisória de valores e tendências. Em três áreas pode-se dividir o estudo panorâmico da atividade literária portuguesa desde meados do século XX até os anos mais recentes: a poesia, a prosa de ficção e o teatro.

### POESIA

Encetando pela poesia, importa salientar um notável movimento de revistas, em torno das quais se congregaram algumas das vozes líricas mais ressoantes daqueles últimos anos. A primeira delas, espécie de precursora, ou ponte de ligação entre a *Presença* e a modernidade inaugurada nos anos de pós-guerra

426 • A LITERATURA PORTUGUESA

de 39, é *Cadernos de Poesia,* que circulou entre 1940 e 1942, sob o comando de Tomaz Kim, José Blanc de Portugal e Ruy Cinatti. Conduzidos pelo lema "A poesia é só uma!", que se tornaria a base, ainda que informulada, de muito do lirismo produzido nos anos subsequentes, preconizavam um certo ecletismo, ao propor a revista como órgão em que se arquivasse "a atividade da poesia atual sem dependência de escolas ou grupos literários, estéticas ou doutrinas, fórmulas ou programas". Com o tempo, acentuariam que o lema "a poesia é só uma" significava pura e simplesmente que "afinal não há outra". E deixavam à mostra o vínculo com a revolução operada com o grupo de *Orpheu,* notadamente Fernando Pessoa, cuja obra começava a ser mais conhecida.

Transcorrido um silêncio de oito anos, em 1950 inicia-se uma fase em que circulam numerosos periódicos destinados a divulgar e a defender a poesia. Naquele ano, surgem três revistas, duas das quais, *Momento* e *Cítara,* de efêmera duração. A outra, *Távola Redonda,* vingando até 1954, propunha-se a uma "revalorização do lirismo como primeiro estádio da criação poética". Dirigiram-na e nela colaboraram: David Mourão-Ferreira, Antônio Manuel Couto Viana, Luís de Macedo, Antônio Vaz Pereira, Fernanda Botelho, Fernando de Paços e outros.

Nos anos seguintes, outros órgãos surgiram, animados do mesmo propósito reformador: em 1951, aparece a segunda série de *Cadernos de Poesia,* e entre 1952-1953, a terceira série, em que aos nomes dos que organizaram os números iniciais se juntam os de Jorge de Sena, José-Augusto França, Alberto de Lacerda e Alexandre O'Neill. No ano de 1951 também principia a *Árvore,* com Antônio Luís Moita, Antônio Ramos Rosa, Egito Gonçalves, José Terra, Luís Amaro, Raul de Carvalho, Albano Martins, cujo término se dá em 1953; *Eros* (1951-1958), com Antônio José Maldonado, Fernando Guimarães, Jorge Nemésio, José Manuel, encerrada em 1958; A *Serpente* (1951), com Egito Gonçalves, Leonor de Almeida, Alexandre Pinheiro Torres; *Sísifo* (1951-1952), com Manuel Breda Simões. E ainda: *Notícias do Bloqueio* (1957-1961), com Papiniano Carlos, Luís Veiga Leitão, Antônio Rebordão Navarro; *Cadernos do Meio-Dia* (1958-1960), *Uni – Bi Tri Tetra – Pentacórnio* (1951-1956), *Cassiopeia* (1955), *Graal* (1956-1957), *Folhas de Poesia* (1957-1959), *Bandarra* (1953-1964), etc.

É digna de nota a coincidência da irrupção do Surrealismo em Portugal, nos fins da década de 40, e o surgimento dessas revistas nos anos 50, desde a nova fase dos *Cadernos de Poesia* (1951) e o aparecimento da *Árvore* até os vários e sucessivos periódicos, como a *Távola Redonda, Cassiopeia, Graal, Cadernos do Meio-Dia, Bandarra*, etc. Com esse movimento de revistas, tem-se um dos índices da nova fase da modernidade em Portugal, sobretudo nos domínios da poesia, em que avulta a influência marcante de Fernando Pessoa, graças à publicação de suas obras a partir de 1942.

## "A POESIA É SÓ UMA"

**Ruy Cinatti** (Londres, 8 de março de 1915-Lisboa, 12 de outubro de 1986) estreou em 1936, com *Ossobó,* seguida por *Nós não somos deste mundo* (1940), *Anoitecendo a vida recomeça* (1941), *O Livro do Nômada meu Amigo* (1958), *Sete Septetos* (1967), *O Tédio Recompensado* (1968), *Uma Sequência Timorense* (1970), *Obra Poética* (1992), *Paisagens Timorenses com Vultos* (1996), etc. A poesia inserta nessas obras oscila entre o romantismo, que o autor confessa ter "na medula dos ossos", e o engajamento político suscitado pela questão de Timor, ou entre o voltar-se para dentro de si, "o mundo ético e metafísico", e o abrir-se para a realidade concreta. Dessa dualidade tem ele plena consciência:

"Paralelamente sigo dois caminhos
Abstrato na visão de um céu profundo.
Nem um nem outro me serve, nem aquele
Destino que se insinua
Com voz semelhante à minha"

A união entre esses dois polos ("ouvindo no espírito o murmúrio das ondas"), sempre em busca "do que é eterno", frutifica numa modulação dominante nas décadas finais do século XX, que constitui o melhor do seu talento:

"Tudo é tangível, luminoso e vago
Na orla que se afasta e a ilha dobra
Em baías de precário sonho..."

**José Blanc de Portugal** (Lisboa, 13 de agosto de 1914-2000) deixou as seguintes obras poéticas: *Parva Naturalia* (1960), *O Espaço Prometido* (1960),

428 • A LITERATURA PORTUGUESA

*Odes Pedestres* (1965), *Descompasso* (1987), *Enéadas – 9 Novenas* (1989), *Quaresma Abreviada* (1997) e *Estrofes* (1999). Além de participar na direção dos *Cadernos de Poesia,* redigiu alguns dos textos teóricos que figuram na primeira série da revista. Falava em nome do grupo diretivo, bem como no seu próprio nome. Tanto assim que, ao abrir as *Odes Pedestres* com uma "Autopoética", que alguém lhe terá pedido, retomou algumas das proposições apresentadas nos anos iniciais do periódico. O seu intuito era informar o leitor acerca das ideias que presidem a criação da (sua) poesia, no pressuposto de que lhe seriam úteis para o bom entendimento dos poemas reunidos naquela obra e, quiçá, nas seguintes.

Ali se colhiam, na verdade, assertivas indispensáveis à compreensão de sua obra poética, talhada em variados moldes formais, incluindo os de extração clássica, nos quais retinha os múltiplos ventos temáticos que lhe sopravam de todos os quadrantes. Não obstante, essa variedade estrutural, que denotava uma sensibilidade aberta a todo estímulo lírico, radicava num binômio presente desde sempre na consciência do poeta: a sua mente ou o seu olhar hesitava entre o imanentismo e o transcendentalismo, confessos naquela "Autopoética", ou entre o realismo e o idealismo.

Por vezes, os termos da parelha ganham sinal trocado: quando o transcendental é a atmosfera eleita, nota-se uma "sinceridade", um desejo de confissão, de fundo cristão, expresso numa versificação mais solta, quase beirando a oralidade: "Havei Senhor, Cristo e Espírito, / Piedade do meu semelhante". Quando avulta o foco na imanência, a deriva no rumo do realismo envolve-se duma transparência à beira do transcendentalismo ou que o oculta, como a dizer que este polo, ao fim e ao cabo, predomina sobre o outro, ou, antes, que ambos convergem para uma síntese, hegeliana, como acentua o poeta nas palavras de pórtico das *Odes Pedestres*:

> "Cada coisa, aparência do vulgar que seja,
>     a admiro como à vida inteira.
>     Único é Deus a vê-la inteira;
> a mim saber que toda existe chega"

**Tomaz Kim** (Lobito, Angola, 2 de fevereiro de 1915-Lisboa, 24 de janeiro de 1967), pseudônimo de Joaquim Fernandes Tomaz Monteiro-Grillo, publicou as seguintes coletâneas de poemas: *Em cada dia se morre...* (1939), *Para a Nossa Iniciação* (1940), *Os Quatro Cavaleiros* (1943), *Dia da Promissão* (1945), *Flora & Fauna* (1958), *Exercícios Temporais* (1966), reunidas, com um prefácio de Fernando Pinto do Amaral, em *Obra Poética* (2001). Licenciado em Filologia Germânica, viveu longos anos em Londres. O contato estreito com a cultura anglo-saxônica fez que a sua poesia se distinguisse no panorama da produção contemporânea e mesmo no âmbito dos *Cadernos de Poesia,* em que somente Jorge de Sena se inclinava também naquela direção.

Identificado pelo despojamento formal, próprio de uma sensibilidade infensa à declamação retórica, "quase sempre discreta e sutil, fugindo à grandiloquência" (Fernando Pinto do Amaral), o lirismo de Tomaz Kim exibe uma tensão permanente, fruto de um pessimismo trágico, apocalíptico, que parece gravitar ao redor da ideia da vida como exílio, na qual se diria ressoar o lamento dorido de Camilo Pessanha e a sua mágoa existencial ou o desespero irremissível de Manuel Laranjeira: "O nosso exílio / começou no ovário!". O plural do adjetivo possessivo "nosso", além de ser a universalização do sentimento de cada um, pressupõe uma visão niilista da paisagem cósmica:

"As estrelas desertaram o céu / [...]
Sob o sal de tantas lágrimas
a Terra é estéril!"

Um tal pampsiquismo explica que venham à tona dos versos e da memória uma figura como Gomes Leal ("Meu amigo desgraçado...") e que a morte seja presença constante nessa atmosfera de planeta extinto ou prestes a desaparecer no horizonte, como denotam os sinais persistentes de "vago e indefinível terror", de histerismo, de "pavor e morte", pois "A verdade é morrer, / A verdade é sofrer!", tendo como fundo musical um "tropel de demência".

A extrema descrença acaba transbordando para os poemas em que se coagula – "Saber que amanhã os meus versos / serão vazios e nus de poesia...", "poeta, deixa a poesia morrer!", – ou conduz ao paradoxo de negar a morte, exatamente a entidade que preside todo o espetáculo vital, assim como os versos que lhe emprestam forma: "não vale a pena morrer!", "morrer não será morrer...". Essa funda e inextirpável ambiguidade culmina num previsível "Tempo de Solidão" – "Solidão, poço de silêncio / Fundo, de versos escritos a

# A LITERATURA PORTUGUESA

fogo / E rimas de asco e sílabas de agonia..." – expressão de um fim de jogo poético, de um testamento, que a morte, no ano seguinte ao desse poema lancinante (que é de 1966), tornou realidade, como se esta e a imaginação poética se fundissem num só corpo e num só pensamento. Era chegado o "Tempo da Morte", derradeiro poema do último livro que Tomaz Kim publicou, como um vaticínio que se cumprisse em respeito a um oráculo ditado pelos deuses ou pelo "Senhor meu Deus!".

## ANOS 50

**Antônio Ramos Rosa** estreou em 1958, com *O Grito Claro* (incluído, pouco depois, em *Viagem através duma Nebulosa*, 1960), coletânea de doze poemas, publicada em Faro, onde nasceu, a 17 de outubro de 1924. Mudando-se para Lisboa em 1962, tornou-se figura "de certo modo tutelar, pois ele fora o ponto de descongelamento do Neorrealismo e do Humanismo Diamático da década anterior" (E. M. de Melo e Castro). Ao mesmo tempo, empreendia a construção da sua extensa e luminosa obra poética, que ascende atualmente a mais de cinquenta títulos, como *Voz Inicial* (1960), *Sobre o Rosto da Terra* (1961), *Ocupação do Espaço* (1963), *Terrear* (1964), *Estou vivo e escrevo sol* (1966), *A Construção do Corpo* (1969), *Nos seus Olhos de Silêncio* (1970), *A Pedra Nua* (1972), *Ciclo do Cavalo* (1975), *Boca Incompleta* (1977), *As Marcas no Deserto* (1978), *Círculo Aberto* (1979), *O Incêndio dos Aspectos* (1980), *O Centro da Distância* (1981), *O Incerto Exato* (1982), *Quando o Inexorável* (1983), *Dinâmica Subtil* (1984), *Ficção* (1985), *Vinte Poemas para Albano Martins* e *Clareiras* (ambos em 1986), *No Calcanhar do Vento* (1987), *O Livro da Ignorância* e *O Deus Nu(lo)* (ambos em 1988), *Acordes* (1989), *O Não e o Sim* e *Facilidade do Ar* (ambos em 1990), *A Rosa Esquerda* e *Oásis Branco* (ambos em 1991), *Pólen-Silêncio* e *As Armas Imprecisas* (ambos em 1992), *O Navio da Matéria* (1994), *Três* (1995), *Figuras Solares* (1996), *Nomes de Ninguém* e *A Imagem e o Desejo* (ambos em 1997), *A Imobilidade Fulminante* (1998), *Pátria Soberana* seguido de *Nova Ficção* (1999), *O Princípio da Água* (2000), *As Palavras* e *O Aprendiz Secreto* (ambos em 2001), etc.

Se o nome sela o destino, como diz a sabedoria milenar, no caso de Antônio Ramos Rosa o título da obra inaugural prenuncia-lhe, emblematicamente, o destino poético: as matrizes da sua voz própria situam-se nos vocábulos "grito" e "claro", e nos incontáveis caminhos que a sua interação e o seu desdobramento simbólico abriram no curso de várias décadas. Um poema com o mesmo título, inserido à frente da dúzia de poemas anexada a *Viagem através duma Nebulosa,* parece conter uma arte poética, a servir de bússola e inspiração, além de sugerir que o poeta bem sabia, ou ao menos pressentia, que o seu rumo estava traçado para sempre:

> "De escadas insubmissas
> de fechaduras alerta
> de chaves submersas
> e roucos subterrâneos
> onde a esperança enlouqueceu
> de notas dissonantes
> dum grito de loucura
> de toda a matéria escura
> sufocada e contraída
> nasce o grito claro"

Como se nota, é sob o signo da sinestesia que brota e floresce a poesia de Antônio Ramos Rosa, num processo de amplo espectro, que inclui não só a imagem pura e simples, patente já no título fundador, como também o pensamento: "Aqui é o princípio das evidências / inacessíveis". À plasticidade das formas superpõe-se a plasticidade das ideias, gerando metáforas compostas de inusitadas e imprevistas aproximações, visto que "o informulado existe". O resultado é uma poesia do abstrato, inscrita na ambiência formada pela estética surrealista, e do secreto, fonte da emergência de um hermetismo involuntário, mas nem por isso menos autêntico. *O Livro da Ignorância* já o denunciava com o seu título, assim como *O Aprendiz Secreto,* no qual se inserem poemas em prosa guiados pelo princípio (hermético) de que "tudo deve permanecer oculto na sua pura inanidade (e unanimidade) inabordável", e de que "a textura mais secreta é o silêncio e é ele o principal fundamento da construção invisível".

O grito do início permanece ao longo dos vários poemas, par a par com o silêncio no qual se transforma ou a que cede o espaço e a função de condutor: "claro paraíso do silêncio". Não significa que a palavra se torna ausente ou dispensável, senão que revela o mistério como a sua intrínseca condição. O mis-

432 • A LITERATURA PORTUGUESA

tério não se manifesta sem a palavra; só é mistério porque a palavra o declara, visto que a própria palavra imerge no mistério, compondo o mesmo amálgama: "o mistério mesmo da linguagem": "escuto na palavra a festa do silêncio". A identidade é tal que o próprio "deus mudo e insignificante", "mesmo ausente [...] é a possibilidade da palavra, a iminência do encontro". Desse modo, o grito, volvido em silêncio, dá lugar ao *Pólen-Silêncio*, ao "pólen branco do silêncio", que tudo povoa (casa, olhos, estrelas...), por ser "evidência enigmática", e porque "o silêncio espontaneamente se manifesta através de uma formulação que seria a própria pulsação do informulado".

A poesia de Antônio Ramos Rosa alcança altos graus de tensão e magia, graças ainda a um singular domínio verbal que, repelindo as recorrências convencionalmente mecânicas, não teme o aceno das formas novas, inesperadas, ou de incerta função e sentido, mesmo quando oriundas do experimentalismo em voga nas décadas de 60-70, gerando poemas em que a estrutura semelha prevalecer sobre o conteúdo.

Nascido a 4 de setembro de 1920, em Alvito (Alentejo), **Raul de Carvalho** faleceu no Porto, a 3 de setembro de 1984. Fundou, juntamente com Antônio Luís Moita, Antônio Ramos Rosa, Luís Amaro e José Terra, a *Árvore* (1951), uma das revistas mais influentes dos anos cinquenta. Após estrear com *As Sombras e as Vozes* (1949), publicou os seguintes volumes: *Poesia* (1955), *Mesa de Solidão* (1955), *Parágrafos* (1956), *Versos – Poesia II* (1958), *A Aliança* (1958), *Talvez Infância* (1968), *Realidade Branca* (1968), *Tautologias* (1968), *Poemas Inactuais* (1971), *Tudo é visão* (1970), *Duplo Olhar* (1978), *Um e o Mesmo Livro* (1984), reunidos postumamente em *Obras de...* (1993).

Situado, ao princípio, na linha da tradição das "cantigas" e "canções", em aliança com notas neorrealistas, o poeta transita, com a *Árvore*, para uma fase marcada pela inflexão mais intimista. Sem perda da fluência e facilidade com que os versos se articulam e se encadeiam, agora os temas são inspirados no cotidiano ("Essa dimensão / diária do nada, / conheço-a, é a minha / ameaçadora / e temida sombra"), de forma a imprimir à escrita um andamento de crônica ou de diário íntimo, que aos poucos o arrasta a confessar e a descrever a atração pelo amor homossexual.

Conquanto aberto a vária e multímoda fonte de inspiração, ou apesar disso e da capacidade de escrever torrencialmente, a sua poesia não encontrou um núcleo que se pudesse considerar identificador da sua visão do mundo. Tudo se passa como se não houvesse logrado jamais superar as tendências de origem, a ponto de redigir *Uma Estética da Banalidade* (1972), em cujo título já se manifesta um pendor que não raro se concretizou em obra de mediana densidade. E a razão disso parece evidente na máxima – "à beleza da expressão se deve preferir a exatidão dela", – que seria bem-vinda se ele nos explicasse o significado de "exatidão", o que somente ocorreu anos depois, ao asseverar que se trata da exatidão "*APAIXONADA*". Falta apenas sublinhar que, a seu ver, "a emoção é tudo", para retornarmos ao sentimento amoroso que o nutre e para se completar o quadro em que se move: fundado numa espécie de sedução pela banalidade ou pela vida simples, prefere o tom descritivo ou o narrativo ao reflexivo, não obstante a sombra de Pessoa pairar sobre muitos de seus poemas, por meio de Álvaro de Campos e suas odes à maneira de Walt Whitman.

**Sebastião da Gama** nasceu em Vila Nogueira de Azeitão, a 19 de abril de 1924 e faleceu em Lisboa, a 7 de fevereiro de 1952. Colaborou na *Távola Redonda* e na *Árvore*. Deixou poesia: *Serra-Mãe* (1945, 2ª ed., 1957), com prefácio de Luis Filipe Lindley Cintra, *Cabo da Boa Esperança* (1947), *Campo Aberto* (1951), *Pelo sonho é que vamos* (1953), *Itinerário Paralelo* (1967) e prosa: *Diário* (1958), *O segredo é amar*, ensaios dispersos, com prefácio de Matilde Rosa Araújo (1969), *Cartas I – para Joana Luísa* (1994). A marca fundamental do seu lirismo está presente na arte poética que abre a obra de estreia – "A corda tensa que eu sou, / o Senhor Deus é quem / a faz vibrar...": poeta do sagrado, ainda quando o seu olhar buscava outras paragens.

Com ecos de Antônio Nobre, Pascoaes, Sá-Carneiro, ele é, na sua "alegria de menino", herdeiro da tradição romântica. A relação mística, fruto do sentido cristão do amor, engloba todos os seres humanos e a paisagem. "Humanismo místico", denominou Matilde Rosa Araújo esse contato com o "outro", seja a mulher amada, seja Deus ou a Natureza. Numa das páginas do *Diário,* o poeta deixará expresso o sentimento amoroso ao próximo, bem como à paisagem, o que faz dele um panteísta:

> "Não sei do que gosto mais: se das coisas, se das pessoas. Ou será que há uma harmonia tão grande entre umas e outras que torna as pessoas complemento da paisagem e a paisagem expressão das pessoas?"

Em verso, cantará no mesmo diapasão: "Haja cio na Paisagem quando passes..."; "Da minha janela / vê-se a Poesia"; "Hoje Deus é verdade como o

## 434 • A LITERATURA PORTUGUESA

Sol!". Fusão do "outro" com a paisagem, presidida pela crença mística e sustentada na ideia de "que toda a poesia requer comunicação, porque toda a poesia é mensagem, é recado: e o recado não é do Poeta aos seus botões, é do Poeta aos outros homens", uma vez que "o poema é uma ponte do Poeta para o mundo; e a beleza que lhe pedimos deve ser olhada como um meio eficaz de sugerir, não como um ornamento extático, inativo".

Nada mais coerente com os princípios da fé e com a teoria poética: a poesia é comunicação com o leitor, mas a mensagem não precisa ser determinada, necessariamente, pela crença. O mesmo vale para o repúdio ao ornamento, como quando o poeta, ainda sentindo o pulsar do pensamento religioso, se dirige à paisagem: "Ó glória de saber que o Mar termina / onde a minha coragem se acabar". Ou ao voltar-se para a mulher amada: "Enchi minhas palavras de silêncio / e pela primeira vez nesta vida / teu coração rebelde as entendeu...", ou quando a vaguidade libera espaço à imaginação polissêmica: "Palavra nunca vista e nunca ouvida / mas presente em meu sangue e em minha alma / como a lembrança vaga de um poente...". Em suma, "a poesia toda ingênua", "a poesia toda pura / de eu ir sentado ao pé de ti", – eis o ideal de Sebastião da Gama.

**Albano Martins** (Fundão, Beira Baixa, 6 de agosto de 1930) estreou com *Secura Verde e Outros Poemas* (1950), seguido de *Coração de Bússola* (1967), *Em Tempo e Memória* (1974), *Paralelo ao Vento* (1979), *Inconcretos Domínios* (1980), *A Margem do Azul* (1982), *Os Remos Escaldantes* (1983), *Sob os Limos* (1986), *Poemas do Retorno* (1987), *A Voz do Chorinho ou Os Apelos da Memória* (1987), *Vertical o Desejo* (1988), *Rodomel Rododendro* (1989), *Os Patamares da Memória* (1990), *Entre a Cicuta e o Mosto* (1992), *Uma Colina para os Lábios* (1993), *Com as Flores do Salgueiro* (1995), *O Mesmo Nome* (1996), *A Voz do Olhar* (1998), *Escrito a Vermelho* (1999), reunidos em *Assim são as algas – Poesia 1950-2000* (2000), *Castália e Outros Poemas* (2001), *Três Poemas de Amor Seguidos de Livro Quarto* (2004), *Frágeis são as palavras* (2004), *Palinódias, Palimpsestos* (2006).

Com mínimos ajustes de rumo, toda a obra poética de Albano Martins apresenta inalterável coerência, como evidenciam as várias "artes poéticas" disseminadas pelo caminho: "O ritmo / do universo / cabe, / inteiro, / na pupila / dum verso". A amplitude cósmica encontra na pupila do poeta a sua imagem; o máximo de paisagem ou de motivo inspirador cabe no mínimo de palavras, filtradas ou determinadas pelo olhar: aqui, a síntese de uma poesia devotada à brevidade, aos detalhes da paisagem, vista como pauta musical, tela pictórica ou página literária, e à pupila que a registra e percorre. Com o tempo, o erotismo virá juntar-se à contemplação do universo (*Uma Colina para os Lábios*), espelhada na concisão do poema, à maneira das odes clássicas ou do epigrama, tendo a imagem como núcleo metafórico: "Amo as paisagens porque são / o foco onde o teu corpo se ilumina".

Após um hiato, em 1967 a sua paleta ganha tons surrealizantes, adivinháveis no subtexto dos versos anteriores, emprestando inflexão descritiva ao gosto pela condensação epigramática, que se tornará a pedra angular do seu edifício poético: a écfrase. Às suas mãos, o expediente retórico ultrapassa o diálogo com a pintura, para agregar os domínios da Natureza em que avultam os incidentes plásticos. Albano Martins emprega livremente o instrumental expressivo da tradição: adiciona-lhe, porém, os torneios ditados por sua visão moderna da realidade, tornando-o mais apto a recobrir aspectos negligenciados pelos antigos poetas. As duas formas de representação, a verbal e a não verbal ("dicionários / de cor e mel") constituem a matéria dos poemas.

Os versos constelam-se em descrições ecfrásticas, sem confundir-se com os poemas visuais, novamente em voga nos anos 60, graças à poesia experimental. A diferença reside em que o poeta não pretende reproduzir verbalmente a pintura, mas transformar o impacto sentido ao descortiná-la em linguagem poética. Visto serem vazios de sentido os significantes agrupados na tela, a écfrase, ao empregar metáforas em vez da cor, do volume e das linhas, atribui-lhes significação, ainda que transfigurada. A écfrase poética é uma recriação, uma realidade paralela à da obra pictórica, e não a sua imagem linear num espelho plano.

A fina sensibilidade plástica do poeta acabaria deparando com uma estrutura poética que, irmã das anteriormente utilizadas, lhes adiciona os dados novos que a pupila desvela no "ritmo do universo": o haikai. *Com as Flores do Salgueiro*, que tem por subtítulo "Homenagem a Bashô", aponta-o lapidarmente: "Palavra: insone / borboleta / sonora".

Pondo ênfase na palavra, o poeta cria uma forma semelhante ao haikai e à écfrase, em que a sabedoria plástica da estrutura nipônica se coloca a serviço da sabedoria conceptual. Com isso, transcende o nível de sugestão, apanágio do haikai, atribuindo-lhe uma evidência gnoseológica que a robustece sem prejuízo da qualidade pictórica. Ao saber oblíquo, mais sugerido que afirmado, inerente ao haikai, que no *zen* encontraria o seu lugar filosófico, corresponde o saber lírico, de tradição clássica, expresso pela écfrase.

Visualista por excelência, Albano Martins é um poeta cujo amor à brevidade ecfrástica denota aversão à discursividade. A retórica preferida é a do olhar, que implica a sondagem nos meandros polissêmicos da percepção. Fazem-lhe companhia a inclinação ao minimalismo epigramático e a recusa dos ornamentos. A essa luz, vê-se que *Secura Verde* encerrava um misto de profecia e de iniciação délfica. O olhar, síntese dos outros sentidos, tudo capta e tudo converte num sinal cromático, que é promessa ou esperança de nova colheita poética e visão florescente do mundo.

**Fernando Guimarães** (Porto, 3 de fevereiro de 1928) publicou, além de ensaios (*Linguagem e Ideologia*, 1972; *Conhecimento e Poesia*, 1992; *Os Problemas da Modernidade*, 1993, entre outros), os seguintes títulos de poesia: *A Face junto ao Vento* (1956), *Os Habitantes do Amor* (1959), *As Mãos Inteiras* (1971), *Três Poemas* (1975), *Como lavrar a terra* (1975), *Mito* (1978), reunidos em *Poesia (1952-1980)* (1981); *Nome* (1981), *Casa: o seu Desenho* (1985), *Tratado de Harmonia* (1988), reunidos em *Obras Completas* (1994), *Analogia das Folhas* (1990), *O Anel Débil* (1992), *Limites para uma Árvore* (2000), *Lições de Trevas* (2002), *Na Voz de um Nome* (2006).

O livro inaugural abria com uma significativa "Inscrição", à Camilo Pessanha, título que depois foi eliminado. Ali o poeta cunhava, em quatro versos premonitórios, as diretrizes que lhe franqueariam os umbrais da percepção, centradas em duas palavras que funcionavam como *leitmotiv*, plataforma ou arte literária: "a harmonia dos rios". Em outra arte poética retomaria, com diversas palavras, a mesma inflexão: "Desenho com este poema uma árvore. Estas são / as raízes. Mas o poema nascerá livre e diferente", enquanto numa terceira diz ao leitor: "Lê o poema, escuta a própria voz / dele, que não é minha, e só existe em nós".

Como se aos poucos desdobrasse um novelo imaginário no espaço do consciente, punha a serviço da sua visão da realidade um processo metafórico em que se manifestava tensão permanente entre o concreto e o abstrato ou entre o visível e o oculto. Esse dualismo evidencia-se na contemplação reflexiva das estátuas (vocábulo presente no título de vários poemas), das esculturas, dos desenhos, das casas, das pedras, deixando implícita a formação do autor em filosofia e o traquejo de teórico e crítico de poesia.

Ao pensar a sensação causada pelos objetos, porventura na esteira da conhecida fórmula-chave pessoana, os rios lhe fornecem, heraclitianamente, a imagem que lhe serve de princípio condutor e signo de concretude (eles é que, afirma o poeta na "inscrição", "prolongam / em nós a poesia"), num cenário em que o amor e a morte se apresentam como alfa e ômega, de forma a comporem uma espécie de tríade cabalística: amor-morte-rio.

Essa tríade impregna "Narciso e o Encontro da Morte", texto em prosa agregado, nas *Obras Completas*, como prólogo de *A Face junto ao Vento,* e é divisada como sombra, ou em sua presença. Não por acaso, o termo "sombra", além daqueles três, é recorrente no *Tratado de Harmonia*, como se o poeta remontasse, noutro clima, às palavras de pórtico e à "inscrição" original: "Deixemos que venha a sombra percorrer estas / palavras"; "a sombra que se afasta no interior da água"; "Um rio apenas nos separa. Em seus limites reflete-se / agora / o que nos cerca, para que nesse rio as nossas mãos / tudo possuam" – e a desejada harmonia se realize em plenitude.

Nascido na Espanha, a 26 de fevereiro de 1929, de pai português e mãe espanhola, **Fernando Echevarría** viveu, desde 1961, por algum tempo fora de Portugal (Espanha, Argélia, França). *Entre Dois Anjos* (1956) foi o seu livro de estreia, seguido por *Tréguas para o Amor* (1958), *Sobre as Horas* (1963), *Ritmo Real* (1971), *A Base e o Timbre* (1974), *Media Vita* (1979), reunidos em *Poesia (1956-1979)* (1989), *Introdução à Filosofia* (1981), *Fenomenologia* (1984), enfeixados em *Poesia (1980-1984)* (1993), *Figuras* (1987), *Livro* (1991), *Sobre os Mortos* (1991), reunidos em *Poesia (1987-1991)* (2000), *Uso de Penumbra* (1995), *Geórgicas* (1998), *Epifanias* (2006), *Obra Inacabada* (2007).

Concisão da forma, concisão do pensamento, eis o lema implícito na poesia de Fernando Echevarría. O culto do soneto, seja de estrutura tradicional, seja como estrofes de catorze versos, a sugerir falsos ou ocultos sonetos, é um indício claro dessa opção doutrinária. Outros sinais se disseminam pelos vários volumes, como ao dizer que "escrevemos docemente. / E escrevermos é como se na vinha / o sol se iluminasse. E fosse breve". Brevidade suave e densa, fruto de uma sensibilidade aberta para metáforas inusitadas, repletas de seiva plástica e concreção das ideias. O tom geral é de abstração, mesmo quando os poemas se abrigam sob o título de *Figuras*.

Negado ou contrariado pelos versos, num movimento guiado por antífrases, o título aponta para uma poesia de fino lavor, uma vez que nela se proces-

438 • A LITERATURA PORTUGUESA

sa o "encontro de sombra e de surpresa", ou o adensamento "em lume de alma e recender de pinha", evidência de que a abstração não implica o descaso pela realidade concreta. Ao contrário, denota a sua presença constante, como húmus dum solo em que a abstração se firma e de que se ergue para as alturas. E mais do que ser presença significativa, chama a atenção para o contínuo intercâmbio, patente no binômio formado pelo lume, que é da alma, e o recender, que é da pinha. A conclusão dessa mescla entre as esferas do real indica que "ficava só o respeito / da autoridade. Da alma": ao contemplar a pinha que exala forte aroma, a alma cobra um domínio sem o qual nenhum significado teria a chama que consome o fruto do pinheiro.

Tal interação deriva de que o olhar é norteado pelo pensamento, como a reproduzir o diálogo entre a alma e a pinha: "É no que pensa. E do que pensa move / a organização mais íntima / de ser. Ou estar sendo sobe / a pensar ser. Se ilumina". Repassada duma forte brisa de origem, a abstração não interrompe nem dissimula o fluxo de surrealidade que brota, espontaneamente, desse mecanismo de captação das fontes e das formas do real:

"À noite, os animais que tinham ido
beber o brilho que lhes vem da noite,
paravam a cheirar. E a ouvir o ruído
crescer do sítio onde corria a fonte.
À noite os animais eram antigos.
E, à volta deles, tudo o mais que fosse
assentava na sombra. E estendia um sítio
onde o tempo crescia para longe"

Perpassa, igualmente, uma brisa filosófica, que provém de o poeta ser dotado, não só de uma sensibilidade e uma imaginação de esteta, como também de uma cabeça de pensador, que, em meditação constante, descobre que, "se formos um pouco mais longe pra dentro / da solidão, abrir-se-á / a dureza sem fim do pensamento", e que "a distração é um santo / país de conhecimento". Em síntese, presenciamos a fusão do ato de "ver, [que] é a ciência", e de pensar, da poesia e da filosofia, da emoção e do pensamento, do sonho e do real ("só se sonha com a verdade implícita"), num esquema próprio da poesia de superior vibração, resultante de "soprar um vento interior" e da "harmonia que vem da inteligência".

No percurso que tais fusões engendram, um momento há em que a abstração, centro de tudo, se encaminha para um plano de esotéricas ressonâncias: "lugar lustral de analogia / em que nós somos nós e corpo astral", formando uma irmandade estético-filosófico-surreal-esotérica, que sustenta e impulsiona uma das mais homogêneas, densas e brilhantes obras poéticas da moderna literatura em Portugal.

**Alberto de Lacerda** (Lourenço Marques, 20 de setembro de 1928 – Londres, 26 de agosto de 2007) estreou com *Poemas* (1951), publicados na segunda série dos *Cadernos de Poesia*, e destinados a compor o volume *Ponte Suspensa,* que acabou integrado, juntamente com *Aventura*, numa edição bilíngue, em *77 Poems* (1955), seguidos por *Palácio* (1962), *Exílio* (1963), *Tauromagia* (1981), *Oferenda I, II* (1984, 1994), *Elegias de Londres* (1987), *Sonetos* (1991), *Horizonte* (2001). A poesia neles contida denota alguém situado "entre o céu e a terra", na "linha reta da melancolia", fascinado pela "beleza do inconstante".

Nas epígrafes de *Palácio*, fica patente como tudo isso não era gratuito: invocando os manes de Camões, "tudo são mistérios", e de Leonardo da Vinci, "*ostinato rigore*", cunhava uma arte poética e tornava explícitos os fios condutores da sua visão de mundo e da poesia por ela segregada, um lirismo translúcido, de esotérica inflexão ("É como a Cruz antiga que possui no meio / uma perfeita Rosa"), pertencente "a uma corrente da mais alta categoria, que nos tem dado muito do melhor da poesia moderna" (Jorge de Sena).

O resultado é a brevidade, o ideal epigramático, como lema – "Dizer pouco [...] Dizer muito pouco" – e "Fargue Rilke Sá-Carneiro" como guias, no encalço do "ritmo, o ritmo fundo, o mais secreto", tendo o dístico por meta, sinal de perfeição, embora suspeitando que "Não há palavras que digam o mistério / Das trevas e da luz em diagonal":

"Assim eu vejo os sonhos tomar vulto:
Deuses e homens, equilíbrio oculto"

Outros poetas dos anos 50 merecem referência, como **Luís Amaro** (Aljustrel, 5 de maio de 1923), autor de *Dádiva* (1949), uma plaquette mais tarde reeditada, com *Outros Poemas*, em *Diário Íntimo* (1975), que por sua vez tornou a circular, com prefácio de Albano Nogueira, em 2006. Embora diminuta, a obra ressoa ecos simbolistas, saudosistas e presencistas, mas a voz dos poe-

440 • A LITERATURA PORTUGUESA

mas exibe timbre próprio. Suspensa entre a melancolia pessimista, marcada pela "Saudade que flutua, / Indecisa, em minha alma...", e o sonho, que logo se converte em desesperança ("E o sonho é ilusão..."), identifica-se pelos versos que fluem aparentemente sem esforço algum, como um sopro de respiração cadenciada, música em surdina de flébeis violinos, "música das fontes". De tal modo que, afinal, é a poesia a origem da "luz que envolve / e aquece e doira a [sua] vida". A síntese desse conflito irremissível encontra-se fixada, à maneira duma arte poética colocada ao fim de *Dádiva*, em "Legenda":

> "Quero o silêncio perfeito
> Onde minha lembrança não abra rios de sangue"

**José Terra** (Prozelo, Arcos de Valdevez, 1928), nome literário de José Fernandes da Silva, colaborou na *Árvore, Cassiopeia* e outras revistas. Estreou com *Canto da Ave Prisioneira* (1940), seguido de *Para o Poema da Criação* (1953), *Canto Submerso* (1956), *Espelho do Invisível* (1959). Presa, na obra inicial, a um realismo impregnado de materialismo histórico, em voga com o movimento neorrealista, a poesia de José Terra foi ganhando, com o tempo, abstração e clareza de fina textura e brilho, até se converter em "espelho do invisível":

> "Sereno resplendor por onde descem
> as minhas mãos raiadas de infinito.
> Indivisível som onde intangível
> a escritura límpida de um nome
>
> só os deuses conhecem"

Nesse espaço para além da realidade visível habitam os deuses, que "só de os pensar existem", a tal ponto que "Seremos deuses, enfim, deuses humildes, / generosos, lúcidos e humanos", indício de um estoicismo de extração clássica, meditativo, que parece buscar a linguagem aforística para se exprimir e revelar as formas e cores da paisagem do país natal ("Quando na minha terra as flores se anunciam") ou dum país "para além / de tudo o que detectam os nossos dedos", atravessado por um "rio oculto sob o tempo e o espaço".

Ao grupo da *Árvore* também pertenceu **Egito Gonçalves** (Matosinhos, 2 de abril de 1922-2001), cuja trajetória poética, iniciada com *Poema para os*

*Companheiros da Ilha* (1950), teria continuidade com *Um Homem na Neblina* (1950), *A Evasão Possível* (1952), *O Vagabundo Decepado* (1957), reunidos mais adiante em *O amor deságua em delta* (1971), nos quais se observa a tentativa de conciliar os ditames neorrealistas e as propostas surrealistas que acabavam de ganhar espaço no cenário português.

Publica, a seguir, outras recolhas de poemas, com facetas novas, sem renegar a estrutura binária que lhe sustenta a poesia e a visão de mundo: o compromisso entre o lirismo e a militância ou ideologia política, "entre o amor e a realidade social [...], numa relação dialética que tende à superação da repressão política e social". Aos poucos, no entanto, a poesia envereda pela abstração, tornando-se "mais ligada ao enigma do ser e à premência do informulado", de modo que o poema "é agora o lugar da perplexidade, da interrogação, da travessia do deserto" (Rosa 1987): *A Viagem com o Teu Rosto* (1958), *Memória de Setembro* (1960), *Arquivos do Silêncio* (1963), *O Fósforo na Palha* (1970), *O amor deságua em delta* (1971), *Sonhar a terra livre e insubmissa* (1973), *Luz Vegetal* (1975), *Os pássaros mudam no outono* (1981), *Falo da vertigem* (1983), *Dedikatória* (1989), *E no entanto move-se* (1995), *O Mapa do Tesouro* (1998), *A Ferida Amável* (2000), *Entre mim e a minha morte há ainda um copo de crepúsculo*, livro póstumo (2006):

> "Assim eu vou cantando o que o acaso me entrega,
> buscando no amor um supremo refúgio
> contra as raivas, traições, desesperanças diárias,
> angústias, calúnias, ódios de escorpiões..."

E também **Helder Macedo** (Krugersdorp, África do Sul, 30 de novembro de 1935): iniciou-se com *Vesperal* (1957), no mesmo ano em que participou na fundação e direção das *Folhas de Poesia*, e prosseguiu com *Das Fronteiras* (1962), reunidos, com inéditos, em *Poesia. 1957-1968* (1969), *Poesia 1957-1977* (1979), *Viagem de Inverno* (1994), e em *Viagem de Inverno e Outros Poemas* (2000): poesia lírica, centrada nos transes amorosos e nos enigmas da interioridade.

Ainda cultivou a prosa de ficção, que lhe granjeou mais largo renome, em razão do estilo desafetado com que narra episódios da guerra colonial em África até o caso amoroso, em Londres, de um advogado e uma Lolita pós-moder-

442 • A LITERATURA PORTUGUESA

na, passando pela "simples história simbólica de gêmeos antagônicos", na linha machadiana de *Esaú e Jacó*, ou queirosiana, de *Os Maias*, à qual nem falta o incesto, e pelo confronto de duas Joanas, a atual, de vários amores, e Joana de Áustria, mãe de D. Sebastião, constituindo um fundo histórico posto a serviço da "identidade nacional", sempre com o emprego de modernas estruturas narrativas: *Partes de África* (1991), *Pedro e Paula* (1998), *Vícios e Virtudes* (2000), *Sem Nome* (2005); e o ensaio, com agudeza crítica e não menos brilho, em torno de figuras quinhentistas, como Bernardim Ribeiro e Camões, e do último quartel do século XIX (Cesário Verde).

E **Antônio Luís Moita** (1925), autor de *Rumor* (1951), *Teoria do Girassol* (1956), *Sal* (1962), *Cidade sem Tempo* (1985); **Antônio José Maldonado** (1924), com *Futuros ou Não* (1960), *Limite Cultivado* (1984); **José Manuel** (1928-1993), com *Primeiro Livro de Odes e Cantata* (ambos de 1950); **Vítor Matos e Sá** (Lourenço Marques, 20 de dezembro de 1927-1975), com *Horizonte dos Dias* (1952), *O Silêncio e o Tempo* (1956), *O Amor Vigilante* (1962), *Companhia Violenta* (1980), reunidos em *Poesia* (2000); **Jorge Amorim** (1928), com *Anjos Tristes* (1956), *A Beleza e as Lágrimas* (1957), *Palavras são coisas amadas* (1960), *Antologia Poética* (1995); **João Maia** (23 de janeiro de 1923-1998), com *Abriu-se a Noite* (1954), *Verbo do Verbo* (1957), *Écloga Impossível* (1960), *Poemas Helênicos* (1961), *Um Halo de Solidão* (1963); **José Carlos Ary dos Santos** (Lisboa, 1937-18 de janeiro de 1984), com *Liturgia do Sangue* (1963), *Azul Existe, Tempo de Lenda das Amendoeiras, Adereços, Endereços* (os três de 1965), *Insofrimento In Sofrimento* (1969), *Fotos-grafias* (1971), reunidas, com outras coletâneas, em *Obra Poética* (1994); **José Augusto Seabra** (Porto, 1937-2004), com *A Vida Toda* (1961), *Os Sinais e a Origem* (1967), *Tempo Táctil* (1972), *Desmemória* (1977), *O Anjo* (1980), *Gramática Grega* (1985), *Do Nome de Deus* (1990), *Fragmentos do Delírio* (1990), *Epígrafes* (1991), além de ensaios.

## POESIA 61

Em parte reflexo da agitação inaugurada pelos periódicos surgidos nos anos 50, em parte atendendo à propensão de todo grupo emergente para a rebeldia, em 1961 surge a *Poesia 61,* que enfeixava cinco livros: *Morfismos,* de Fiama Hasse Pais Brandão, *A Morte Percutiva,* de Gastão Cruz, *Quarta Dimensão,* de

Luísa Neto Jorge, *Tatuagem*, de Maria Teresa Horta, e *Canto Adolescente*, de Casimiro de Brito. Nenhum prefácio ou nota introdutória informava dos propósitos do grupo que aparecia em Faro. A função doutrinária acabaria sendo desempenhada por Gastão Cruz, numa série de ensaios recolhidos em *A Poesia Portuguesa Hoje* (1973), cuja reedição viria a público em 1999, no mesmo ano em que o autor retomava a questão no prefácio de seus *Poemas Reunidos.*

O núcleo fundamental da doutrina gravitava ao redor da ideia de que era preciso lutar pela "revalorização da palavra como elemento fundador do poema", tendo em mira a restauração do discurso, acionada por "uma consciência linguística vigilante, que tende para a utilização do signo verbal, isto é, da palavra, como elemento central de toda a mobilização imaginística". Reconhecendo antecedentes nos movimentos poéticos e em figuras gozavam de relevo depois dos anos 50, notadamente Antônio Ramos Rosa, visavam "uma poesia que superasse, de uma vez por todas, as sombras pessoanas e presencistas (mais benfazejas aquelas do que estas) que haviam insistentemente pairado sobre muita da produção dos anos 50". Um crítico resumiria com as seguintes palavras a novidade introduzida pela *Poesia 61*: "a *palavra* está, agora, no centro das atenções dos poetas. Os poetas experimentam todas as potencialidades semânticas e fônicas, ou até mesmo as potencialidades visuais, do signo linguístico" (Fernando J. B. Martinho: 463).

O espólio poético de **Luísa Neto Jorge** (Lisboa, 10 de maio de 1939-23 de fevereiro de 1989) consta de *A Noite Vertebrada* (1960), *Quarta Dimensão* (1961, em *Poesia 61*), *Terra Imóvel* (1964), *O Seu a Seu Tempo* (1966), *Dezanove Recantos* (1969), *Os Sítios Sitiados* (1973), *A Lume* (1989), volumes coligidos postumamente em *Poesia. 1960-1989* (1993). Logo no primeiro volume já se observa o impacto do discurso surrealista, como deixam explícito os poemas dedicados a quadros de Brauner e Max Ernst, mas parece que a autora resistiu a entregar-se-lhe completamente, decerto porque vislumbrava outros horizontes. "O poema / é um duelo agudíssimo", diz ela em certo momento, como a indicar o conflito situado na raiz da sua visão de mundo, no qual o "eu" ocupava um espaço menos ostensivo: o foco de atração, residia no mundo fora de si, no "hermético triunfo / das paisagens".

Daí os acentos de uma lógica implacável ou de um realismo sem concessões, não raro expressos numa linguagem que não teme enfrentar as barreiras da conveniência ou da tradição, a fim de abrigar palavras sem máscaras: "em

## 444 • A LITERATURA PORTUGUESA

Luísa Neto Jorge, que trava um combate incessante contra a usura e o convencionalismo da linguagem, a palavra não interpreta, funda" (Antônio Ramos Rosa). A tônica não é lírica, senão descritiva ou narrativa, e daí a autora extrai todas as qualidades e as possíveis limitações da sua dicção. O tom é de rebeldia, não raro contida, mas que se recusa a lançar mão de eufemismos sugeridos pela falsa moral, especialmente ao descrever o ato amoroso. Um pessimismo radical, que desde o princípio se manifesta, por meio de referências à morte ou ao suicídio, confere aos poemas uma tensão agressiva, que não diminui sob a influência do modelo surrealista, nem mesmo quando, na fase derradeira, ganha uma claridade de poesia serena, reflexiva, mas não menos incisiva, de alta ideação e feitura:

"O rio secou.
Subi leve à nascente
Que falece.
Descesse, e era
o mar"

**Fiama Hasse Pais Brandão** (Lisboa, 15 de agosto de 1938 – 20 de janeiro de 2007) colaborou com *Morfismos* para a *Poesia 61*, início de uma atividade poética que se estenderia por outros títulos: *Barcas Novas* (1966), *(Este) Rosto* (1969), *O Texto de Joan Zorro* (1974), *Era* (1974), *Novas Visões do Passado* (1975), *Homenagem à Literatura* (1976), *Melómana* (1978), *Natureza Paralela* (1978), *Área Branca* (1979), *Âmago: Nova Arte* (1985), *Éclogas de Agora* (1986), *Três Rostos* (1989), *Cantos do Canto* (1995), *Epístolas e Memorandos* (1995), *F de Fiama*, antologia (1997), *Cenas Vivas* (2000), *Fábulas* (2002), reunidos em *Obra Breve* (2006). Ainda se dedicou à prosa de ficção (*O Retratado*, 1976; *Falar sobre o falado*, 1989; *Movimento Perpétuo*, 1990; *Sob o Olhar de Medeia*, 1998; *Contos da Imagem*, 2006), ao teatro (*Chapéus de Chuva*, 1960; *O Testamento,* 1962; *A Campanha,* 1965; *Quem move as árvores*, 1969; *Poe ou o Corvo,* 1979; *Sombras na Cara de Estefânea,* 1980; *Teatro-Teatro,* 1990) e ao ensaio.

Como não poucos poetas da sua geração, Fiama Hasse Pais Brandão rende tributo à dicção surrealista para se propor como uma das vozes mais sonoras da *Poesia 61*: o seu forte é a tendência para a concisão, a brevidade, de cunho aforístico e descritivo, inclinado à écfrase ou à descrição de essências. Embora reconheça que "a luz ou realidade exerce o seu fascínio", a descrição recusa-se a ser realista ou parnasiana, pois que se organiza "sem o consciente / de uma consciência". O seu propósito é transfundir a realidade (concreta), descobrir-lhe o secreto encanto, movida pelo olhar que transfigura a realidade ou que nela projeta as imagens flutuantes no seu íntimo, despertadas pelo espetáculo do real: "E a luz (pública) / extinta revela (então) o caos: o não haver as formas, o visível".

Afinal, "que nos oculta a falsa nitidez?", indaga ela, ao receber as "imagens instituídas para a relação com o irreal", cônscia de que "os surrealistas que haviam gerado o surreal / através do discurso e do fracionamento / olham agora estes quistos ou blocos irreais fixos, / por vezes apontando para o imaginário / através de uma fixidez absoluta do real". Daí instaurar-se uma lógica outra: revelado o caos do real, do visível, o pensamento, despedindo-se do compromisso com a Razão, libera o espaço para a lógica da poesia. Entre o pensamento ou os sentidos e o real processa-se o embate dialético peculiar à poesia: ainda que deixe vir à tona resquícios da lógica racional, o pensamento é o da Beleza aureolada duma obscuridade surrealista, hermética ("a minha vida é a mais hermética"; "estou convicta de que o real é esotérico").

"Gnose literária" que é, a poesia decorre do pensamento que sente, à Pessoa: o ritmo e a melodia derivam da emoção imanente no ato de pensar. Em vez de conceitos ou definições, o pensamento veicula metáforas, visto ser o berço da imaginação: "reconheço o meu pensamento como parcela / do imaginário público e que nem as palavras privadas me permitem / manifestar até ao limite uma fantasia incontrolada". De onde o fantástico constituir "uma perspectiva essencial da realidade", assim como "as lendas de Hermes Trimegisto" se recolhem no âmago do poema, composto de "enigmáticas imagens" e "sílabas mântricas". A um só tempo registrando o espetáculo do real e empregando a metalinguagem poética para desvendar o ofício de captar o mundo oculto na realidade visível, o poema torna-se, às mãos de Fiama Hasse Pais Brandão, uma espécie de sutra, inspirada em livros como "o Cântico dos Cânticos, os Puranas, os dois Banquetes, Al-Gazeli e livros e livros outros".

**Gastão Cruz** (Faro, 20 de julho de 1941) publicou, além de *A Morte Percutiva* (1961), os seguintes títulos de poesia: *Hematoma* (1961), *A Doença* (1963), *Outro Nome* (1965), *Escassez* (1967), *As Aves* (1972), *Teoria da Fala*

(1972), *Os Nomes desses Corpos* (1974), *Campânula* (1978), *Doze Canções de Blake* (1980), *Órgão de Luzes* (1981), *Referentes* (1983), *O Pianista* (1984), *As Leis do Caos* (1990), *As Pedras Negras* (1995), enfeixados, com um prefácio do autor, em *Poemas Reunidos* (1999), *Crateras* (2000), *Rua de Portugal* (2002), *Repercussão* (2004), e *A Vida da Poesia – Textos Críticos Reunidos (1964-2008)* (2009).

Gastão Cruz seguiu, com independência e voz própria, as tendências da *Poesia 61*, centradas na "ruptura [...] com um certo discursivismo, com uma retórica de raízes predominantemente presencistas", e no emprego da palavra poética com o máximo de economia, precisão e multiplicidade semântica. Embora se percebam mudanças evolutivas ao longo dos poemas e dos anos, a sua poesia gravita em torno do diálogo com o "outro", seja na figura do ente amado, seja da natureza ou do contexto social opressivo: o "cinto de palavras" serve-lhe para dizer das pulsões amorosas que nutrem o "Corpo sobre Corpo", acionadas pela tristeza, o "medo da esperança", a "mágoa", "palavras magoadas", a "perfeita liberdade de perdermos / com a vinda da noite o que / ainda tivermos", deixando "amargura", "este gosto a sangue", "fogo morto", "corpo morto". A técnica do fragmento constitui a forma visível desse ceticismo ou melancolia: o verso dispõe-se em fragmentos, cujo sentido é dado por contiguidade e não pela sequência lógica, emocional ou rítmica. Implícita, exigindo um cuidadoso *close reading* interpretativo, tal unidade de sentido é, a rigor, uma constelação semântica polivalente, como pede a linguagem poética, num andamento de síncopes sucessivas, sem sinais de pontuação e apenas utilizando as maiúsculas para iniciar os parágrafos.

O "eu lírico" é pouco mencionado, a fim de prevalecer o "outro", como se o poeta buscasse uma alteridade transitiva. Mas sempre continua vigilante, subentendido ou aninhado nos interstícios dos versos ou das imagens, num processo que avança no rumo do amadurecimento à medida que se torna cada vez mais interrogativo, ambíguo e reflexivo, embora voltado, como sempre, para a realidade dos objetos concretos, do tempo presente ou da memória (que sonda, nos últimos três livros, o passado algarvio do autor). A contensão, instaurada desde os primeiros versos, alcança nessas horas o nível da melhor poesia, como em *As Aves*, porventura a sua obra mais bem realizada. Disso o poeta tem plena consciência, numa altura em que os elementos do verso parecem readquirir sequência linear:

"Hoje sei como se exprime a vida da poesia
com a sinceridade das emoções linguísticas
com que o mundo devasta e enche as nossas vidas
Aprendi a clareza das imagens fictícias
recolhidas na luz do corpo nu e vivo
entre os golpes orais errante desferidos"

A metalinguagem aí infiltrada acompanhou o poeta desde quando "tinha deixado a torpe arte dos versos", "tinha esquecido a arte dos tercetos", até culminar com uma explicação que, sem negar a liberdade com que tais medidas foram tomadas, reafirma, no cenário aberto pelas *Pedras Negras,* a opção fundamental da sua poesia e da *Poesia 61* como um todo:

"Nada mais rigoroso que esta convocação aparentemente arbitrária de signos, que terminam construindo uma consistente unidade de sentido a que não pareciam destinados".

**Maria Teresa Horta** (Lisboa, 20 de maio de 1937) estreou com *Espelho Inicial* (1960), e no ano seguinte participa da *Poesia 61* com *Tatuagem.* Ainda publicará *Cidadelas Submersas* (1961), *Verão Coincidente* (1962), *Amor Habitado* (1963), *Candelabro* (1964), *Jardim de Inverno* (1966), *Cronista não é recado* (1967), *Minha Senhora de Mim* (1971), *Educação Sentimental* (1975), *Mulheres de Abril* (1977), *Os Anjos* (1983), *Rosa Sangrenta* (1987), etc., reunidos em *Poesia Reunida* (2009). Ainda cultivou a ficção: *Ambas as Mãos sobre o Corpo* (1970), *Ana* (1975), etc. A poesia de Maria Teresa Horta caracteriza-se pelo seu feminismo: manifesto de forma discreta em *Tatuagem,* foi ganhando progressiva liberdade, até se transformar, notadamente em *Educação Sentimental,* num erotismo puxado à ninfomania, que lembra uma retomada infrene, por vezes à beira do licencioso, das cantigas de amigo medievais. Os lances do ato amoroso, inicialmente descritos com eufemismos ("espada", "bainha"), passaram com o tempo a ser expressos com os nomes próprios, como se um donjuanismo em feminino comandasse o intercurso dos sexos. Com *Mulheres de Abril*, o feminismo assume conotação política e sentido coletivo: "Mulheres de abril / somos / mãos unidas // na construção / operária / do país".

448 • A LITERATURA PORTUGUESA

**Casimiro de Brito** (Loulé, 14 de janeiro de 1938) estreou em 1957, com *Poemas da Solidão Imperfeita* (1957), e em 1961, participou na *Poesia 61* com *Telegramas*. Publicou a seguir outros volumes de poesia: *Jardins de Guerra* (1966), *Mesa do Amor* (1970), *Negação da Morte* (1974), *Corpo Sitiado* (1976), reunidos em *Ode & Ceia (Poesia 1955-1984)* (1985), *Labyrinthus* (1981), *Ni maître ni serviteur / Nem Senhor nem Servo* (ed. bilíngue) (1986), *Duas Águas. Um Rio*, em colaboração com Antônio Ramos Rosa (1989), *Subitamente o Silêncio* (1991), *Intensidades* (1995), *Opus Afetuoso* (1997), *Pouco de Pouco* (1999), *Na Via do Mestre* (2000), *Livro das Quedas* (2005). Ainda cultivou o romance (*Imitação do Prazer*, 1977; *Nós, Outros*, em colaboração com Teresa Salema, 1979: *Pátria Sensível*, 1983) e o conto (*Um Certo País ao Sul*, 1975; *Contos da Morte Eufórica*, 1984).

À semelhança dos outros integrantes de *Poesia 61*, o lirismo de Casimiro de Brito rende tributo ao culto da palavra: a sua dicção prima pelo despojamento, como se, à maneira de um artista plástico, empregasse as palavras para criar esculturas. Fruto da abolição dos nexos subordinativos, a sequência das frases obedece à parataxe, de modo a prevalecer a justaposição entre os elementos que compõem os versos, em consequência de ser anulada a lógica da causa e efeito.

Não estranha, por isso, que o haikai seja o paradigma dessa reverência à palavra e à concisão, e que o poeta tenha enfeixado nos *Poemas Orientais*, pouco depois da *Poesia 61* (1963), uma "versão de haikais". E daí para jogar com os vocábulos "zen" e "zênite" é um passo, como se a forma determinasse o pensamento, ou vice-versa, o pensamento encontrasse nessa forma a sua roupagem mais adequada. Entre o "zen", posto ao alto da página, para representar o início ou o fundamento filosófico, e o "zênite", situado ao pé da página, como o ponto supremo dessa doutrina, coloca-se um haikai, síntese perfeita da forma e do conteúdo:

"Ao longe sobre as dunas levantam-se
laboriosas cidades.
Altos cavalos sentados
no silêncio"

Outros vários poemas no gênero pontilham o volume, como breves artes poéticas ("O poeta? ///// Máscaras / Sobrepostas") ou marcos miliários duma trajetória assinalada pelo afã de esculpir conceitos sutis com o mínimo de palavras ("A vida? ///// Amar / Devorar").

Outra resultante desse processo é um tipo de poema em que as palavras parecem catalisadas no rumo da poesia concreta, fundindo-se como uma só, ao modo germânico, ou dispondo-se na página de modo a compor figuras geométricas diversas, que lembram o futurismo cubista de algumas composições de Sá-Carneiro:

> "amãoindecisa
>> abocanofio & pupilasemcor
>> friasecarugosa"

Afora alguns lampejos de engajamento político, a poesia de Casimiro de Brito gravita na órbita de temas perenes, sempre divisados duma perspectiva em que se fundem o concreto da experiência vivida e o abstrato segregado por uma imaginação e uma sensibilidade apuradas e de largo espectro, que desde cedo lhe constituem as principais linhas de força: "Somos feitos da matéria / de que são feitos os sonhos". O amor e a morte constituem os temas eleitos, equivalentes aos polos da existência humana, ambos entremeados, intercambiantes, como as duas faces da mesma moeda:

> "Animal andrógino que dança
> até à morte, a mais volátil, a do jardim
>> das delícias"

Num caso e noutro trata-se do poeta das "intensidades", por meio das quais alcança a superior densidade lírica que o distingue no quadro da sua geração. O amor ocupa-lhe todos os momentos vitais – desde a *Mesa do Amor* até o leito – mas deixando transparecer a morte a cada instante, da mesma forma que a *Negação da Morte* é um poema de larga respiração épica, visando a cantar o triunfo da vida (do amor) sobre a morte:

> "A morte não é morte da vida: apenas
> novas formas de vida";
>> "assim a vida

450 • A LITERATURA PORTUGUESA

flui na morte que devolvo
com palavras vagas";
    "sobre a vida
escrevo: lavor de palavras minuciosas [...]
de signos transfigurados no ofício
circular do pó – sobre a morte do rosto –";
    "sabor violento
da morte final unânime mas nunca
definitiva – "

## POESIA EXPERIMENTAL

Pouco depois da *Poesia 61*, surge a poesia experimental. Vanguardistas, insatisfeitos, os seus integrantes, estimulados pelo concretismo brasileiro, procuram experimentar novas técnicas e soluções poéticas. Tal experimentalismo, de que não está ausente uma nota lúdica para *épater le bourgeois*, coagulou-se no *caderno de poesia. Poesia Experimental--1* (1964) e *Poesia Experimental-- 2* (1966), e atraiu várias figuras como Ana Hatherly, Alberto Pimenta, Antônio Aragão, E. M. de Meio e Castro, Salette Tavares.

Apesar da intensa atividade teórica desenvolvida, a poesia experimental não gerou um manifesto ou um programa estético que fosse consensual: "a formulação de qualquer Manifesto Experimental ou documento de posição coletiva [foi um] intento que falhou por duas vezes em 1964 e 1965". E a razão dessa ausência reside no fato de que "foram sempre individuais", e não raro divergentes, as pesquisas que tinham em mira um "denominador comum".

Dentre os seus participantes, E. M. de Melo e Castro, autor dessas observações, foi o que mais se dedicou à tarefa de erguer uma doutrina da poesia experimental, decerto acreditando que pudesse falar pelo grupo todo. "Poesia loucura da forma" ou "poesia é o delírio da forma" , declara ele em certo momento, como a alicerçar a ideia de que a "poesia experimental é sinônimo de Arte de Vanguarda", sem levar em conta que não podia ostentar essa condição uma vertente integrada numa história do fazer poético que remonta à Antiguidade clássica ("poema figurado", *carmen figuratum, technopaignia)* e ressurge de tempos em tempos, a exemplo da época barroca, que mais de uma vez será visitada pelos seus seguidores.

A consequência mais imprevista que lhe escorre da pena é a seguinte afirmativa, negando a anterior proposição: "falar em Poesia Experimental me parece já impossível, devendo falar-se sim em pesquisa poética ou dizer só Poesia". Nada disso impediu que, acentuando a feição concreta, plástica, visual, espacial, da poesia experimental, chegasse, no dizer de Ana Hatherly, a postular que "o poema concreto fosse *imediatamente* legível", já que "a poesia concreta desejou-se acima de tudo objetiva, científica", o que se traduziria em explorar recursos não linguísticos, como "a realização de objetos tridimensionais e a colaboração de músicos; a poesia mecanicista ou permutacional [...], a poesia cinética, táctil, etc., até se atingir o limite extremo da poesia-espetáculo, que se liga ao *happening*".

Em suma, diz a mesma autora, "o texto deixa de ser apenas uma expressão lírico-literária para se tornar por fim uma pura combinação de sinais". E como tal, destinado a ser visto, não a ser lido, dando origem a "objetos-poemas" ou "poemas cinéticos", o que faz da Poesia Experimental sinônimo de Poesia Visual ou Texto-Visual, numa dependência das artes plásticas que, definindo o terreno em que se moviam os seus adeptos, explicará a trajetória dessa corrente dos anos 60, inclusive o reconhecimento de que as suas raízes remotas se encontram verdadeiramente no *Ovo*, de Símias de Rodes (séc. III a.C.).

**E(rnesto) M(anuel) de Melo e Castro** (Covilhã, 19 de abril de 1932) estreou aos vinte anos, com *Sismo*, início de uma copiosa obra em verso e prosa (*Salmos,* 1953; *Queda Livre*, 1961; *Ideogramas*, 1962; *Álea e Vazio,* 1974; *Algorritmos (Infopoesia)*, 1998; etc.), em meio a ensaios (*A Proposição 2.01 – Poesia Experimental,* 1965; *Ver Ter Ser*, 1968; *O Próprio Poético*, 1973; *PO.EX – Textos Teóricos e Documentos da Poesia Experimental Portuguesa*, em parceria com Ana Hatherly, 1984; etc.). A sua trajetória principia com poemas em verso, a que se acrescentaram poemas em prosa e, a partir dos anos 60, a "poesia concreta e visual [...], os poemas-objeto e [...] a infopoesia e a videopoesia", genericamente denominados "poemas visuais (realizados tipograficamente ou em computador)".

A entrada em cena da poesia experimental não significou o abandono do verso, mesmo porque este anunciava, de algum modo, o caráter formalista da poesia experimental, ao delinear-se no horizonte "o objeto virtual / [...] um objeto / não materializado", como se pode ver em *Poligonia do Soneto* (1963). O ludo verbal é a sua primeira manifestação, de barroca ressonância, a exem-

452 • A LITERATURA PORTUGUESA

plo de "subjacentes em aqui jaz não sente" ou "em não saber em sobra sem sabor". Daí para a poesia erótica ou os "sonetos maneiristas" e eróticos, ou para parafrasear Camões, é um passo.

Até que a poesia experimental se impusesse, na linha do Concretismo, com o seu princípio verbivocovisual, ou seja, o predomínio do visual ainda quando a palavra continuava a fazer-se presente. É a fase dos ideogramas, por vezes em comunhão com a sonoridade, mas sem apelo às possíveis camadas semânticas, à maneira de *carmina figurata* em que os ingredientes pictóricos prevalecem sobre os propriamente verbais, uma vez que, segundo predica o autor, "as palavras não existem numa relação biunívoca significante/significado; a relação é, antes e depois, espectral através de um halo variável e oscilante que as envolve e oculta".

**Ana Hatherly** (Porto, 1929) iniciou a sua trajetória poética com *Um Ritmo Perdido* (1958), seguido por *As Aparências* (1959), *A Dama e o Cavaleiro* (1960), *Sigma* (1965), *Eros Frenético* (1968), *39 Tisanas* (1973), *63 Tisanas* (1973), etc., reunidos, com inéditos, em *Poesia 1958-1978* (1980), *O Cisne Intacto* (1983), *A Cidade das Palavras* (1988). E ainda se dedicou ao ensaio, em torno da poesia experimental e dos seus liames com o Barroco: *A Experiência do Prodígio – Bases Teóricas e Antologia de Textos-Visuais dos Séculos XVII e XVIII* (1983).

De certo modo, a sua poesia segue um itinerário semelhante ao do autor de *A Proposição 2.01*: cultiva o verso nos primeiros livros e não o abandonará de todo quando se engajar na poesia experimental. E tal como o mencionado confrade, os seus poemas iniciais contêm prenúncios das mudanças operadas na década de 60, como a referência elogiosa ao ovo:

"O círculo é a forma eleita:
É ovo, é zero,
É ciclo, é ciência"

Acompanha esse compasso de aforismo ou de arte poética o repúdio ao lirismo em geral, notadamente o amoroso, evidente na alteridade do discurso poético, a tal ponto que o "eu" surge aglutinado à morte: "Mór / Eu...". Afloram também laivos surrealistas ou de realismo mágico, sem perturbar o cenário em que, a meio dos anos 60, aparece, num poema em prosa, "O Poeta Robot H2". E a autora, talvez para se livrar da sombra de Pessoa, defende um conceito de poeta que não tem nada do fingidor: "O poeta é / um calculador de improbabilidades limita / a informação quantitativa fornecendo / reforçada informação estésica".

Por meio desse conceito, tem-se como que a certeza de ser o gosto pela forma, simbolizada na máquina, indício de que a razão pensante, alinhada com a ciência, supera os apelos líricos. A poetisa o diz quando afirma, em dois momentos distintos, o seu amor à "precisão fenomenológica", o pendor para a precisão geométrica, positiv(ist)a, que lhe permite fazer, armada de bússola, de lente e de "canavedora", uma "seleção natural".

Natural, pois, que o concretismo entrasse em cena com todo o ímpeto, convertendo-lhe não raro os versos ou a prosa em poemas-ensaio, como reconhece na "Teoria da Obsolência – Um Poema-Ensaio". Daí por diante, refere-se ao estilo como "essa obsoleta pluma" e se permite a "ousadia de ser poeta na antiga concepção portuguesa". Nem lhe falta que se aventure pela poesia engajada, ao tratar da "Vida Pessoal e Subjetiva na Segunda Metade do Século XX", até declarar-se contra o sentimento: identificando-o com o animal, preconiza que o humano corresponde ao "afastamento do sentimento", pois "o aspecto verdadeiramente animal do sentimento é a cegueira". Eis por que os poetas tradicionais "se identificam entre si pela cegueira animal pela arte animal pela canção sentimental e por tudo o que é querência".

A refutação do sentimento vem acompanhada pela objeção à semântica, que é "por si só uma maldade", "é uma moral acelerada", visto que "as palavras só dizem respeito a si próprias". Está-se a um passo para afirmações como as seguintes, que falam por si próprias: "todos os atos devem ser essencialmente gratuitos", "meus atos lúdicos", "revolução cibernética", "noção de ato governado", superioridade da "visão sobre o tato", "o invisível aspira à forma", – sob o impulso dos "Poemas de Crítica e de Revolta 1964-1966", tudo aureolado dum sólido conhecimento dos "prodígios" da arte barroca.

**Alberto Pimenta** (Porto, 26 de dezembro de 1937) estreou com *Labirintodonte* (1970), seguido de *Os Entes e Contraentes* (1971), *Corpos Estranhos* (1973), *Ascensão de Dez Gostos à Boca* (1977), *Homo Sapiens* (1977), *Bestiário Lusitano* (1982), *Homilíada Joyce* (1982), *Em Modo Diverso* (1983), *Read & Mad* (1984), reunidos, com inéditos, em *Obra Quase Incompleta* (1990), *Tomai isto é meu porco* (1992), *Santa Copla Carnal* (1993), *Ainda há muito para fazer* (1998), *Ode Pós-Moderna* (2000), *Tijoleira* (2002). Ainda publicou ensaios e prosa narrativa.

454 • A LITERATURA PORTUGUESA

Dando mostras de um temperamento ultrarromântico, inclinado aos extremos, prega a "liberdade total para o artista, liberdade em relação aos modelos poéticos e liberdade em relação às normas morais e sociais de valor geral", e para a arte moderna, pela "emancipação da retórica e de gêneros preestabelecidos". O culto da "poesia experimentada", manifesta por "cortes e desdobramentos", resume-lhe o ideal de arte literária: o jogo da forma, o gosto do ludo verbal, permeado de humor e sátira, por vezes irreverente ou ensaística.

Com o tempo, agrega-lhe recursos pictóricos, evoluindo para um formalismo paradoxal: se, de um lado, busca a forma geométrica, como se inspirado na velha equação de ouro da harmonia, de outro, tende para uma anarco-estética, na esteira dos "movimentos estéticos (anarco-estéticos) de começos do século", como sublinha no prólogo de *Read & Mad*, movido pelo ideal de aprisionar a entropia, expressa pelo culto do fragmento, numa forma coesa e sem fendas.

Um poema o diz claramente ("Meus Caros"), por meio de palavras seguidas de uma fotografia: ali, afirma que "o fato de a poesia, como o universo, não ter fronteiras, implica que a entropia, a desordem, aumenta no período de contração final, que é obviamente o nosso"; aqui, uma caixa, de cobertura e fundo metálicos, com a tampa fechada, simboliza a perfeição determinada pela redução do conhecimento a um só objeto, ou seja, "toda a poética, como o universo, cabe dentro duma caixa".

Parecendo, com isso, levar o formalismo ao extremo da ortodoxia, o poeta imerge na heterodoxia, graças ao culto da anarquia, ou entropia, estética. Na sequência dessa propensão, deriva para a "intervenção", os "atos poéticos", o "espetáculo", em que se distinguem traços surrealistas ou mesmo dadaístas. Em síntese, trata-se de "um poeta de vanguarda, portanto um marginal na cultura portuguesa, e tão marginal que nem sequer esteve ligado ao grupo da Poesia Experimental que entre nós tem enfrentado (e afrontado) o público e a crítica" (Ana Hatherly).

## SALETTE TAVARES

Quanto a Salette Tavares (Lourenço Marques, 31 de março de 1922-Lisboa, 30 de maio de 1994), integrou-se na vertente do experimentalismo com uma independência digna de nota. Formada em Filosofia e História, realizou longos estágios em Paris e Milão, que deixaram sinais indeléveis em sua obra poética e ensaística. Publicou os seguintes volumes de poesia: *Espelho Cego* (1957), *Concerto em Mi Maior para Clarinete e Bateria, 1957-1959* (1964), *Quadrada, 1959-1960* (1967), *Lex Icon*, com prefácio à edição italiana de Gillo Dorfles (1971), reunidos, com dois volumes inéditos (*O Livro do Soporífero*, com poemas de 1962; *O Fazer da Mão,* com poemas de 1970), além de *14563 Letras de Pedro Sete*, publicado anonimamente em 1965, e um prefácio de Luciana Stegagno Picchio, em *Obra Poética, 1957-1971* (1992).

Lida na ordem do tempo, a sua poesia exibe um quadro em que o paradoxo é constante: se, no geral, a oscilação dos poetas é binária, entre duas alternativas opostas mais factíveis e alicerçadas em fortes disposições anímicas, em Salette Tavares é múltipla, não só no que toca às soluções estéticas, aos "ismos" mais próximos da sua sensibilidade – o Presencismo, o Neorrealismo, o lirismo dos *Cadernos de Poesia*, o Surrealismo e, mais adiante, o Experimentalismo –, como também quanto às soluções formais, desde o emprego do verso medido, em estrofes regulares, segundo a tradição, ao "caos sem normas" que desembocaria na poesia experimental.

Desde cedo, já na década de 50, antes da publicação dos "cadernos antológicos" *Poesia Experimental* (1964 e 1966), manifesta-se o seu gosto de jogar com as palavras, fragmentando-as (a exemplo de *Lex Icon*, dicotomia recheada de latências semânticas, desentranhada do termo *lexicon*, "léxico") ou situando-as entre espaços vazios, em nome do "*culto do intervalo* ou *valor fundamental da pausa*" (Gillo Dorfles), como que em busca de uma poesia gráfica, ligada à velha *carmina figurata*, na qual emerge por vezes um surrealismo espontâneo. Embora a lógica do pensamento e da linguagem ainda continuasse a imperar, praticamente, até os últimos poemas, o ludismo verbal aqui e ali se concretiza em versos lineares, narrativos ou descritivos, de menor vibração lírica.

Por outro lado, Salette Tavares não dissimula o humor com que se entrega às suas "Brin Cadeiras" ou "Brincade Iras", de forma a mostrar que a adesão ao experimentalismo não a obrigava a um perfilhamento radical. Tanto assim que a manifestação lúdica resulta, em muitos casos, simplesmente de emprestar plasticidade e um novo contorno a poemas estruturados em versos de convenção, como em "Maniquin", "Porta das Maravilhas" e "Ourobesouro", ou no que principia com o seguinte verso – "Não. O que te aconselho é grave, sério", etc.,

# 456 • A LITERATURA PORTUGUESA

– convertido no poema visual "Efes", sem prejuízo do poema concreto "Aranha" (1963) ou das kinetofonias, como "Takitaki".

O preço pago ao *revival* da espacialização do poema não impediu, porém, que a autora houvesse criado, em determinados momentos, sob o acicate do lirismo amoroso, poemas de intensa beleza, semeados de prenúncios da melhor poesia moderna dos anos 80 e 90 do século XX, a exemplo do seguinte:

"Toda flor me abri à claridade
em lúcida e plena transparência
e o que em mim sonhou eternidade
gemeu no silêncio a minha essência.

Construído de ruínas este dentro
que em lágrima doída me perdia
onde a força da ilusão me pôs encontro
às tuas mãos pediu a luz do dia.

E a carícia de um mar me dividiu
maravilha total do meio dia
que em crinas orgulhosas se mediu
ordenada e salgada de ironia"

Para bem se compreender a força incomum da linfa que alimenta o lirismo de Salette Tavares, é necessário atentar para um pormenor externo, mas revelador, sobretudo tendo-se em vista que o experimentalismo prosperou na década de 60: depois do livro de estreia, publicado em 1957, o seguinte é de 1964, abrigando poemas de 1957 a 1959, enquanto o terceiro, enfeixando poemas de 1959-1960, vem a público em 1967, e o último é de 1971. E os inéditos reúnem poemas de 1962-1963 (*O Livro do Soporífero*) ou de 1969-1970 (*O Fazer da Mão*). Em suma, os seus exercícios formais antecipam-se, nalguns aspectos, à eclosão do movimento experimentalista.

E quando este ganhou a praça, pouco lhe restava, senão lançar-se às "brincadeiras" dos anos 63-65, como um interregno ou exercício de construção arquitetônica:

"Arquitetura é assim
a mais viva qualidade dos poemas possíveis

a arte que prefiro
e as paredes construídas são as rimas
que estruturam a pedra o tijolo o cimento e o vidro"

que não lhe comprometeu a trajetória poética. Mesmo porque nela já se observavam, como uma das suas virtualidades mais enfáticas, tentativas de mudança das leis da poética, ou a retomada, em clima de mais ampla liberdade criativa, das heranças formais da poesia figurativa barroca, que seriam confirmadas e difundidas pela geração do experimentalismo.

## "POESIA ÚTIL" / "POEMAS LIVRES"

Simultaneamente às correntes de vanguarda, ainda é de assinalar, nos anos 60, uma nova onda neorrealista, veiculada por meio de duas revistas, *Poesia Útil* e *Poemas Livres,* publicadas em Coimbra, entre 1962 e 1968, reunindo nomes como Manuel Alegre, Fernando Assis Pacheco, José Carlos de Vasconcelos e outros, e pelo *Cancioneiro Vértice,* coleção de livros iniciada em 1963, no âmbito da revista *Vértice,* na qual se publica a estreia de Manuel Alegre, *Praça da Canção,* em 1965.

**José Carlos de Vasconcelos** (Freamunde, 10 de setembro de 1940) iniciou-se com *Canções para a Primavera* (1960), a que se seguiram *Corpo de Esperança* (1964), *Elegias* (1965, reeditado, com novos poemas, sob o título de *Tempo de Elegia,* em 1971) e *De Poema em Riste* (1970), reunidos, os três últimos, com os inéditos *Poemas com Data,* no volume *Poemas para a Revolução* (1975). Depois de um longo silêncio, publicou *O mar a mar a Póvoa* (2001) e *Repórter do Coração* (2004). Vindo "para a rua / armado de poemas", em nome da "poesia para a revolução", José Carlos Vasconcelos não escondia certo lirismo, por vezes eloquente, que se tornaria patente nos versos escritos após a revolução de 25 de abril. Decerto, pensaria que, tornando-se desnecessária a poesia participante, era possível vir à tona uma "sinceridade" introspectiva, à José Régio, em que falasse o coração, subjacente na poesia de "intervenção", bafejada pela "extrema simplicidade e a claridade poética", procurada desde a primeira hora. Ao "poeta do povo" sucedeu o poeta que vê tremer ao "vento antigo / o cristal da memória" e chega mesmo a exclamar: "Gostava tanto que Deus existisse!", atingindo, nos dois últimos livros, o ponto mais alto da sua respiração poética.

458 • A LITERATURA PORTUGUESA

**Fernando Assis Pacheco** (Coimbra, 1937-Lisboa, 30 de novembro de 1995) estreou em 1963, com *Cuidar dos Vivos*, seguido por uma série de plaquetes: *Viagens na Minha Guerra* (1972), *Cau Kiên: Um Resumo* (1972, republicado, em 1976, sob o título de *Catalabanza, Quilolo e Volta)*, *Memórias do Contencioso* (1976), *Siquer este Refúgio* (1978), *Enquanto o autor queima um caricoco, seguido de Os sons que passam* (1978), *A Profissão Dominante* (1982), *Variações em Sousa* (1984), *Nausicaah!* (1984), *A Bela do Bairro e Outros Poemas* (1986), a maioria dos quais publicada, com inéditos, em *A Musa Irregular* (1991). Postumamente sairia, com posfácio de Manuel Gusmão, outra recolha de versos, com o título de *Respiração Assistida* (2003).

Diversamente de José Carlos de Vasconcelos, a sua trajetória principiou com traços de "neorrealismo epigonal", em mescla com um certo surrealismo espontâneo: enquanto os primeiros foram eliminados de *A Musa Irregular*, os demais permaneceriam no jogo temático em que os poemas se resolvem ou que camuflam. Nessa variação contínua, que é também instintiva, de poeta em disponibilidade, sempre em busca do seu norte, o lirismo amoroso é nota constante – "Amor amor amor onde andarias / talvez um dia amor amor tu venhas / salvar quem sempre e só amor reclama"; "amo-te amo-te muito" – em meio a poemas vazados numa linguagem direta, própria de crônica do cotidiano, de "um senhor" que se confessa "magoado / pelos trabalhos e os dias". Fernando Assis Pacheco alcançará, paradoxalmente, o melhor de si no volume póstumo, graças a uma "poética da deflação do *pathos lírico*", em compasso com "modulações irônica, satírica ou de 'escárnio e maldizer' igualmente manifestas" (Manuel Gusmão), aureoladas por uma autoironia que a antevisão da morte próxima lucidamente suscitava.

**Manuel Alegre** (Águeda, 12 de maio de 1936) publicou *Praça da Canção* (1965), *Canto e as Armas* (1967), *Um Barco para Ítaca* (1971), *Letras* (1974), *Coisa Amar (Coisas do Mar)* (1976), *Nova do Achamento* (1979), *Atlântico* (1981), *Babilônia* (1983), *Chegar aqui* (1984), *Aicha Conticha* (1984), *O Homem do País Azul* (1989), *Com que pena-Vinte poemas para Camões* (1992), *Sonetos do Obscuro Quê* (1993), *Coimbra Nunca Vista* (1995), *Alma* (1995), *Alentejo e Ninguém* (1996), *Che* (1997), *Pico* (1998), *Senhora das Tempestades,* com prefácio de Vítor Aguiar e Silva (1998), todos enfeixados, com um prefácio de Eduardo Lourenço, em *Obra Poética* (1999), *Doze Naus* (2007).

A obra de estreia enquadrava-se no perímetro neorrealista, mas sem dogma, sem panfleto: repassada de indignação e protesto, vazava-se numa linguagem autenticamente poética, de ritmo próprio, inspirada no lirismo popular das trovas e dos versos de sete sílabas, ao qual se associaria, em *O Canto e as Armas*, uma visita ao modelo camoniano, que perdurará daí por diante como um *leitmotiv*. Pondo em causa a liberdade e a identidade de Portugal – "procura Portugal em Portugal" –, Manuel Alegre trabalha com os implícitos ocultos nas dobras das metáforas, porque assim o requer a poesia digna do seu nome e a crença de bastar meia palavra ao seu leitor. "Ser presente é passar"; "Todo o poema é de rua. Todo o tempo é de combate", exclama ele, tangido pela saudade do futuro como aura ou verdade intangível.

Com a revolução dos cravos (1974), a sua poesia, desobrigada de ser arma de combate, passa a empregar a energia do seu núcleo em assuntos alheios ao *status quo* político. Sem perder a força impetuosa e o domínio do verso tenso e bem urdido, que o tornava um dos poetas neorrealistas mais festejados, põe-se agora a cultivar situações lírico-amorosas ou sugeridas por episódios históricos. Menos ditada pelo contexto social, a sua poesia não titubeia em seguir os caminhos iluminados pela magia, pela alquimia e mesmo por certo esoterismo, onde é possível entrever a sombra de Pessoa e de outros mestres, como Dante, T. S. Eliot. Com a "sintaxe mágica" que se anunciava desde o começo, o seu olhar se volta "para dentro do oculto":

"Da rosácea de enxofre nasce o pacto
da magia da fórmula do rito
vai-se a ver e Camões é o próprio ato
de passar a poema o nunca dito. [...]

"Intertexto intervida intersemântica
alquimia alquimia escrita quântica
vai-se a ver e Camões é a voz que dita.

E já não sei se escrevo ou se sou escrito
é a magia o fogo o signo: cripto-
grafia de uma escrita em outra escrita"

O segredo de Manuel Alegre reside na capacidade de gerar metáforas imprevistas, dotadas de um sentido que desafia o entendimento ("as palavras não decifram / são enigmas / matéria obscura / luminosa") e de uma melodia sem falhas, como se um trovador, de "regresso ao mar às brumas ao mistério", compusesse "o subterrâneo cântico secreto", pensando na pauta que transforma as palavras em música, uma "oculta fórmula da escrita / alquimia de sons". Por outras palavras, diz ele num texto em prosa, ao final da *Obra Poética*: "O poeta é esse feiticeiro. [...] Ou é talvez o adivinho. [...] O poeta de hoje é como esse xamã antigo. [...] Que procura o impossível. Ou seja: o verso que não há. [...] A música secreta da língua. [...] Os sinais mágicos da palavra. Os sinais da essência do mundo que por vezes se revelam na palavra poética".

## OUTRAS VERTENTES POÉTICAS

Afora os nomes referidos, e à margem dos agrupamentos ou tangenciando-os, outros nomes merecem referência, uma vez que a época é marcada por uma pletora de poetas inspirados, segundo uma paleta rica em tonalidades e uma pauta repleta de modulações: Natércia Freire, Fernanda de Castro, Daniel Filipe, João Rui de Sousa, entre outros. Contudo, a perspectiva desta obra reclama que apenas se destaquem algumas figuras.

## JOSÉ GOMES FERREIRA

Nasceu no Porto, a 9 de junho de 1900. Formado em Direito em 1918, ainda estudante estreia com um livro de poemas (*Lírios do Monte*), que repudiará mais tarde. Idêntico destino terá a obra subsequente, *Longe,* publicada em 1921. Entre 1926 e 1930, esteve na Noruega, como cônsul de seu País. Depois de um longo silêncio, apenas quebrado pelo aparecimento de poemas seus em revistas como a *Presença* e *Descobrimento,* resolve dar a público sua obra, repartida entre a poesia (*Poesia I,* 1948; *Poesia II,* 1950; *Elétrico,* 1956; *Poesia III,* 1961; *Poesia IV,* 1970; *Poesia V,* 1973), a ficção (*O Mundo dos Outros,* 1950; *O Mundo Desabitado,* 1960; *Os Segredos de Lisboa,* 1962; *Aventuras Maravilhosas de João sem Medo,* 1963; *Tempo Escandinavo,* 1969; *O Irreal Cotidiano (Histórias e Invenções),* 1971; *O Sabor das Trevas: Romance – Alegoria dos Tempos Modernos,* 1976; *O Enigma da Árvore Enamorada. Divertimento em Forma de Novela Quase Policial,* 1979), memórias (*A Memória das Palavras ou o Gosto de Falar de Mim,* 1965; *Imitação dos Dias,* 1966). Faleceu em Lisboa, a 8 de fevereiro de 1985.

Poetando desde o tempo de *Orpheu,* José Gomes Ferreira presenciou o aparecimento e a evolução dos vários "ismos" que enformam o cenário da modernidade literária em Portugal, mas não se integrou em nenhum deles de modo particular, malgrado seu temperamento o aproximasse mais da geração neorrealista. Assimilou a experiência lírica do passado e a moderna, porém procedeu como o grande poeta que é: absorveu-a e acrescentou-lhe novidades oriundas de sua pessoal visão do mundo. Senhor de antenas firmemente sintonizadas com a terra, seus poemas se afiguram notações febricitantes duma aguda sensibilidade aberta ao cotidiano, ao real concreto em todas as suas modalidades, servida por uma incomum imaginação transfiguradora.

Desdenhando o lirismo amoroso, a sua poesia espraia-se pelos quatro cantos do mundo, numa sofreguidão épica de abraçar tudo, logo volvida em lirismo irado, projetivo, como se os versos nascessem aos jatos, num permanente estertor. Acidamente indignado, sorridente e "esportivamente" humorado, orienta-se para o dia a dia, numa vigilância que surpreende os focos de onde lhe vem a sugestão para a rebeldia selvagem ou para o riso franco, atirado contra o ridículo burguês. Mais do que a poesia, sua prosa documenta esse pendor para ver em profundidade o real circundante e ao mesmo tempo criá-lo (ou recriá-lo), fundindo a observação e a invenção num todo coeso e indivisível. Espírito generoso e de amplas dimensões humanas, sadio como só antes fora Ramalho Ortigão, José Gomes Ferreira constitui exemplo raro de independência e dignidade no mundo das letras portuguesas.

## JORGE DE SENA

Nasceu em Lisboa, a 2 de novembro de 1919 e faleceu em Santa Barbara (Califórnia), a 4 de junho de 1978. Formado em Engenharia (1944), transferiu-se para o Brasil em 1959, onde iniciou uma carreira universitária que continuou nos E.U.A. Cultivou a poesia (*Perseguição,* 1942; *Coroa da Terra,* 1946; *Pedra Filosofal,* 1950; *As Evidências,* 1955; *Fidelidade,* 1958; *Metamorfoses,* 1963; *Arte da Música,* 1968; *Peregrinatio ad Loca Infecta,* 1969; *Exorcismos,* 1972; *Conheço o SoL e Outros Poemas,* 1974; *Sobre Esta Praia,* 1978; *Quarenta Anos de Servidão,* 1979; *Sequências,* 1980; *Visão Perpétua,* 1982), o teatro (*O Indesejado,* 1951; *Amparo de Mãe,* 1951; *Ulisseia Adúltera,* 1952), o conto (*Andanças do Demônio,*

1960; *Novas Andanças do Demônio*, 1966; *Os Grão-Capitães*, 1976), o romance (*Sinais de Fogo*, 1979), a crítica e a historiografia literárias (*A Poesia de Camões*, 1951; *Da Poesia Portuguesa*, 1958; *O poeta é um fingidor*, 1961; *O Reino da Estupidez*, 1961; *A Literatura Inglesa*, 1963; *Uma Canção de Camões*, 1966; *Estudos de História e de Cultura*, 1967; *Os Sonetos de Camões e o Soneto Quinhentista Peninsular*, 1969; etc.)

Dotado da personalidade mais proteiforme de sua geração, construiu uma obra que, em qualquer de suas configurações, exemplifica o truísmo da unidade na diversidade. Mundividência caleidoscópica, que tudo abrange ou procura abranger, desde o real, entendido como a porção subjetiva das coisas e dos seres, até o ideal, entendido como a porção objetiva da vida mental, funde a história e o mito, o erudito e o fantasioso, num cosmorama cultural em perpétuo dinamismo. Escritor sem concessões, em cada uma de suas facetas pôs austeridade de autêntico *clerc*, tão grave em poesia como no ensaio, tão racionalista ou "culto" na ficção quanto no teatro. Não raro, o afã de integração dos opostos e de levar a fundo a sonda analítica, o arrastava para atitudes polêmicas ou apaixonadas. Inquieto, proteico e sempre bem informado, cada faceta da sua obra tem parecido a que melhor lhe representa a personalidade, mas afigura-se que a crítica ou o ensaio, por lhe deixar o campo livre à expansão das virtualidades, prevalece.

## SOPHIA DE MELLO BREYNER ANDRESEN

Nasceu no Porto, a 6 de setembro de 1919, e faleceu em Lisboa, a 2 de julho de 2004. Cursou algum tempo Filologia Germânica na Faculdade de Letras de Lisboa. Publicou contos infantis e para adultos (*Contos Exemplares*, 1962), mas o setor mais importante de sua obra é constituído de obras poéticas: *Poesia* (1944), *Dia do Mar* (1947), *Coral* (1950), *No Tempo Dividido* (1954), *Mar Novo* (1958), *O Cristo Cigano* (1961), *Livro Sexto* (1962), *11 Poemas* (1969), *Dual* (1972), *O Nome das Coisas* (1977), *Navegações* (1983), *Ilhas* (1989), reunidos em *Obra Poética* (3 vols., 1990-1991), *Musa* (1994).

O seu lirismo, fruto duma invulgar sensibilidade feminina, parece brotar das mesmas nascentes em que se abeberavam os poetas simbolistas e seus modernos continuadores. Sempre disposta a "olhar dentro das coisas", a sua intuição se avigora na razão direta das profundezas que alcança, mas jamais se intelectualiza ou se desfeminiza. Ao contrário, "encantada" pela aura mágica das coisas que contempla, o seu universo poético abrange vastidões cósmicas, iniciando-se pelo mar, seu motivo preferido. De onde o panteísmo, o animismo, que encontra nos seres da Natureza uma espécie de alma gêmea, ou descobre-a latente, à espera de compreensão e simpatia.

No conjunto da obra poética de Sophia de Mello Breyner Andresen, o encontro mítico com os elementos naturais sempre se envolve de rarefação e sutilização: a sensibilidade da poetisa filtra até os confins as linhas objetivas da realidade física, mesmo quando os temas clássicos e históricos pudessem recrutá-la para atitudes opostas. Outra nota original se lhe acrescenta: posto que hipersensivelmente feminina, em momento nenhum cede ao lirismo amoroso, na clave sentimental das cantigas de amigo. Seus poemas de amor colocam o sentimento numa altitude inacessível aos sentidos elementares, pois a maturidade e a privilegiada intuição a proibiriam de situar noutro plano as questões do coração.

Na evolução da carreira poética de Sophia, a partir de *Mar Novo* se vai observando acentuado despojamento factual e intuicional, que a convidava a criar poemas de cunho narrativo, em que por vezes se adivinham notas de espontânea participação, resultante dum temperamento lírico imantado pelo real concreto em sua expressão mais simples. Tudo indica que estamos perante a voz feminina mais sonora da poesia portuguesa da segunda metade do século XX.


# EUGÊNIO DE ANDRADE

Pseudônimo de José Fontinhas, nasceu em Póvoa de Atalaia (Fundão), a 19 de janeiro de 1923. Iniciada em 1942, com *Adolescente,* a sua carreira poética seguiria ascensionalmente até o término dos seus dias, ao longo dos seguintes livros: *Pureza* (1945), *As Mãos e os Frutos* (1948), *Os Amantes sem Dinheiro* (1950), *As Palavras Interditas* (1951), *Até Amanhã* (1956), *Coração do Dia* (1958), *Mar de Setembro* (1961), *Antologia (1945-1961)* (1961), *Ostinato Rigore* (1964), *Poemas (1945-1965)* (1965), *Os Afluentes do Silêncio,* prosa (1968), *Eros de Passagem* (1968), *Obscuro Domínio* (1971), *Véspera da Água* (1973), *Limiar dos Pássaros* (1976), *Memória Doutro Rio* (1978), *O Rosto Precário,* prosa (1979),

464 • A LITERATURA PORTUGUESA

*Poesia e Prosa* (1980), *Poesia em Verso e Prosa* (1980), *Matéria Solar* (1980), *O Peso da Sombra* (1982), *Branco no Branco* (1984), *Poesia e Prosa (1940-1989)* (1990), *O Sal da Língua* (1995), *Poesia* (2000), *Os Sulcos da Sede* (2001). Faleceu no Porto, a 13 de junho de 2005.

A obra poética de Eugênio de Andrade gravita em torno de um núcleo em que se plasma um lirismo (amoroso) comedido, transparente, fruto duma sensibilidade apurada que o requinte verbal de "palavras interditas" mascara/exprime ("São como um cristal / as palavras. [...] Secretas vêm, cheias de memória. [...] Tecidas são de luz / e são a noite"), gesto de autodefesa e, a um só tempo, de adesão fremente dos sentidos, numa ambiguidade sutil, fruto de um permanente *"ostinato rigore"*. Irrigada pelos "afluentes do silêncio", deixa-se repassar dum angelismo que traduz a recusa do real empírico em favor duma "poesia pura", mas que, efetivamente, constitui a expressão de um "ser sedento de ser", à procura da "suprema harmonia entre luz e sombra, presença e ausência, plenitude e carência", como declara o poeta na sua "Poética", duma "verdade simples de ser, do 'sabor de ser', do reconhecer-se como excesso o que transcende o que apenas é", nas palavras de Vergílio Ferreira, veiculada por uma das vozes mais musicalmente límpidas da moderna poesia em Portugal ("Improviso"):

"Uma rosa depois da neve.
Não sei que fazer
de uma rosa no inverno.
Se não foi para arder,
ser rosa no inverno de que serve?"

Improviso do criador do poema? Ou da Natureza? Ou de ambos, a um só tempo? Ao improvisar, o poeta descobre a Natureza a conceber um dos seus surpreendentes improvisos: a rosa no inverno é a Natureza a improvisar a sua incessante criação num ritmo novo, a exercitar um novo ritmo, a testar a sua capacidade de construir ritmos, assim como o Poeta, à sua imagem e semelhança, improvisa o seu ritmo verbal. Este, reflete o outro, no mesmo passo em que o ritmo natural desencadeia o ritmo do poema. Ao dar largas à imaginação que transfigura o real, o poeta (re)cria a Natureza, dando-lhe a voz que permite vir até nós o seu ritmo imprevisto, da mesma forma que o ritmo da Natureza incendeia a fantasia do poeta.

TENDÊNCIAS CONTEMPORÂNEAS – I • 465

Este é quem, afinal, nos ensina a ver o improviso da Natureza, desvelando-nos a fonte de poesia que lhe é imanente. Sem ele, não enxergaríamos nem, menos ainda, compreenderíamos o inesperado e sutil momento em que a Natureza improvisa a rosa no inverno. Sem ele, a Natureza emudece. Não fosse o poeta, perder-se-iam para sempre esses instantes de milagre e epifania, porque somente ele, detendo nas mãos os segredos délficos da linguagem, pode captar e exprimir em palavras os improvisos em que a Natureza se revela e se supera, num infindável vir-a-ser criativo.

## DAVID MOURÃO-FERREIRA

Nasceu a 24 de fevereiro de 1927, em Lisboa. Além do magistério, na Universidade de Lisboa, por onde se licenciou em Filologia Românica, exerceu cargos administrativos e dirigiu a revista *Colóquio/Letras*. Cultivou a poesia (*A Secreta Viagem*, 1950; *Tempestade de Verão*, 1954; *Os Quatro Cantos do Tempo*, 1958; *À Guitarra e à Viola*, 1960; *Infinito Pessoal*, 1962; *In Memoriam Memoriae*, 1962; *Do Tempo ao Coração*, 1966; *Cancioneiro de Natal*, 1971; *Matura Idade*, 1973; *Órfico Ofício*, 1978; *Entre a Sombra e o Corpo*, 1980; *Ode à Música*, 1980; *Antologia Poética*, 1983; *Os Ramos os Remos*, 1985; *Obra Poética (1948-1988)*, 1988), o conto (*Gaivotas em Terra*, 1959; *Os Amantes*, 1968; *As Quatro Estações*, 1980; *Duas Histórias de Lisboa* 1987), o romance (*Um amor feliz*, 1986), o teatro (*O Irmão*, 1965), o ensaio (*Vinte poetas contemporâneos*, 1960; *O Motim Literário*, 1962; *Hospital das Letras*, 1966; etc.). Faleceu na cidade natal, a 16 de junho de 1996.

A diversidade da sua obra espelha um talento polimórfico cuja força aglutinadora talvez resida no lirismo, um lirismo lúcido, impregnado de notas eróticas. Cultivando um variado leque temático, em que a experiência pessoal se transfigura, se universaliza, "infinito pessoal" que é, nele, a originalidade, seja das intuições, seja da forma que as reveste, resulta duma inata disponibilidade, para a qual não há soluções ou assuntos interditos, salvo quando marcados pelo signo do já-dito ou do imaturo.

Ou, no dizer de um crítico, referindo-se a *Os Quatro Cantos do Tempo*, como a resumir-lhe toda a obra: "a forma, a concatenação geral e as situações se agregam de uma feição inédita na poesia portuguesa e exprimem um poeta no seio do universo descoberto em toda a plenitude" (João Palma-Ferreira).

466 • A LITERATURA PORTUGUESA

Em suma: uma longa e persistente reflexão centrada na "arte de amar", que encontra em *Um Amor Feliz,* revelação de outra surpreendente faceta do autor, a sua mais ardorosa concretização.

Pertencente, como David Mourão-Ferreira, ao círculo e às tendências da *Távola Redonda* e do *Graal* (1956-1957), **Antônio Manuel Couto Viana** (Viana do Castelo, 24 de janeiro de 1923 – Lisboa, 18 de junho de 2010) estreou em 1948, com *O Avestruz Lírico*, seguido de *No Sossego da Hora* (1949), *O Coração e a Espada* (1951), *A Face Nua* (1954), *Mancha Solar* (1959), *A Rosa Sibilina* (1960), *Relatório Secreto* (1963), reunidos, com inéditos, em *Poesia (1948-1963)* (1965), *Desesperadamente Vigilante* (1968), *Pátria Exausta* (1971), *Raiz da Lágrima* (1973), *Nado Nada* (1977), *Voo Doméstico* (1978), *Retábulo para um Íntimo Natal* (1980), *Ponto de Não Regresso* (1982), *Entretanto Entre Tantos* (1985), *Postais de Viana* (1986), *No Oriente do Oriente* (1987), *Estado Estacionário* (1988), *Mínimos* (1990), *Café de Subúrbio* (1991), *O Senhor de Si* (1991), *Não há outro mais leal* (1991), *Até ao longínquo china navegou...* (1991), *Álbum de Família* (1995), *Prefiro Pátria às Rosas* (1998), *Um Corpo de Três* (1998), *Orientais* (1999), *Criança é rima de esperança* (2000), *O Velho de Novo* (2003), *Cancioneiro de Olivença* (2003), recolhidos, com inéditos e um prefácio de Fernando Pinto do Amaral, em *Sessenta Anos de Poesia (1943-2003)* (2 vols., 2004).

O significativo título inaugural assinala a inflexão poética dominante na obra de Antônio Manuel Couto Viana, de modo especial na primeira fase, conforme o itinerário traçado pelo grupo da *Távola Redonda*: o lirismo tradicional, de extração romântica, que encontraria em Antônio Nobre um modelo permanente, assinalado formalmente pelo respeito à versificação regular, à rima e às estrofes homogêneas. Do livro de estreia é "O Poeta e o Mundo", arte poética que lhe servia de bússola e profissão de fé:

"Podem pedir-me, em vão,
Poemas sociais,
Amor de irmão para irmão
E outras coisas mais:

Falo de mim – só falo
Daquilo que conheço.
O resto... calo
E esqueço"

Entre o engajamento neorrealista e o lirismo egocêntrico, não esconde a sua opção pelo segundo. Manter-se-á até os nossos dias fiel aos propósitos da juventude: "Fui avestruz. Sou ruminante / De seiva lírica". De tal sorte que as aparentes exceções correm por conta do patriotismo (*Prefiro Pátria às rosas*), do gosto de viajar (China, Sião, Malásia), da composição de um *Álbum de Família*, de um livro de memórias ou dum diário que registra o dia a dia prosaico de um poeta sensível (*Café de Subúrbio*), todos eles caminhos abertos pela egolatria romântica. Com o tempo, à medida que avultam as imagens líricas de outrora, essa voz solipsista deixa-se tingir de pessimismo e desânimo: "Sonho inútil o sonho a que me agarro! / Quem vive no passado já está morto".

Sob o acicate de inconsolável saudade, notadamente da infância ("Tenho saudades de eu menino") e dos tempos de êxtase lírico, entrega-se a uma autocrítica honestamente impiedosa ("Hoje [...] / Encho de versos vãos o meu vazio") ou ao desespero que o induz a pensar no gesto tresloucado de Camilo ou de Antero como solução final ("Soneto Cínico"). Evidenciando pleno domínio da arte de versejar, é a saudade amorosa que lhe inspira os versos mais palpitantes de emoção lírica.

**Pedro Tamen** (Lisboa, 1º de dezembro de 1934) publicou os seguintes livros de poesia: *Poemas para Todos os Dias* (1956), *O Sangue, a Água e o Vinho* (1958), *Primeiro Livro de Lapinova* (1960), *Poemas a Isto* (1962), *Daniel na Cova dos Leões* (1970), *Escrito de Memória* (1973), *Os Quarenta e Dois Sonetos* (1973), *Agora estar* (1975), *O Aparelho Circulatório* (1978), *Horácio e Coriáceo* (1981), *Dentro de Momentos* (1984), *Delfos, Opus 12* (1987), reunidos, com inéditos e esparsos, em *A Tábua das Matérias* (1991), *Caracóis* (1993), *Depois de Ver* (1995), *Guião de Caronte* (1997), *Memória Indescritível* (2000), *Analogia e Dedos* (2006).

Vária é a paleta de formas e de temas que apresenta a poesia de Pedro Tamen, mas a unidade na variedade estriba-se numa coordenada básica: o classicismo. Um classicismo que não só resulta da substancial identificação com a mundividência dos líricos gregos e latinos, como também deriva de um pendor que se diria inato. Revelado logo aos primeiros poemas, resistiu às mudanças determinadas pelo escoar do tempo e pela múltipla fonte de inspiração, desde a lírico-amorosa, não raro de platônica inflexão, até a situada no cotidiano mais realista, passando pela declarada religiosidade ou pelos "ocultos errados / como os ocultos certos. / Amados / e abertos".

468 • A LITERATURA PORTUGUESA

Por amor à coerência, serve-lhe de amparo uma arte poética de sucinto enunciado – "amor de forma intensa e breve" – na qual já se entrevê a doutrina de Horácio (o mesmo que figura no título da obra de 1981), usada como epígrafe a *Dentro de Momentos:* "gosto de aprisionar palavras em versos". A palavra, nas suas várias estruturas e modalidades, não somente a que se emprega no mais simples prazer lúdico, a exemplo do jogar com analogias fonéticas, do tipo "Entre a lua e o sol fez-se um acordo / mas não se fez acorde", como também a que se presta a desvendar ou a exprimir o inefável que paira além da vida, ou quando o conhecimento se detém ante o mistério insondável, – eis a característica da poesia do autor de *A Tábua das Matérias*. Nesse gosto da palavra densa e breve, contrário à retórica flamejante praticada por alguns presencistas, Pedro Tamen aproxima-se dos integrantes da *Poesia 61*, embora lhes seja anterior, ou vice-versa, estes é que dele se avizinham, por um tropismo natural entre escritores contemporâneos:

"que luzes nos esperam
para além da subida,
para além da só vida?"

Em vez de constituir um fim em si mesma, tal virtuosidade formal tem como objetivo representar o encontro de ideias ou conceitos originais, notadamente nos poemas de índole lírico-amorosa, como o soneto inspirado no pensamento de Platão por via camoniana, que abre com o seguinte verso – "Em ti não busco mais do que pensar-te" – ou aquela composição de semelhante clave:

"Amar-te é vir de longe,
descer o rio verde atrás de ti,
abrir os braços longos desde os sete
anos sob a latada ao pé do largo [...]
Amar-te era lembrança e profecias"

Nem por isso o poeta impede que venha à tona das "lembranças e profecias" um certo pessimismo, como deixam transparecer os três livros mais recentes, escritos, não raro, com "o lápis da amargura".

# ANTONIO GEDEÃO

Pseudônimo de Rômulo de Carvalho, nascido em Lisboa, a 24 de novembro de 1906, e falecido na mesma cidade, a 19 de fevereiro de 1997, era licenciado em Ciências Físico-Químicas. Estreou tardiamente, aos cinquenta anos, com *Movimento Perpétuo*, seguido por *Teatro do Mundo* (1958) e *Máquina de Fogo* (1961), reunidos, com um longo prefácio de Jorge de Sena, nas *Poesias Completas* (1964), cuja segunda edição, em 1968, seria acrescida de *Poema para Galileu* (1964), *Linhas de Força* (1967) e um *Post-Scriptum* de Jorge de Sena. *Poemas Póstumos* (1983) e *Novos Poemas Póstumos* (1990) completariam a sua obra poética. Ainda escreveu uma peça de teatro (*RTX 78/24*, 1963) e ficção (*A Poltrona e outras Novelas*, 1973).

Aproveitando com maestria vocábulos da linguagem científica, a poesia de Antônio Gedeão mostrava uma independência, a um só tempo confessional e realista, que logo se fez notar. A novidade sustentava-se ainda no hábil emprego de soluções características das tendências estéticas em voga, num espectro formal que vai do verso de sete sílabas ao verso livre ou liberado. Com tais instrumentos, não temia revelar sentimentos mais fundos – "sofro pela Humanidade", "Minha aldeia é todo o mundo. / Todo o mundo me pertence" – convicto de que haveria de "morrer inocente / exatamente / como nasci".

Aí a chave da sua visão de mundo: a reflexão dorida, sofredora, em torno da condição humana. Guiado por uma incessante emoção, não conhece a indiferença: como um autêntico poeta *naïf*, sempre comovido com o espetáculo da Natureza e do cotidiano, nele tudo é alegria ou tudo tristeza, expressas com uma fluência coloquial que o ritmo cantante aprimora. Com o tempo, a sua poesia ganhou mais densidade ("Poema do Livre-arbítrio") e um "amargo estilo novo", sem perder as marcas originárias, dentre as quais avulta o sentimento amoroso por todas as coisas ("Poema do Amor"), crente de que "tudo, em Amor, é verdade". Esse pan-erotismo terno e ingênuo culmina com o desejo de re-nascer ("Poema de me chamar Antônio", "Poema do Eterno Retorno"), certamente para voltar a sentir as mil formas do espetáculo do mundo. Ainda que tenha perdido um tanto do seu brilho com a passagem do tempo, a poesia de Antônio Gedeão tem lugar certo no panorama das letras portuguesas da segunda metade do século XX.

470 • A LITERATURA PORTUGUESA

**Herberto Helder** (Ilha da Madeira, 23 de novembro de 1930). Estudou Letras e exerceu funções de bibliotecário. Tem-se dedicado à poesia (*O Amor em Visita*, 1958; *A Colher na Boca*, 1961; *Poemacto*, 1961; *Lugar*, 1962; *Electrònicolírica*, 1964; *Húmus*, 1967; *Retrato em Movimento*, 1967; *O Bebedor Noturno*, 1968; *Vocação Animal*, 1971; *Poesia Toda*, 2 vols., 1973, reeditada, com acréscimos, em 1981 e 1991; *Cobra*, 1977; *A Cabeça entre as Mãos*, 1982; *As Magias*, 1987; *Última Ciência*, 1988; *Do Mundo*, 1994; *Ouolof* (*Poemas Mudados para Português*), 1997; *Poemas Ameríndios* (*Poemas Mudados para Português*), 1997 ); e ao conto (*Os Passos em Volta*, 1963; 3º ed., 1970, com quatro textos novos). Publicou ainda uma "autobiografia romanceada" (*Apresentação do Rosto*, 1968).

Poeta, medularmente poeta, em qualquer das vertentes expressivas cultivadas, Herberto Helder impôs-se desde cedo, graças ao insólito da dicção poética, como um dos mais altos valores de sua geração. Seus versos, esculpidos "como quem deixa um sinal maravilhoso", identificam-se por uma originalidade tensa, veiculadores dum lirismo elíptico, sibilino, que, saturando o "eu" poético, se expande às coisas e aos seres, como se a egolatria de raiz cedesse a um pan-erotismo, sinônimo de animação íntima da Natureza pela projeção da subjetividade do poeta.

Em ritmos largos, sinfônicos, de (anti)ode, e uma eloquência secreta, contida, temerosa dos gestos de comoção, – armam-se sobre "imagens expansivas", de nítido recorte surrealista, mas sem quebra dos liames tradicionais da sintaxe – sempre duma limpidez meridiana –, que buscam a decifração dos enigmas órficos inscritos no livro do mundo, não sem respeitar-lhes a forma externa.

Barroquizante por vezes, espreitando não raro o abismo da despoetização do poema, a dicção de Herberto Helder alia ao lirismo escaldante, de metáforas febrilmente inusitadas, um intelectualismo nem sempre represado, aqui e ali convertendo-se num experimentalismo menos convincente, mas que não lhe compromete a superior tensão poética. Nela insinua-se aos poucos a metapoesia que latejava no curso dos poemas, sinal da sua "arte íngreme", "arte da síncope", fruto do "êxtase das imagens", "arte de roseira", em suma:

> "A poesia também pode ser isso:
> a dor com que não durmo lavrado completamente
> íngremes laborações dos aerólitos – e então um pingo de ouro nos recessos
> do cérebro. Que fosse a aparição contínua"

"Lirismo antropofágico, visão, oh sucessivo.
A poesia é um batismo atônito, sim uma palavra
surpreendida para cada coisa: nobreza, um supremo
etc. das vozes"

Em idêntico nível situam-se as narrativas de *Os Passos em Volta:* Herberto Helder é tão inventivo nos contos como nos versos. E não deixa de ser poeta, mas o resultado não é o poema em prosa ou a prosa poética. A sensibilidade do autor volta-se para a realidade do mundo como se nela visse estampado o magma do seu "eu" ou desvendasse as situações e os seres com o seu mistério próprio. O mesmo tom de espontâneo, instintivo, surrealismo, peculiar à sua poesia, indagadora dos enigmas das coisas, voltada para a magia cósmica e o seu labirinto, num cenário de ocultismo e de segredos inviolados de repente trazidos à luz, – está presente nos contos de *Os Passos em Volta.*

# RUY BELO

Nasceu a 27 de fevereiro de 1933, em São João da Ribeira, e faleceu a 8 de agosto de 1978, em Queluz. Iniciou a sua trajetória poética em 1961, com *Aquele Grande Rio Eufrates*, que lhe granjeou imediatamente um renome que as obras seguintes ampliaram: *O Problema da Habitação – Alguns Aspectos* (1962), *Boca Bilíngue* (1966), *Homem de Palavra(s)* (1970), *Transporte no Tempo* (1973), *País Possível* (1973), *A Margem da Alegria* (1974), *Toda a Terra* (1976), *Despeço-me da Terra da Alegria* (1977), coligidas, com dispersos, em *Obra Poética* (2 vols., 1984, 1990) e *Todos os Poemas* (2000).

A poesia de Ruy Belo caracteriza-se, antes de mais nada, por uma visão de mundo amparada na fé católica, como testemunha o fato de se haver doutorado em Direito Canônico pela Universidade de Roma. Deus, Cristo e outros aspectos da religião abraçada afloram com frequência nos copiosos poemas que escreveu, apesar de uma existência cortada nos anos de plenitude. O contraponto ficava por conta do sentimento amoroso e do tema da morte, resultando numa ambiência poética na qual as emoções se diriam contidas ou ausentes, a tal ponto que se identificará, em certo momento, como "domador das minhas emoções". Ao invés de cerebral, esse domínio das emoções parece fruto de um

# 472 • A LITERATURA PORTUGUESA

crente forrado da melhor doutrina e de experiências religiosas que lhe oferecem calma e paz, mesmo quando, assombradas pela antevisão da morte, o arrastam a certo pessimismo: "Inútil sol inútil chuva inútil céu", "Oh como o sofrimento purifica minha rua".

Jogada por forças e sentimentos não raro contraditórios, a poesia de Ruy Belo busca de preferência os metros longos, à maneira de versículos bíblicos, sem prejuízo do emprego ocasional da metrificação regular. Ali, dá vazão a uma impetuosidade torrencial, que rompe todas as barreiras, pondo à mostra um "sentimento do mundo" sem padrão fixo e definido, embora alicerçado numa sólida crença religiosa. O resultado é um certo prosaísmo no tom, na dicção, na escolha de objetos do cotidiano prosaico, nas frases enunciativas, na ausência de metáforas, como se as linhas do poema pouco ou nada devessem à emoção. Serve de exemplo um poema intitulado significativamente "Ao lavar os dentes", que abriga assertivas como: "Gosto de entrar e de mal entrar logo começar a lavar os dentes / e de os lavar como se ao lavá-los eu lavasse mais do que os dentes".

Por outro lado, é digno de nota que Ruy Belo alcança melhores resultados quando se reporta ao "outro", ao mundo fora do seu "eu", o que não deixa de ser inesperado num poeta tão inspirado e tão habilidoso. Mas uma coisa é a opção pelo viés narrativo ou descritivo, que os versos longos em poemas igualmente extensos propiciam, e outra coisa é a opção por temas mais inspiradores do ângulo emocional, como *A Margem da Alegria*, todo um livro composto de um único poema praticamente sem estrofes, ou antes, sem separação entre os versos, centrado nas figuras de D. Pedro, o Cru, e Inês de Castro, bem como apoiado no relato de Fernão Lopes e na reconstituição camoniana em *Os Lusíadas*.

Para explicar o aparente paradoxo, teríamos de considerar a existência de um forte parentesco entre o episódio amoroso e o mundo interior do poeta, uma vez que a crença religiosa, raiz da sua paz e serenidade, não suscitaria o conflito, de final trágico, que serve de núcleo ao episódio histórico. Tanto assim que outro momento de alta tensão lírica se encontra no poema, igualmente longo, em torno de Garcilaso de la Vega e Dona Isabel Freire: "Encontro de Garcilaso de la Vega com Dona Isabel Freire, em Granada, no Ano de 1526". Num e noutro poema, diminui a intromissão de frases declarativas, lineares, e aumenta a voltagem poética, decorrente de uma funda empatia entre os fatos históricos e a sensibilidade do autor.

Além desses momentos luminosos, expressos com um comprimento de onda que lembra os versículos bíblicos, os versos de medida regular evidenciam uma contensão equivalente, quase epigramática, em que o lirismo atinge o seu nível mais alto, graças à fusão entre a paisagem natural e a interioridade do poeta ("Pôr do Sol na Boa-Nova"):

"Mar alma na tarde morta
que cortas dedos na luz
abro-me todo: sou porta
que só contigo transpus"

Após integrar o corpo diretivo de *Cassiopeia* (1955), revista na linha da *Árvore* (1951-1953), **João Rui de Sousa** (Lisboa, 12 de outubro de 1928), iniciou a sua carreira poética em 1960, com *Circulação e A Hipérbole na Cidade*, a que se seguiram outras coletâneas (*A Habitação dos Dias*, 1962; *Meditação em Samos*, 1970; *Corpo Terrestre*, 1972), reunidas em *O Fogo Repartido* (1983). Nos anos seguintes, publicou *Palavra Azul e Quando* (1991), *Enquanto a Noite, a Folhagem* (1991), *Sonetos de Cogitação e Êxtase* (1994), *Obstinação do Corpo* (1996), *Respirar pela Água* (1998), *Concisa Ilustração aos Nautas* (1999), *Os Percursos, as Estações* (2000), enfeixados, com dispersos e inéditos, e um prefácio de Fernando J. B. Martinho, em *Obra Poética (1960-2000)* (2002).

Ao longo desse largo percurso, João Rui de Sousa navega entre as conquistas da modernidade e a nostalgia da ordem clássica. O emprego do verso livre e a metrificação regular representam essa dupla vertente, coagulada numa poética que se diria marcada, de algum modo, pela herança romântica: "Ter o destino em aberto / para o impulso do salto". Se nos poemas da juventude a morte constitui o tema capital, na idade madura a poesia ganha em complexidade, exibindo uma "vocação hieroglífica", ontológica.

Embora perdure a sombra de Camões, ao lado de poetas modernos, notam-se vestígios do impacto surrealista ("porque há um peixe-soldado / cercado bem na redoma"), fruto de um assomo de liberdade inventiva que se converte em poesia de forte respiração. O poeta entrega-se a um hermetismo referido a "mitos e arquétipos","aves mágicas", "arcanos": somente agora, em pleno outono, irrompe o amor, nas suas várias formas, inspirando o melhor do estro de João Rui de Sousa, como evidenciam os *Sonetos de Cogitação e Êxtase*, espécie de alta síntese dos contrários. E com o tema amoroso, retorna, em outra clave, o tema da morte: "cio / da morte", "aceitação da morte", "morte exímia".

# XVII

## TENDÊNCIAS CONTEMPORÂNEAS – II
## (GERAÇÃO DE 70)

A grande clivagem representada pela revolução de 25 de abril de 1974, dando fim a um governo discricionário que durava desde os anos 20, provocou, como é fácil imaginar, espanto e perplexidade. Embora desejada e preparada nos decênios anteriores, a sua irrupção provocou enorme e profundo abalo, com ressonâncias que perdurariam nas décadas seguintes. No plano literário, o terremoto manifestou-se por uma paralisia, na qual o sentimento eufórico se agregava às naturais dúvidas ante o desconhecido, aberto pelas franquias sociais de repente postas em circulação. Refeitos do abalo, ou já podendo encará-lo de frente, e motivados pela estimulante atmosfera de liberdade, os escritores encetaram um período de incansável e brilhante atividade.

De um lado, alinharam-se aqueles que, vindos das quadras precedentes, iriam produzir, ou publicar, nesse momento histórico, as obras mais acabadas do seu engenho. Consagrados, ou ostentando relevante produção, prosseguiam o seu itinerário, as mais das vezes sem quebra de continuidade estrutural ou ideológica. De outro, enfileiram-se as revelações, decorrentes ou não da nova conjuntura, instigadora da criação literária, ou alcançavam nesse lapso de tempo o aplauso da crítica e dos leitores, em razão da qualidade dos seus textos, autores anteriormente menos bem situados na cena literária.

476 • A LITERATURA PORTUGUESA

Embora as últimas figuras tenham preferência, a nossa atenção incidirá também sobre outros nomes, uma vez que ocupam lugar destacado no panorama da modernidade, ou cuja trajetória se distende, pelo menos, até os fins do século XX. Iniciaremos pela poesia: na década de 70, sem interrupção do processo experimentalista e formalista dominante nos anos anteriores, observa-se a ressurgência da vertente surrealista, em combinação com o que se chamou de Abjeccionismo, por meio da antologia *Grifo,* mas agora sem maior poder de impacto. É no começo desse período marcante para a cultura portuguesa e ocidental que emergem ou se definem novos valores poéticos, à margem dos agrupamentos iconoclastas, embora perfilhando-lhes algumas propostas vanguardistas.

Após o 25 de abril, a poesia libera-se, expande-se, rompendo as barreiras em que se encarcerava, mercê do contexto histórico vigente até então. "Assiste-se – no dizer de um estudioso do assunto – a uma abertura da poesia, e com toda a desinibição, a domínios que até aí lhe tinham sido mais ou menos vedados, ou a que só, com extremos cuidados, podia aludir: o erótico, o escatológico, ou, mais latamente, tudo o que tivesse a marca da *marginalidade.* Verifica-se ainda uma revivescência da poesia de empenhamento político e social [...]; vários dos poetas empenhados se multiplicam em intervenções públicas, em recitais, e se preocupam em pôr a literatura a *serviço do povo,* ou se dedicam a tarefas consideradas mais *urgentes,* de impacto social *mais imediato,* do jornalismo à animação cultural" (Fernando J. B. Martinho). Em suma, presencia-se o surgimento de "uma *outra* poesia", nas palavras de um dos críticos mais atuantes nessa área (Fernando Guimarães).

Ultrapassados os momentos de desafogo e exaltação, aos poucos a poesia entrou a cultivar temas menos iminentes, retomando as linhas de força iniciadas no grupo de *Orpheu* ou passando por metamorfoses em nome do que se poderia chamar de "espírito moderno", até porque alguns dos seus mais ilustres representantes ainda estavam vivos e criativos, a ponto de publicarem, nesses anos, obras capitais. Feito o balanço da quadra posterior a 1974, há que assinalar grandes revelações nos domínios da poesia, bem como no âmbito da prosa de ficção, tendo em vista a renovação literária em Portugal.

Dentre os poetas, destacam-se nomes como o de **Joaquim Manuel Magalhães** (Peso da Régua, 13 de junho de 1945), autor de *Salgema* (1969), *A Esperança Agredida* (1973), *Consequência do Lugar* (1974), *Dos Enigmas* (1976),

*Pelos Caminhos da Manhã* (1977), *Vestígios* (1977), *Os Dias, Pequenos Charcos* (1981), *Segredos, Sebes, Aluviões* (1985), *Alguns Livros Reunidos* (1987), *Uma Luz com um Toldo Vermelho* (1990), *A Poeira Levada pelo Vento* (1993). Ainda publicou ensaios, crônicas, contos (*O Homem do Corvo*, 1988; *O Rio Apagado*, 1997), romance (*O Despir da Névoa*, 1984).

A sua plataforma poética encontra-se no poema "Princípio", que abre o volume de 1981, a um só tempo (re)começo e carta de princípios:

"Voltar junto dos outros, voltar
ao coração, voltar à ordem
das mágoas por uma linguagem
limpa, um equilíbrio do que se diz
ao que se sente, um ímpeto
ao ritmo da língua [...] Voltar ao real, a esse desencanto
que deixou de cantar, vê-lo
na figura sem espelho, na perspectiva
quase de ninguém"

Ao colocar tais princípios como norte da sua poesia, falava também dela própria, como se a faceta crítica e ensaística do seu psiquismo não pudesse descolar-se do ato de criação lírica. Exemplo vívido dessa dupla face encontra-se em "Cinco Sonetos", nos quais, e em tantos outros a partir daí, não se repete, salvo incidentalmente, a estrutura de 14 versos em duas quadras e dois tercetos. Praticamente todas as possibilidades formais desse velho arranjo do soneto estariam presentes daí por diante, desde as inversões das estrofes matriciais até a fragmentação ou a compactação delas numa estrofe única, não importa que o título seja "Idílio" ou outro qualquer.

O que está em jogo é a "arte retórica de 14 versos", por meio da qual se infere que "a razão das palavras é a morte", ou antes, trata-se da "Arte da morte. A poesia", como se à desconstrução do molde antigo correspondesse um arriscado exercício criativo que prenuncia a morte, a morte da poesia, ou implicasse definir a poesia como a arte cujo tema (único?) e razão de ser é a morte.

**João Miguel Fernandes Jorge** (Bombarral, 1943) publicou *Sob Sobre Voz* (1971), *Para Outro Texto* (1972), *Porto Batel* (1972), *Da Crônica do Rei Pedro Alguns Primeiros Capítulos* (1973), *Turvos Dizeres* (1973), *Alguns Círculos* (1975), *Meridional* (1976), *Man Ray, Oito Tiros à sua Morte* (1977), *Crônica* (1977),

478 • A LITERATURA PORTUGUESA

*Direito de mentir* (1978), *Vinte e Nove Poemas* (1978), *Actus Tragicus* (1979), *Uma Exposição*, em colaboração (1980), reunidos em *Obra Poética* (5 vols., 1987 a 1996), *Um Nome Distante* (1984), *Tronos e Dominações* (1985), *A Jornada de Cristóvão de Távora* (3 vols., 1986-1990), *Pelo Fim da Tarde* (1989), *Terra Nostra* (1992), *O Barco Vazio* (1994), *Não é certo este dizer* (1997), *O Lugar do Poço* (1997), *Bellis Azorica* (1999), *Invisíveis Correntes* (2005), *Castelos I a XXXV* (2005). Ainda se dedicou à prosa narrativa: *Nem Vencedor nem Vencido* (1988), *Uma Paixão Inocente* (1989), *Fins-de-Semana* (1993), *O Pé Esquerdo* (1998).

De algum modo repercutindo soluções em voga na década de 60, a poesia de João Miguel Fernandes Jorge caracteriza-se por um binômio, formado pela tensão dialética entre o "eu", ou a subjetividade, e o objeto, situado no mundo concreto: "A alma suspende a casa, / vive"; "Para que corpo irei um dia atirar a minha alma?". O que se tem nesse diálogo permanente é, como deixa transparecer o poeta, um "instável ato / frase dominando entre mim e o objeto", como se o seu alvo, a sua luta incessante, fosse vencer a instabilidade entre os dois pólos de atração, constituídos pelo ato poético e pela frase que o registra. A estrofe final do poema em torno dessa dualidade belicosa é ainda mais cristalina:

"Se não souber destas frases o poema
a culpa não é minha digo-o
de mim para mim a terra mudou-me
por mudança por temperatura e pressão"

Sem que desapareça o conflito entre as partes em luta, nota-se que o objeto leva vantagem, determinando que os versos ganhem um andamento de crônica. Esta, por sinal, está presente no título de duas recolhas de poemas, denotando que, de algum modo, o poeta tem consciência de que a ênfase na realidade física desencadeia uma linguagem que beira a prosa: "Aquele copo azul com pequenas flores brancas / e folhas verdes pintadas – deu-mo / a minha mãe".

A tal ponto a clave narrativa predomina que toda a série de poemas reunidos em *Exposição*, tendo por assunto a pintura de Edward Hopper, caracterizada pelo hiper-realismo ou surrealismo estático, em torno de personagens do cotidiano em Nova York, distingue-se por um realismo de crônica, que espelha o clima noturno e misterioso das telas do artista norte-americano.

A inclinação do poeta para a realidade concreta decorre do princípio básico que lhe sustenta a visão de mundo: o objeto reclama que o poeta se municie de um rigor sem tréguas. De onde se estabelecer um movimento pendular entre a forma e o código, que apenas resulta em poesia quando se submete à medida, entendida esta não como o metro, a regularidade silábica dos versos, mas como um conceito fundamental, emanado das coisas e do rigor, visando a alcançar algo como a regra de ouro de longeva tradição: "fato real rigor cercado. A medida".

Não é por acaso que **Antônio Osório** (Setúbal, 1º de agosto de 1933) se tornou o porta-voz de *Anteu* (1954). Falava pelo grupo de jovens que se reunia à volta da efêmera publicação, bem como, de certo modo, das gerações de poetas surgidos a partir dos *Cadernos de Poesia* (1940-1942), ao proclamar, no manifesto da revista, que "há uma única posição verdadeira e que não peca por despótica, quanto à missão da literatura: a consciente 'exclusão de toda exclusão', a defesa, em princípio, como válidas e suscetíveis de um inestimável valor, de todas as tentativas dos que procuram a fissura que os levem ao labirinto da vida, à sua gravidade, ao seu *misterium tremendum*".

Estreará em livro somente em 1972, com *A Raiz Afectuosa*, mas sem perder de vista a doutrina de 1954, numa coerência intrínseca que se manterá ao longo da sua trajetória poética: *A Ignorância da Morte* (1978), *O Lugar do Amor* (1981), *Décima Aurora* (1982), *Adão, Eva e o Mais* (1983), *Aforismos Mágicos* (1985), *Planetário e Zôo dos Homens* (1990), *Ofício dos Touros* (1991), *Crônica da Fortuna* (1997), *Libertação da Peste* (2002), *Casa das Sementes. Poesia Escolhida* (2006). Conduzido mais por dúvidas do que certezas, fascinado pela morte e pelos loucos, encontrando em Bosch e Goya a representação pictórica desse quadro que começa por ser dantesco, e alcança o apogeu na poesia da decomposição anunciada por Baudelaire, Antônio Osório esculpirá em "Ofício" (de *A Ignorância da Morte*), uma espécie de síntese alquímica do texto oracular de 1954, a "arte poética" que seguirá à risca:

"Armazenar sofrimento.
Distribuí-lo depois
límpido"

A "limpidez quase imaterial" (Taborda de Vasconcelos) da forma vai de mãos dadas com uma contensão entranhada no sentimento e no pensamento,

480 • A LITERATURA PORTUGUESA

expressão de uma tendência para a poesia reflexiva, de acentos filosóficos, onde é lícito divisar qualquer sinal de classicismo à moderna, evidente no "tom de voluntária surdina" (David Mourão-Ferreira), de "claridade enigmática" (Eduardo Lourenço), na interação constante entre o sujeito do poeta e o mundo circundante, razão suficiente para ser considerado, por Ángel Crespo, uma das vozes mais singulares da poesia portuguesa da segunda metade do século XX.

**Armando Silva Carvalho** (Óbidos, 1938) cultivou a poesia (*Lírica Consumível*, 1965; *O Comércio dos Nervos,* 1968; *Os Ovos de Ouro*, 1969; *Antologia Poética*, 1976; *Armas Brancas*, 1977; *Técnicas de Engate,* 1979; *Sentimento de um Acidental*, 1981; *O Livro de Alexandre Bissexto*, 1983; *Canis Dei*, 1995, reunidos em *Obra Poética*, 1999; *Sol a Sol*, 2005, *O que foi passado a limpo*, 2007), e a prosa de ficção (*Portuguex*, 1977; *Donamorta*, 1984; *A Vingança de Maria de Noronha*, 1988; *Em Nome da Mãe*, 1994; *O homem que sabia a mar*, 2001; *Elena e as Mãos dos Homens*, 2004).

Como poeta, Armando Silva Carvalho sente "a cortesia do poema" no "modo quase obsceno / de quebrar as frases", no "modo antigo de sair dos ossos", ao visualizar o prosaico cotidiano em mescla com traços surrealistas, que emergem do encontro disparatado de coisas e seres. Não surpreende, em face disso, que reúna cinco poemas sob o título de "Prosas". De resto, assim poderia denominar todas as poesias que compõem o livro de estreia, obrigado, meio a contragosto, "à renúncia / silogística do verso, à metáfora / gorda, ao corrimão num pulo". Daí falar em "ovelhas líricas", "galinha grega", "faca lírica", "fazer deste poema / um frigorífico", tudo a serviço da "contestação social, e política, e poética", como assinala Gastão Cruz no prefácio à *Antologia Poética*.

Permeada de uma "ferocidade crítica" (idem), essa contestação perdura, amplia-se e requinta-se na prosa ficcional: sem perder inflexão poética, ganha acentos de sátira impenitente, por vezes corrosiva ou farsesca, voltada para a sociedade portuguesa. Embora com nuances que variam de uma narrativa para outra, o autor cultiva o "romance esquizo-histórico", como rezava o frontispício da primeira edição de *Portuguex*.

**Nuno Júdice** (Algarve, 29 de abril de 1949) estreou com *Noção de Poema* (1972), a que se seguiram outros títulos – *Crítica Doméstica dos Paralelepípedos* (1973), *As Inumeráveis Águas* (1974), *O Mecanismo Romântico da Fragmentação* (1975), *Nos Braços da Exígua Luz* (1976), *O Corte na Ênfase* (1978), *O Voo de*

TENDÊNCIAS CONTEMPORÂNEAS – II • 481

*Igitur Num Copo de Dados* (1981), *A Partilha dos Mitos* (1982), *Lira de Líquen* (1985), *A Condescendência do Ser* (1988), *Enumeração de Sombras* (1989), *As Regras da Perspectiva* (1990), *Uma Sequência de Outubro* (1991), *Um Canto na Espessura do Tempo* (1992), *Meditação sobre Ruínas* (1995), *O Movimento do Mundo* (1996), *A Fonte da Vida* (1997), *Raptos* (1998), *Teoria Geral do Sentimento* (1999), *Linhas de Água* (2000), *Rimas e Contas* (2000) – enfeixados, com um prefácio de Teresa Almeida, em *Poesia Reunida 1967/2000* (2000), *Cartografia de Emoções* (2001), *Pedro, lembrando Inês* (2001), *O Estado dos Campos* (2003), *Geometria Variável* (2005), *Geografia do Caos* (2005).

Movida por uma "claridade abstrata! ousadia formal!", a poesia de Nuno Júdice identifica-se, desde o início, pelo gosto da teoria, ou antes, da metalinguagem poética, em mescla com um jorro de imagens e metáforas, agrupando espasmodicamente seres, coisas, ideias, lembranças, alusões, de vária fonte. Daí uma espécie de Surrealismo espontâneo, típico da poesia digna do seu nome, como que fruto de os sentidos, libertos do consciente e de qualquer outra sujeição, manifestarem-se *in natura*, como puro instinto: não cabem, no poema, "o raciocínio e o gesto", inspirado e repassado que é "por uma (outra) / razão".

O poeta exemplifica o seu processo (surrealista) no próprio ato de pensar e criar os poemas: "Vede / como o poema se forma, em estratos sucessivos, como se num cúmulo de outonos / se derramasse a água branca dos espelhos"; "um poema não vai buscar as suas flores / ao velho canteiro da retórica cega". Para exprimir o pensamento e enunciar os versos, lança mão de metáforas inusitadas, "imagens contrárias", como que compostas de fragmentos de metáforas bem-comportadas ou dotadas de uma lógica "natural":

> "A morte é uma
> mulher nua entre as estátuas do parque; uma
> mulher nua a cavalo numa máquina de escrever"

Acionados por um dinamismo incessante, os versos repelem paradigmas, estruturas fixas, mesmo quando é o soneto que irrompe do fluxo das imagens, a sugerir uma ordem desmentida pela "articulação invisível", pelo "nexo oculto" das palavras, pela tensão entre si e entre os andaimes do poema. Análoga tensão preside o diálogo do "eu" do poeta com a realidade circundante, como se entre eles passasse um interminável circuito de força anímica, fruto

482 • A LITERATURA PORTUGUESA

desse intercâmbio de planos, aparentemente casual, – o real e o irreal, o sensível e o inteligível, "o alto e o baixo, o céu / e a terra, a superfície e o fundo, o igual / e o diverso", as formas e os conteúdos. "O que não se vê, porém, também obedece / a uma lógica", eventualmente uma "lógica / dos astros", mas que é, basicamente, uma lógica da imaginação, lógica do invisível que se mostra quando, ou à medida que, o poema se plasma. O resultado é sempre uma poesia de alta voltagem plástica, sonora e ideativa, que uma "Breve Poética" bem sintetiza:

"Os dons da poesia: sons
que se traduzem em imagens,
abstratas ou naturais
como invisíveis
corais"

Nuno Júdice ainda publicou ficção (*Última Palavra: "sim", 1977; Plâncton*, 1981; *A Manta Religiosa*, 1982; *O Tesouro da Rainha de Sabá. Conto Pós-Moderno*, 1984; *Adágio*, 1984; *A Roseira de Espinho*, 1994; *A Mulher Escarlate*, 1997; *Vésperas de Sombra*, 1998; *Por Todos os Séculos*, 1999; *A Árvore dos Milagres*, 2000; *A Ideia de Amor e Outros Contos*, 2003; *O Anjo da Tempestade,* 2004, ("uma das mais belas, inteligentes e vertiginosas ficções contemporâneas", segundo Eduardo Prado Coelho) e ensaio.

**Vasco Graça Moura** (Porto, 3 de janeiro de 1942) formou-se em Direito. A estreia literária deu-se com os poemas de *Modo Mudando* (1963), que teria continuidade com sucessivos títulos: *Semana Inglesa* (1965), *Quatro Sextinas* (1973), *O Mês de Dezembro e outros poemas* (1976), *Recitativos* (1977), *Sequências Regulares* (1978), *Instrumentos para a Melancolia* (1980), *A Variação dos Semestres deste Ano, 365 Versos, seguido de a Escola de Frankfurt* (1981), *Nó Cego, o Regresso* (1982), *Os Rostos Comunicantes* (1984), *A Sombra das Figuras* (1985), *A Furiosa Paixão pelo Tangível* (1987), *O Concerto Campestre* (1993), *Sonetos Familiares* (1994), enfeixados nos *Poemas Escolhidos, 1963-1995* (1996), com prefácio de Fernando Pinto do Amaral, *Poesia: 2001-2005* (2006).

Outra série teria início com *Uma Carta no Inverno, Poemas com Pessoas* e *Letras do Fado Vulgar* (os três em 1997), *O Retrato de Francisca Matroco e Outros poemas* (1998), *Sombras com Aquiles e Pentesileia* (1999), *Garrett numa Cópia*

*Perdida do 'Frei Luís de Sousa' (31.12.1843)* (1999), *Giraldomachias, Onze Poemas e um Labirinto sobre Imagens de Gérard Castello-Lopes* (1999), reunidos em *Poesia, 1997/2000* (2000), *Laocoonte, Rimas Várias, Andamentos Graves* (2005), *Poesia 2001/2005* (2006).

Contrariamente a Fernando Pessoa, Vasco Graça Moura não acredita que "o poeta finge alguma coisa". Inspirando-se em Varrão, considera que a poesia assenta no princípio de que "o poeta é um figurador", de que resulta ser "a escrita [...] uma orla inquieta das coisas, / uma sombra das figuras". Eis por que a sua obra poética "tende para a prosa / e a recusa", notadamente na fase das primeiras coletâneas; disso ele tem nítida consciência: "eu prefiro a narração". A descrição faz-lhe companhia, denunciando um certo maneirismo, confessado em "nota final" aos *Poemas Escolhidos* ("um maneirismo [...] marcou mais algumas fases da minha escrita"): "estruturas musicais, melancolias / maneiristas"; "metáforas da luz, de todas as mais elásticas".

Herdeiro das soluções postas em voga pelo Surrealismo, Vasco Graça Moura é um poeta erudito, não só pelo uso engenhoso de formas fixas de longa duração, como a sextina e o soneto, tradicional e à inglesa, mas também pelo conteúdo intelectual dos poemas. Cultivando a ideia de que "tudo é tão verbal / e denso", abre o seu espaço poético para uma amplitude cultural praticamente sem fim: de onde as "referências cultas" que lhe povoam os versos, os "poemas com pessoas", não raro em diálogo com outros poetas (Camões, Dante, Shakespeare, Garrett), ficcionistas (Borges, Camilo), artistas plásticos (Ticiano, Courbet), numa explícita intertextualidade, que lhe serve de reforço ao caráter poético: "na verdade, o poema / é um ruído modelado / de gente", uma "furiosa paixão pelo tangível" (Eugenio Montale).

Essa múltipla e dinâmica perspectiva, que dificulta as tentativas de síntese crítica, radica num labor que se diria de extração clássica: "sempre direi que", – confessa o poeta no prólogo ao volume publicado em 2000 – "regra geral, me preocupo muitíssimo com a arquitetura dos meus poemas e das sequências e/ou ciclos em que porventura eles se encontrem inseridos". Daí os sonetos reflexivos, com vestígios camonianos, menos recebidos do lírico de Dinamene e outras figuras que do épico de *Os Lusíadas:* um sopro epicizante parece atravessar-lhe os versos, em uníssono com um paciente trabalho de engenharia verbal, semelhante à artesania dos "primitivos flamengos": "lenta e

484 • A LITERATURA PORTUGUESA

perfeitamente construída". Serve de amostra do seu processo o breve poema dedicado à "Ofélia":

"é no vaivém da lua que naufraga
uma rosa noturna assim perdendo
o lume e o perfume em que se apaga
o despegar das pétalas na vaga
vagarosa em que voga estremecendo,
com as grinaldas frouxas que inda traga,
Ofélia entre nenúfares descendo,
vestida de palavras e morrendo"

Além de poesia, Vasco Graça Moura tem publicado romances (*Quatro Últimas Canções*, 1987; *Naufrágio de Sepúlveda*, 1988; *Partida de Sofonisba às Seis e Doze da Manhã*, 1993; *A Morte de Ninguém*, 1998; *Meu amor era de noite*, 2001), ensaios e peças de teatro.

**José Agostinho Batista** (Madeira, 1948) estreou com *Deste Lado Onde* (1976), seguido de: *Jeremias o Louco* (1978), *O Último Romântico* (1981), *Morrer no sul* (1983), *Autoretrato* (1986), *O Centro do Universo* (1989), *Paixão e Cinzas* (1992), *Canções da Terra Distante* (1994), *Agora e na Hora da Nossa Morte* (1998), *Biografia* (2000), *Afectos* (2002), *Anjos Caídos* (2003), *Esta voz é quase o vento* (2004), *Quatro Luas* (2006).

Como não poucos poetas da geração de 70, José Agostinho Batista imprime nos seus versos marcas do impacto surrealista, evidentes no processo de metaforização. As diferenças entre eles decorrem das relações imprevistas suscitadas ou permitidas pela metáfora, ou mais precisamente, pela imagem. José Agostinho Batista volta-se não raro para o mundo fora da sua mente, mas foi preciso que a sua imaginação, ou antes, o seu inconsciente estivesse liberado para que o real lhe oferecesse a oportunidade de captar inesperadas aproximações das coisas e das ideias, deflagrando metáforas insólitas, em geral carregadas de grande intensidade e beleza.

Sem a liberação do inconsciente, o mundo concreto se apresentaria opaco: com base nas pulsões inconscientes ou imaginárias, o poeta divisa todo o variado espetáculo aberto ao seu olhar, pondo a descoberto os vínculos estreitos entre essas duas dimensões. Assim se explica que, ao colocar a ênfase no "não eu", é ainda o "eu" que se manifesta por meio da interioridade liberada:

"És tu,
coração secreto à deriva pelos dias, o senhor do
meu canto"

Não se trata, pois, de simples projeção desse "coração secreto à deriva", mas do desvelamento de incontáveis relações entre os objetos e os conceitos, nos momentos em que o "eu", esquivando-se do cárcere materialista, enxerga os infinitos nexos ocultos ou latentes no panorama cósmico: "O azul é apenas uma esfinge petrificada"; "Os peixes eram a grande demência de deus" .

Nesse modo de encarar a realidade concreta, o que impressiona é a multiplicidade de estruturas sintáticas e métricas a serviço da multiplicidade metafórica. Ao contrário de outros poetas que tendem a repetir um certo esquema de linguagem, o autor de *Paixão e Cinzas* não segue um único padrão, como se a sua poesia estivesse em contínua expansão, à semelhança do próprio Universo, contemplado, sentido e colhido nas malhas dos poemas: "O albatroz descreve os vultos imensos da saudade"; "Caem, / dançam como poeira imaginada, as estrelas do declínio". A aparente regularidade sintática esconde/revela uma outra lógica, tornando regra o absurdo, o irreal, o anticonvencional, regra essa sem a qual a poesia, incapaz de aflorar na superfície das palavras, deixaria o lugar para a prosa, versificada ou não.

**Antônio Franco Alexandre** (Viseu, 1944) estreou com *Distância* (1969), seguida por *Sem Palavras nem Coisas* (1974), *Os Objectos Principais* (1979), *Visitação* (1983), *A Pequena Face* (1983), *Moradas 1 & 2* (1987), *Oásis* (1992), enfeixadas, com alguns inéditos, em *Poemas* (1996), *Quatro Caprichos* (1999), *Uma Fábula* (2001), *Duende* (2002), *Aracne* ( 2004).

Não por acaso, tais obras veiculam uma poesia culta: o autor é, desde 1975, professor de Filosofia na Universidade de Lisboa. Mesmo quando o tom é descritivo ou narrativo, deixando transparecer a impregnação surrealista, vigente na poesia cultivada após os anos 50, o tecido verbal orienta-se pelo gosto (filosófico) de "distinguir, sublimar, suplicar". A alegria talvez não passe de "hábitos, a experiência: associações de ideias", as dúvidas do poeta levam-no a Platão, "conhecem Hegel" e "o que caracteriza a situação é a dialética / minuciosa da exaltação & dos nomes". E perante "fatos deliberadamente ocultos", "como duvidar as evidências?", "ou só o nosso sono / dispõe das evidências?".

486 • A LITERATURA PORTUGUESA

Essa poesia ainda se revela culta pela visitação ao lirismo de Ovídio e pelas numerosas citações ou alusões em idiomas estrangeiros (inglês, grego, latim, alemão, francês, castelhano). De onde o cruzamento, a mescla de sensações, sentimentos, emoções e ideias, à maneira freudiana ou filosófica: os sentidos estão à solta, numa espécie de ampla e irrestrita sinestesia ou fala psicanalítica, cujo(s) significado(s) depende(m) de interpretação:

> "ouve,
> como esqueço, como escrevo, aos golpes, nas veias, nos olhos,
> porque me sento ao balcão do silêncio
> a teu lado, ouve como esqueço,
> porque celebro a luz e te encontro e te abraço
> i have the words"

Poesia em que o pensamento domina a emoção, o sentimento, a sensação: no caso desse poeta culto, "o que em mim pensa está pensando", – pensando a emoção, o sentimento, a sensação. Mesmo quando o andamento descritivo ou o narrativo ganha espaço, é o pensar que o comanda: a indagação (filosófica) constitui a estratégia preferencial desse culto do pensamento. Subjacentes a emoção, o sentimento, a sensação, o tom é dado pelo conceito ou pela ideia que os habita. A poesia converte-se num discurso metafórico do pensamento, em que as similaridades, levadas ao extremo, indicam que a teia comparativa de origem cedeu lugar a imprevistas aproximações verbais, armadas sobre imaginárias ou virtuais metáforas latentes: "estou cansado desta hora, destes olhos / violeta das máquinas agrícolas".

Em suma, poesia do pensamento, poesia crítica, reflexiva, filosófica, que entra a exprimir-se, desde *Jogos de Inverno*, numa escrita nova, em versos longos, de estrutura mais lógica, quase linear, em vez das síncopes anteriores e das combinações insólitas. Ao alcançar a "perfeita esfera dos versos", o pensamento torna-se mais cristalino ou mais patente. E ao contrário da ênfase no objeto (do pensamento), que ainda persiste na "exata emoção da inexata curva", o "eu" assoma à frente do tablado, no duplo papel de espectador e protagonista: "sou eu, eu só / o anônimo arquiteto das Formas!". Atingindo, deste modo, o cerne do seu problema, o poeta transfere para ele o foco da indagação, sem comprometer a temperatura do lirismo reflexivo:

"fiquei, desengraçado como um muro,
a olhar-me lá de fora"
"Julgavas, então, que a poesia era um discurso
de palavras sem sentido?"

**Manuel Antônio Pina** (Sabugal, 1943) publicou as seguintes coletâneas poéticas: *Ainda não é o fim nem o princípio do mundo / calma é apenas um pouco tarde* (1974), *Aquele que quer morrer* (1978), *A Lâmpada do Quarto? A Criança?* (1981), *Nenhum Sítio* (1984), *O Caminho de Casa* (1989), *Um sítio onde pousar a cabeça* (1991), *Farewell Happy Fields* (1993), *Cuidados Intensivos* (1994), *Nenhuma Palavra, Nenhuma Lembrança* (1999), *Atropelamento e Fuga* (2001), agrupados em *Poesia Reunida* (2001), *Os Livros* (2004). Estreou-se na ficção com *Os Papéis de K.*, narrativa publicada em 2003.

Como não raro, as características identificadoras da sua poesia encontram-se condensadas num dos primeiros poemas: "faltas-me tu poesia cheia de truques. / De modo que te amo em prosa". De um lado, o sentimento amoroso, de outro, o dilema entre a poesia e a prosa, a fim de emprestar forma aos conflitos da paixão ou para os submeter ao escrutínio do pensamento. De imediato, preconiza "introduzir o caos na or- / dem poética dominante", abrindo espaço para estilemas surrealistas e a negação da lógica dialética, em favor da igualdade ou alternância entre o "sim" e o "não": "o Mistério não pode ser ocultado nem revelado".

Daí uma poesia conceptual, tangida pelo "Anjo do Conhecimento", semeada de maiúsculas, inclusive o Horror, e de dúvidas insolúveis que arrastam o autor ao pessimismo, à desesperança, ante a visão recorrente da morte e à incerteza de fazer poesia ("poesia nem por isso lírica / nem por isso provavelmente poesia") e à sensação de inferioridade por usar as palavras para fazer Literatura.

Em suma: "Poesia, saudade da prosa", a tal ponto que as palavras (da poesia) se lhe afiguram "lugares vazios: símbolos, metáforas", e chega a crer que "é o poema o tema [de si próprio] / forma apenas". Tudo culmina com uma espécie de carta rilkeana "A Um Jovem Poeta", aconselhando-o a procurar a rosa, mas "em prosa", "evidência de novo da Razão / e passagem para o que não se vê".

**Helder Moura Pereira** (Setúbal, 7 de janeiro de 1949) estreou com *Entre o Deserto e a Vertigem* (1976), seguido de *Os Tranquilos Sobressaltos* (1982),

488 • A LITERATURA PORTUGUESA

*À Luz do Mistério* (1983), *Gestos de Miradoiro* (1984), *O Amor desta Morte* (1985), *Para não falar* (1986), *Mercúrio* (1987), *Romance* (1987), *Carta de Rumos* (1989), *Eliot e Larkin no Comboio para Hull* (1989), reunidos em *De Novo as Sombras e as Calmas – Poesia 1976/1990* (1990), *A Última Lua de Outono* (1991), *Em Cima do Acontecimento* (1995), *Nem por Sombras* (1995), *Um Raio de Sol* (2000), *Lágrima* (2002), *Mútuo Consentimento* (2005).

Significativamente, o volume de 1990 tem como pórtico um poema sem título, pertencente a *Gestos de Miradoiro*, como a dizer-nos que ali se encontra uma arte poética que serve para toda a obra publicada até aquela data, e mesmo para os títulos subsequentes. Mostrando-se próximo da dicção de José Agostinho Batista, ali menciona "a impossível certeza das palavras",

"Erros no abandono da memória: a noite, um início para o dia.
Nomes, vaga definição no tempo
das coisas. Corro por este
risco: ousadia hesitando entre
amor e textos",

sinais clarividentes do seu modo de poetar. Pessimista ou incerto do rumo a seguir, ou do resultado a alcançar, ou que havia alcançado, temeroso de fracassar, quem sabe convicto disso ou suspeitando que não havia outra saída para a incerteza das palavras, além da vaguidade dos nomes e a ousada hesitação entre amar e dedicar-se aos textos poéticos.

De onde o tom especulativo adotado, por vezes em forma de interrogação socrática ("Sabia / que ias colocar essa questão, como forças / o aparecimento das frases certas"), ou o tom entre narrativo e descritivo, que leva o poeta a ter consciência de elaborar a crônica dos dias: "Todos os dias / poderei descrever o que vejo, de um canto / a intriga policial, do outro as coisas / mais dispersas". Tudo parece ocorrer à flor das palavras, com uma clareza e lógica de prosa, que se insinua por entre os versos, como se não houvesse diferença alguma entre a poesia e a prosa (ficcional ou não), tanto assim que denominou *Romance* um de seus livros, constituído de um poema só, à maneira de uma história: "Confesso ser o sujeito desta história". De onde falar em "cinza / deste mundo atada / à prisão da história" e referir-se à memória como "um laço / apertando a camisa", em "frases seguidas", e "de repente rasga nexos / a maneira lógica do mundo".

Com o tempo, a poesia ganha minúcias de extração surrealista, como evidencia o título *À Luz do Mistério,* mas a tendência a explicar demais as coisas e os acontecimentos, impelida pelo gosto da crônica, perdura sempre. Os poemas assemelham-se a páginas de um diário íntimo ou autobiografia ("Breves traços / de memória invadem fúteis acontecimentos / pelos dias, transformam-se em poemas"): o poeta parece consciente da sujeição à memória e a sua transfusão em crônica ou narrativa, e em lirismo, quando a lembrança penetra em regiões expostas "à luz do mistério".

O cerne da dualidade poesia x prosa, que preside essa visão do mundo, situa-se na antítese ou no paradoxo, evidente, como chave dum enigma, nas epígrafes dos livros de poemas, a exemplo de "toda vítima é um cúmplice" (James Fenton). Uns poucos versos, como outros tantos deixam transparecer, expressam-no lapidarmente, ao evidenciar que o poeta, para verdadeiramente o ser, deverá ter como horizonte a metáfora inesperada, as significações ocultas, fora da "lógica do mundo": "A verdade é uma coisa / sombria, atrapalha / o sentido das palavras".

## LUÍS MIGUEL NAVA

Nascido em Viseu, a 29 de setembro de 1957, formou-se em Filologia Românica. Acabou os seus dias de forma trágica em Bruxelas (10 de maio de 1995), onde trabalhava para a Comunidade Europeia. Deixou os seguintes livros: *Películas* (1979), *A Inércia da Deserção* (1981), *Como alguém disse* (1982), *Rebentação* (1984), reunidos em *Poemas* (1987), *O Céu sob as Entranhas* (1989), *Vulcão* (1994), enfeixados, com inéditos, na *Poesia Completa 1979-1984,* prefácio de Fernando Pinto do Amaral, organização e posfácio de Gastão Cruz (2002).

Um poema há, na obra inaugural, que, se não é propriamente uma "Ars Poetica", como se intitula, é uma síntese brilhante da identidade poética (e certamente não só) do seu autor, composta de uma única linha, à maneira de um princípio único de doutrina, de uma lei completa em si:

"O mar, no seu lugar pôr um relâmpago"

Já aí se percebe que "está alguém no poema como a um espelho", situação essa que denota, seja por meio de versos, seja em prosa, traços da estética sur-

490 • A LITERATURA PORTUGUESA

realista ou de realismo mágico, não por imperativo programático, mas por instinto ou fruto de uma especial visão da realidade. Mesmo quando ausentes esses sinais, predomina o abstrato, o "nítido nulo" flagrado por Vergílio Ferreira, como se o poeta visse, revisse ou rememorasse, as coisas e os acontecimentos num aquário gigante, imóvel como o pretérito cristalizado em nuvem, mar ou folhagem, que relâmpagos ininterruptos cruzam em todas as direções. "A pele é o espelho da memória" parece a sinopse desse processo que visa à concisão do haikai, do aforismo ou do epigrama, para surpreender os vínculos secretos entre todas as coisas e todas as margens temporais:

"O real é um vidro pintado sob o sol berrante, as coisas prendem-se-me ao espírito"

Para chegar à forma do poema, o poeta obedece à gramática, não emprega malabarismos verbais: "a sua linguagem poética é de um rigor absoluto, o trabalho de um artífice consumado" (Gastão Cruz). É a novidade das metáforas, das situações imaginadas ou focalizadas que gera as ondas do ritmo, os torneios frásicos, para exprimir o imprevisto das imagens e dos conceitos, que espelha o confronto e o rumo das coisas em cena. O poema em prosa "As Sombras" é, com as suas duas linhas, um flagrante de como a semântica gera a forma escorreita ou esta serve ao sentido. Neste é que mora o inesperado, a revelação epifânica da beleza oculta. A forma segue o curso gramatical numa ordem que alguém poderia imaginar não fosse plausível em poesia. Mas é do choque entre a regularidade sintática e o insólito do conteúdo metafórico, emanado duma inexaurível força imaginária, que nasce a densidade surpreendente da poesia de Luís Miguel Nava:

"O sol declina-me no espírito, do meu mundo interior vêm-me as sombras ocupando aos poucos o lugar da pele"

O tom de confidência, expressa como em surdina, remete para "O Secretário", poema de sutil fragrância camoniana (Canção XIII), cujo enunciado pertence ao "eu lírico", não como metalinguagem, senão como o tecido poético em que a transposição se afigura um milagre, mistério, êxtase místico, realismo mágico: o olhar capta, por meio da memória, o inusitado, que rompe, por momentos, o equilíbrio lógico da aparência, a literalidade, para instalar uma lógica nova, a do absurdo, consentida pela metáfora e, mesmo, pela essência da poesia, quando divisada da perspectiva da razão pensante:

> "Entre os sabores que tocam no meu espírito procuro então o que melhor me possa devolver à transparência, não a dos espelhos ou dos vidros, que a literalidade impregna, mas a abrupta transparência dos sentidos" [...]
> Um dia, ao acordar, deu por ter deixado todos os seus ossos num dos sonhos, do qual, como dum espelho, a carne e a roupa juntas irrompiam"

A sondagem nesses interstícios dos reinos da natureza prossegue em todos os poemas, como se um espeleólogo insaciável buscasse penetrar no magma terrestre. Uma vez que "a nossa anatomia é uma terra enigmática e longínqua sobre cujo mapa jamais pensamos debruçar-nos", somente lhe resta concluir: "Eu mais não sou então do que um embrulho de memória, atado pelas veias e lacrado pelo espírito", ávido por "atingir a realidade".

Não estranha que, ante esse empenho de alcançar o ignoto latente no recesso da folhagem, que recobre as coisas e os pensamentos, a linguagem do poema ultrapasse, em muitos momentos, os limites da métrica, sinal de que a sondagem é também uma peregrinação, que demanda pelo menos um esboço de narrativa, ou seja, de um conto fantástico ou "de terror, de violência, de suprema amargura" (Gastão Cruz). Posta no limiar em que enfrenta o canto de sereia que a converteria em relato histórico, a poesia toca o apogeu, somente lhe restando navegar de volta ao porto de partida, a fim de refazer o mesmo percurso até o limite extremo.

Assim é a poesia de Luís Miguel Nava, uma das mais bem realizadas e das mais cintilantes, que se destaca "como um fulgurante meteoro no panorama poético português das últimas décadas" (Fernando Pinto do Amaral), ocupando "um lugar completamente à parte no nosso panorama literário", a ponto de não ser "facilmente comparável com nenhuma outra" (Gastão Cruz).

# OUTROS POETAS

As últimas décadas do século XX presenciaram o aparecimento de uma plêiade de poetas de superior força expressiva, a par de outros de mediano fôlego,

492 • A LITERATURA PORTUGUESA

mas que nem por isso deixaram de colaborar para que a época se distinguisse por um intenso labor criativo. Dentre eles, vale a pena referir os seguintes: **João Pedro Grabato Dias** (Viseu, 1934-1994), autor de *As Quybyrycas* (1972), longo poema de intenções antiépicas, ou, ao ver do autor, um poema ético, em continuação de *Os Lusíadas* e empregando a mesma estrutura formal, situado na fase posterior ao desastre de Alcácer-Quibir; e de *40 e Tal Sonetos de Amor e Circunstância e uma Canção Desesperada* (1970), em que, exalando um odor à Gregório de Matos, revela "de novo aquela voz singular ulcerada e mitológica, ensimesmada, onírica, ironicamente realista, brutal, descabelada, ardentemente bizarra", como acentua Eugênio Lisboa na orelha do volume. **José Bento** (1932), autor de *Sequência de Bilbau* (1978), *In Memoriam* (1979), *O Enterro do Senhor de Orgaz* (1986), recolhidos, com outros poemas dispersos, em *Silabário* (1992) e *Adagietto* (1989), parece haver identificado desde cedo os princípios fundamentais da sua poesia ("nomear o desconhecido", "Neste momento ignoro o que hei-de chamar belo"). Mas acabou vergando a um certo realismo, manifesto pela inclinação ao descritivo ou ao narrativo, próprio do diário íntimo ou da crônica do cotidiano, que o inibe de criar outros versos como "Música oblíqua a resvalar na água – um andrajo a luz, o céu uma só nuvem".

Quanto a **Orlando Neves** (Portalegre, 1935-Matosinhos, 2005), dedicou-se à poesia desde 1959, quando publicou *Sopapo para a Destruição da Felicidade,* início de uma trajetória que se manteve até a última década do século XX, em meio a prolífica atividade no terreno da ficção, teatro, crônica e literatura infantil. Deixou mais de vinte obras poéticas (*Morte Minuciosa*, 1976; *Decomposição – A Casa*, 1992; *Decomposição – O Corpo,* 1995, etc.), quase todas reunidas em *Poesia* (1995), incluindo o *Organon para a Decifração da Poesia* (1993), subintitulado "poemensaio", a indicar a mescla de ato criativo e tentativa de compreensão do fenômeno poético.

Após admitir, na esteira de João Gaspar Simões, que a "poesia é um mistério", entra a investigar um paradoxo que se manterá como chave para abrir ou para adensar o mistério:

> "qualquer organon para a decifração da poesia, quer dizer, precisamente, o oposto, ou seja, que é um organon para a indecifração da poesia, um organon para a manutenção do mistério, talvez mesmo para o adensamento desse mistério"

Parecendo optar pela segunda alternativa, põe-se a ordenar princípios, reflexões, conceitos, pensamentos, que se atritam, se negam ou se repetem, "adensando o mistério" em vez de o esclarecer e tornando obviamente inútil qualquer tentativa nessa direção: ao perfilhar a ideia de que a poesia é mistério, o autor cerrava todas as portas ao seu entendimento.

O cenário descortinado pelo *Organon* reflete-se, de algum modo, na obra poética: atravessada por um jorro contínuo de metáforas, constituídas com elementos de múltiplo sentido e origem, a serviço da imersão no Gênesis (*Estátua de Sal*, 1985) ou na antiguidade clássica, alonga-se em poemas de intensa beleza plástica e solenidade reflexiva, iluminadas por um céu mediterrâneo. O ponto alto dessa escalada épica situa-se em *Noema*, título geral do volume que abrange 4 obras (*Regresso de Orfeu*, 1989; *Odes de Mitilene*, 1990; *Lamentação em Cáucaso*, 1991; *Ulisses e Nausica*, 1991), marcadas pelo desdobramento incessante das metáforas em antíteses e paradoxos, num processo que está na base do *Organon*, bem como da visão da realidade que norteava o poeta:

"Leva aos homens o fôlego dos mares incertos
e a névoa do olvido, as solares cidades
do silêncio, a fulva carne das deusas,
as matinais florescências da primavera
ou o fresco clamor das águas de verão"

**Al Berto**, nome literário de Alberto Raposo Pidwell Tavares (1948-1997), estreou com *À Procura do Vento num Jardim d'Agosto* (1977), seguido de *Meu Fruto de Morder, Todas as Horas* (1980) e mais outros títulos, reunidos em *O Medo. Trabalho Poético 1974-1990* (1991). No "*atrium*" deste volume coletivo, oferece-nos uma espécie de "arte poética", de tom mágico, surrealista, onírico, delirante, imaginário, de absurdo à luz do dia, que daí por diante tornar-se-á *leitmotiv* ou estopim de inspiração. Escrita nas "horas fantásticas da noite", não raro atravessadas por detalhes eróticos, num ritmo obsessivo, frenético, eruptivo, fruto de uma linguagem que jorra compulsivamente, vertiginosa, enigmática ("o enigma de escrever para me manter vivo"), repetitiva, como uma singular e interminável obsessão ("continuar a escrever sempre o mesmo livro de maneiras diferentes"),

494 • A LITERATURA PORTUGUESA

denuncia um poeta que se confessa "um superviciado de palavras", a ponto de sentir que morre em consequência de "uma overdose de palavras".

Verboso, alinhando palavras como suprema razão existencial, Al Berto rompe todos os limites: em vez de construir versos, entrega-se a ocupar totalmente a mancha da página, buscando no dia a dia autobiográfico, em que os acontecimentos verídicos se mesclam às imagens da mais desenfreada fantasia, a matéria da escrita. A erupção torrencial, que lhe preenche todas as horas do dia e da noite, constitui o seu bem e o seu mal: açulado pelos sentidos em brasa, o seu olhar alcança o mínimo e o máximo, o próximo e o longínquo, mas o resultado nem sempre vai além das páginas de um diário íntimo ou de uma crônica. Nem tudo é poesia e nem tudo é relevante: disto aliás, parecia consciente, ao registrar, – pouco antes de insistir uma vez mais, quase ao término de *O Medo*, na sua incontinência verbal ("escrevo para sobreviver") – que não se pode prever "maior desastre" do que "escrever um diário / e envelhecer".

Ainda são de citar, nessa quadra de intensa produção no setor da poesia, os seguintes nomes: **Isabel de Sá** (1951), autora de *Esquizo Frenia* (1979), *O Festim das Serpentes* (1982), *Bonecas Trapos Suspensos* (1983), *Autismo* (1984), *Restos de Infantas* (1984), *Nervura* (1984), *Em Nome do Corpo* (1986), *Escrevo para desistir* (1988), *O Avesso do Rosto* (1991), *O Duplo Dividido* seguido de *Palavras Amantes e Poetas Suicidas* (1993), *Erosão de Sentimentos* (1997), *O Brilho da Lama* (1999), enfeixados em *Repetir o Poema 1979-1999* (2005), uma vintena de anos de atividade poética, além de pictórica, exibindo acentuados vínculos surrealistas, num clima boschiano ("a pequena está tomada de demônios e espuma junto às macieiras e o pai, virado para o muro muito alto que termina em vidros, uiva com a língua de fora"), macabro, a lembrar os contos de Álvaro do Carvalhal, pertencente à literatura naturalista.

Aos poucos, esses aspectos cedem espaço para um surrealismo mítico, poético, ainda expresso em poemas em prosa ("Nada sabia ainda do sentido do tempo, o pequeno unicórnio surgia à porta em castelos de areia, sorrindo-me docemente"), ou pictórico, visível em descrições de telas imaginárias ou geradas pela liberação do inconsciente, numa espécie de escrita pictural ou de pintura verbal. Ao macabro inicial sucede o tema do amor, do sexo, tratados com não menos veemência, em meio a reflexões acerca da arte poética, no encalço de "dominar as palavras, esses farrapos de magia", "para sempre iluminadas por um rastro de loucura", talvez sinal premonitório da fase cronística subsequente, identificada por versos de estrutura tradicional, em que os acontecimentos, por vezes biográficos ou memoralísticos, prevalecem sobre o sentimento e a imaginação.

**Ana Luísa Amaral** (1956) produziu em poucos anos obra poética copiosa e original: *Minha Senhora de Quê* (1990), *Coisas de Partir* (1993), *Epopeias* (1994), *E Muitos os Caminhos* (1995), *Às Vezes o Paraíso* (1998), *Imagens* (2000), *Imagias* (2002), *A arte de ser tigre* (2003), *A Gênese do Amor* (2005), recolhidos em *Poesia Reunida (1990-2005)* (2005). Num dos primeiros poemas encontra-se a chave para o entendimento da sua dicção poética – "eu guardador e sonhos" – a que vale acrescentar os seguintes versos: "só eu aqui descentrada do mundo / neurótica e distópica".

Ao mesmo tempo deparamos, nestes segmentos, a força nova que irrompe desde o início e avulta ao longo dos livros, com todo o seu hermetismo e a invulgar e complexa sonoridade que neles ganhava espaço e repercussão. Centrada em si, como a dizer-se igualmente concentrada nos poemas, quem sabe surpresa pelo que lhe escorria da pena, confessa: "pequeno santuário de palavras, / estranha musa a conduzir-me os passos / vacilantes em vacilante espaço de papel". E mais adiante reconhece: "Nem tágides nem musas: só uma força que me vem de dentro, / de ponto de loucura, de poço / que me assusta, / seduzindo", ou seja, "Sacerdotisa / de nada, / chegava-me fingir", visto que, "nem de por força morrendo / arranjo musa".

Talvez lhe faltasse tomar consciência de ser musa de si própria, o que não alteraria a impressão de contemplarmos uma fonte a verter linfa pura e ardente, com indícios de espontâneo surrealismo, graças ao diálogo permanente com o cotidiano trivial, de que resulta o imprevisto, como se a poesia ínsita nas coisas tão somente aguardasse o impacto do olhar para afluir à superfície das palavras. Imprevisto patente na articulação dos versos e dos objetos concretos, sujeitos que estão a dois registros, "duplos cabrestantes", que geram ou denunciam a ilogicidade no andamento da emoção, do sentimento ou das ideias. "Desimitação" ou "imitações de nada" é o nome desse processo e lema condutor, de que brota o gosto pela desconstrução do poema, a partir de "desrimar" e a continuar com o inesperado e surpreendente esgarçamento das imagens e dos versos, guiado por uma lógica propriamente poética.

Nela reluz o ideal preconizado: "re-moldar deslumbramento / de pedras, de cavalos, ou de nada". Por outras palavras, uma arte poética do avesso, a

496 • A LITERATURA PORTUGUESA

exemplo dos versos "preciso de escrever-te / do avesso / para te amar em excesso", praticar "a sedução do avesso", ser "Orfeu do Avesso", falar "Das Ruas do Avesso", até sonhar, barrocamente, com "um poema feito de excessos e dourados". Numa palavra: poesia metalinguística, explícita no colóquio que a poetisa, sob o impulso duma luminosa intuição e duma fina reflexão, vai tecendo com os versos.

E também Nuno Guimarães (1943-1973), com *Corpo Agrário* (1970) e *Os Campos Visuais* (1973); Eduardo Pitta (1949), com *Sílaba a Sílaba* (1974), *A Linguagem da Desordem* (1983), *Archote Glaciar* (1988), *Arbítrio* (1991); Fátima Maldonado (1941), com *Cidades Indefesas* (1980), *Selo Selvagem* (1985), *A Urna no Deserto* (1989); Gil de Carvalho (1957), com *Alba* (1982), *De Fevereiro a Fevereiro* (1987), *Tarantela & Viagens* (1998); João Camilo (1943), com *O T de Tu* (1981), *Na Pista entre as Linhas* (1982), *A Mala dos Marx Brothers* (1988); Adília Lopes (1960), com *Um Jogo Bastante Perigoso* (1985), *O Poeta de Pondichéry* (1986), *O Decote da Dama de Espadas* (1988), reunidos em *Obra* (2000), *Mulheres-a-Dias* (2002), *César a César* (2003), entre outros.

Não esmoreceu, no último decênio do século XX e no início deste milênio, o impulso criativo dos poetas, de que é exemplo marcante a figura de **Manuel Gusmão** (1945): estreou com *Dois Sóis, A Rosa / A Arquitetura do Mundo* (1990), após dedicar-se ao ensaio em torno de Carlos de Oliveira e Fernando Pessoa, a que se seguiram: *Mapas / O Assombro a Sombra* (1996), *Teatros do Tempo* (2001), *Os Dias Levantados*, libreto (2002), *Migrações do Fogo* (2004), recolhas de poemas que lhe impuseram o nome desde o livro inaugural, graças à densidade e força do lirismo. Captando a intersecção de planos das coisas, o baixo e o alto, o real e o onírico, o fílmico e o musical, o visível e o invisível, etc., por uma espécie de livre associação, de base surrealista e com laivos herméticos, apresentava-se com uma poesia que se busca e que se mostra como "tatuagem e palimpsesto".

Técnica de captação ou visão da realidade, tem como foco central a paisagem ou a natureza, denotando um visualista que utiliza o olhar como instrumento e arsenal imagético. Expressas por mudanças sintáticas, que lembram a revolução do *Orpheu*, as metáforas assumem lugar inesperado, obedientes que são a um processo ontológico, referido às várias facetas do ser ou da realidade. Tudo se passa como se o lugar das coisas fosse um solecismo ou um sofisma, mas é daí que nascem metáforas insólitas com grande poder de sugestão. Afinal, o poeta leva ao extremo a potencialidade da metáfora, que resulta, como sempre, de objetos distantes aproximados por comparação, tornando-lhes verossímeis as diferenças ou as presuntivas semelhanças.

Ainda que operando com o máximo de elasticidade, o deslocamento ou a aproximação entre os objetos preserva as latências que avizinham os componentes da metáfora: tanto é metáfora o verso com que Pessoa inicia "Hora Absurda" ("O teu silêncio é uma nau com todas as velas pandas...") quanto "a noite é uma campânula elétrica / falsamente transparente" ou "A noite é sépia como imortal / esta cabeça / degolada pela ternura" ou "A noite é densa e porosa como na língua uma noz de luz". Mas estes segmentos ampliam a distância entre os seus termos, pondo frente a frente coisas extremamente longínquas. O próprio conceito de poesia perfilhado pelo poeta é um exemplo, assim como a sua síntese emblemática:

"A poesia é o que recapitula o mundo
chamando-o em cada chama
pela chama de cada sílaba"
"a poesia é uma palavra
de muitos caminhos"

Atribuindo à *perfeição das coisas*: o mundo inacabado" o papel de ideia condutora, a sinestesia ganha realce especial entre os recursos expressivos empregados: "era um mar / nascendo no visível do outro lado: o som do verde". Embora o poeta lance mão de versos curtos, em poemas de reduzidas estrofes, para detectar o espetáculo caleidoscópico do mundo, é o verso sinfônico que mais lhe serve ao intento. As virtualidades de cada metáfora reclamam outras metáforas, num desdobramento vertiginoso e interminável, que converte os poemas em jactos líricos intensos, decorrentes do empenho em realizar "aquela criação na beleza que não é nem procriação nem imaculada concepção, mas a verdade – num corpo e suas almas – inventada, escrita": espelho do mundo, a poesia é "tatuagem e palimpsesto", e o mundo, "tatuagem e palimpesto", reflete-se na superfície dos poemas.

Ainda convém mencionar outras figuras, como **Luís Filipe Castro Mendes** (Idanha-a-Nova, 1950), autor de *Seis Elegias* (1985), *A Ilha dos Mortos* (1991), *Viagem de Inverno* (1993), *O Jogo de Fazer Versos* (1994), *Modos de Mú-*

498 • A LITERATURA PORTUGUESA

*sica* (1996), *Outras Canções* (1998), enfeixados, com um volume inédito, *Os Amantes Obscuros,* e prefácio de Pedro Lyra, em *Poesia Reunida, 1985-1999* (2001). Amor e morte, em separado ou formando pares antitéticos ou enlaçados, são os dois temas condutores dessa poesia. Não por acaso, o poeta estreia com elegias em que o tema amoroso prevalece, e fecha com "Sonho", em que a morte predomina pela corrosão ou exaustão do amor ("O Último Amor"), de resto já antevista em "A Ilha dos Mortos": "como de tanto amor se tece a Morte!".

Permeia esse encontro trágico um pendor metalinguístico, feito de pensar o conceito e o significado da poesia e seus atributos formais, o poema e o verso, em uníssono com uma vaguidade, uma abstração, evidente no processo metafórico, que se diria expressar o anseio de uma espécie de poesia pura ("oculta ascese é a poesia pura, / que preserva da histeria a literatura"), ou a recusa da "frenética poesia" e a descrença de que a poesia encerre conhecimento ("O Mistério da Poesia"), na linha dos poetas mais em voga no último quartel do século XX, tendo ao fundo, como nume tutelar, o poeta de *Mensagem*.

Em clave próxima situa-se **José Jorge Letria** (Cascais, 1951): iniciou a sua trajetória poética com *Mágoas Territoriais* (1973), seguido de *Cantos de Revolução* (1975), *Coração em Armas* (1977), *Os Dias Cantados* (1978), *Navegador Solidário* (1980), *O Desencantador de Serpentes* (1984), *Adivinhação do Azul* (1984), *As Estações do Rosto* (1985), *Íntimo das Ondas* (1988), *Cesário: Instantes da Fala* (1989), *Corso e Partilha* (1989), *Carta de Afetos* (1989), *Percurso do Método* (1990), *A Sombra do Rei-Lua* (1990), *Os Oficiantes da Luz* (1991), *A Bagagem Imaterial do Voo* (1991), *Oriente da Mágoa: Pranto de Luís Vaz* (1992), *Actas da Desordem do Dia* (1993), *Capela dos Ócios: Odes Mediterrânicas* (1993), *A Dúvida Melódica* (1993), *O Fantasma da Obra. Antologia Poética, 1973-1993* (1993), com um livro inédito, *A Tentação da Felicidade,* e prefácio de Mário Cláudio, *Zen Ocidental* (1998), *A Metade Iluminada* (1998), *Manuscritos do Mar Morto* (2000), *Nobre: O Livro da Alma* (2000), *Os Mares Interiores* (2001), *O Livro Branco da Melancolia* (2001), *O Fantasma da Obra II. Antologia Poética, 1993-2001* (2002) . Além de literatura juvenil e peças de teatro, tem cultivado a prosa de ficção: *Os Amotinados do Vento* (1993), *Um Amor Português* (2000), *Conversa com o Século XX* (2001), *Já Bocage não sou* (2002), *O homem que odiava os domingos e outras histórias* (2003), *Querido Cesário* (2003), *Morro bem, salvem a Pátria!* (2005).

Após demorar-se no lirismo amoroso e nos temas revolucionários, o seu espectro poético amplia-se gradativamente, até o momento em que, dando início à fase atual, retoma o módulo central da cosmovisão de Fernando Pessoa: "Quero-me sensacionista, porque trabalho / com a matéria volátil das sensações". Ao invés de retrocesso, tal inflexão anunciava-se, no seu tom puxado às abstrações, desde os primeiros versos, e aponta o cerne da sua dimensão poética, mesmo porque era possível detectar, em certo momento, um esboço de reação anti-Pessoa, ao confessar que "a [sua] pátria é esta casa / com os seus sentidos graves e duplos", sem prejuízo, porém, do amor à língua portuguesa ("Não amar esta língua").

Na verdade, sugeria uma convergência, visto que o poeta diz "não [ser] dado a mistérios, a prodigiosas / ocultações", embora acionado por uma vocação "desesperadamente astral", sensível à dispersão que remonta a D. Francisco Manuel de Melo ou a Cesário Verde, "romântico dos românticos", e que se manifesta na série de temas e formas engenhosamente manipulados. Em suma, a poesia de José Jorge Letria oscila "entre o que sou e o que sonho [...] // o som e a fúria, / a exaltação e o espanto", como revelam as imagens e metáforas imprevistas, originais, as "mais ousadas", nas palavras do autor, de textura autenticamente poética, sobre as quais flutua a sombra inspiradora de Fernando Pessoa ou a intuição de uma afinidade substancial, tudo assinalado por "invejável turbulência", geradora duma "indomitável poesia" (Mário Cláudio):

"Eu sou muitos com um só rosto. [...] Eu sou eu e sou tantos"
"À custa de me querer uno, pulverizei-me"
"Eu, quanto mais finjo mais verdadeiro
sou, quanto mais minto mais me exponho"

As mais recentes manifestações poéticas de José Jorge Letria, recolhidas em *O Fantasma da Obra II*, mostram-no numa fase recordatória em que assoma a tríade que lhe tem norteado a obra e a vida – "quimera, desejo, utopia" – e irrompem as vozes do passado que, com melancolia e desassossego, remontam à infância, simultaneamente a um balanço do tempo que se foi. Como se vislumbrasse o pretérito com inédita transparência, reconhece que "o essencial está na música, sempre esteve, / na matéria cantante de que é feita", pois "em verso só se diz o que a alma dita". Posto ante a sua imagem na superfície espe-

500 • A LITERATURA PORTUGUESA

lhada dos versos, somente lhe cabe enveredar pelo terreno da metapoesia, como a transformar em conceitos tudo quanto a sensibilidade lhe insinuara: criador de metáforas originais ao longo de toda a sua obra, o poeta tem consciência de que a singularidade metafórica pressupõe, para resultar em poesia do mais alto grau, obediência à arte poética ou metapoética acima referida, que termina aforisticamente:

"porque o essencial está na música
e porque só ela deixa entreaberta na poesia
a porta iluminada das revelações finais".

**Paulo Teixeira** (1962) estreou com *As Imaginações da Verdade* (1985), a que se seguiu *Epos* (1987), ambos premiados, e *Conhecimento do Apocalipse* (1988), *A Região Brilhante* (1988 ), *Inventário e Despedida* (1991), *Arte da Memória* (1992), *O Rapto de Europa* (1994), *Patmos* (1994), *As Esperas e Outros Poemas* (1997), *Túmulos de Heróis Antigos* (1999), *Autobiografia Cautelar* (2001), *Orbe* (2006). Na obra inaugural estampa-se o motivo condutor dessa poesia que tem merecido justo aplauso desde o seu aparecimento: "Arte e beleza partilhadas na simetria / de um olhar". Ao início, o assunto central era o amor, ou o seu conceito, variável conforme o par de amantes, mas que já identificava a dicção característica do poeta. A ação que seria sua, como sugere a tradição lírica, é transferida para os protagonistas históricos da situação amorosa, à maneira de heterônimos: o poeta fala de si por intermédio de interpostas personas, como se assumisse a perspectiva de dramaturgo, à semelhança de Fernando Pessoa. Ou como se atuasse qual um ventríloquo: pondo a fala na boca das máscaras, é ele próprio que fala, fala de si por meio da voz do "outro"; o seu "eu" manifesta-se através dos "eus" das parelhas dramáticas focalizadas.

Afinal, o título do livro inicial o diz nitidamente, ao enfatizar a presença simultânea da verdade e das imaginações no curso dos diálogos a que servem de travejamento e razão de ser. Com variações de pequena monta, daí por diante empregará análogo esquema de representação poética, levado pela "retórica / de espelhos", pois é ela "onde se perde e agita em vão / a harmonia do ser e a verdade do mundo", de modo a fazer "da metáfora / chave para o mistério de um corpo impaciente". É aparente, mero disfarce, a impessoalidade daí resultante, visto que a ausência do "eu" do poeta significaria a extinção da poesia, e disso parece ter ele plena consciência: "Escrever é convocar o mundo com a sua presença".

Mesmo quando a paisagem invade o recinto do poema, seja a real, suscitada pelas viagens (*Arte da Memória*), seja a que uma coleção de telas inspira (*Túmulo de Heróis Antigos*), é ainda e sempre o poeta que fala, fala de si, ou do prisma em que se coloca ante o mundo convocado. A tal ponto que confessa, em *Arte da Memória,* ter "saudades de ser outro", esquecer-se "nos atalhos de outro corpo", ou "tricotar a [sua] história / na espiral de fumo que sobe pelo ar".

Há também que pensar em qualquer coisa como epicidade, manifesta no plural de vozes do "outro", inclusive a voz que as envolve e ultrapassa ("Oh a voz do absoluto!"), por meio das quais o poeta entoa o seu canto. Epicidade não no sentido estrito, em declínio no século XVIII, de *discurso histórico e heroico,* senão de um discurso em que o "eu" se transmuta em "nós", como de resto a polifonia de vozes assinala, – discurso polifônico, destinado a transmitir uma visão ampla, totalizante do mundo, à Hegel, que dispensa a narrativa histórica e a heroicidade, moldada nos semideuses da Antiguidade. Em seu lugar, instalam-se um eterno presente e uma heroicidade outra, de face humana, expressos numa variedade de estrofes e de metros, nos quais se detecta, subjacente, quando não explícita, uma visão clássica da realidade:

"Celebra estes séculos,
o nome de quem assistiu na noite dos estábulos à criação do mundo
e desenhou no mapa das estrelas uma constelação propícia"

**Pedro Mexia** (1972), autor de *Estilhaços* (1991), *Ponte do Areal* (1992), *Duplo Império* (1999), *Em Memória* (2000), *Avalanche* (2001), cuja poesia parece gravitar em torno do binômio amor e memória, um "duplo império" com feição de mitologia: o primeiro "não vem na lista telefônica", é "chama viva / de ninguém, luz azul / intermitente [...] / e depois, fumo branco, / sol a pique e escombros", e o segundo, porque "Nada fica, a própria memória / é uma mitologia".

**José Tolentino Mendonça** (1965) é autor de *Os Dias Contados* (1990), *Longe não sabia* (1997), *A que distância deixaste o coração* (1998), *Baldios* (1999), *De Igual para Igual* (2001), *A Estrada Branca* (2005), enfeixados em

*A noite abre meus olhos* (2006). Pertence a *De Igual para Igual* a "Poética", na qual estampa a doutrina que o norteia: "Estes quantos traços que se parecem com a sombra", "essência instável, dissonante / E isso é tudo o que nos resta". No posfácio ao mesmo volume, Eugênio de Andrade assinala, com razão, que a poesia de José Tolentino Mendonça "prefere a pobreza ao luxo, a simplicidade à complicação".

E também Francisco José Viegas (Pocinho, Alto Douro, 14 de março de 1962), com *Olhos de Água* (1983), *As Imagens* (1987), *Todas as Coisas* (1988), *O Medo do Inverno seguido de Poemas Irlandeses* (1994), reunidos em *Metade da Vida* (2002), *O Puro e o Impuro* (2003), e narrativas (*Regresso por um Rio: Imaginações para uma Novela*, 1987; *Lourenço Marques*, 2003), mas tem alcançado maior prestígio como autor de novelas policiais; Diogo Alcoforado, com *Exercícios Circulares* (1982) e outros títulos, reunidos em *Alguns Pequenos Exercícios* (1997), *Pobres* (2004), *Espinho Quase Sempre* (2004); Paulo José Miranda (1965), com *A voz que nos trai* (1997), *A Arma do Rosto* (1998); Jorge Gomes Miranda (1965), com *O que nos protege* (1995), *Portadas Abertas* (1999); Luís Barreto Guimarães (1967), com *Há violinos na tribo* (1989), *Rua Trinta e Um de Fevereiro* (1991), *Este Lado para Cima* (1994), reunidos em *Poesia (1987-1994)* (2001), *Lugares Comuns* (2000); Rui Pires Cabral (1967), *Pensão Bellinzona e Outros Poemas* (1994), *Geografia das Estações* (1994), *A Super-Realidade* (1995), *Música Antológica e Onze Cidades* (1997), *Longe da Aldeia* (2005); Luís Quintais (1968), *A Imprecisa Melancolia* (1995), *Umbria e Lamento* (ambos de 1999), *Verso Antigo* (2001), *Angst* (2002), *Duelo* (2004); Jorge Reis-Sá (1977), com *À Memória das Pulgas da Areia* (1999), *Quase e Outros Poemas de Querença* e *A Palavra no cimo das Águas* (ambos de 2000), *Psicologia do Homem* (2004), *Equilíbrios Pontuados* (2004); Valter Hugo Mãe (1971), com *Silencioso Corpo de Fuga* (1996), *O sol pôs-se calmo sem me acordar* (1997), *Entorno a Casa sobre a Cabeça* (1999), *Egon Schiele, Autorretrato de Dupla Encarnação* (1999), etc.; Daniel Faria (1971-1999), com *Homens que são como lugares mal situados* e *Explicação das Árvores e de Outros Animais* (ambos de 1998), *Dos Líquidos* (2000), patenteia, ao buscar inspiração nos textos bíblicos, a sua condição de monge benedítino; Carlos Poças Falcão (1951), com *O Número Perfeito* (1987), *O Invisível Simples* (1988), *Três Ritos* (1993), *Movimento e Repouso* (1994), *Pequeno Livro Azul* (1997), *A Nuvem* (2000), entre outros.

# PROSA

No terreno da prosa, ocorre algo também merecedor de especial registro: os últimos decênios têm sido verdadeiramente de esplendor para a ficção em Portugal, quer pela quantidade, quer, sobretudo, pela qualidade das obras e dos autores. Nenhuma vez se presenciou quadra tão rica em prosa de ficção como esta: somente se lhe equipara a época do Realismo, mas em certo sentido e valor, e levando em conta o tempo decorrido de então para cá.

Difícil, se não impossível, delinear rigorosamente as zonas ideológicas e estéticas em que se movem tantos e tão qualificados ficcionistas. Correndo o risco da simplificação, diríamos que nesses anos, além dos prosadores já referidos noutros tópicos e que continuaram a produzir obra de mérito, nota-se primeiro que tudo a constância de escritores vindos de antes, como **Luís Forjaz Trigueiros** (Lisboa, 15 de abril de 1915-2001), autor de contos (*Caminhos sem Luz*, 1936; *Ainda há estrelas no céu*, 1942; *Boa Noite, Pai*, 1955; *O Carro de Feno*, 1974), crônicas (*Campos Elíseos*, 1956; *Ventos e Marés*, 1967; *Monólogo em Éfeso*, 1972; *Paisagens Portuguesas*, 1983; *Um Jardim em Londres*, 1987), que atestam um pendor de aquarelista voltado para situações humanas que as focalizasse ao mesmo tempo com azedume e melancolia; **Domingos Monteiro** (1903-1980), autor de obras poéticas e doutrinárias, mas que se impôs com seus contos e novelas (*Enfermaria, Prisão e Causa Mortuária*, 1943; *O Mal e O Bem*, 1945; *Contos do Dia e da Noite*, 1952; *Histórias Castelhanas*, 1955; *Histórias deste Mundo e do Outro*, 1961; *Histórias das Horas Vagas*, 1966; *Letícia e o Lobo Júpiter*, 1972, etc.), em que a mestria na condução de narrativas curtas é servida por um dom especial de mesclar coerentemente observação e fantasia, numa forma de cuidada expressão.

**João de Araújo Correia** (Canelas do Douro, 1º de janeiro de 1899-Peso da Régua, 31 de dezembro de 1985), formado em Medicina, no Porto (1927), deixou considerável bagagem de contista, além de crônicas e uma tentativa de romance: *Sem Método. Notas Sertanejas* (1938), *Contos Bárbaros* (1939), *Contos Durienses* (1941), *Terra Ingrata*, contos e novelas (1946), *Três Meses de Inferno*, miscelânea (1947), *Casa Paterna*, romance (1951), *Cinza do Lar*, contos (1951), *Folhas de Xisto*, contos (1950), *Caminho de Consortes*, contos (1954), *Montes Pintados*, contos (1964), *Passos Perdidos* (1967), *Horas Mortas* (1968), *Rio Morto*, contos (1973), *Tempo Revolvido* (1974), *Outro Mundo*, contos (1980).

504 • A LITERATURA PORTUGUESA

Conquanto haja incursionado pela crônica, o romance e os temas linguísticos e medicinais, alcançou no conto os níveis que o singularizam e engrandecem. Conciso, quase lacônico, trabalhando castiça e caprichosamente o Idioma, contador de histórias à maneira de Trancoso, surpreende no cotidiano incolor situações irônicas, paradoxais, tragicômicas e patéticas, não raro culminando na morte. Excepcional conhecedor da alma humana, sobretudo a dos simples e bisonhos, o seu olhar verruma as tragédias anônimas, que transfere para o âmago dos contos dum modo direto, sem dramatismos falsos ou sentimentalidades românticas.

Verifica, diagnostica a existência de mazelas graves num povo e numa terra secularmente atrasados, onde campeia a injustiça social e os poderosos espezinham impunemente os bons e humildes, mas não pretende polemizar. Suas histórias guardam, por isso, um ar de crônicas e nelas cabe ou se reflete o mundo, tão análogos são os dramas e as situações humanas em todas as latitudes e longitudes. O universal no regional, eis a sua principal virtude, que, aliada às demais, o torna uma das figuras de proa do conto português na segunda metade do século XX.

Comerciante em São Paulo (1928-1930), **Joaquim Paço d'Arcos** (Lisboa, 14 de junho de 1908-10 de junho de 1979) começou a sua carreira literária com a *Patologia da Dignidade* (1928), mas é com *Herói Derradeiro* (1933) que enceta a carreira de ficcionista, aproveitando a experiência de viajante, que ainda lhe será valiosa noutros romances (*Amores e Viagens de Pedro Manuel*, 1935; *Diário dum Emigrante*, 1936). Seus recursos de romancista já se evidenciavam então: segurança na condução do enredo, e linguagem espontânea, límpida, acessível. A partir de *Ana Paula* (1938), inicia a "Crônica da Vida Lisboeta": *Ansiedade* (1940), *Neve sobre o Mar* (1942), *O Caminho da Culpa* (1944), *Tons Verdes em Fundo Escuro* (1946), *Espelho de Três Faces* (1950), *O Navio dos Mortos e Outras Novelas* (1952), *A Corça Prisioneira* (1958), *Carnaval e Outros Contos* (1959), *Memórias duma Nota de Banco* (1962), *Cela 27* (1965), *Novelas Pouco Exemplares* (1967).

O ambiente humano se reduz, pondo o ficcionista à prova: as situações citadinas, especialmente as vividas pela burguesia, tendem a repetir-se. Todavia, soube contornar a dificuldade: a sua obra, prolongando ou lembrando a de Eça de Queirós, ao proceder a um inquérito da sociedade lisboeta oitocentista, busca enquadrar os principais aspectos da classe média do seu tempo. Deixou ainda peças teatrais (*O Cúmplice*, 1940; *O Ausente*, 1944; *Paulina Vestida de Azul*, 1948) e *Poemas Imperfeitos* ( 1952).

Doutro lado, colocam-se ficcionistas vinculados ao Neorrealismo, na medida em que propõem uma visão analítica e transformadora da realidade, como um Urbano Tavares Rodrigues, um José Cardoso Pires, um Augusto Abelaira.

**Urbano Tavares Rodrigues** (Lisboa, 6 de dezembro de 1923) ostenta uma copiosa produção, repartida pelo ensaio (*Manuel Teixeira-Gomes*, 1950; *O Mito de Don Juan e o Donjuanismo em Portugal*, 1960, etc.), as viagens (*Jornadas no Oriente*, 1956; *Jornadas na Europa*, 1958; *De Florença a Nova Iorque*, 1963), a ficção (*A Porta dos Limites*, 1952; *Vida Perigosa*, 1955; *A Noite Roxa*, 1956; *Uma Pedrada no Charco*, 1958; *Bastardos do Sol*, 1959; *As Aves da Madrugada*, 1959; *Os Insubmissos*, 1961; *Exílio Perturbado*, 1962; *As Máscaras Finais*, 1963; *Terra Ocupada*, 1964; *A Masmorra*, 1965; *Dias Lamacentos*, 1965; *Imitação da Felicidade*, 1966; *Despedidas de Vento*, 1967; *Casa de Correção*, 1968; *Horas Perdidas*, 1969; *Contos da Solidão*, 1970; *Oceano Oblíquo*, 1985; *Violeta e a Noite*, 1991; *Deriva*, 1993; *A Hora da Incerteza*, 1995, etc.), de que o mais importante é, sem dúvida, a ficção.

Desde as primeiras obras, já deixava entrever as duas linhas de força que o norteavam: os temas cosmopolitas e os alentejanos. Predominando aqueles sobre esses, em razão da longa estada do ficcionista nos grandes centros europeus, e de uma curiosidade aberta aos problemas de largo espectro, suas narrativas curtas exploravam, num misto de realidade observada e imaginada, o patético, os dramas vividos por criaturas de "exceção", marginais numa sociedade de pós-guerra cujos alicerces estavam profundamente abalados. Opção de caráter romântico, o lirismo que envolve seres e situações evidencia-se na escolha de assuntos relacionados com a passionalidade amorosa, sobretudo aquela que resulta numa "impossível evasão", como aliás intitula um de seus contos.

A fase posterior de Urbano Tavares Rodrigues revelava que o humanismo presente em sua mundividência assinala um empenho cada vez maior de surpreender, no recesso das trocas sociais de superfície, a má-consciência dos triunfantes e as modalidades de envilecimento do homem pelo próprio homem. E na curva do seu percurso intelectual, retornam, agora também impregnados das cores duma sensibilidade vigilante e lúcida, os temas alentejanos.

506 • A LITERATURA PORTUGUESA

O estilo em que os vaza, com ser dúctil, coleante e original, não obstante as ocasionais soluções fáceis ou apressadas, concorre para fazer dele um dos prosadores mais vigorosos e brilhantes em atividade na segunda metade do século XX e princípios deste século.

## JOSÉ CARDOSO PIRES

Nasceu a 2 de outubro de 1925, em São João do Peso (Vila de Rei, Castelo Branco) e faleceu em 26 de outubro de 1998, em Lisboa. Frequentou, durante algum tempo, o curso de Matemática na Universidade de Lisboa. Tem obra relativamente escassa, mas de excelente qualidade: *Os Caminheiros e Outros Contos* (1949), *Histórias de Amor* (1952), *O Anjo Ancorado,* romance (1958), *Cartilha do Marialva,* ensaio (1960), *O Render dos Heróis,* teatro (1960), *O Hóspede de Job,* romance (1963), *Jogos de Azar,* contos, refundição da primeira obra publicada (1963), *O Delfim,* romance (1968), *Dinossauro Excelentíssimo,* sátira política (1972), *E Agora José?,* crônicas (1977), *O Burro-em-pé,* contos (1979), *Balada da Praia dos Cães,* romance (1982), *Alexandra Alpha,* romance (1987), *A República dos Corvos,* contos (1989), *De Profundis, Valsa Lenta,* memória (1997), *A Cavalo no Diabo,* crônicas (1994), *Lisboa – Livro de Bordo,* crônicas (1997), *Dispersos –* vol. I (2005), *Lavagante – Encontro Desabitado* (2008).

Essencialmente ficcionista, a atenção de José Cardoso Pires voltou-se, na primeira fase de sua trajetória, para as narrativas curtas: aparentemente sem *plot,* destituídas dum acontecimento central, assinalam um convívio regular com a ficção norte-americana, sobretudo com Hemingway. Transcorrem em câmara-lenta, como se as personagens estivessem imersas num aquário, ou entrevistas através de vidros foscos, que lhes abafassem a voz e lhes diluíssem os gestos. Nem por isso o escritor deixa de ser um realista, um verista, ainda que a seu modo: o seu realismo é o de quem se volta para o cotidiano, urbano ou campesino, numa atitude que raia pela reportagem, mas referida a uma dimensão transcendente, numa autêntica radiografia do real.

Por isso, o psicológico e o relacional das situações enfocadas emergem do próprio caráter das personagens, à semelhança daquele surrealismo que, focalizando a realidade duma forma obsessivamente precisa, acaba por torná-la, ou descobri-la, irreal ou ainda suprairreal. Para consegui-lo, o escritor utiliza-se, tanto nos contos como nos romances, de uma franciscana economia de meios, resultantes da decepação de toda folhagem supérflua e de, portanto, reduzir os conflitos a seus elementos fundamentais.

Com estilo ágil e conciso mas brilhante, José Cardoso Pires impregna tudo quanto cria dum intuito de denúncia social, implícito na ficção, e evidente no ensaio e no teatro. *O Delfim* é com certeza a sua obra-prima, graças à técnica narrativa, marcada pelo emprego de recursos sofisticados, na linha do "nouveau roman", a serviço duma espécie de verossimilhança da ambiguidade. Por seu intermédio, neutralizava o apelo ao realismo esquemático, reducionista, a que não poucos ficcionistas do tempo se renderam. Cultivava, em seu lugar, um realismo sutil, que fundia a beleza do relato com o documento histórico, não menos eficiente, senão mais, como painel de superior impacto do opressivo *status quo* anterior a 1974. Sem perder de vista que elaborava a sua obra em nome da "missão" que abraçara como escritor engajado, tornou-se, sem favor, um dos mais relevantes ficcionistas portugueses do pós-guerra.

**Augusto Abelaira** (Ançã, Cantanhede, 18 de março de 1926-4 de julho de 2003) publicou romances: *A Cidade das Flores* (1959), porventura a sua narrativa mais bem conseguida, *Os Desertores* (1960), *As Boas Intenções* (1963), *Enseada Amena* (1966), *Bolor* (1968), *Sem Teto entre Ruínas* (1979), *O Triunfo da Morte* (1981), *O Bosque Harmonioso* (1982), *O único animal que...* (1985), *Deste Modo ou Daquele* (1990), *Outrora Agora* (1996), um livro de contos, *Quatro Paredes Nuas* (1972), e três peças de teatro: *A palavra é de oiro* (1961), *O Nariz de Cleópatra* (1962) e *Ode (Quase) Marítima* (1968), nos quais põe em questão o homem colocado em face das opções angustiantes oferecidas pela Política, pela Arte e pelo Amor, terminando sempre por apontar, numa lucidez pessimistamente corrosiva, o caos como único resultado possível. E indo mais longe que os ficcionistas contemporâneos, notadamente os neorrealistas ortodoxos, procurou em novos processos romanescos os meios de atingir o seu desiderato e abalar no leitor as crenças confortáveis nos valores estabelecidos. Nem sempre, contudo, os seus entrechos das narrativas, ainda que bem urdidos e bem escritos, logram ultrapassar os limites ideológicos da tese abraçada, para mais livremente convencer o leitor da verossimilhança das situações dramáticas focalizadas.

Noutro lugar, situa-se **Ruben A.** (Andresen Leitão) (Lisboa, 26 de maio de 1920-Londres, 26 de setembro de 1975), autor de *Caranguejo*, romance (1954), *Cores*, contos (1960), *A Torre da Barbela*, romance (1964), *Outro que era eu*, novela (1966), *Silêncio para 4*, romance (1973), *Kaos,* romance (1982), *Páginas,* memórias (6 vols., 1949-1970), isolado no seu afã duma ficção despojada, irônica e alegórica, expressa numa linguagem exigente, "concreta" e flexuosa, por onde cruzam as sombras dum surrealismo mais de temperamento que de escola. *A Torre da Barbela*, fundada numa trama histórica reconstituída com toda a força da imaginação e vazada num estilo de grande beleza, não raro à beira dum barroquismo festivo, de geração espontânea, é a sua obra-prima.

Não menos correndo por fora das raias em voga naquele tempo, **Almeida Faria** (Alentejo, 6 de maio de 1943), licenciado em Filosofia, identifica-se como uma das grandes revelações da prosa ficcional portuguesa dos anos 60, com os seus romances *Rumor Branco* (1962) e *A Paixão* (1965), que deixam transparecer o magistério de Vergílio Ferreira, enriquecido por uma extraordinária cerebração romanesca, fazendo lembrar um Joyce que escrevesse Português. Voltaria ao romance com *Cortes* (1978), *Lusitânia* (1980), *Cavaleiro Andante* (1983), *O Conquistador* (1990), que formam, com *A Paixão,* uma tetralogia. Impelido sempre pelo afã de novas soluções técnicas e de maior aprofundamento nos temas e situações, destinou ao teatro as duas publicações seguintes: *Vozes da Paixão* (1998), calcada no romance de 1965, e *A Reviravolta* (1999), com personagens tomadas de empréstimo à tetralogia e ambientada no Alentejo, em setembro de 1974.

Uma mudança de tom, já visível nas substanciais mudanças introduzidas na 3ª edição de *Rumor Branco*, acabaria por conduzir a tetralogia. A tônica das narrativas incide no histórico e no social, tendo por núcleo a revolução de 25 de abril de 1974, como se uma espécie de comédia de costumes, sem prejuízo da visão centrada nos móbeis ocultos da ação das personagens e do experimento de novas técnicas narrativas, se tornasse o objetivo do narrador. "Tempo de gente cortada", o dessas personagens de *Cortes*, isoladas, mutiladas, desmembradas, às vésperas do 25 de abril, que romperia o nó totalitário vigente. A sequência gira em torno dos acontecimentos posteriores, de natureza política e psicossocial: um "país em frenesi político" serve de cenário ao retrato de uma família estilhaçada, tendo André como figura emblemática, morto na flor da idade, à maneira de um cavaleiro andante em busca do vaso sagrado.

Culminava assim a tetralogia, vazada na rica e fluente linguagem do ficcionista, constituindo um longo "romance epistolar", o romance da diáspora portuguesa, cujo desenlace vem repleto de ceticismo. O rigor criativo de Almada

Faria, não só no que tange ao estilo e ao arcabouço romanesco, mas também na matéria ficcional, manifestar-se-á ainda numa narrativa em que Sebastião, avatar do rei morto em Alcácer-Quibir, vive seguidas conquistas amorosas, dentro e fora do país, narradas na primeira pessoa, em tom jocoso, picaresco, um tanto fantástico, surrealista ou, mesmo, dadaísta, numa estrutura composta por episódios sucessivos e autônomos, peculiar à novela.

Inclusive as experiências do novo-romance francês (*nouveau-roman*), – em voga nos anos 50-60, caracterizado pela rejeição dos princípios orientadores do romance tradicional, especialmente no que dizia respeito ao enredo, à psicologia das personagens e à descrição do ambiente – encontraram adeptos em Portugal, na pena de **Alfredo Margarido** (1928), autor dos romances *No Fundo deste Canal* (1960), *A Centopeia* (1961), *As Portas Ausentes* (1963), e de **Artur Portela Filho** (Lisboa, 1937), autor de crônicas (*A Feira das Vaidades*, 1959), contos (*A Gravata Berrante*, 1960; *Avenida de Roma*, 1961; *Thelonius Monk*, 1962) e romances (*O Código de Hamurabi*, 1962; *Rama, Verdadeiramente*, 1963), mas que não alcançaram realizar obra equivalente a seus propósitos renovadores e a seus instrumentos de trabalho. Mais recentemente, voltaria a publicar dois romances (*A Manobra de Valsalva*, 2002; *História Fantástica de Antônio Portugal*, 2004), de outra orientação.

Ainda se podem encontrar marcas do *nouveau-roman* na ficção de **Isabel da Nóbrega** (Lisboa, 26 de junho de 1925), cuja estreia se deu com a narrativa *Os Anjos e os Homens* (1952), mas foi necessário esperar até a publicação de *Viver com os Outros* (1964), para conhecer a notoriedade que lhe cercou o nome daí por diante. Outras obras se seguiram: *Solo para Gravador,* contos (1973), *Já não há Salomão*, narrativa (1966), *Quadratim,* crônicas (1976). Graças à recente reedição de *Viver com os Outros* (2005), pôde-se verificar que continuam atuais as qualidades de estilo e de concepção romanesca que tiveram o condão de incluir a autora entre as mais talentosas ficcionistas da sua geração.

No luso-fusco da década de 60, surgiram dois ficcionistas de raça, que imediatamente atraíram para si o gosto do público e o aplauso da crítica: **Álvaro Guerra** (1936-2002), pseudônimo de Manuel Soares, diplomata, cujas narrativas (*Os Mastins,* 1967; *O Disfarce,* 1969; *A Lebre,* 1970; *Memória,* 1971; *O Capitão Nemo e Eu,* 1973; *Do General ao Cabo Mais Ocidental,* 1976; *Café República,* 1982; *Café Central,* 1984; *Café 25 de Abril,* 1987; *Crimes Imperfeitos,* 1990; *Razões do Coração,* 1991; *A Guerra Civil,* 1993), revelavam vocação de

510 • A LITERATURA PORTUGUESA

autêntico romancista, que resiste às facilidades do talento e procura temperar o estilo viril e terso com uma visão impiedosa do mundo, de que não é estranho o engajamento político habilmente dissimulado em alegorias e simbolizações plurissignificativas. Todo esse aparato narrativo põe-se a serviço de "fábulas" que não recusam as fundações assentes do começo-meio-fim para se construir alta e tragicamente, sem prejuízo dos alicerces fincados nos acontecimentos históricos, a exemplo do que se observa na trilogia dos "cafés", que abrange o período entre 1914 e 1976, e nos dois últimos romances, ambientados nas primeiras décadas do século XIX.

**Nuno Bragança** (12 de fevereiro de 1929-7 de fevereiro de 1985) estreou com um romance original (*A Noite e o Riso*, 1969), caracterizado por um humor fino e de imediata comunicação ao leitor, expresso numa linguagem despojada, que lembra o *Nome de Guerra,* de Almada-Negreiros. Ainda publicou outros romances (*Directa*, 1977; *Square Tolstói*, 1981), mas sem o impacto do primeiro. Faleceu no mesmo ano em que publicou o seu único livro de contos (*Estação*).

**Antônio Rebordão Navarro** (Porto, 1º de agosto de 1933) dedicou-se à poesia, desde o começo até os anos 80, em várias coletâneas reunidas em *A Condição Reflexa Poemas (1952-1982)* (1990), mas foi o romance que lhe rendeu prêmios e nomeada: *Romagem a Creta* (1964), *Um Infinito Silêncio* (1970), *O Discurso da Desordem* (1972), *O Parque dos Lagartos* (1982), *Mesopotâmia* (1985), *A Praça de Liège* (1988), *As Portas do Cerco* (1992), *Parábola do Passeio Público* (1995), *Amêndoas, Doces, Venenos* (1998), *Romance com o Teu Nome* (2004). Ainda publicou um livro de contos (*Dante Exilado em Ravena*, 1989), peças de teatro, crônicas e ensaio.

A narrativa de estreia revelaria um ficcionista senhor do seu ofício, estilo próprio e um senso agudo de observação, uma tendência à "diegese difusa", de extração presencista, acionada pela transformação dos "grandes sonhos dos vinte anos, o grande sonho da salvação do mundo através duma grande reforma social, duma total superação das estruturas econômicas [...] nesta indiferença magnífica de não querer salvar o mundo". É à sátira social, patente em *Um Infinito Silêncio*, marcado pela metalinguagem e pelo emprego de minúsculas à entrada das frases, num ritmo de crônica: o narrador acompanha os sucessivos acontecimentos sem deles esperar a irrupção de um conflito que se adensasse no fluxo dos capítulos, técnica que seria absorvida e desenvolvida mais adiante por outros ficcionistas. A essa narrativa, eventualmente a constituir o ponto alto da trajetória do autor, segue-se outra, *à clef*, de caráter metalinguístico (*Mesopotâmia*), e as demais, sempre com as características exibidas desde a narrativa de estreia, porventura sintetizadas no "hiper-realístico rigor" que se distingue, em seu romance mais recente, nos "ferros das varandas".

**João de Melo**, nascido e criado nos Açores (Ilha de S. Miguel, 7 de agosto de 1949), mudaria para o continente após a infância, mas levando para sempre as marcas de origem, como bem atestam as suas obras, em que se distinguem os romances: *A memória de ver e matar* (1977), *O meu mundo não é deste reino* (1983), *Autópsia de um Mar de Ruínas* (1984), refundição do romance de estreia, *Gente Feliz com Lágrimas* (1988), *O Homem Suspenso* (1996). Ainda cultivou o conto (*Histórias da Resistência*, 1975; *Entre Pássaro e Anjo*, 1987; *As Manhãs Rosadas*, 1991; *Crônica do Princípio e da Água*, 1991; *Bem-Aventuranças*, 1992; *As Coisas da Alma* (2003), relato de viagens (*O Segredo das Ilhas*, 2000), a poesia (*Navegação na Terra*, 1980), a crônica (*Dicionário de Paixões*, 1980) e o ensaio, notadamente em torno da literatura açoriana.

A força de sua ficção repousa, antes de tudo, no estilo, fluente, coloquial, sem o "fulgor retórico das imagens", mas polido, com ingredientes poéticos, típico da narrativa que não levanta a menor dificuldade ao leitor. Antes pelo contrário, que o prende pela sugestão duma sequência de episódios impulsionados pelo acicate do "e depois?". Assim é quando o enredo se concentra na guerra colonial em África (*Autópsia de um Mar de Ruínas*), transcorre nos Açores (*O meu mundo não é deste reino*), ou acompanha a dispersão dos açorianos pelo mundo (*Gente Feliz com Lágrimas*). A plasticidade estilística nada vulgar faz eco ao tema principal que nucleia o arcabouço dessas narrativas, sem abalar o substrato açoriano latente em todas elas.

O ponto alto desse talento de mobilizar, para cada tema ou situação dramática, formas próprias de expressão, bem como de estruturas narrativas, localiza-se em *Gente Feliz com Lágrimas*, galardoado com prêmios importantes e várias vezes reeditado. Espécie de romance da diáspora açoriana, centra-se nos problemas da emigração para fora dos Açores, especialmente para o Canadá. A perspectiva muda conforme a personagem, de modo que a primeira pessoa e a terceira do singular se alternam, lançando mão de *flashbacks* e *flashforwards* que retomam, as mais das vezes, o passado açoriano, em meio a névoas de persis-

512 • A LITERATURA PORTUGUESA

tente nostalgia, até à morte: "Se tivesse ficado nos Açores [...] não lhe custaria tanto morrer. Porque nas ilhas não há essa ideia da separação absoluta".

Aí o drama irremissível, com notas trágicas, da emigração, caracterizada por uma insanável ambivalência: "Os olhos vermelhos das manas sorriam-me do fundo das lágrimas". Nuno, espécie de narrador principal, *alter ego* do ficcionista, que preferira viver em Lisboa, assim conclui a sua visita à mãe morta: "E a seguir às lágrimas, a máscara dessa dor de estar vivo mas a pisar tantos destroços". A dolorosa pungência dos emigrados irriga toda a trama, como se o autor, sem poder esquivar-se ao mergulho na autobiografia, buscasse nos refolhos da memória a história de sua família, análoga à de qualquer outra nos Açores, tangida pela quimera de encontrar o Eldorado noutras paragens.

Após dedicar-se à intervenção política (*Documentos Políticos*, 1970), **Antônio Alçada Baptista** (Covilhã, 29 de janeiro de 1927 a Lisboa, 7 de dezembro de 2008) entrou a relatar, em *Peregrinação Interior* (2 vols., 1971, 1982), a sua "imigração religiosa", no encalço da relação "com aquilo a que chamou Deus". Ato contínuo, sem prejuízo do seu pendor ensaístico, entregou-se ao romance com *Os Nós e os Laços* (1985), *Catarina ou o Sabor da Maçã* (1988), *Tia Suzana, Meu Amor* (1989), *O Riso de Deus* (1994), *O Tecido do Outono* (1999), tendo como assunto as relações entre o sagrado e o profano, notadamente no que diz respeito à "comunicação com a transcendência", ou à "comunicação com Deus", e às questões da sexualidade em face da religião. Tais narrativas chamaram sobre si a atenção da crítica e dos leitores, graças às suas qualidades intrínsecas, fazendo pensar num ficcionista de garra por muito tempo encoberto pelo manto do jornalista, do editor e do ensaísta. Ainda com rasgos autobiográficos, o seu intuito era realizar uma "peregrinação demorada pelo tempo", de que resultou um minucioso e vibrante quadro da sociedade portuguesa em meados do século XX.

Extensa e variada é a obra de **Mário de Carvalho** (Lisboa, 25 de setembro de 1944), iniciada em 1981, com os *Contos da Sétima Esfera*, na linha do fantástico então em voga. No mesmo ano, põe o conto a serviço do realismo urbano em *Os Casos do Beco das Sardinheiras*, mas logo a seguir volta ao tom inaugural com uma série de narrativas breves (*A Inaudita Guerra da Avenida Gago Coutinho*, 1983). Como evidência de que ali se encontrava uma das matrizes da sua visão do mundo, em 1982 lança o romance *O Livro Grande de Tebas, Navio e Mariana*, consolidando o gosto pelo fantástico, de caráter alusivo, nem sempre de imediata decifração, envolto em fino humor, às vezes satírico e de timbre camiliano.

Pendendo entre o realismo urbano e o fantástico, não raro na mesma narrativa e tendo o ambiente histórico como pano de fundo, deu a público outras coletâneas de narrativas breves (*Fabulário*, 1984; *Contos Soltos,* 1986; *Os Alferes*, 1989; *Quatrocentos Mil Sestércios seguido de O Conde Jano,* 1991; *Apuros de um Pessimista em Fuga,* 1999; *Contos Vagabundos*, 2000) e romances (*A Paixão do Conde Fróis*, 1986; *Um deus passeando pela brisa da tarde*, 1994; *Era bom que trocássemos ideias sobre o assunto*, 1995; *Fantasia para Dois Coronéis e Uma Piscina*, 2003), assinalados pela aguda percepção dos embates sociais e pelo apuro artesanal.

O ponto alto da sua trajetória situa-se, algo imprevistamente, numa narrativa em que a antiguidade clássica, presente aqui e ali noutras obras que mereceram várias edições, ocupa todo o cenário histórico: *Um deus passeando pela brisa da tarde.* Transcorrido no século III da era cristã, em Tarcisis, cidade imaginária da Lusitânia, nos arredores de Évora, gravita em torno dos acontecimentos que ocasionaram o fim do Império Romano, com realce para o caso amoroso do duúnviro Lúcio Valério Quíncio e a cristã Iunia, líder dos jovens seguidores do deus que passeia pela brisa da tarde. Justamente premiado, neste belo romance, narrado pelo magistrado romano, não se sabe que mais admirar, se a intriga, as figuras, a reconstituição do mundo romano às vésperas da falência, ou se o estilo em que está vazado, límpido e inventivo, de recorte clássico, como pedia o assunto e o seu tom algo nostálgico.

Mário de Carvalho também levou para o teatro as características que o distinguem: *Água em Pena de Pato. Teatro do Quotidiano* (1992), *Se perguntarem por mim, diga não estou seguido de Haja harmonia* (1999).

**Paulo Castilho** (1944) é outra revelação de ficcionista nos anos 80, a começar de *O Outro Lado do Espelho* (1983), seguido de *Fora de Horas* (1989), *Sinais Exteriores* (1993), *Parte Incerta* (1997), *Por Outras Palavras* (2000). Diplomata de carreira, não esconde o conhecimento do mundo e dos seres humanos que a vida no estrangeiro lhe tem proporcionado. A marca mais patente dessa visão plural da realidade situa-se no estilo enxuto, franco, imune à fácil adjetivação, desejadamente objetivo, a lembrar a linguagem de Graciliano Ramos.

514 • A LITERATURA PORTUGUESA

A trama narrativa compõe-se de frases sincopadas, que a cultura geral, revelada em frases escritas noutras línguas europeias, e na referência cosmopolita a nomes e lugares além-Portugal, torna ainda mais erudita e atraente, graças às frestas que deixam à mostra as várias formas da "luta cotidiana". Num jogo de espelhos paralelos, a ênfase nos "sinais exteriores" destina-se à conquista de uma objetividade extrema, um realismo tão impessoal quanto possível, sem distorções, nem mesmo as poéticas, que se diria vincular-se de algum modo ao *nouveau-roman*.

**Gonçalo M. Tavares** (1970) estreou com um volume de poemas de grande impacto (*Livro da Dança*, 2001), seguido de outros dois não menos surpreendentes (*Investigações. Novalis*, 2001; *1*, 2004[?]), mas é a prosa de ficção, vinda a público numa sequência torrencial, que lhe deu prestígio dentro e fora do seu país: *O Senhor Valéry* (2002), *A Colher de Samuel Beckett e Outros Textos* (2002), *O Senhor Henri* (2003), *O homem ou é tonto ou é mulher* (2002), *Um Homem: Klaus Klump* (2003), *A Máquina de Joseph Walser* (2004), *O Senhor Juarroz* (2004), *O Senhor Brecht* (2004), *A Perna Esquerda de Paris* seguido de *Roland Barthes e Robert Musil* (2004), *Biblioteca* (2004), *Investigações Geométricas* (2005), *Jerusalém* (2005), *Histórias Falsas* (2005), *água, cão, cavalo, cabeça* (2006), *Breves Notas sobre Ciência* (2006), *O Senhor Walser* (2006), *Aprender a rezar na era da tecnologia* (2007), *Breves notas sobre o medo* (2007).

Aclamado por unanimidade a maior revelação deste começo de século, a sua ficção caracteriza-se pelas novidades de forma, temas e conteúdos, como pede a melhor literatura. Vista em conjunto, desde os livros dedicados aos senhores Valéry, Henri, Brecht e Juarroz, até *Jerusalém*, parece revelar que é a loucura dos tempos modernos o seu tema central, bem como da visão de mundo nela implícita: de tal forma o ser humano espelhado nas personagens mostra-se desadaptado à existência que as diferenças entre os reclusos em manicômio e os que vivem fora dele (loucos mansos) são apenas de grau ou de *intensidade*, esta, uma das categorias que sustentam, e em torno das quais se movem, as narrativas.

Absurdo, surrealismo, fantástico, humor às vezes à M. Hulot, às vezes negro, tudo isso vem à memória quando ingressamos no mundo daqueles senhores excêntricos, dirigidos por uma lógica outra, ou antes, uma a/ilogicidade, que a pouco e pouco se vai revelando como loucura em curso, apesar dos traços de genialidade que podem, ao mesmo tempo, exibir. Nas suas esquisitices subjaz um empenho, compartilhado quem sabe pelo autor, – descobrir os meios de sobreviver na selva desumana em que vegetam: um manual de cidadania, não raro às avessas, ardentemente buscado em meio ao cotidiano rotineiro, talvez pudesse resgatá-los da morte iminente, temida e, não raro, desejada, como a solução mais adequada ao mundo de horror, labirinto, erro, cálculo, mentira, crime, enfim, de insanidade, em que soçobram. Não se trata de um elogio à loucura em dias apocalípticos, mas de um diagnóstico do aparente fim da História visionado por alguns ensaístas e, com ele, da Humanidade, que perfeitamente poderia receber o apelativo da obra clássica de Erasmo de Rotterdam.

Associada, pelo diretor do manicômio, "à imoralidade", a loucura consistia, para um médico interno do hospital, numa questão religiosa: "um homem que não procure Deus é louco", pensamento de algum modo perfilhado pelo outro, que "aos domingos costumava, ele próprio, ler passagens da Bíblia aos doentes: a fé salva os pensamentos e salva o corpo". Aqui, como no mais das narrativas, pode-se ver a ideologia subjacente: a sátira aponta para a loucura universal, inclusive a dos que presumem curar os débeis mentais. O autor pratica a metalinguagem, não só por esta via oblíqua, mas também de longos comentários diretos, a exemplo do que ocorre nos "livros pretos" (*Um Homem: Klaus Klump, A Máquina de Joseph Walser, Jerusalém*).

Faltaria observar que os breves capítulos de que se compõe a saga diária dos quatro senhores podem ser entendidos como minicontos, minifábulas, aforismos, koans, em que o absurdo demencial ganha forma, a evidenciar que o narrador é movido por uma qualquer expectativa de moralidade, sem prejuízo das demais forças motrizes da sua cosmovisão: "O governo corrigia os desequilíbrios sociais colocando duas sentinelas em redor de cada pobre" ("*Medidas enérgicas*"), "Um pássaro foi abatido a tiro. Acabava de passar a fronteira" ("*Perfeccionismo*").

# PROSADORAS

Lugar à parte ocupam as prosadoras: a segunda metade do século XX constitui quadra rica de escritoras, como Maria Archer (1905-1982), autora de *Três Mulheres* (1935), *Fauno Sovina* (1941), *Ela é apenas mulher* (1944), *Há de haver*

516 • A LITERATURA PORTUGUESA

*uma lei* (1949), *Bato às portas da vida* (1951), *A Primeira Vítima do Diabo* (1954), etc., nos quais feminismo e reportagem, sobretudo de cenas lisboetas, se casam, num tom entre polêmico e cronístico. Celeste Andrade, autora de *Grades Vivas* (1954), romance da adolescência feminina esmagada pelo preconceito e sequiosa de libertação. Maria da Graça Freire (1918-1993), autora de *A Primeira Viagem* (1952), *A terra foi-lhe negada* (1958), em que registra, com talento narrativo, a sua experiência em plagas africanas, e de *Joana Moledo* (1949), *Bárbara Casanova* (1955), *Talvez sejam vagabundos* (1961), etc., em que se amplia a uma escala cosmopolita a indagação dos conflitos sociais. Pina Graça de Morais (1927-1992) perscruta, em *O Pobre de Santiago,* contos (1955), *A Origem,* romance (1958), *Na Luz do Fim,* contos (1961), *Jerônimo e Eulália* (1969), psicologias de exceção, próximas do fantástico e do absurdo. Fernanda Botelho (Porto, 1º de dezembro de 1926-11 de dezembro de 2007) focaliza nos romances *O Ângulo Raso* (1957), *Calendário Privado* (1958), *A Gata e a Fábula* (1960), *Xerazade e os Outros* (1964), *Terra sem Música* (1969), *Lourenço é nome de jogral* (1971), a problemática da mulher moderna, submersa num mundo de valores em mudança, vazia dum sentido existencial, que o consórcio erótico, procurado avidamente, apenas dissimula ou finge sugerir. Depois de um longo silêncio, retornaria com *Esta noite sonhei com Breughel,* saudado como um dos romances mais importantes aparecidos em 1987. Publicou, a seguir, *Festa em Casa de Flores* (1990), *Dramaticamente Vestida de Negro* (1994), *As Contadoras de Histórias* (1998), *Gritos da Minha Dança* (2003).

Ainda se poderia acrescentar, dentre outros, os nomes de Patrícia Joyce (1913-1985), autora de *O Pecado Invisível* (1955); Ilse Losa (1913-2006): *O mundo em que vivi* (1949), *Rio Sem Ponte* (1952), *Sob Céus Estranhos* (1962), *Encontro no Outono* (1965), *Estas Searas* (1984); Natália Nunes (Lisboa, 1921): *Autobiografia duma Mulher Romântica* (1955), *A Mosca Verde e Outros Contos* (1957), *Regresso ao Caos* (1960), *Assembleia de Mulheres* (1964), *O Caso de Zulmira L.* (1967), *A Nuvem* (1970); Ester de Lemos (1929), ficcionista (*Rapariga,* 1949; *Companheiros,* 1960) e ensaísta (*A "Clépsidra" de Camilo Pessanha,* 1956); Luísa Dacosta (Vila Real, 1927), autora de contos (*Província,* 1955; *Vovó Ana, Bisavó Filomena e Eu,* 1969; *Corpo Recusado,* 1985), crônicas (*A Ver-o-Mar,* 1980; *Morrer a Ocidente,* 1990), diário (*Na Água do Tempo,* 1992; *O planeta desconhecido e romance da que fui antes de mim,* 2000) e ensaios.

# AGUSTINA BESSA-LUÍS

Nascida em Vila Meã (Amarante) a 15 de outubro de 1922, iniciou-se em 1948, com o romance *Mundo Fechado,* mas sem chamar sobre si maior atenção, apesar de evidenciar as coordenadas estéticas que a consagrariam.Todavia, com a publicação de A *Sibila,* em 1953, passou a gozar de um prestígio que não tem deixado de crescer, mercê da qualidade que consegue infundir em suas obras: Os *Super-Homens* (1950), *Contos Impopulares* (1951), Os *Incuráveis* (1955), A *Muralha* (1957), O *Susto* (1958), *Ternos Guerreiros* (1960), O *Manto* (1961), O *Sermão do Fogo* (1963), As *Relações Humanas: Os Quatro Rios* (1965), A *Dança das Espadas* (1966), *Canção diante de uma Porta Fechada* (1966), A *Bíblia dos Pobres: 1 – Homens e Mulheres* (1967), *II – As Categorias* (1970), A *Brusca,* contos (1971), As *Pessoas Felizes* (1975), *Crônica do Cruzado Osb* (1976), As *Fúrias* (1977), O *Mosteiro* (1980), Os *Meninos de Ouro* (1983), *Adivinhas de Pedro e Inês* (1983), *Vale Abraão* (1991), As *Terras do Risco* (1994), *Memórias Laurentinas* (1996), *Um cão que sonha* (1997), O *Princípio da Incerteza: A Joia de Família* (2001), O *Princípio da Incerteza: A Alma dos Ricos* (2002), O *Princípio da Incerteza: Os Espaços em Branco* (2003), entre tantas outras narrativas, além de teatro (O *Inseparável,* 1958; *Ana Plácido,* 1975; *Party – Garden-Party dos Açores,* 1996; etc.), livros de viagens (*Embaixada a Calígula,* 1963), crônicas, literatura infantil, biografias (*Santo Antônio,* 1973; *Florbela Espanca,* 1979; *Fanny Owen,* 1979; *Sebastião José,* em torno do Marquês de Pombal, 1981; *Longos dias têm cem anos. Presença de Vieira da Silva,* 1982; Os *Meninos de Ouro,* 1983; *Um Bicho da Terra,* 1984; A *Monja de Lisboa,* 1985; O *Comum dos Mortais,* 1998; *Fama e Segredo na História de Portugal,* 2006).

As obras da autora têm causado uma impressão unanimemente aceita: trata-se de aparelhagem nova de romancista, forte a ponto de constituir um momento de alta voltagem, no grande "caso", dentro do panorama da ficção moderna em Portugal. Romancista privilegiada, sua poderosa imaginação tudo transfigura e vivifica a um só tempo, conferindo aos seres e aos objetos um halo de verdade e de autenticidade provavelmente apenas possível no âmbito da Arte. Impelida por essa imaginação criadora e recriadora, a ficcionista não só arquiteta o plano suposto em que a narrativa se desenrola, como também lhe empresta sucessivos dados da observação da realidade que lhes está intimamente conectada. Opera-se, assim, a identidade entre o ideal e o

# 518 • A LITERATURA PORTUGUESA

real, de molde que toda noção de espaço e de tempo desaparece em favor duma multiplicidade ou ubiquidade e ucronia, que assinala a perenidade dos dramas focalizados.

De onde uma mescla de níveis que anula a ordem lógica dos acontecimentos, a sugerir uma espécie de encadeamento ultrapsicológico, como se tudo, pessoas, coisas e fatos, estivesse interligado fenomenologicamente. Tal processo tende a diluir a narrativa como fabulação corrida e inteira, e a transformá-la em algo como epopeia romanceada: as personagens movimentam-se num espaço mítico, ou ao menos imperceptível a olho nu, condensando-se no "mistério" que todas são umas para as outras. Simultaneamente, processa-se a obnubilação dos pontos de referência com a realidade convencional, e uma sondagem no mais-além, no obscuro, que lembra Proust e o seu mergulho no tempo, e Kafka e a sua teologia do absurdo. Nessa forma de representação, ou antes de constituição da realidade, *A Sibila* ocupa lugar emblemático, visto encerrar lapidarmente as virtudes criativas da ficcionista.

Contista, eminentemente contista, **Maria Judite de Carvalho** (Lisboa, 1921-1998) está para a narrativa breve assim como Agustina Bessa-Luís está para o romance; a auspiciosa estreia com *Tanta Gente, Mariana* (1959), ratificada com *Palavras Poupadas* (1961), que lhe valeu o prêmio "Camilo Castelo Branco" do mesmo ano, corresponde no terreno do conto à publicação de *A Sibila*. E os livros seguintes não desmentiram os bons augúrios do começo: *Paisagem sem Barcos* (1963), *Flores ao Telefone* (1968), *Os Idólatras* (1969), *Tempo de Mercês* (1973), *Além do Quadro* (1983), *Seta Despedida* (1995). Ainda reuniu em volume as suas crônicas jornalísticas (*A Janela Fingida*, 1975; *O Homem no Arame*, 1979; *Este Tempo*, 1991) e publicou dois romances (*Os Armários Vazios*, 1966; *O seu Amor por Etel,* 1969), mas sem o vigor dos contos.

Na linha de Katherine Mansfield, que pertence ao grupo dos criadores do conto moderno, Maria Judite de Carvalho pratica a "arte do implícito", com a mão segura de quem busca dentro de si a inspiração condutora: a arte do implícito brota-lhe de um modo específico de encarar o fenômeno do mundo, a comédia das vaidades humanas e os dramas ocultos em cada existência aparentemente incolor. O arranjo estrutural das narrativas parece a única concessão à Literatura: como num diário íntimo ou nas "memórias dos outros", os episódios se plasmam sempre de maneira unívoca, sem repetições, a fim de preservar a sutileza da própria realidade dissimulada atrás das aparências enganadoras. O implícito, graças ao processo arquitetônico das narrativas, mantém-se como tal e livra os contos duma empobrecedora linearidade. De onde uma espécie de realismo poético, fruto de "palavras poupadas" e um senso de humanidade revestido de pudor e fineza.

Literatura intimista, introspectiva, centrada nos episódios corriqueiros: a mestria invulgar da autora se manifesta exatamente em surpreender no cotidiano rotineiro os grandes dramas anônimos e mudos. Intimismo e introspecção voltados para a psicologia feminina, por vezes em confronto com a masculina, tendo por fulcro o casamento ou situações análogas, em que se jogam os valores burgueses. Nessa ordem de ideias, não espanta que fluísse para uma espécie de ficção científica psicológica em *Os Idólatras,* obra desconcertante não só em relação aos demais livros da escritora como também ao conto português moderno: desenvolvimento do lirismo que lhe perpassa as histórias, proporciona a instauração de um absurdo verossímil, atravessado por um realismo mágico expresso em metáforas que mais procurem *ser* que *representar* a realidade.

Ainda no decênio de 1960, assinala-se a estreia de **Yvette Kace Centeno** (Lisboa, 7 de fevereiro de 1940), com um volume de poesia (*Opus I,* 1961), seguido por outros no gênero (*Poemas Fracturados,* 1967; *Irreflexões,* 1974; *Sinais,* 1977; *Algol,* 1979; *Perto da Terra,* 1983; *Entre Silêncios,* 1997; *A Oriente,* 1998), ao mesmo tempo que cultivava o romance (*Quem se eu gritar,* 1962; *Não só quem nos odeia,* 1966; *As Palavras, que Pena,* 1972; *No Jardim das Nogueiras,* 1983; *Matriz,* 1988; *Três Histórias de Amor,* reunião das três primeiras narrativas, 1994; *Os Jardins de Eva,* 1998). Ainda publicou ensaios, inspirados geralmente na filosofia hermética (*Fernando Pessoa – Tempo, Solidão, Hermetismo,* em parceria com Stephen Reckert, 1978; *Fernando Pessoa e a Filosofia Hermética,* 1985; *Literatura e Alquimia,* 1987; *O Pensamento Esotérico de Fernando Pessoa,* 1990; *Hermetismo e Utopia,* 1995, etc.), e escreveu peças de teatro: *Saudades do Paraíso* (1980), *Peças bem Comportadas* (1992), *Será Deus o Dr. Freud?* (1995), *O Pecado Original* (1997).

Não apenas pelo flanco germano-polonês da sua ascendência materna, Yvette K. Centeno lembra Clarice Lispector. À semelhança da escritora brasileira, russa de nascimento, parece lidar continuamente com o mistério das coisas, dos seres, do mundo, das palavras. E tanto quanto a outra, passa o tempo todo a cultivar pensamentos, como bem diz pela voz da personagem masculina de *As Palavras, que Pena,* referindo-se à sua parceira: "Pensas demais. É o teu único defeito". Mas dela se distingue pelo fato de o seu gosto pela intuição, o seu culto do mistério estar atravessado por uma certa lógica. O seu anseio não é o de alcançar a felicidade, mas realizar o ser, "encontrar a verdade", "saber [...] a verdade. De uma vez para sempre a verdade".

Os três primeiros romances formam um ciclo que gravita ao redor dos "problemas da relação Eu-outros, ou Eu-outro (no amor) que o primeiro levanta, e o segundo também, e [...] são aqui novamente retomados como terceira e última probabilidade", como diz a autora em nota "ao leitor" que antecede *As Palavras, que Pena.* A problemática amorosa, com frequência gerando desencontros, está intimamente associada à luta pelas palavras ("É tão difícil lutar com as palavras"), ao desejo de alcançar a verdade, saciar a "verdadeira fome de real", atingir o conhecimento que salva, por meio de uma lucidez sem entraves, para concluir com a suprema revelação: "o conhecimento está relacionado com a morte".

A expressão dessa problemática tende à brevidade, não somente das narrativas como um todo, mas também das frases que as compõem: brevidade fragmentária, pontilhada de aforismos do tipo "O que mais custa é ter coragem para se ser aquilo que se é". O resultado dessa economia de meios é uma condensação que, se nem sempre exprime com clareza o pensamento da narradora, permite verificar que o conflito entre os membros do triângulo amoroso tem sempre por base as palavras, mais dos que os atos afetivos. Em mais de um passo, a personagem refere-se à dificuldade em usar corretamente as palavras, visto servirem para construir ou destruir a relação amorosa e tudo mais que preenche uma vida até à morte. O título do último volume do ciclo é, por isso mesmo, particularmente emblemático: *As Palavras, que Pena.* Em suma, Yvette K. Centeno traz para a ficção do seu tempo uma tal liberdade de invenção fabular que mal se comporta nos limites da estrutura romanesca em que se move.

A sua poesia obedece ao mesmo diapasão, ainda quando sejam explorados outros ângulos do "mistério": poemas de poucos versos, ao modo de haikais ou aforismos, em busca de surpreender, com o mínimo de palavras, a raiz do mistério. Levando mais longe as questões suscitadas nas narrativas, o "eu", que antes se encontrava na relação com o "outro", como pede a prosa de ficção, agora se defronta com a sua solidão e com os problemas que a povoam: é o "eu" poético que entra em cena, a indagar-se a si próprio e ao mundo circundante. Em vez do amor, o núcleo desse questionamento é ocupado pelo sentimento religioso, que não esconde um certo niilismo ou descrença. Vejam-se estes dois exemplos:

"Eu falo do que sei
e não sei nada"

\*

"Deus é mais uma palavra
inexplicável"

E para o fim dos anos 60, presencia-se o despontar de outras escritoras de talento, como **Maria Isabel Barreno** (Lisboa, 10 de julho de 1939), autora dos romances *De noite as árvores são negras* (1968), *Os Outros Legítimos Superiores*, com o subtítulo "Folhetim de Ficção Filosófica" (1970), *A Morte da Mãe* (1979), *O Inventário de Ana* (1982), *Célia e Celina* (1985), *O Mundo sobre o Outro Desbotado* (1986), *Crônica do Tempo* (1990), *O Chão Salgado* (1992), *O Senhor das Ilhas* (1994), e de livros de contos: *Contos Analógicos* (1983), *O Enviado* (1992), *Os Sensos Incomuns* (1993), *O Círculo Virtuoso* (1996).

Bem recebida pela crítica e pelos leitores, a obra de estreia caracteriza-se pelo fragmentarismo experimentalista, que faz lembrar a técnica do contraponto de Aldous Huxley, e não esconde certo afã de atualizar os procedimentos romanescos, sugeridos pelo *nouveau-roman*: o emprego do foco narrativo na segunda pessoa do singular, em alternância com a primeira pessoa do narrador e a terceira pessoa das personagens, do monólogo interior, do truncamento frásico e a mescla aparentemente desconexa dos planos narrativos e temporais. Fugia, desse modo, às velhas receitas da linearidade ficcional e dos clichês psicológicos, embora correndo o risco de tombar noutras.

De suas narrativas iniciais emanava uma certa artificiosidade, como se a ênfase repousasse mais no modo de narrar do que na matéria da narrativa, ou seja, mais na forma do que no conteúdo. Compensavam-na, entretanto, o domínio do ofício e a acuidade na análise da sociedade portuguesa do tempo, enformada por uma visão existencialista, notadamente no âmbito das relações amorosas, com ênfase na sondagem do universo feminino e nas questões de ordem moral:

522 • A LITERATURA PORTUGUESA

"o mundo de Luísa: os bons e os maus, desde o princípio, a vida é uma continuação da luta entre os anjos"; "Revejo o ar retirado com que os educadores falam da psicologia feminina, das atitudes e papéis femininos, dizendo 'a mulher é por natureza dependente', enquanto nos ensinavam, desde cedo, a dependência" (*De noite as árvores são negras*)

A partir de *O Inventário de Ana,* essa visão da problemática social ganha tonalidades fantásticas, na linha do realismo mágico em voga nos anos 70 e 80, que se tornaram predominantes em *O Mundo sobre o Outro Desbotado,* em que o fantástico serve a uma sátira, cheia de humor e graça, aos psiquiatras e cientistas em geral, bem como "às condições de trabalho, às estruturas administrativas e ao governo". E em *O Chão Salgado:* o herói imagina que os jovens motorizados eram "agentes do governo disfarçados, perseguidores nossos, polícias, talvez até mandatários dessa força oculta que me atacou, que ataca centenas de incautos nas ruas da cidade. Talvez uma invasão de extraterrestres". Ou incursiona pela narrativa histórica (*O Senhor das Ilhas,* que transcorre em Cabo Verde), sem perder a força inventiva e o poder de impacto do começo.

**Maria Velho da Costa** (Lisboa, 26 de junho de 1938) iniciou a sua trajetória literária com um livro de contos (*O Lugar Comum,* 1966), que já fazia prever a ficcionista de superior envergadura revelada logo a seguir, com *Maina Mendes* (1969). Saudado desde o seu aparecimento, o romance evidenciaria uma capacidade original de tecer a malha narrativa, tornando-se, com razão, "um dos melhores romances portugueses [...] do século XX" (Óscar Lopes), "um dos mais belos romances publicados ultimamente entre nós" (Maria Alzira Seixo).

Filiada à ficção moderna mais avançada, de caráter experimental, que tem *Ulysses,* de James Joyce, como seu protótipo, a narrativa sustenta-se numa estrutura e numa linguagem que desafiam e ultrapassam as fórmulas tradicionais de arquitetura ficcional e de estilo. Além de uma e outra serem aspectos mutuamente justificáveis, engendram um universo solidário e coeso, posto a serviço do conteúdo romanesco.

A figura que dá nome ao romance é uma espécie de Menina e Moça rediviva (Eduardo Lourenço) ou de sibila: dominando toda a primeira parte, intitulada significativamente "Mudez", com sinais de epilepsia ("tudo começou com uma crise de mudez na infância, seguida de mais que esporádicas convulsões"), reclusa no seu mundo interior, a protagonista fala por intermédio dos seus pensamentos e sensações, de forma a assumir por vezes a primeira pessoa do relato ou a terceira pessoa da narradora. O hermetismo resultante desse quadro dramático pede que se tenha em mira o contexto íntimo da narrativa, uma vez que o objetivo de Maria Velho da Costa é "escrever um livro fêmea, todo por dentro", e a realidade exterior não vir ao caso: "da realidade não prefiro a humana"; "a nossa natureza é da terra", dirá ela em *Casas Pardas*, romance de 1977.

Composta de fragmentos de vária origem, não raro em forma de intertextualidade, que encontram guarida e organização no interior dos períodos, a expressão verbal reflete essa interioridade convulsiva: "Como os lobos graves, como as trombas de neve que na serra dão em condenar sem ruído, Maina Mendes, queda na cama, larga-lhe sem saber e só pelo escancarado poço de escândalo que a tolhe, que descerrado nela lhe tem tolhida a fala, o pesado juízo de que é portadora". Desescrita, "cantata rota e rouca /entre o escrito e a estória", pode ser a denominação do empenho em despojar o estilo de vestígios retóricos vazios de função e significado. A própria autora sugere-o num dos poemas enfeixados, juntamente com várias crônicas, em *Desescrita* (1973), bem como em passagens dos romances em que faz uso da metalinguagem.

Fernando Mendes recordará, na segunda parte da narrativa, a "voz rouca" da sua mãe "contando histórias. Não eram histórias e antes história. Uma história feita de episódios curtos, com muitos termos de armaria medieval e curiosamente movida por interesses de mulher": ao transferir para a personagem a tarefa de incorporar na sua lembrança uma observação de ordem metalinguística, Maria Velho da Costa apontava o núcleo da sua ficção. O seu ideal é alcançar a "palavra perfeita", como se talhada em pedra, em terra cota, num moto-contínuo, em múltiplas direções, à volta de personagens que lembram "os menhires tácitos donde [Maina Mendes] é vinda". De um lado, parecem ganhar vida as coisas em que a terra se converte: "as coisas estão paradas de uma maneira fixa e precisa, de sempre [...], as volutas trabalhosas dos pés das mesas, as porcelanas azuis onde se assentam tristes criaturas esperando e do tamanho de um só dedo". De outro, as figuras humanas apresentam-se estáticas, como se feitas de mineral, à semelhança de um Seurat que usasse as palavras em vez das cores.

Essas características mantêm-se, genericamente, nos demais romances de Maria Velho da Costa: *Lúcialima* (1983), *Missa in Albis* (1988), *Irene ou o*

*Contrato Social* (2001). Ainda publicará *Dores*, um livro de contos (1994), reunirá crônicas em *Cravo* (1976), *O Mapa Cor de Rosa* (1984), e poemas em *Corpo Verde* (1979).

O elenco das obras dessa escritora de privilegiada imaginação, servida por uma linguagem de singular força expressiva, de poéticas ressonâncias, desenvolvida à luz do estilo de Agustina Bessa-Luís, não ficaria completo sem uma referência às *Novas Cartas Portuguesas* (1972). Escritas em parceria com Maria Isabel Barreno e Maria Teresa Horta, levantaram grande celeuma em Portugal, pela coragem de enfrentar, com um sonoro grito de liberdade em favor das mulheres, o estado discricionário reinante.

Constituem uma retomada do clima das *Cinco Cartas de Amor*, de Sóror Mariana Alcoforado, desde o seu aparecimento em francês (1669) até o século XX, em forma de cartas, bilhetes, poemas e fragmentos narrativos, escritos imaginariamente não só pelos protagonistas do caso amoroso como também pelos descendentes da freira alentejana. O tom geral é de um feminismo a três vozes, expresso num andamento que varia desde a moderação alusiva até a mais completa desinibição, fazendo lembrar a *Educação Sentimental*, de Maria Teresa Horta. Tendo o ato amoroso como tema e razão de ser, as autoras declaram fazer "exercício da paixão", mas passam "do amor à história e à política", visando à "morte da diferença" entre o homem e a mulher, em junção com o "exercício da paixão de escrever", posto a serviço do anseio de intervir, por meio da palavra, único instrumento à sua disposição, contra a repressão política então vigente. A soma do feminismo amoroso com a rebeldia política deu escandalosa notoriedade às três escritoras e provocou viva polêmica, que culminou com um processo judicial.

Outras escritoras apareceram nesses anos, em meio aos aplausos da crítica, como **Maria Ondina Braga** (Braga, 13 de janeiro de 1932-14 de março de 2003), autora de *Eu vim para ver a terra,* crônicas (1965), *A China fica ao lado,* contos (1968), *Estátua de Sal,* autobiografia romanceada (1969), *Amor e Morte,* contos (1970), *Os Rostos de Jano,* contos (1973), *A Revolta das Palavras,* contos e crônicas (1975), *A Personagem,* romance (1978), *Estação Morta,* contos (1980), *Homem da ilha e Outros Contos* (1982), *A Casa Suspensa,* conto (1982), *Angústia em Pequim*, crônicas (1984), *Lua de Sangue,* novelas (1986), *Nocturno em Macau,* romance (1991), *A Rosa de Jericó*, contos (1992), *Passagem do Cabo*, crônicas (1994), *A Filha do Juramento,* crônicas (1995), *Vidas Vencidas,* contos

TENDÊNCIAS CONTEMPORÂNEAS – II • 525

(1998), é das mais talentosas contistas da sua geração, voltada para os temas da introspecção, tendência que parece atingir o ápice com *A Personagem,* narrativa centrada nos embates entre o "eu" do protagonista e o seu duplo.

E ainda **Olga Gonçalves** (Luanda, Angola, 1929-2004): poetisa (*Movimento,* 1972; *15 Composições e 11 Provas de Artista,* 1973; *Só de Amor,* 1975; *Três Poemas,* 1981; *Caixa Inglesa,* 1984; *O Livro de Olotolilisobi,* 1984) e ficcionista voltada para os temas relacionados com a imigração, as mudanças históricas após o 25 de abril, a questão da mulher na sociedade moderna (*A Floresta em Bremenhaven,* 1975; *Este Verão o Emigrante Là-Bas,* 1978; *Ora Esguardae,* 1982; *Rudolfo,* 1985; *Sara,* 1986; *Armandina e Luciano, O Traficante de Canários,* 1988; *Contar de Subversão,* 1990; *Eis uma História,* 1992); **Wanda Ramos** (Luanda, Angola, 18 de fevereiro de 1948-1998): poetisa (*Nas Coxas do Tempo,* 1970; *E contudo cantar sempre,* 1979; *Poemas-com-Sentidos,* 1986) e ficcionista: *Percursos (Do Luachimo ao Luena),* romance, 1981; *As Incontáveis Vésperas,* romance, 1983; *Os Dias Depois,* contos, 1990; *Litoral (Ara Solis),* romance, 1991); **Eduarda Dionisio** (Lisboa, 1946) cultivou a ficção (*Comente o seguinte texto,* 1972; *Retrato dum amigo enquanto falo,* 1979; *Histórias, Memórias Imagens e Mitos duma Geração Curiosa,* 1981; *Pouco Tempo Depois (as Tentações),* 1984; *Alguns Lugares Muito Comuns (diário de uns quantos dias que não abalaram o mundo),* 1987; *As histórias não têm fim,* 1997) e o teatro (*Antes que a noite venha,* 1992; *Primavera Negra,* 1993); **Teresa Salema** (Lisboa, 1947), nome literário de Teresa Maria Loureiro Rodrigues Cadete, dedicou-se à ficção, de caráter experimentalista: *Entre Dois Países* (1978), *Nós, Outros,* de parceria com Casimiro de Brito (1979), *Educação e Memória de André Maria S.* (1982), *Um Lugar Ausente* (1991), *Benamonte* (1997).

# A FICÇÃO PÓS-25 DE ABRIL

Contrariamente à poesia, mas prolongando a tendência que vinha desde os anos 40, a prosa de ficção alcança no pós-25 de abril níveis superiores, de que a repercussão calorosa no estrangeiro pode servir de marco indicativo. Ao mesmo tempo que autores consagrados produzem obras pelo menos à altura das mais bem realizadas nos decênios anteriores, surgem outras figuras, ora fiéis às doutrinas em curso, ora movidas por propostas pessoais, carreando sempre, num caso ou noutro, soluções novas para o quadro geral que a liberdade faculta e encoraja.

Livre das injunções circunstanciais, dos alinhamentos automáticos, a nova fornada de prosadores reconquista o direito à individualidade. Ideologicamente desembaraçados, inclusive para defender as suas convicções sem o recurso à máscara, mas orientados por outro senso de realidade, desembaraçam-se também no plano da construção romanesca e da linguagem: a estrutura ficcional, rompendo os compromissos de verossimilhança fotográfica, em voga na conjuntura dominante até 1974, articula-se ao sabor do enredo e da matéria imaginária nele plasmada.

Um sopro de naturalidade, de aventura e de espontaneidade varre o espaço antes dominado pela ordem, a contensão paralisante, a autocensura. E a escrita, fazendo-lhe coro e tornando-se o lugar privilegiado dessa liberação, abre-se à língua falada pelo povo, oraliza-se, desfazendo-se de certo retoricismo até então presente, em parte fruto do *status quo,* em parte de uma longeva tradição, que se confunde com a própria história da narrativa em vernáculo.

Enfim, escancarados os diques após demorado represamento, a ficção moderniza-se, acerta o passo com o melhor que se produz lá fora, redescobre a comunidade do Idioma, conhece os acenos do realismo fantástico, quem sabe ultrapassando o velho preconceito (inibição?) que declarava ser Portugal terra eleita de poetas. A identidade do português, agora posta a nu como problema após décadas (ou séculos?) de obnubilação, volve-se tema obsessivo: no corpo a corpo com um psiquiatra, na restauração do passado, no erguer dum convento em Mafra, tênue limiar entre a realidade e o sobrenatural, no dia dos prodígios (que é um só tempo o da cobra voadora e o da revolução), no desespero de vencer o clima paranoico de pós-revolução, no futurar o país como uma jangada de pedra a vogar oceano abaixo, no fazer o balanço do 25 de abril e dos anos precedentes, na consciência dos limites geográficos e culturais em que todos estão confinados, e noutras situações de um imaginário agora sem peias, – é sempre a busca da identidade que está em jogo. Não poucos se envolveram nessa cruzada, com as armas mais aguçadas de que dispunham.

**José Saramago** nasceu a 16 de novembro de 1922, na Azinhaga (Golegã) – Lanzarote, 18 de junho de 2010. Iniciou-se pela poesia (*Os Poemas Possíveis,* 1966; *Provavelmente Alegria,* 1970) e cultivou a crônica (*Deste Mundo e do Outro,* 1971; *A Bagagem do Viajante,* 1973) e o teatro (*A Noite,* 1979; *Que farei* *com este livro?*, 1980; *A Segunda Vida de Francisco de Assis*, 1987; *In Nomine Dei*, 1993), mas foi com a ficção, notadamente a publicada após os anos 80, que granjeou o renome de que desfruta, sobretudo após ter sido galardoado com o prêmio Nobel de 1998. *O Ano de 1993* (1975), de recorte fantástico, *Manual de Pintura e Caligrafia*, romance (1976), e *Objecto Quase*, contos (1978), pertencem à primeira fase. Ainda publicou um diário íntimo, em 5 volumes (1994-1998): *Cadernos de Lanzarote*.

Com *Levantado do Chão* (1980), vinculado ao ideário neorrealista, dá início à série de romances consagradores: *Memorial do Convento* (1982), considerado por alguns críticos a sua obra-prima até o momento, *O Ano da Morte de Ricardo Reis* (1984), talvez uma das suas obras mais equilibradas e mais convincentes, *Jangada de Pedra* (1986), *História do Cerco de Lisboa* (1989), *O Evangelho Segundo Jesus Cristo* (1991), *Ensaio sobre a Cegueira* (1995), *Todos os Nomes* (1997), *O Homem Duplicado* (2003), *Ensaio sobre a Lucidez* (2004), *As Intermitências da Morte* (2006), *A Viagem do Elefante* (2008).

Sob o signo do mais cerrado realismo, a ficção de José Saramago ergue-se sobre um tripé, composto pela História, os temas imprevistos, originais, e a ideologia. Focalizando o século XVIII ou a Idade Média, a antiguidade bíblica, a biografia imaginária de Ricardo Reis, a clonagem humana, busca sempre uma perspectiva nova ou uma ideia inesperada, que brota como que por acaso, assentada, não raro, na convicção política, reiteradamente confirmada dentro e fora dos limites ficcionais, e presente mesmo quando subjacente ou infusa na trama romanesca.

Embora tenha ou possa ter em mira a realidade circundante e contemporânea, o narrador parte de uma concepção já de si fictícia, aureolada que é pela imaginação ou por ela despertada. Ora é a série histórica que lhe fornece o assunto, ora é a própria literatura, como o caso do heterônimo pessoano, ora é uma visão que altera a veracidade ou a verossimilhança de um mito ou de uma figura religiosa, como Jesus Cristo, ora analisa uma comunidade em que quase todos são cegos, ou em que a morte resolve suspender o seu ofício, e assim por diante.

Não raro, a transmutação dos seres e das coisas beira a alegoria, como se por meio dela a realidade hodierna se mostrasse por dentro. O estilo, bem como a cosmovisão que ele veicula, é o do cronista, não apenas no sentido histórico do termo, que remonta a Fernão Lopes, como ainda no sentido moderno, assinalado pela linguagem correntia, coloquial, sem rebuscamentos,

# 528 • A LITERATURA PORTUGUESA

que o vincula às impressões do dia a dia, tornando-se acessível a toda espécie de leitor. Num caso e noutro, dois vetores predominaram na sua arte de narrar: o modelo das crônicas, que não só lhe serviu nas primeiras arremetidas em prosa, como também na elaboração dos romances, caracterizados pela obediência à linearidade temporal do relógio ou do calendário, e a doutrina política que abraçou.

As narrativas encerram sempre uma tese mais ou menos explícita, nucleada em torno da ideia de que é preciso transformar a realidade como se apresenta, ou mudar a compreensão que temos dela. O resultado é uma literatura denunciante, tendo a seu serviço o espetáculo de uma escrita impregnada de oralidade e sujeita ao andamento horizontal do tempo, como evidenciam o emprego deliberadamente solto, lúdico, subjetivo, dos sinais de pontuação e a tendência a deter-se em minúcias nem sempre requeridas pelo drama focalizado, mas que visam, porventura, a induzir o leitor a uma adesão mais demorada às situações do cotidiano espelhado no relato ficcional.

Em síntese: por meio da alegoria e da fantasia, procura-se alcançar uma visão tão completa quanto possível da realidade concreta, histórica ou atual, uma vez que se torna inalcançável quando o olhar, desarmado, elege a percepção direta, fotográfica, dos seres e das coisas.

Médico psiquiatra, **Antônio Lobo Antunes** (Lisboa, 1º de setembro de 1942) abandonou a clínica para se dedicar integralmente à escrita literária. *Memória de Elefante* (1979) foi a sua narrativa de estreia, seguida por *Os Cus de Judas* (1979), uma de suas obras mais prestigiadas até o momento, parte de uma trilogia que chegaria ao fim com *Conhecimento do Inferno* (1980), *Explicação dos Pássaros* (1981), *Fado Alexandrino* (1983), *Auto dos Danados* (1985), *As Naus* (1988), *Tratado das Paixões da Alma* (1990), *A Ordem Natural das Coisas* (1992), *A Morte de Carlos Gardel* (1994), *O Manual dos Inquisidores* (1996), *O Esplendor de Portugal* (1997), *Livro de Crônicas* (1998), *Exortação aos Crocodilos* (1999), *Não entres tão depressa nessa noite escura* (2000), *Que farei quando tudo arde?* (2001), *Segundo Livro de Crônicas* (2002), *Boa Tarde às Coisas Aqui em Baixo* (2003), *Eu hei-de amar uma pedra* (2004), *Ontem não te vi em Babilônia* (2006), *O meu nome é legião* (2007).

Cultiva desde o início um realismo sem condescendências, direto, franco, quase cruel ou cínico, tendo como pano de fundo ou temática os acontecimentos contemporâneos e, como instrumento de prospecção, análise e hermenêutica, a sua experiência de médico psiquiatra (por sinal patente em mais de uma obra, notadamente nas primeiras), vazado numa linguagem sôfrega, de unívoca e ácida inflexão, que não hesita ante as "obscenidades pontiagudas", impressas por vezes em maiúsculas, como a gravar com o ferro em brasa "a longa travessia do inferno", que é o hospital psiquiátrico, "reino das flores de plástico", metonímia e espelho da vida.

O vínculo inicial com a prática médica, atenuando-se com o passar do tempo e a intensa atividade criativa, cedeu lugar a uma fase em que os acontecimentos e os demais ingredientes do cotidiano ocupam dilatadamente o cenário narrativo. Filiadas a uma linhagem cujo paradigma remonta à ficção queirosiana, e antes dela, à "Comédia Humana" balzaquiana, não sem introduzir-lhe modernos experimentos formais, as suas narrativas distinguem-se visivelmente pela extensão, indício de torrencial criação literária, de largo espectro visual e correspondente amplitude estilística.

Evidencia-se, desse modo, uma admirável capacidade de reconstituir cenas, figuras e ambientes com flagrância histórica e grande riqueza de detalhes, resultante da aliança de três fatores de alta voltagem: prolífica imaginação, às vezes margeando os territórios da poesia, memória prodigiosa e aproveitamento incomum das virtualidades da língua-mãe.

Servindo-se de extenso e rico vocabulário, de modo a identificar-se como uma das características mais impressivas da ficção de Lobo Antunes, esse incansável detalhismo parece fruto de múltiplas câmaras, acionadas em ritmo de polifonia, a captar de vários ângulos os protagonistas e o seu contexto social e psicológico, com um realismo que raramente deixa espaço às vaguidades ou ao insondável das relações humanas. O resultado é um romance sinfônico, não só pela multiplicidade de vozes e de pontos de vista, mas também pela intersecção ou cruzamento de planos narrativos.

As cenas de sexo exemplificam sintomaticamente essa tendência: algumas parecem cirúrgicas, clínicas, na sua naturalidade crua, sem poesia, destituída de qualquer excesso. Contudo, uma de suas narrativas mais recentes (*Eu hei de amar uma pedra*) focaliza uma história de amor entre dois velhos que se reencontram muitos anos depois da juventude, para viver, sem o consumar, o amor que ainda os unia. Espécie de contraface do surrealismo, que emana da mesma fonte quando entrevista com percuciência, o gosto do detalhe constituirá um dos extremos da dualidade imanente no real: de um lado, as incidên-

# 530 • A LITERATURA PORTUGUESA

cias fotográficas, de substrato histórico, e de outro, os pormenores que beiram o onírico e demais aspectos surrealizantes.

E é sempre o dia a dia vivido, presenciado ou rememorado que vem à tona, nos momentos em que a ficção de lastro histórico ganha vulto no horizonte do autor, como em *As Naus*, protagonizado pelos portugueses retornados das colônias após o 25 de abril, ou na *Exortação aos Crocodilos*, passado no mesmo clima instável da pós-revolução, ou em *Fado Alexandrino*, dividido em três partes, antes, durante e depois da chamada revolução dos cravos, cada uma delas com 12 capítulos e praticamente com o mesmo número de páginas (totalizando cerca de 600), num andamento e numa articulação que fazem lembrar um concerto à Mozart ou Beethoven.

E num tom antiépico, que põe a nu a visão do autor em face de acontecimentos relevantes, como um solista a dialogar com uma grande orquestra, imerso na tradição musical que principia no século XVIII. Não estranha, pois, que a linguagem se torne, em certos momentos, algo desabrida, aberta ao emprego de palavrões, visto ter em mira retratar, com o máximo de fidelidade, os eventos que se constelam no âmago das narrativas, sempre a espelhar a realidade contemporânea em seus vários planos e facetas.

**Mário Cláudio**, pseudônimo de Rui Manuel Pinto Barbot Costa (Porto, 6 de novembro de 1941), tem cultivado, além do ensaio e do teatro (*Noites de Anto*, 1988; *A Ilha de Oriente*, 1995), a poesia (*Ciclo de Cypris*, 1969; *Sete Solstícios*, 1972; *A Voz e as Vozes*, 1977; *Estâncias*, 1980; *Terra Sigillata*, 1982; *Dois Equinócios*, 1996), mas o seu renome deve-se, especialmente, aos romances: *Um Verão Assim* (1974), *As Máscaras de Sábado* (1975), *Damascena* (1983), *Amadeo* (1984), *Guilhermina* (1986), *A Fuga para o Egipto* (1987), *Rosa* (1988), *A Quinta das Virtudes* (1990), *Tocata para Dois Clarins* (1992), *As Batalhas do Caia* (1995), *O Pórtico da Glória* (1997), *Peregrinação de Barnabé das Índias* (1998), *Ursamaior* (2000), *Oríon* (2003), *Gêmeos* (2004), *Triunfo do Amor Português* (2004), *Camilo Broca* (2006), e contos: *Das Torres ao Mar* (1983), *Improviso para Duas Estrelas de Papel* (1984), *Olga e Cláudio* (1984), *Duas Histórias do Porto* (1986), *Itinerários* (1993), *A Bruxa, o Poeta e o Anjo* (1996).

Iniciando-se pelos textos em que se mesclavam a poesia e a prosa, assinalados por uma tonalidade hermética, Mário Cláudio logo singraria pelos temas ligados ao passado histórico, que predominariam até *Gêmeos*, centrado nos últimos anos da vida de Goya, passando pelo século XV (*Oríon*) e pelo século XX

(*Ursamaior*). Três biografias lhe servem de motivação nessa fase, não por acaso escolhidas no meio artístico, tendo como protagonistas um pintor (Amadeo de Sousa-Cardoso), uma violoncelista (Guilhermina Suggia) e uma ceramista (Rosa Ramalha). Propondo-se a fazer "a crônica da verdade", tinha em mente, não a biografia romanceada, mas a ficção biográfica, levado pelo fato de a vida de tais figuras parecer, graças aos aspectos dramáticos ou trágicos, um enredo romanesco, ou de entrever nela motivos que lhe espicaçavam a imaginação. A ponto de afirmar que "estamos a milênios da vera crônica de Amadeo de Sousa-Cardoso, recriamos o que nunca foi ou para sempre se esconde".

A sobreposição da verdade da fantasia à veracidade da crônica documental, que aí se enuncia, será doravante a tônica de sagas familiares, em substituição às biografias. É o caso de *A Quinta das Virtudes*, *Tocata para Dois Clarins* e *O Pórtico da Glória*, que constituem uma trilogia, iniciada em meados do século XVIII e terminada nos anos subsequentes à revolução de 25 de abril, com a saga dos Meirelles setecentistas, entremeada a seguir de espanhóis e franceses: refletindo a indistinção alojada no âmago da fantasia, o relato funde ou confunde, com análoga verossimilhança, a história e a literatura.

Além de buscar inspiração bíblica em *A Fuga para o Egipto*, o autor ainda se ocupará de uma biografia imaginária em *Peregrinação de Barnabé das Índias*, que gravita em torno do "percurso iniciático" (Maria de Fátima Marinho, 1999) que Barnabé, marinheiro de ascendência judaica, experimenta ao engajar-se na viagem de Vasco da Gama às Índias. Aqui, como nas demais obras, destaca-se o estilo, de feição camiliana, lapidado, escorreito, rico em vocabulário e torneios frásicos da melhor linfa do Idioma, com uma transparência luminosa que a reverberante plasticidade mais acentua, e sustentados em denso lastro de cultura. E não menos relevante é a soma de recursos técnicos habilmente empregados, na linha da moderna ficção, como, por exemplo, o jogo dos pontos de vista, que empresta ainda mais vivacidade às narrativas como representação do complexo tecido social ao longo do tempo.

Por meio desses recursos, o autor inverte o sinal da veracidade ou torna veraz a invenção, de forma a não haver diferença entre reproduzir um fato histórico documentável e apresentar como se verdadeiro fosse um acontecimento inventado. E a tal ponto procede nessa liberdade criativa que, em *As Batalhas do Caia*, toma Eça de Queirós a um só tempo como personagem e como escritor, a redigir um romance, que teria aquele título no singular, centrado numa

532 • A LITERATURA PORTUGUESA

imaginária invasão espanhola de Portugal, em 1881, e de que apenas se conhece uma espécie de esboço, denominado "A Catástrofe", inédito até 1925, quando se publicou, como um conto, juntamente com *O Conde d'Abranhos*. Mário Cláudio insinua, desse modo, que tudo ali, com liberar a narrativa histórica do jugo documental, sem prejuízo de recorrer a textos verídicos (cartas, um poema), navega em pleno e bonançoso mar literário.

Outros nomes merecem referência, como **Dinis Machado** (Lisboa, 1930-2008), autor de *O que diz Molero* (1977), cuja publicação despertou grande interesse entre os leitores e os críticos, que as narrativas seguintes não souberam repetir (*Discurso de Alfredo Marceneiro a Gabriel García Márquez,* 1984; *Reduto Quase Final,* 1989), **Baptista-Bastos** (Lisboa, 27 de fevereiro de 1934), autor de romances de cariz neorrealista, porém com marcas próprias (*O Secreto Adeus,* 1963; *O Passo da Serpente,* 1965; *Cão Velho entre Flores,* 1974; *Viagem de um Pai e de um Filho pelas Ruas da Amargura,* 1981; *Elegia para um Caixão Vazio,* 1984; *A Colina de Cristal,* 1987; *Um Homem Parado no Inverno,* 1991; *O Cavalo a Tinta-da-China,* 1995; *No Interior da Tua Ausência,* 2002): a denúncia dos anos ensombrados pelo governo discricionário, vigente até 1974, percorre grande parte dessa trajetória, a ponto de a narrativa de 1995 girar em torno de Salazar, mas o seu ponto alto se encontra no romance de 1987, ambientado na colina da Ajuda, bairro de Lisboa, habitado por operários, ciganos e outras etnias, vivendo numa quadra em que "fome, sangue, desemprego e miséria são o pão nosso de cada dia", entrevista em meio a abstrações, alegorias, vaguidades, levantadas pela triste memória daquele tempo de opressão. **Américo Guerreiro de Sousa** (Matosinhos, 24 de março de 1942) distingue-se entre os participantes da sua geração pelos romances *Exercício no Futuro* (1980), *Os Cornos de Cronos* (1981), *Onde cai a sombra* (1983), *O Rei dos Lumes* (1984), *A Morte das Baleias* (1988), *A Última Ceia* (1995), moldados numa linguagem despojada, com inflexões originais, que deixa transparecer o gosto de narrar, e de oferecer à leitura, uma história com início, meio e fim, repassada de "solidão e desencontro", "a solidão, a morte, a raiva", ou em que faz o retrato satírico do partido comunista após a queda do muro de Berlim (*A Última Ceia*). **Rui Nunes** (1946), autor de *As Margens* (1968), *Sauromaquia* (1976), *O Mensageiro Diferido* (1981), *Quem da Pátria sai a si mesmo escapa* (1983), *Enredos* (1987), *Osculatriz* (1992), *Álbum de Retratos* 1993), *Que sinos dobram por aqueles que morrem como gado?* (1995), *Grito* (1997), *Cães* (1999), *Rostos* (2001), *A Boca na*

*Cinza* (2003). **Mário Ventura** (Santarém, 24 de maio de 1939-2006), voltado para questões sociais, segundo a perspectiva neorrealista, em romances: *A Noite da Vergonha* (1963), *À Sombra das Árvores Mortas* (1966), *O Despojo dos Insensatos* (1968), *Outro Tempo, Outra Cidade* (1979), *Vida e Morte dos Santiagos* (1985), *Março Desavindo* (1987), *Évora e os Dias da Guerra* (1991), *A Revolta dos Herdeiros* (1997), e contos: *Atravessando o Deserto* (2002). **Mário Braga** (Coimbra, 14 de julho de 1921), contista de orientação neorrealista: *Nevoeiro* (1944), *Caminhos sem Sol* (1948), *Serranos* (1948), *Quatro Reis* (1957), *Histórias de Vila* (1958), *O Cerco* (1959), *O Livro das Sombras* (1960), *Corpo Ausente* (1961), *Viagem Incompleta* (1963), *O Reino Circular*, romance (1970), *Os Olhos e as Vozes* (1971). **Antônio Mega Ferreira** (1949), que se divide entre o jornalismo, o ensaio, a poesia (*Os Princípios do Fim. Poemas (1972-1992)*, 1992; *O tempo que nos cabe*, 2005) e a prosa de ficção (*O Heliventilador de Resende*, 1985; *As Caixas Chinesas*, 1988; *A Expressão dos Afetos*, 2001; *Amor*, 2002; *O que há de voltar a passar*, 2003; *Uma Caligrafia de Prazeres*, 2003). **Rui Zink** (1961), outra das boas revelações dos últimos tempos em matéria de ficção: *Pornex: o Livro* (1984), *Hotel Lusitano* (1987), *A Realidade Agora a Cores* (1988), *Homens-Aranhas* (1994), *Apocalipse Nau* (1988), *O Suplente* (2000), *Os Surfistas* (2001), *Dádiva Divina* (2004). **José Luís Peixoto** ganhou relevo na prosa mais recentemente: *Nenhum Olhar*, 2000; *Morreste-me*, 2000; *A Criança em Ruínas* (2001); *Uma Casa na Escuridão* (2002), *Cemitério de Pianos* (2006).

Dentre as ficcionistas, é de salientar **Lídia Jorge** (Boliqueime, Algarve, 18 de junho de 1946), uma das grandes revelações dos últimos anos do século XX, oscilante entre um realismo impregnado da história recente (a revolução de 25 de abril de 1974, que deu fim à ditadura salazarista, em *O Dia dos Prodígios*; a guerra descolonizante na África portuguesa, em *A Costa dos Murmúrios*) e o apelo ao fantástico, ao poético ou ao psicológico. A essas tendências agrega-se um experimentalismo que se diria herança, ainda que vaga, das propostas do *nouveau- roman*, num estilo depurado que faz do detalhe cumulativo a base de tramas engenhosamente urdidas, em busca do insondável ou implícito nas relações humanas. Com o tempo, os acontecimentos históricos que sugeriram os primeiros romances entraram a distanciar-se e a perder a enorme força de impacto, clamando por uma mudança de rumo, que lhes emprestara aura fulgurante.

De onde as outras facetas do seu modo de ser literário e da sua visão da realidade portuguesa avultarem mais, notadamente a que se inclinava às observações psicológicas, ao que transcorre num cenário penumbrento, indevassável, ou num futuro incerto, já patentes em *Notícia da Cidade Silvestre*. Sem perda de contato com a realidade concreta à sua volta, agora as tramas, continuando a exibir superior domínio da arte narrativa, parecem momentos privilegiados que facultam examinar o ser humano em ação, pondo-lhe à mostra a intimidade não raro oculta pelo hábito ou pelas convenções sociais. A sondagem nessas dobras psicológicas é que mais lhe interessa, de modo a julgar a conduta individual e o seu contexto como instigadores da revelação dos móbeis secretos do enredo e dos seus protagonistas.

É do interior deles, ao invés dos procedimentos adotados anteriormente, quando exibiam onipotência os "prodígios" de fora, as festas na Praia das Devícias, organizadas por emigrantes retornados, em *O Cais das Merendas*, que provêm os sentimentos, os impulsos e tudo o mais que desencadeia a ação, como se as figuras em cena esboçassem monólogos interiores que não chegam a ganhar forma ou a imersão do narrador no seu psiquismo se detivesse ao atingir o limiar do impenetrável ou incógnito.

Numa progressão que se diria retomar a chama dos "prodígios", mas em clave e temperatura diversas, a perquição na interioridade das personagens e das situações atinge planos rarefeitos, de freudiana ressonância, numa narrativa onírica de longa duração, atravessando corredores de labirinto e alta conotação simbólica (*A Última Dona*), onde reverbera, por semelhança de atmosfera, em que se interceptam realidade e sonho, devaneio ou imaginação ou fantasia, uma alusão a *O Barão*, de Branquinho da Fonseca. Alguns traços dessa fase permanecerão nas obras seguintes, desde a estrutura em labirinto até as "imagens dos sonhos", o "mistério da minha própria vida", o Bairro dos Espelhos, por meio de que se mostra o pêndulo criativo a balançar entre categorias bipolares, do tipo "luz e sombra": agudamente posto na realidade, o olhar desvenda-lhe a múltipla intersecção de planos físicos e imateriais, bem como o mais além dos seres, objetos e situações, tudo habitado por enigmas e dilemas.

Ao aceitar esse desafio, Lídia Jorge abre-se para a revelação da poesia, alojada no extremo para o qual, não poucas vezes, converge a sua imaginação, e em que se colocam, na história da ficção ocidental, obras e autores de superior engenho e originalidade, a exemplo de Kafka, Jorge Luís Borges, James Joyce. Como não resistindo aos movimentos íntimos que observa nas personagens, a ficcionista chega a intervir no fluxo dos acontecimentos para dizer, num fiapo de metalinguagem, o seguinte: "Testemunho-a por fora e por dentro, testemunho o interior do interior, testemunho o intestemunhável". Essas inflexões mais recentes permitem supor que a autora descreve uma curva ascendente ainda longe do ápice.

Iniciou-se com o romance *O Dia dos Prodígios* (1980), a que se seguiram *O Cais das Merendas* (1982), *Notícia da Cidade Silvestre* (1984), *A Costa dos Murmúrios* (1988), *A Última Dona* (1992), *O Jardim sem Limites* (1995), *O Vale da Paixão* (1998), *O vento assobiando nas gruas* (2002), *Combateremos a Sombra* (2007). Ainda se tem dedicado ao conto (*A Instrumentalina*, 1992; *Marido e Outros Contos*, 1997; *O Belo Adormecido*, 2004) e ao teatro (*A Maçon*, 1997).

Outras figuras femininas se distinguem nesse decênio, como **Teolinda Gersão** (Coimbra, 1940), graças à fina sensibilidade de romancista e contista (*O Silêncio*, 1981; *Paisagem com Mulher e Mar ao Fundo*, 1982; *Os Guarda-Chuvas Cintilantes*, 1984; *O Cavalo de Sol*, 1989; *A Casa da Cabeça de Cavalo*, 1995; *A Árvore das Palavras*, 1997; *Os Teclados*, 1998; *Os Anjos*, 2000; *Histórias de Ver e Andar*, 2002; *O Mensageiro e Outras Histórias com Anjos*, 2003; *A Mulher que Prendeu a Chuva*, 2007), a tecer o silêncio das situações psicológicas sutis, decorrentes da "distância entre o eu e o mundo, a inadequação entre a realidade e a ideia", que amores desencontrados, culminando em tragédia e perdição, bem representam (*O Cavalo de Sol*), numa linguagem em que não se sabe o que mais admirar, se a frase contida, mas regurgitante de sentido, se o lirismo esvoaçante, como se uma discrição de raiz impedisse mais do que o imaginar e o sonhar.

Além do renome que emprestaram à ficcionista, tais peculiaridades pareciam denotar que a tendência para o pormenor carregado de sutileza, evidente desde a primeira obra, indicava o apelo da sondagem na intimidade onde mora o momento mais característico das personagens em cena e da trama em que se envolvem. Essa convergência de fatores viria a ganhar corpo com *Histórias de Ver e Andar*: agrupando pela primeira vez uma série de contos densos, trazia a grata surpresa de revelar essa faceta do seu talento narrativo, a ponto de ter sido galardoado com o prêmio oferecido pela Associação Portuguesa de Escritores.

*O Mensageiro e Outras Histórias com Anjos*, nas quais se incluem "A Velha", um conto antológico, extraído do livro anterior, e *Os Anjos*, confirmaria, na rápida sequência da publicação dos títulos, que a narrativa breve estava longe de ser um episódio ocasional na carreira da autora. Ao contrário, constitui, provavelmente, a estrutura que melhor lhe permite utilizar de maneira emblemática todo o potencial inventivo, marcado pela concisão formal e pelo poder de captar, no momento privilegiado de cada figurante, a associação de finas pulsões psicológicas com o plano da evanescência, representada, ora pela imaterialidade dos anjos, a exemplo do que a obra de 2003 descortina a partir do título.

Ora pela música, sentida e vivida como uma esfera impalpável, abstrata, que impregna, com o seu fascínio, toda a ambiência ao redor das personagens, ou que sobre elas flutua, transfundida em emoção e pensamento. A própria narradora de *Os Teclados* parece não resistir ao contágio da atmosfera da narrativa, em razão de esta repercutir, eventualmente, a melodia que lhe pervaga a fantasia e a percepção da realidade circundante no momento da escrita ou da leitura das páginas redigidas, mesclando a captação do imaterial com a reflexão crítica que suscita:

> "havia como na música uma liberdade e um determinismo – a última frase de um romance, por exemplo, estava já contida na primeira. Era sempre o tom que decidia tudo. Uma vez encontrado, tornava-se uma chave. Uma clave. Nos verdadeiros romances o essencial era, até certo ponto, previsível"

**Maria Gabriela Llansol** (Lisboa, 10 de março de 1931), cuja produção, iniciada nos anos 60 (*Os Pregos na Erva,* 1962) e seguida por *Depois de Os Pregos na Erva* (1973), definir-se-ia, na continuidade de O *Livro das Comunidades* (1978), *A Restante Vida* (1983), *Na Casa de Julho e Agosto* (1984), *Os Contos do Mal Errante* (1982), *Causa Amante* (1984), *Da Sebe ao Ser* (1988), *Um Beijo Dado Mais Tarde* (1990), *Lisboaleipsig 1: O Encontro Inesperado do Diverso* (1994), *Lisboaleipsig 2: O Ensaio de Música* (1995), *Ardente Texto Joshua* (1998), *O Senhor dos Herbais* (2002), *O Jogo da Liberdade da Alma* (2003), *O Raio sobre o Lápis* (2004), *Amigo e Amiga – Curso de Silêncio de 2004* (2006), além de poesia (*Onde vais, drama-poesia?*, 2000; *O começo de um livro é precioso*, 2003) e um diário (*Um Falcão em Punho*, 1985; *Finita*, 1987), como uma das mais estranhas e desconcertantes vozes da segunda metade do século XX.

Longas ou curtas, as suas narrativas caracterizam-se pela desestruturação, em fragmentos irregulares, ao sabor do acaso, sem nenhuma lógica aparente, como um fluxo verbal regido pelo prazer lúdico ou/e pela epifania poética. A ligar os fiapos da ação, adivinha-se uma trama sutil, às vezes dando azo à metalinguagem, por meio da qual a autora intervém no relato, evidenciando ser o narrador quem de fato o comanda, mas que é, para a escritora, uma entidade "real", não o seu "duplo", escolhida para se incumbir, como sombra, *alter ego* *virtual*, da tarefa narrativa.

Fantástico, surrealista, é o clima em que fluem, num caos temporal, as narrativas: "acumular as recordações do futuro numa grande meditação". E se o caos temporal é patente, não menos o é o caos do mundo concreto ("o rio parecia-me as paredes desta casa que navegavam e cada divisão, com a sua função própria, estava presente mas dissolvida na água"), de modo a pensar-se numa múltipla metalinguagem. Ou antes, numa visão em caleidoscópio, que se manifesta pelo cruzamento dinâmico de vários planos mentais, espaciais e temporais, bem como do sujeito da fala escrita ou emitida, ou ainda das palavras convocadas para a narração: São João da Cruz está "sempre à beira da escrita"; e "escrevia o epitáfio: / este é eu, e eu sou ele próprio"; "pensou-se, num ponto da terra habitado por uma casa em que não havia já pessoas mas seres vivos, cada uma pertencendo a um espaço, ou a um século".

O oculto, o enigmático de tudo, que impregna de lirismo a fina malha do enredo e pressupõe a consulta de "tratados sobre a gnose, os cátaros, a alquimia", assinala o território duma "misteriosa linguagem", em que a Quimera alimenta o narrador com as suas verdades, algo como prosa poética. Renega-se o realismo ou o naturalismo fotográfico à Zola e seguidores, por estabelecer um vínculo reducionista com o dia a dia real, obrigando-o a sufocar numa camisa de força. Em seu lugar, as narrativas de Maria Gabriela Llansol nos oferecem cenas que lembram, verdadeiramente, o hiper-realismo plástico de Edward Hopper: quanto mais fidedigno é o flagrante de um bar novaiorquino à noite, com dois ou três noctívagos solitários, distanciados e incomunicáveis como estátuas num aquário, mais estranho e misterioso se mostra, pois foge ao esquematismo simplista, à beira da inverossimilhança, suposto pela cosmovisão zolaniana. O absurdo, o fantástico, o onírico, implícitos no hermetismo das narrativas da autora, não resultam de uma opção da sua vontade, mas emergem da própria realidade para quem a observa sem preconceitos ou dogmas ideológicos, como bem sugere a espécie de lema – "o encontro inesperado do diverso" – que serve de subtítulo a *Lisboaleipsig I*.

Ainda são de mencionar outras figuras surgidas nos decênios finais do século XX, como **Hélia Correia** (Lisboa, 1949): escreveu peças de teatro (*Perdição*, 1991; *Florbela*, 1991; *O Rancor: Exercício sobre Helena*, 2000), mas tem-se

# 538 • A LITERATURA PORTUGUESA

destacado como autora de romances e contos (*O Separar das Águas*, 1981; *O Número dos Vivos*, 1982; *Montedemo*, 1983; *Vila Celeste*, 1985; *Soma*, 1987; *A Fenda Erótica*, 1988; *A Casa Eterna*, 1991; *Insânia*, 1996; *Lillias Fraser*, 2001; *Fascinação*, 2004; *Bastardia*, 2005), caracterizados por uma linguagem que flui livremente, a espelhar situações atravessadas por ventos apocalípticos de insânia, entropia e ausência de paradigmas, que fazem adivinhar uma requintada sensibilidade poética puxada ao fantástico, não raro de tendência surrealista.

As narrativas primam pela economia estrutural, manifesta na engenhosa concatenação dos episódios e na recusa dos pormenores irrelevantes, em razão de a autora saber que, em vez de acrescentarem peso dramático às personagens e às situações vivenciadas, acabam infestando o texto de natureza morta ou lugares-comuns, perfeitamente dispensáveis. A matéria ficcional reduz-se ao essencial, àquilo que, veiculado por imprevistos, mistérios, forças ocultas, novidades, surpresas, merece registro na mente do leitor, assim como impregnou para sempre a percepção do narrador: estremece a terra de Montedemo, cuja população, "cansada de prodígios", tem a memória "por demais carregada de naufrágios, emigrações e loucos sem abrigo", assolada pelo "caldo azedo e fértil da decomposição".

Lillias Fraser, a menina escocesa levada a Portugal, tinha um "certo dom maligno", de bruxa, de visionária, que "se encontrava no meio de um cerco de magia, intransponível", dom revelado desde o momento em que começara a "fazer uso do seu olhar, ao estilo de serpente", até conhecer "a qualidade das visões que antecipavam o desastre [o terremoto de Lisboa em 1755] sem que nada se pudesse fazer para o impedir", e depois dele, enfrentar toda sorte de escombros, a fumegante "lama negra [...], o enxofre [que] vinha diretamente arremessado do inferno", crimes, desatinos, libertinagem, barbárie e males incuráveis, exibindo sempre "uma forma perigosa de beleza".

**Clara Pinto Correia** (1960), autora de *Agrião!* (1983), *Adeus, Princesa* (1985), *Um Esquema* (1985), *Campos de Morangos para Sempre* (1987), *O Príncipe Imperfeito* (1988), *Um Sinal dos Tempos* (1988), *Ponto Pé de Flor* (1990), *Domingo de Ramos* (1994), *A Música das Esferas* (1995), *Mais marés que marinheiros* (1996), *Morfina* (2000), *Os Mensageiros Secundários* (2000), *O Melhor dos Meus Erros,* crônicas (2003), além de literatura juvenil e de obras em que vaza a sua formação científica (*Os Bebês-Provetas*, 1986; *Clonai e Multiplicai-vos*, 1997; *Histórias Naturais*, 1988; *O Ovário de Eva*, 1998).

A ficção parece refletir o núcleo da sua atividade profissional, a biologia celular. E vice-versa, formando um binômio em duas direções. No prefácio de *Música das Esferas*, em que reúne *Um Esquema, O Príncipe Imperfeito* e *Campos de Morangos para Sempre*, a escritora declara, como a falar em nome dessa dupla atividade: "Todas estas histórias são a história da minha vida. Porque são a retransmissão da forma como eu oiço, todos os dias, a música das esferas". Duas delas são histórias de amor e a terceira não tem "história nenhuma: queria só falar de coisas tão indefiníveis como o título de livros, sinais, presságios, murmúrios, restos de sonhos".

Na primeira, de estrutura unicelular, própria do conto, o emprego do foco na primeira pessoa, em quatro perspectivas distintas, visa a mostrar os encontros e os desencontros amorosos, resultantes de as personagens serem incomunicáveis, apesar do elo afetivo que as interliga, empregando uma técnica a fim de montar uma situação dramática que, com toda a força emprestada pelo fantástico dos folhetos de cordel às vésperas do terremoto de 1755, retornariam no romance *Os Mensageiros Secundários*. "Teatro das pessoas", diz a primeira narradora/autora, não sem pontuá-lo de observações apuradas, que se diria ecoarem a pesquisa científica. *O Príncipe Imperfeito*, "uma ópera em um prólogo e um ato no universo dos contos tradicionais portugueses", segue na mesma trilha, enquanto a terceira obra não é narrativa, pois consiste numa sucessão de quadros a compor uma paisagem, num clima de realismo mágico atravessado por uma brisa lírica. Como se analisada ao microscópio, a sequência das três obras parece obedecer ao princípio segundo o qual o caos ou entropia, que os objetos exibem quando próximos do olhar, transforma-se em ordem quando os ingredientes narrativos assumem a dispersão teatral ou, no limite, quando o texto, destituído de enredo, se fragmenta em mil detalhes, à semelhança da música das esferas.

**Luísa Costa Gomes** (1954), outra das ficcionistas reveladas nesses anos, com *Treze Contos de Sobressalto* (1981), *Arnheim e Désirée* (1983), *O Gêmeo Diferente* (1984), *O Pequeno Mundo* (1988), romance epistolar em que parecem fundir-se reminiscências do jeito camiliano e do queirosiano de visualizar a realidade, *Vida de Ramón,* biografia romanceada de Raimundo Lúlio, filósofo catalão do século XIII (1991), *Olhos Verdes* (1994), *Contos Outra Vez* (1997), *O Defunto Elegante*, em parceria com Abel Barros Baptista (1997), *Educação para a Tristeza* (1999), *Setembro e Outros Contos* (2007). Ainda se dedicou ao teatro:

540 • A LITERATURA PORTUGUESA

*Nunca Nada de Ninguém* (1991), *Ópera dos Corvos* (1992), *Ubardo* (1993), *A Minha Austrália* (1993), *Clamor* (1994), *Duas Comédias* (1996), *O Céu de Sacadura Cabral* (1998).

Sejam citadas, ainda, **Teresa Veiga**: *Jacobo e Outras Histórias,* contos (1981), *O Último Amante* (1990), *História da Bela Fria*, contos (1992), *A Paz Doméstica* (1999), *As Enganadas*, contos (2003); **Filomena Cabral**: poesia (*Muxima*, 1980; *Amatus: Epístolas,* 1990); prosa de ficção, de caráter compósito, com múltipla utilização de fontes eruditas, como transparece no título de algumas obras (*Finale*, 1992; *Um Amor Cortês*, 1996; *Em Demanda de Europa*, 1997; *Ouro: Honor, Corsários, Ilusiones (Brasil Sécs. XVII-XVIII)*, 2000; *Oklahoma Blues: Séculos XIX-XX*, 2005); **Inês Pedrosa**: *A Instrução dos Amantes* (1992), *Nas Tuas Mãos* (1997), *Vinte Mulheres para o Século XX*, biografias (2000), *A menina que roubava gargalhadas*, contos (2002), *Fazes-me falta* (2002), *Fica comigo esta noite*, contos (2003), ficção geralmente nucleada nos problemas de ordem amorosa, tratados com finura, sensibilidade e adequação estrutural, como em *Fazes-me falta*, narrativa em que, eventualmente, essa tendência encontrou a sua expressão mais fidedigna; **Mafalda Ivo Cruz**: *Um Réquiem Português* (1995), *A Casa do Diabo* (2000), *O Rapaz de Boticelli* (2001), *Vermelho* (2003) e *Oz* (2006), porventura a sua obra mais inquietante até o momento; e outras.

Este panorama da contemporaneidade em Portugal ficaria incompleto se não abríssemos espaço para o tópico da ficção inspirada em acontecimentos históricos. Para o seu bom entendimento, pode-se considerar que o enlace entre ficção e História vigente nos séculos XVI, XVII e XVIII não pertence a essa modalidade romanesca, a ter como aceitável a proposta de Georg Lukács no capítulo inicial de *The Historical Novel* (1963): segundo ele, as chamadas narrativas históricas daqueles séculos, como as de Madeleine de Scudéry (1607-1701), de Gauthier de Coste de Calprenède (1610-1663), de Horace Walpole (1717-1797), "são históricas apenas no que diz respeito à escolha puramente externa de temas e de costumes". E acrescenta: "não só a psicologia das personagens, mas também os padrões sociais desenhados são inteiramente dos dias do autor". O início da voga da ficção histórica propriamente dita deve-se às narrativas de Walter Scott, a partir de *Waverley* (1814), em razão de apresentarem características "especificamente históricas, isto é, a individualidade das personagens deriva da peculiaridade histórica do seu tempo".

TENDÊNCIAS CONTEMPORÂNEAS – II • 541

O modelo scottiano, que tanta influência exerceu durante o Romantismo, permaneceria daí por diante como paradigma das várias ondas dessa modalidade romanesca ao longo do século XX, ainda quando sujeitas às mais diversas forças literárias. No último quartel dessa centúria, a novela ou o romance histórico alcança larga aceitação, na linha do que seria chamado de "romance histórico pós-moderno", a ponto de tornar-se imprescindível à visão da atividade literária nos últimos anos.

Poucos escritores ficaram imunes ao seu fascínio, como se observa na obra de Aquilino Ribeiro, Vitorino Nemésio, Agustina Bessa-Luís, Álvaro Guerra, José Saramago, Mário de Carvalho, Mário Cláudio, Augusto Abelaira, Ruben A., Lobo Antunes, Herberto Helder, Maria Isabel Barreno, Teolinda Gersão, Antônio Rebordão Navarro.

A esses nomes podem ser acrescentados outros tantos, nos anos mais recentes, que se aplicaram à narrativa histórica com especial denodo. É o caso de **João Aguiar** (Lisboa, 28 de outubro de 1943 – 3 de junho de 2010): distinguiu-se com um rol de obras que principiou com *A Voz dos Deuses* (1984), narrativa em torno dos primórdios da nacionalidade portuguesa, e prosseguiu com os seguintes títulos, não raro centrados em figuras da antiguidade clássica: *O Homem sem Nome* (1986), *O Trono do Altíssimo* (1988), *O Canto dos Fantasmas*, contos (1990), *Os Comedores de Pérolas* (1992), volume inicial de uma trilogia composta ainda de *O Dragão de Fumo* (1998) e *A Catedral Verde* (2000), *A Hora de Sertório* (1994), *A Encomendação das Almas* (1995), *Navegador Solitário* (1996), *Inês de Portugal* (1997), *Prisciliano chegou a Bracara Augusta* (2000), *Diálogo dos Compensados* (2001), *Uma Deusa na Bruma* (2003), *O Sétimo Herói* (2004), *O Jardim das Delícias* (2005), obras em que, sem perder a inflexão imaginária, prevalece a "reconstituição histórica, refletida nas notas eruditas, na tradução dos topônimos empregues, na explicitação das principais personagens referenciais citadas e no resumo cronológico" (Maria de Fátima Marinho 1999). Todavia, é o estilo escorreito, fluente, permeado por um tom de amena oralidade, e a habilidosa articulação dos enredos, compondo um tecido de aventuras palpitantes, que explicam o grande sucesso do autor, como exímio contador de histórias, enquanto durou a onda literária em que os seus livros se inscrevem.

Outros autores lavraram na mesma seara, a começar por **Fernando Campos**, autor de *A Casa do Pó* (1986), estreia tardia para quem nascera em 1924, no Porto, mas, também por isso mesmo, saudada como surpreendente e pro-

542 • A LITERATURA PORTUGUESA

missora revelação num terreno cultivado por não poucos escritores de mérito: a narrativa transcorre no século XVI e tem como protagonista Frei Pantaleão de Aveiro, em peregrinação a Jerusalém; ainda publicou *A Esmeralda Partida* (1995): narrada por Garcia de Resende, gravita em torno da figura de D. João II, que também interessará a outros ficcionistas voltados para os temas históricos; *A Sala das Perguntas* (1998) passa-se, à maneira da obra inicial, no século XVI, tendo como assunto a vida enigmática de Damião de Góis; *O Prisioneiro da Torre Velha* (2003) ocupa-se da vida tormentosa de D. Francisco Manuel de Melo. Ainda enveredaria por outros temas em *Psichê* (1987), *O Homem da Máquina de Escrever* (1987), *O Pesadelo de dEus* (1990).

**Helena Marques**, com *O Último Cais* (1992), *A Deusa Sentada* (1994), narrativas ambientadas nas ilhas de Malta e da Madeira, no último quartel do século XIX; *Terceiras Pessoas* (1998); **Luísa Beltrão**, com a tetralogia *Os Pioneiros* (1994), *Os Impetuosos* (1994), *Os Bem-Aventurados* (1995) e *Os Mal-Amados* (1997), que gravita ao redor de uma saga familiar ao longo dos séculos XIX e XX; **Antônio Cândido Franco**, talvez mais conhecido como crítico e como poeta (*Estâncias Reunidas (1977-2002)*, 2003), também se inscreveu nessa linhagem, sem perder a *vis* analítica, judicativa, com *Memória de Inês de Castro* (1990) e *Vida de Sebastião Rei de Portugal* (1993), figuras históricas em cuja existência o amor e a morte desempenharam papel de realce; **Seomara da Veiga Ferreira**, que igualmente se interessou pelas figuras históricas medievais em *Crônica Esquecida d'El Rei D. João II* (1995) e *Leonor Teles ou o Canto da Salamandra* (1998), depois de incursionar pela Antiguidade Clássica em *Memórias de Agripina*, autobiografia fictícia (1993); **Alberto Oliveira Pinto**, autor de *A Sorte e a Desdita de José Policarpo* (1995), ambientado no Portugal da segunda metade do século XVIII, ao tempo de D. José e o Marquês de Pombal; **Miguel Real**, que escreveu um ciclo em torno do império português, entre os séculos XVI e XIX, em cinco volumes, dos quais já se publicaram *Memórias de Branca Dias* (2003) e *A Voz da Terra* (2005), ficando os restantes à espera de publicação (*Sal da Terra, A Guerra dos Mascates* e *O Último Negreiro*); José Riço Direitinho, autor de *Breviário das Más Inclinações* (1994), *O Relógio do Cárcere* (1997); Miguel Sousa Tavares, que ganhara notoriedade com os seus textos jornalísticos, publicou *Equador* (2003), romance histórico logo festejado por críticos e leitores, ambientado na primeira década do século XX, notadamente em S. Tomé e Príncipe; Vasco Pereira da Costa, Fernando Dacosta, Antônio Silva Graça.

# TEATRO

Ainda cumpre focalizar, nas últimas décadas do século XX, uma relevante atividade cênica, com frutos já sazonados e uma consciência artesanal e doutrinária que autoriza prever dias ainda mais fecundos para a dramaturgia portuguesa dos nossos dias. Para bem equacionar tal progresso, há que lembrar a depressão ocorrida na dramaturgia portuguesa após a morte de Garrett, depressão essa que nem a audiência alcançada por Júlio Dantas e outros dramaturgos do tempo conseguiu superar.

Nas primeiras décadas do século passado, predomina a herança realista e historicista, graças à pena de **Vasco de Mendonça Alves** (1883-1962), autor de *Os Filhos* (1910), *A Conspiradora* (1913), *Os Marialvas* (1914), *Um Bragança* (1931), *O meu amor é traiçoeiro* (1935), etc.; **Vitoriano Braga** (1888-1940), autor de *Otávio* (1961), *A Casaca Encarnada* (1922), *Inimigos* (1926); **Rui Chianca** (1891-1931), autor de *Aljubarrota* (1913), *D. Francisco Manuel* (1914), *Às Portas do Céu* (1916), *Nun'Álvares* (1918), *O Magriço* (1925), etc.; **Ramada Curto** (1886-1961), autor de *O Caso do Dia* (1926), *A Noite do Cassino* (1927); *O homem que se arranjou* (1928), *Sua Alteza* (1930), *O Perfume do Pecado* (1935), etc.; **Carlos Selvagem** (1890-1973), um dos mais festejados dramaturgos dessa quadra, autor de *Ninho de Águias* (1920), *Telmo, o Aventureiro* (1937), *Dulcineia ou A Última Aventura de D. Quixote* (1944), etc.; **Joaquim Paço D'Arcos**, autor de *O Cúmplice* (1940), *O Ausente* (1944), *Paulina Vestida de Azul* (1948); e **Alfredo Cortez** (1880-1946), o mais inspirado dos comediógrafos dos primeiros decênios da centúria, autor de *Zilda* (1921), *O Lodo* (1923), *À la Fé* (1924), *Lourdes* (1927), *O Ouro* (1928), *Domus* (1931), *Gladiadores* (1934), *Tá-Mar* (1936), *Saias* (1938), *Baton* (1939).

Altos níveis alcançou também a herança simbolista, na pena de **Raul Brandão**, autor, como se viu, de *O Rei Imaginário* (1923), *O Doido e a Morte* (1923), *Eu sou um homem de bem* (1927), *O Gebo e a Sombra* (1928), *O Avejão* (1929), e na de **Antônio Patrício**, autor de *Fim* (1909), *Pedro, o Cru* (1918), *Dinis e Isabel* (1919) e *D. João e a Máscara* (1924).

Contemporaneamente a esse teatro, que atendia ao gosto burguês pela representação cênica enquanto espetáculo, os vários "ismos" que atravessam a modernidade portuguesa dão apreciável contributo ao desenvolvimento da dramaturgia em Portugal. Durante a hegemonia do Orfismo, pouco há que

544 • A LITERATURA PORTUGUESA

citar além de Almada-Negreiros, uma vez que as experiências de **Fernando Pessoa** (*O Marinheiro,* escrito em 1913, *Primeiro Fausto* e outros "poemas dramáticos" incompletos), sobre estarem filiadas à estética simbolista e decadentista, pertencem mais à Poesia que ao Teatro, e a peça de **Mário de Sá-Carneiro** (*A Amizade,* 1912, em colaboração com Tomás Cabreira Júnior) ostenta menos relevância.

O teatro de **Almada-Negreiros** testemunha as mesmas qualidades de suas outras manifestações estéticas: superior inquietude, inapetência pelo já-feito, busca eruptiva de novas direções, fundamentada no conceito de teatro como pesquisa e invenção (*23, 2º Andar,* 1912; *O Moinho,* 1912; *Antes de começar,* 1919; *Os Outros,* 1923; *Portugal,* 1924; *Pierrot e Arlequim,* 1924; *Deseja-se mulher,* 1928; *S. O. S.,* 1929; *O Público em Cena,* 1932).

A geração da *Presença* cultivou o teatro numa escala que evidencia a progressiva importância emprestada a esse gênero de criação estética. Seus principais representantes, embora nem sempre dotados de autêntica vocação para a linguagem cênica, renderam-lhe tributo: via de regra traem sua condição de poetas ou prosadores momentaneamente interessados na arte da representação. **Branquinho da Fonseca** escreveu: *A Posição de Guerra* (1928), *Os Dois* (1929), *Curvas do Céu* (1930), *A Grande Estrela* (1939), *Rãs* (1939), *Quatro Vidas* (1939); **João Gaspar Simões**: *O Vestido de Noiva* (1952), *Jantar de Família* (1953), *Marcha Nupcial* (1964); **Miguel Torga**: *Terra Firme* (1941), *Mar* (1941), *Sinfonia* (1947), o *Paraíso* (1949); **João Pedro de Andrade**; *O Lobo e o Homem* (1925), *Transviados* (1947), *Uma Só Vez na Vida* (1941), *Maré Alta* (1947), *Barro Humano* (1948).

Entretanto, é do movimento presencista que faz parte um dos mais densos autores de teatro do século XX: **José Régio**. Poucas peças deixou, mas de altíssimo nível teatral, independentemente da qualidade do texto e da substância que o enforma: *Três Máscaras* (1934), *Jacob e o Anjo* (1940), *Benilde ou a Virgem-Mãe* (1947), *El-Rei D. Sebastião* (1949), *A Salvação do Mundo* (1954), *O Meu Caso* (1957), *Mário ou Eu-Próprio-Outro* (1957). O fulcro desse teatro continua sendo o mesmo das restantes obras do autor – o conflito entre o Bem e o Mal –, mas desenvolvido com uma plasticidade e uma intensidade que já se adivinham em sua poesia e em sua prosa de ficção.

Quando José Régio arquitetou as suas obras teatrais, avolumava-se uma onda de renovação nos arraiais da dramaturgia portuguesa. Com efeito, em

TENDÊNCIAS CONTEMPORÂNEAS – II • 545

1946, Gino Saviotti funda o "Teatro-Estúdio do Salitre", que funcionaria até 1950, e onde se revelariam Luís Francisco Rebello, Alves Redol, Pedro Oom e David Mourão-Ferreira. Em 1948, Manuela Porto e Pedro Oom dirigem o "Pátio das Comédias", em que se representaram Costa Ferreira e Jorge de Sena. Em 1953, tem início o "Teatro Experimental do Porto", que revelou Bernardo Santareno, e encenou Luís Francisco Rebello, Romeu Correia e outros. Na esteira dessas iniciativas, formaram-se vários grupos acadêmicos (em Coimbra e Lisboa) e profissionais, como "Teatro d'Arte de Lisboa" (1955-1956; 1960-1961), "Teatro Moderno de Lisboa" (1961-1965), "Companhia Nacional de Teatro" (1961-1967), "Teatro Experimental de Cascais", "Companhia Portuguesa de Comediantes", "Teatro-Estúdio de Lisboa".

Desses dramaturgos, os mais relevantes são: **Luiz Francisco Rebello** (Lisboa, 10 de setembro de 1924) e Bernardo Santareno. O primeiro escreveu: *O mundo começou às 5 e 47* (1947), *O Dia Seguinte* (1953), *Alguém terá de morrer* (1956), *É urgente o amor* (1958), *Os Pássaros de Asas Cortadas* (1959), *Condenados à Vida* (1963), *O Fim na Última Página* (1964), *Todo o amor é amor de perdição* (1994), *A Desobediência* (1998), *As Páginas Arrancadas* (2002), "dramas existenciais de protesto que aspiram a dar testemunho de um tempo ambíguo e contraditório, dividido entre o desespero e a esperança", como o próprio teatrólogo os define em sua *História do Teatro Português* (1968), compilados em *Teatro*, 2 vols. (1959) e *Teatro de Intervenção* (1978). **Bernardo Santareno**, pseudônimo de Antônio Martinho do Rosário (Santarém, 18 de novembro de 1924-31 de agosto de 1980), autor de *A Promessa* (1957), *O Bailarino* (1957), *A Excomungada* (1957), *O Lugre* (1959), *O Crime da Aldeia Velha* (1959), *Antônio Marinheiro* (1960), *Os Anjos e o Sangue* (1961), *O Duelo* (1961), *O Pecado de João Agonia* (1961), *Irmã Natividade* (1961), *Anunciação* (1963), *O Judeu* (1966), *O Inferno* (1967), *A Traição do Padre Martinho* (1969), *Português, Escritor, Quarenta e Cinco Anos de Idade* (1974), *Os Marginais e a Revolução* (1979), *O Punho* (1985), constitui decerto a mais completa vocação para o teatro surgida nas últimas décadas: teatro trágico, soturno, "realiza a fusão de temas de raiz popular com certas preocupações existenciais que agitam a carne e o espírito do homem contemporâneo" (Luiz Francisco Rebello).

Ainda é de notar o aparecimento de um dramaturgo impulsionado por veemente força dramática, na linha do teatro épico, de tonalidade neorrealista: **Luís de Sttau Monteiro** (Lisboa, 3 de abril de 1926-23 de julho de 1993),

546 • A LITERATURA PORTUGUESA

autor de *Felizmente há luar!* (1961), *Todos os anos pela Primavera* (1963), *O Barão* (teatralização da obra homônima de Branquinho da Fonseca, 1964), *A Guerra Santa* (1966), *A Estátua* (1966), *Auto da Barca do Motor Fora de Borda* (1966), *Peças em um Acto* (1967), *As Mãos de Abraão Zacut* (1968), *Sua Excelência* (1971), *Crônica Atribulada do Esperançoso Fagundes* (1981). Ainda cultivou a prosa de ficção, pela qual se iniciou: *Um homem não chora* (1960), *Angústia para o Jantar* (1961), *E se for rapariga chama-se Custódia* (1966).

Nessa mesma época ganha relevo o teatro de **Vicente Sanches** (1936), cuja atividade se difunde por uma série de peças: *Um Filho* (1965), *Um Homem de Sorte* (1966), *A Situação Definitiva* (1967), *A Casa Assombrada* (1970), *O Passado e o Presente* (1971), *Cegos e Escravos* (1972), *A Birra do Morto* (1973), *Hitler, Lenine, Estaline, Etc.* (1977), *Última Vontade* (1981), *O Negro e o Preto* (1986), reunidas em *Teatro* (1986), *Grupo de Vanguarda* (1989), *Liturgia Polêmica* (1992), *Gilberto e Mônica* (1993), *Aforismo de Aforismos* (2000).

Inclusive o teatro do absurdo, inspirado em Beckett e Ionesco, e o teatro mítico agitaram a cena portuguesa na segunda parte do século XX, como se observa nas obras polêmicas de **Manuel Grangeio Crespo** (1939-1983), que participou do grupo surrealista de inflexão abjeccionista: *Os Implacáveis* (1961), *Homem & Cia.* (1962), *O Gigante Verde* (1963), *No princípio será a carne* (1969), "exemplo de determinadas correntes estéticas (onde ressalta a pirandelliana) que pouca fortuna tiveram na pobre dramaturgia portuguesa" (Marinho 1987); **Jaime Salazar Sampaio** (Lisboa, 1925), autor de *O Pescador à Linha* (1961), *Nos Jardins do Alto Maior* (1962), *O Falhanço e as Sobrinhas* (1968), *Os Visigodos e Outras Peças* (1968), *A Batalha Naval* (1969), *O Desconcerto* (1981), *Árvores, Verdes Árvores* (1980), *Fernando (Talvez) Pessoa* (1982), *O Sobrinho* (1982), *Madalena lê uma carta* (1984), *Adieu* (1992), *O Professor de Piano* (1992); **Augusto Sobral** (1933), autor de *O Consultório* (1961), *O Borrão* (1962), *Os Degraus* (1963), *Quem matou Alfredo Mann?* (1981), *Memórias de uma Mulher Fatal* (1982), *O Professor de Piano* (1991), *Abel, Abel* (1992); **Norberto Ávila** (1936) alcançou largo prestígio, inclusive no estrangeiro, por suas peças, algumas das quais destinadas ao público juvenil: *As Histórias de Hakim* (1968), *As Cadeiras Celestes* (1976), *O Rosto Levantado* (1978), *Viagem a Damasco* (1980), *Os Deserdados da Pátria* (1982), *A Paixão Segundo São Mateus* (1983), *Florânia ou a Perfeita Felicidade* (1983), *D. João no Jardim das Delícias* (1985), *Megalona, Princesa de Nápoles* (1986), *O Marido Ausente* (1988), *As*

TENDÊNCIAS CONTEMPORÂNEAS – II • 547

*Viagens de Henrique Lusitano* (1989), *Uma Nuvem sobre a Cama* (1990), *Arlequim nas Ruínas de Lisboa* (1992); **José Estêvão Sasportes** (1937), cujas peças, como *Os Funerais* (1961), *Daisy – Um Filme para Fernando Pessoa* (1984), apresentam traços de filiação à estética surrealista; **Miguel Rovisco** (1961-1987), dotado de grande domínio da linguagem teatral, cedo desencantou-se do rumo das coisas, a ponto de suicidar-se numa altura em que seria natural esperar muito do seu talento, manifesto nas seguintes peças: *Trilogia Portuguesa: O Bicho, A Infância de Leonor de Távora, O Tempo Feminino* (1986), *Um Herói para Qualquer Pátria* (1987), *O Circo dos Desenganos* (1988), *Retrato de uma Família Portuguesa* (1989).

Nos anos posteriores à revolução de 25 de abril, registra-se intensa atividade dramática: além das figuras acima consideradas, avultam, de um lado, as peças escritas por autores já mencionados nos tópicos referentes à poesia e à prosa de ficção, como José Cardoso Pires, Natália Correia, Fiama Hasse Pais Brandão, Ivette K. Centeno, José Saramago, Mário Cláudio, Agustina Bessa-Luís, Mário de Carvalho, Orlando Neves, entre tantos outros, e, de outro lado, a atuação de grupos teatrais e o aparecimento de novos dramaturgos, de tendência crítica e denunciante, como **Carlos Coutinho** (1949), autor de *Neve* (1965), *O Herbicida* (1965), *A Última Semana antes da Festa* (1974), e de outras peças reunidas em *Teatro de Circunstância* (2 vols., 1976-1977): *O Cartão, A Teia, O Telefonema, Ritual, Amanhecer, A Estratégia da Aranha* e *O Jantar do Comissário; Homem Certo em Casa Certa* (1979); **Helder Costa** (1939), autor de peças enfeixadas em *Histórias do Dia a Dia* (1978), além de *Marilyn, Meu Amor* (1977), *O Príncipe de Spandou* (1977), *José do Telhado* (1978), *D. João VI* (1979), *Um homem é um homem – Damião de Góis* (1979), *Fernão, mentes?* (1982), *A Viagem ou Camões Poeta Prático* (1982), *O Incorruptível* (2000); **Antônio Júlio Valarinho** (1948), autor de peças engajadas: *A Grande Marcha* (1975), *Quadros Heroicos do Povo em Luta* (1977), *A Terra* (1979), *O Artilheiro* (1980), *Noite Branca* (1982), *As Portas do Sol* (1984), *Os Mercadores de Sonhos* (1988) ; etc.

# BIBLIOGRAFIA

## I . OBRAS GERAIS

BIBLOS, *Enciclopédia VERBO das Literaturas de Língua Portuguesa*, Lisboa / S. Paulo: 1995.

CASTRO, Aníbal Pinto de – *Retórica e Teorização Literária em Portugal. Do Humanismo ao Neoclassicismo*, Coimbra: Centro de Estudos Românicos, 1973.

CIDADE, Hernâni – *Lições de Cultura Luso-Brasileira. Épocas e Estilos na Literatura e nas Artes Plásticas*, Rio de Janeiro: Livros de Portugal, 1960.

————. *O Conceito de Poesia como Expressão da Cultura*, São Paulo: Acadêmica, 1946.

COCHOFEL, João José, dir. – *Grande Dicionário da Literatura Portuguesa e de Teoria Literária*, vol. 1, Lisboa: Iniciativas Editoriais [1978].

COELHO, Jacinto do Prado, dir. – *Dicionário de Literatura*, 3ª ed., Porto: Figueirinhas, 1978; *Actualização*, 3 vols., coord. de Ernesto Rodrigues, Pires Laranjeira.

FIGUEIREDO. Fidelino de – *Características da Literatura Portuguesa*, 3ª ed., Lisboa: Clássica, 1923.

————. *Literatura Portuguesa*, 3ª ed., Rio de Janeiro: Acadêmica, 1955.

GAVILANES, José Luis e APOLINÁRIO, Antônio, eds. – *Historia de la Literatura Portuguesa*, Madrid: Cátedra, 2000.

MACHADO, Álvaro Manuel, dir. – *Quem é quem na Literatura Portuguesa*, Lisboa: Dom Quixote, 1979.

————— org. e dir. – *Dicionário de Literatura Portuguesa*, Lisboa: Presença, 1996.

MOISÉS, Massaud, org. e dir. – *Pequeno Dicionário de Literatura Portuguesa*, S. Paulo: Cultrix, 1981.

————. *As Estéticas Literárias em Portugal*, 3 vols., Lisboa: Caminho, 1997, 2000, 2002.

*PEQUENO Roteiro da História da Literatura Portuguesa*, Lisboa: Instituto Português do Livro, 1984.

PICCHIO, Luciana Stegagno – *História do Teatro Português*, Lisboa: Portugália, 1969.

REBELLO, Luiz Francisco – *História do Teatro Português*, Lisboa: Europa-América, 1968.

————. *O Teatro Simbolista e Modernista (1890-1939)*, Lisboa: ICALP, 1979.

————. *100 Anos de Teatro Português*, 4ª ed., Lisboa: Europa-América, 1989.

SAMPAIO, Albino Forjaz de – *História da Literatura Portuguesa Ilustrada*, 3 vols., Lisboa: Bertrand, 1929; 4º vol., Porto: Liv. Fernando Machado, 1942.

SARAIVA, Antônio José – *História da Cultura em Portugal*, 3 vols., Lisboa: Jornal do Foro, 1950-1962.

————.e LOPES, Óscar – *História da Literatura Portuguesa*, 17ª ed., cor. e atual., Porto: Porto Ed., 2001.

SIMÕES, João Gaspar – *História da Poesia Portuguesa*, 3 vols., Lisboa: Empresa Nacional de Publicidade [1985-1959].

BIBLIOGRAFIA • 549

————————. *Perspectiva Histórica da Poesia Portuguesa (Dos Simbolistas aos Novíssimos)*, Porto: Brasília, 1976.

VAN THIEGHEM, Philippe – *Petite Histoire des Grandes Doctrines Littéraires en France. De la Pléiade au Surréalisme,* 6ª ed., Paris: PUF, 1960.

V. A. – *Il Portogallo. Dalle Origini al Seicento*, a cura di Luciana Stegagno Picchio, Firenze-Antella: Passigli, 2001.

————————.*História da Literatura Portuguesa*, 7 vols., Lisboa: Alfa, 2001- 2002.

VIALE COUTINHO, Porto: Figueirinhos, 2002-2003; *Dicionário Cronológico de Autores Portugueses*, coord. de Eugénio Lisboa, vol. I, Lisboa: Publs. Europa-América, 1985; vol. II, 1990: vol. III, 1994; coord. de Ilídio Rocha, Lisboa: Publs. Europa – América, vol. IV, 1998; vol. V, 2000, vol. VI, 2001.

## II. III. TROVADORISMO. HUMANISMO

*ACTAS DO I CONGRESSO INTERNACIONAL DE ESTUDOS MEDIEVAIS,* 4, 5 e 6 Julho 1995, S. Paulo/Campinas/Araraquara: USP/UNICAMP/UNESP, 1995.

ASENSIO, Eugenio – *Poética y Realidad en el Cancionero Peninsular de la Edad Media,* 2ª ed., Madrid: Gredos, 1970.

BATAILLON, Marcel – *Études sur le Portugal au Temps de l'Humanisme,* Coimbra: Por Ordem da Universidade, 1952.

BRAGA, Teófilo – *História da Literatura Portuguesa – Idade Média,* Porto: Chardron, 1909.

CARDOSO, Wilton – *Da Cantiga de Seguir no Cancioneiro Peninsular da Idade Média,* Belo Horizonte: s. e., 1977.

CARVALHO, Joaquim de – *Estudos sobre a Cultura Portuguesa do Século XV,* Coimbra: Por Ordem da Universidade, 1949.

CUNHA, Celso – *Estudos de Versificação Portuguesa (Séculos XIII a XVI),* Paris: Fundação Calouste Gulbenkian, Centro de Cultura Portuguesa, 1982.

DIAS, Aida Fernanda – *O "Cancioneiro Geral" e a Poesia Peninsular de Quatrocentos (Contactos e Sobrevivência)*, Coimbra: Almedina, 1978.

GONÇALVES, Elsa, apres., sel. e notas, RAMOS, Maria Ana, normas de transcrição, glossário e notas – *A Lírica Galego-Portuguesa (Textos Escolhidos)*, 2ª ed., Lisboa: Comunicação, 1985.

————————. *Poesia de Rei: Três Notas dionisinas,* Lisboa: Cosmos, 1991.

LANCIANI, Giulia e TAVANI, Giuseppe, dirs. – *Dicionário de Literatura Medieval e Galega,* Lisboa: Caminho, 1993.

LAPA, Manuel Rodrigues – *Das Origens da Poesia Lírica em Portugal na Idade Média,* Lisboa: s. e., 1929.

————————. *Lições de Literatura Portuguesa, Época Medieval,* 6ª ed., rev. e aum., Coimbra: Coimbra Ed., 1966.

550 • A LITERATURA PORTUGUESA

—————. *Miscelânea de Língua e Literatura Portuguesa Medieval*, Rio de Janeiro: INL, 1965.

—————. "A Questão do *Amadis de Gaula* no Contexto Peninsular", *Grial*, Revista Galega de Cultura, Vigo: nº 27, jan.-mar. 1970, 14-18.

MARTINS, Mário – *Estudos de Cultura Medieval*, 3 vols., Lisboa: Brotéria, 1959, 1980, 1983.

—————. *Alegorias, Símbolos e Exemplos Morais da Literatura Medieval Portuguesa*, 1980, Lisboa: Brotéria, 1980.

————— *A Sátira na Literatura Medieval Portuguesa (Séculos XIII e XIV)*, 2ª ed., Lisboa: ICALP, 1986.

MATTOSO, José – *O Essencial sobre a Cultura Medieval Portuguesa (Séculos XI a XIV)*, Lisboa: Imprensa Nacional – Casa da Moeda, 1985.

—————. *Portugal Medieval: Novas Interpretações*, 2ª ed., Lisboa: Imprensa Nacional – Casa da Moeda, 2002.

NUNES, José Joaquim – *Cantigas d'Amigo dos Trovadores Galego-Portugueses,* 3 vols., Coimbra: Imprensa da Universidade, 1926, 1928.

—————. *Cantigas d'Amor dos Trovadores Galego-Portugueses*, Coimbra: Imprensa da Universidade, 1932.

O *CANCIONEIRO DA AJUDA* CEN ANOS DESPOIS, Actas do Congresso realizado pela Dirección Xeral de Promoción Cultural en Santiago de Compostela e na Illa de San Simón os días 25-28 de maio de 2004, Santiago de Compostela: Xunta de Galicia, 2004.

OLIVEIRA, Antonio Resende de – *Depois do Espetáculo Trovadoresco: A Estrutura dos Cancioneiros Peninsulares e as Recolhas dos Séculos XIII e XIV,* Lisboa: Colibri, 1994.

—————. *O Trovador Galego-Português e o seu Mundo*, Lisboa: Notícias, 2001.

PELAYO, Marcelino Menéndez – *Orígenes de la Novela*, 4 vols., Santander: Consejo Superior de Investigaciones Científicas, 1943.

PELLEGRINI, Silvio e MARRONI, Giovanna – *Nuovo Repertorio Bibliografico della Prima Lirica Galego-Portoghese*, L'Aquila: Japadre, 1981.

PIMPÃO, Álvaro Júlio da Costa – *História da Literatura Portuguesa – Idade Média,* 2ª ed. rev., Coimbra: Atlântida, 1959.

RAMALHO, Américo da Costa – *Para a História do Humanismo em Portugal*, vol. I, Coimbra: INIC, 1988; vol.. II, Lisboa: Fundação Calouste Gulbenkian-INIC, 1994; vols. III e IV, Lisboa: Imprensa Nacional-Casa da Moeda, 1998, 2000.

—————. "A Introdução do Humanismo em Portugal", Coimbra: 1972 (sep. de *Humanitas*, vols. XXIII-XXIV, Faculdade de Letras da Universidade de Coimbra, Instituto de Estudos Clássicos).

RESENDE, Garcia de – *Cancioneiro Geral*, 1516, texto estabelecido, prefaciado e anotado por Álvaro Júlio da Costa Pimpão e Aida Fernandes Dias, Coimbra: Centro de Estudos Românicos, 1973.

BIBLIOGRAFIA • 551

ROCHA, Andrée Crabbé – *Aspectos do Cancioneiro Geral*, Coimbra: Coimbra Ed., 1949.

RUGGIERI, Jole – *Il Canzoniere di Resende*, Genève: Leo S. Olschki, 1931.

SARAIVA, Antônio José – *A Épica Medieval Portuguesa*, Lisboa: ICALP, 1979.

SHARRER, Harvey L. – "The Discovery of Seven *Cantigas d'Amor* by Dom Dinis with Musical Notation, *Hispania*, vol. 74, nº 2, maio 1991, 459-61.

*SIGNUM* – S. Paulo: Associação Brasileira de Estudos Medievais, 1998-

TAVANI, Giuseppe – *Poesia del Duecento nella Penisola Iberica. Problemi della Lirica Galego-Portoghese,* Roma: 1969; *A Poesia Lírica Galego-Portuguesa,* trad. Isabel e Emílio Ferreira, Lisboa: Comunicação, 1990.

————. *Ensaios Portugueses. Filologia e Linguística*, Lisboa: Imprensa Nacional-Casa da Moeda, 1988.

————. *Trovadores e Jograis. Introdução à Poesia Medieval Galego-Portuguesa*, Lisboa: Caminho, 2002.

VALVERDE, Xosé Filgueira – "Sobre a Nomenclatura da Cantiga Peculiar Galego-Portuguesa Medieval: *leixa-prén, refrán, cossaute...*", *Homenagem a Joseph M. Piel por ocasião do seu 85º Aniversário*, Tübingen: Max Niemeyer Verlag, 1988, 547-567.

VASCONCELOS, Carolina Michaëlis de – *Romances Velhos em Portugal,* Coimbra: Imprensa da Universidade, 1934.

————. "Glossário do *Cancioneiro da Ajuda*", Lisboa: *Revista Lusitana*, vol. XXIII, 1-95, 1920, ed. reprografada, com estudo introdutório de W. Meyer-Lübke, Rio de Janeiro: Lucerna, 1990.

————. *Glosas Marginais ao Cancioneiro Medieval Português*, trad. de Yara Frateschi Vieira *et al.*, Coimbra: Por Ordem da Universidade, 2004.

VIEIRA, Yara Frateschi – *En cas dona Maior. Os Trovadores e a Corte Senhorial Galega no Século XIII*, Santiago de Compostela: Laiovento, 1999.

## IV. CLASSICISMO

BELCHIOR, Maria de Lourdes – *Os Homens e os Livros*, Séculos XVI e XVII, Lisboa: Verbo, 1971.

BRAGA, Teófilo – *História da Literatura Portuguesa – Renascença*, Porto: Chardron, 1914.

CARVALHO, Joaquim de – *Estudos sobre a Cultura Portuguesa do Século XVI,* vol. II, Coimbra: Por Ordem da Universidade, 1948.

CASTRO, Aníbal Pinto de – "La Poétique et la Rhétorique dans la Pédagogie et dans la Littérature de l'Humanisme Portugais", *L'Humanisme Portugais et l'Europe,* Actes du XXIe Colloque International d'Études Humanistes, Tours: 3-13 jul. 1978, Paris: Fundação Calouste Gulbenkian, Centro Cultural Português, 1984, 699-721 (sep.).

————. "Os Códigos Poéticos em Portugal do Renascimento ao Barroco. Seus Fundamentos. Seus Conteúdos", Coimbra: *Revista da Universidade de Coimbra,*"Homenagem ao Doutor Manuel Lopes de Almeida", 2ª parte, 1985, vol XXXI: 505-31.

552 • A LITERATURA PORTUGUESA

CIDADE, Hernâni – *Lições de Cultura e Literatura Portuguesas,* 1º vol. (sécs. XV, XVI, XVII), 3ª ed. cor., ampl. e atual., Coimbra: Coimbra Ed., 1951.

––––––––. *A Literatura Autonomista sob os Filipes,* Lisboa: Sá da Costa [1949?].

CIRURGIÃO, Antônio – *Leituras Alegóricas de Camões e Outros Estudos de Literatura Portuguesa,* Lisboa: Imprensa Nacional-Casa da Moeda, 1999.

DIAS, José Sebastião da Silva – *Portugal e a Cultura Europeia* (sécs. XVI a XVIII), Coimbra: 1953 (sep. da revista *Biblos,* vol. XXVIII).

FIGUEIREDO, Fidelino de – *História da Literatura Clássica* (sécs. XVI, XVII, XVIII), 3 vols., 3ª ed., rev., São Paulo: Anchieta, 1946.

HAUSER, Arnold – *Maneirismo,* trad. Magda França, S. Paulo: Perspectiva, 1976.

HOCKE, Gustav René – *Maneirismo: O Mundo como Labirinto,* trad. Clemente Raphael Mahl, S. Paulo: Perspectiva/EDUSP, 1974.

KOHUT, Karl – *Las Teorías Literarias en España y Portugal durante los Siglos XV y XVI,* Madrid: Consejo Superior de Investigaciones Científicas, 1973.

LEPECKI, Maria Lúcia, PIRES, Lucília Gonçalves, MENDES, Margarida Vieira – *Para uma História das Ideias Literárias em Portugal,* Lisboa: Instituto Nacional de Investigação Científica, 1980.

MARNOTO, Rita – *O Petrarquismo Português do Renascimento e do Maneirismo,* Coimbra: Acta Universitatis Conimbrigensis, 1997.

MARTINS, José V. de Pina – *Humanismo e Erasmismo na Cultura Portuguesa do Século XVI,* Paris: Fundação Calouste Gulbenkian, Centro Cultural Português, 1973.

RAMALHO, Américo da Costa – *Estudos Sobre a Época do Renascimento,* Coimbra: Centro de Estudos Clássicos e Humanísticos, 1969.

––––––––. *Estudos sobre o Século XVI,* 2ª ed., Lisboa: Imprensa Nacional – Casa da Moeda, 1983.

––––––––. *Para a História do Humanismo em Portugal,* vol., I, Coimbra: INIC, 1988; vol. II, Lisboa: Fundação Calouste Gulbenkian/INIC, 1994; vol. III e IV, Lisboa: Imprensa Nacional – Casa da Moeda, 1988, 2000.

SILVA, Vítor Manuel de Aguiar e – *Para uma Interpretação do Classicismo,* Coimbra: 1962 (sep. da *Revista de História da Literatura Portuguesa,* Coimbra, 1962).

SILVA DIAS, José Sebastião da – *Portugal e a Cultura Europeia (Séculos XVI a XVIII),* Coimbra: 1953 (sep. de *Biblos,* vol. XXVIII).

SPINA, Segismundo – *Introdução à Poética Clássica,* S. Paulo: FTD, 1967.

## V. BARROCO

BELCHIOR, Maria de Lourdes – *Os Homens e os Livros (Séculos XVI e XVII)),* Lisboa: Verbo, 1971.

BORRALHO, Manuel da Fonseca – *Luzes da Poesia Descobertas no Oriente de Apolo...,* Lisboa: Of. de Felipe de Sousa Villela, 1724.

BIBLIOGRAFIA • 553

BRAGA, Teófilo – *História da Literatura Portuguesa – Seiscentistas,* Porto: Chardron, 1918.

CIDADE, Hernâni – *Lições de Cultura e Literatura Portuguesas,* 1º vol. (sécs. XV, XVI, XVII), 3ª ed. cor., ampl. e atual., Coimbra: Coimbra Ed., 1951.

——————. *A Literatura Autonomista sob os Filipes,* Lisboa: Sá da Costa [1949?].

*Claro Escuro: Revista de Estudos Barrocos,* dir. Ana Hatherly, Lisboa: 1988-1990.

FERREIRA, Francisco Leitão – *Nova Arte de Conceitos,* 2 vols., Lisboa: Na Oficina de Antonio Pedrozo Galram, 1718, 1721.

FIGUEIREDO, Fidelino de – *História da Literatura Clássica* (sécs. XVI, XVII, XVIII), 3 vols., 3ª ed., São Paulo: Anchieta, 1946.

HATHERLY, Ana – *O Ladrão Cristalino: Aspectos do Imaginário Barroco,* Lisboa: Cosmos, 1997.

——————. *Poesia Incurável: Aspectos da Sensibilidade Barroca,* Lisboa: Estampa, 2003.

MONTES, José Ares – *Góngora y la Poesía Portuguesa del Siglo XVII,* Madrid: Gredos [1956].

PALMA-Ferreira, João – *Academias Literárias dos Séculos XVII e XVIII,* Lisboa: Biblioteca Nacional, 1982.

PIRES, Maria Lucília Gonçalves – *Poetas do Período Barroco,* Lisboa: Comunicação, 1985.

——————. *Xadrez de Palavras: Estudos de Literatura Barroca,* Lisboa: Cosmos, 1996.

SARAIVA, Antônio José – "Sobre o 'Barroco' na Literatura Portuguesa", *Colóquio,* Lisboa: nº 43, abr. 1967, 54-56.

——————. *O Discurso Engenhoso,* S. Paulo: Perspectiva, 1980.

SENA. Jorge de – *Trinta Anos de Camões,* vol. I, Lisboa: Edições 70, 1980.

SILVA, Vítor Manuel de Aguiar e – *Maneirismo e Barroco na Poesia Lírica Portuguesa,* Coimbra: Centro de Estudos Românicos, 1971.

SILVA DIAS, José Sebastião da – *Portugal e a Cultura Europeia (Séculos XVI a XVIII),* Coimbra: 1953 (sep. de *Biblos,* vol. XXVIII).

SOBRAL, Luís de Moura – *Pintura e Poesia na Época Barroca,* Lisboa: Estampa, 1994.

## VI. ARCADISMO

ANDRADE, Antônio Alberto de – *Vernei e a Cultura do seu Tempo,* Coimbra: Por Ordem da Universidade, 1966.

BRAGA, Teófilo – *História da Literatura Portuguesa – Os Árcades,* Porto: Chardron, 1918.

——————. *Filinto Elísio e os Dissidentes da Arcádia,* Porto: Chardron, 1901.

CASTRO, Aníbal Pinto de – "Alguns Aspectos da Teorização Poética do Neoclassicismo", Braga: *Bracara Augusta,* vol. XXVIII, fasc. 65-66 (77-78), 1974 (sep.).

——————. "*Breves Reflexões sobre o Teatro em Portugal nos Séculos XVII a XVIII,* Coimbra: 1974 (sep. do "Catálogo da Coleção de Miscelâneas" da Biblioteca Geral da Universidade de Coimbra, vol. VII).

554 • A LITERATURA PORTUGUESA

CIDADE, Hernâni – *Lições de Cultura e Literatura Portuguesas,* 2ª vol. (séc. XVIII), 2ª ed., ampl. e rev., Coimbra: Coimbra Ed., 1939.

————. *O Conceito de Poesia como Expressão da Cultura,* S. Paulo: Acadêmica, 1946.

COELHO, Jacinto do Prado – *Problemática da História Literária,* 2ª ed., Lisboa: Ática, 1961.

———— *Poetas Pré-Românticos,* Coimbra: Atlântida, 1961.

CUADRADO, Perfecto E. – *Poesia Portuguesa do Século XVIII. Estudo e Antologia,* Santiago de Compostela: Laiovento, 1998.

FIGUEIREDO, Fidelino de – *História da Literatura Clássica* (sécs. XVI, XVII, XVIII), 3 vols., 3ª ed., São Paulo: Anchieta, 1946.

PALMA-FERREIRA, João – *Academias Literárias dos Séculos XVII e XVIII,* Lisboa: Biblioteca Nacional, 1982.

ROSSI, Giuseppe Carlo – *L'Arcadia e il Romantismo in Portogallo,* Coimbra: *Biblos,* 1945.

SCOTTI, Aurora – "L'Accademia degli Arcadi in Roma e i suoi raporti con la Cultura Porto-ghese nel primo ventennio del 1700", Braga: *Bracara Augusta,* vol. XXVII, nº 63 (75), 1973, 115-130.

SILVA DIAS, José Sebastião da – *Portugal e a Cultura Europeia* (séculos XVI a XVIII), Coimbra: 1953 (sep. de *Biblos,* vol. XXVIII).

## VII. ROMANTISMO

BRAGA, Teófilo – *História do Romantismo em Portugal,* Lisboa: Nova Livraria Internacional, 1880.

FERREIRA, Alberto – *Perspectiva do Romantismo Português,* Lisboa: Edições 70, 1971.

FIGUEIREDO, Fidelino de – *História da Literatura Romântica* (1825-1870), 3ª ed., São Paulo: Anchieta, 1946.

FRANÇA, José-Augusto – *O Romantismo em Portugal,* 3 vols, Lisboa: Livros Horizonte, 1975-1977; 2ª ed., 1993.

MACHADO, Álvaro Manuel – *As Origens do Romantismo em Portugal,* Lisboa: ICALP, 1979,

————. *Les Romantismes au Portugal* – Modèles étrangers et orientations nationales, Pa-ris: Fundação Calouste Gulbenkian, 1986.

————. *O Romantismo na Poesia Portuguesa (de Garrett a Antero),* Lisboa: ICALP, 1986.

————. *Do Romantismo aos Romantismos em Portugal. Ensaios de Tipologia Comparativis-ta,* Lisboa: Presença, 1996.

*O TROVADOR / O NOVO TROVADOR,* Estudo Introdutório de Álvaro Manuel Machado, Lisboa: Imprensa Nacional-Casa da Moeda, 1999.

NEMÉSIO, Vitorino – *Relações Francesas do Romantismo Português,* Coimbra: Biblioteca Geral da Universidade, 1936.

SIMÕES, João Gaspar, ed. – *Perspectiva da Literatura Portuguesa do Século XIX,* 2 vols., Lis-boa: Ática, 1947.

BIBLIOGRAFIA • 555

## VIII. REALISMO

ALMEIDA, Vieira de – "A Geração de 70", *in A Janela de Tormes,* Lisboa, "Revista do Ocidente", 1945, 9-41.

ALMEIDA, Vieira de, *et al.* – *Vencidos da Vida,* 1º Ciclo de Conferências promovido pelo *Século,* Lisboa, 1941.

BERRINI, Beatriz – *Brasil e Portugal: A Geração de 70,* Porto: Campo das Letras, 2003.

BRAGA, Teófilo – *As Modernas Ideias na Literatura Portuguesa,* 2 vols., Porto: Liv. Internacional, 1892.

FERREIRA, Alberto – *Estudos de Cultura Portuguesa (Século XIX),* Lisboa: Moraes, 1980.

————, introd., MARINHO, Maria José, notas, bibl. e índice – *Bom Senso e Bom Gosto (Questão Coimbrã),* 4 vols., Lisboa: Portugália, 1966-1970; reed., Lisboa: Imprensa Nacional – Casa da Moeda, 1989.

FIGUEIREDO, Fidelino de – *História da Literatura Realista (1871-1900),* 3ª ed., S. Paulo: Anchieta, 1946.

GAIO, Manuel da Silva – *Os Vencidos da Vida,* Coimbra, Imprensa da Universidade, 1931.

LOPES, Óscar – *Realistas e Parnasianos,* Lisboa: Contemporânea de Edições, s. d.

LOPES, Óscar – *Oliveira Martins e as Contradições da Geração de 70,* Porto: Biblioteca Fenianos, 1946.

MACHADO, Álvaro Manuel – *A Geração de 70 – Uma Revolução Cultural e Literária,* Lisboa: ICALP, 1977.

MEDINA, João – *Herculano e a Geração de 70,* Lisboa: Terra Livre, 1977.

SALGADO (Jr.), Antônio – *História das Conferências do Cassino Lisbonense,* Lisboa: Cooperativa Militar, 1930.

ZOLA, Émile – *Le Roman Expérimental,* Paris: Charpentier, 1880.

## IX. SIMBOLISMO

AMORA, Antônio Soares – *Interpretação da Cultura Portuguesa na Atualidade,* 1955/1956 (sep. do Anuário da Faculdade de Filosofia, Ciências e Letras "Sedes Sapientiae", S. Paulo: PUCSP).

COSTA DIAS, Augusto da – *A Crise da Consciência Pequeno-Burguesa. 1- O Nacionalismo Literário da Geração de 90,* 2ª ed., Lisboa: Portugália [1964].

FERRO, Túlio Ramires, *et al.* – "O Simbolismo e os Simbolistas", *in Estrada Larga,* Antologia do Suplemento "Cultura e Arte" de *O Comércio do Porto,* Porto: Porto Ed., 1958, vol. 1, 101-152.

GUIMARÃES, Fernando, sel. e pref. – *Ficção e Narrativa no Simbolismo,* Lisboa: Guimarães, 1988.

————. *Poética do Simbolismo em Portugal,* Lisboa: Imprensa Nacional-Casa da Moeda, 1990.

556 • A LITERATURA PORTUGUESA

————. *Simbolismo, Modernismo e Vanguardas*, Lisboa: Imprensa Nacional-Casa da Moeda, 1982.

*Nova Renascença*, Porto: vol. IX, 1990 (nº especial, em torno "Do Simbolismo aos Simbolismos").

PEREIRA, José Carlos Seabra – *Decadentismo e Simbolismo na Poesia Portuguesa*, Coimbra: Centro de Estudos Românicos. 1975.

————. *Do Fim-de-Século ao Tempo de Orfeu*, Coimbra: Almedina, 1979.

RAMOS, Feliciano – *Eugênio de Castro e a Poesia Nova*, Lisboa: "Ocidente", 1943.

SIMÕES, Veiga – *A Nova Geração*. Estudos sobre as tendências atuais da Literatura Portuguesa, Coimbra: 1911.

UNAMUNO, Miguel de – Prefácio às *Cartas* de Manuel Laranjeira, 1943.

## X. SAUDOSISMO

ANTUNES, Manuel – *Do Espírito e do Tempo*, Lisboa: Ática, 1960.

BARREIRA, Cecília – *Sondagens em Torno da Cultura e das Ideologias em Portugal (Sécs. XIX-XX)*, Lisboa: Polemos, 1983.

BOTELHO, Afonso – *Da Saudade ao Saudosismo*, Lisboa: ICALP, 1990.

COELHO, Jacinto do Prado – Introd. às *Obras Completas de Teixeira de Pascoaes*, Lisboa: Bertrand, s. d.

————. *A Letra e o Leitor*, 2ª ed., Lisboa: Moraes, 1977.

*Estrada Larga*, Antologia do Suplemento "Cultura e Arte" de *O Comércio do Porto*, org. de Costa Barreto, Porto: Porto Ed., vol. 1, s. d.

*Encontro com Teixeira de Pascoaes No Centenário da sua Morte*. Actas do Colóquio (Faculdade de Letras de Lisboa, 29 de abril de 2003), Lisboa: Colibri/Departamento de Letras da Universidade de Lisboa, 2004.

GARCIA, Mário – *Teixeira de Pascoaes. Contribuição para o Estudo da sua Personalidade e para a Leitura da sua Obra*, Braga: Faculdade de Filosofia, 1976.

GUIMARÃES, Fernando – *Poética do Saudosismo*, Lisboa: Presença, 1988.

MARGARIDO, Alfredo – *Teixeira de Pascoaes*, Lisboa: Arcádia, 1961.

SANTOS, A. Ribeiro dos – *A Renascença Portuguesa – Um Movimento Cultural Portuense*, Porto: Fundação Engº Antônio de Almeida, 1990.

## XI. ORFISMO

CASTRO, E. M. de Melo e – *As Vanguardas na Poesia Portuguesa do Século XX*, 2ª ed., Lisboa: ICALP, 1987.

CIDADE, Hernâni – *Tendências do Lirismo Contemporâneo*, Lisboa: Portugália, 1939.

COELHO, Jacinto do Prato, *et al.* – "Fernando Pessoa e o Movimento do Orpheu", *in Estrada Larga*, Antologia do Suplemento "Cultura e Arte" de *O Comércio do Porto*, Porto:

BIBLIOGRAFIA • 557

Porto Ed., 1958, vol. 1, p. 157-236 e 422-597; vol. III, 204-93, 312-353, 376-402, 425-35, 448-54, 472-95.

FIGUEIREDO, Fidelino de – *Depois de Eça de Queirós... (Apêndice V da História da Literatura Realista)*, 3ª ed., São Paulo: Anchieta, 1946.

GUIMARÃES, Fernando – *Os Problemas da Modernidade*, Lisboa: Presença, 1994.

LISBOA, Eugênio – *Poesia Portuguesa: do "Orpheu" ao Neorrealismo*, 2ª ed., Lisboa: ICALP, 1986.

PEREIRA, José Carlos Seabra – *Do Fim-de-Século ao Tempo de Orfeu*, Coimbra: Almedina, 1979.

PETRUS, org. – *Os Modernistas Portugueses*. Escritos Públicos – Proclamações e Manifestos, 6 vols., Porto: Textos Universitários, s. d.

SARAIVA, Arnaldo – *O Modernismo Brasileiro e o Modernismo Português*, 3 vols., Porto: s.e., 1986.

SIMÕES, João Gaspar – *Fernando Pessoa (História de uma Geração)*, 2 vols., Lisboa: Bertrand, s. d.

TETRACÓRNIO (Antologia de Inéditos de Autores Portugueses Contemporâneos), org. por José-Augusto França. MEIO SÉCULO XX DE LITERATURA PORTUGUESA ("Tentativa de um Panorama Coordenado da Literatura Portuguesa de 1901 a 1950", por Jorge de Sena; "*Orpheu* ou a Poesia como Realidade", por Eduardo Lourenço; "Caracterização da *Presença*, ou as Definições Involuntárias", por David Mourão-Ferreira: "Ambições e Limitações do Neorrealismo Português", por João Pedro de Andrade; "Mil-Novecentos-e-Cinquenta", por José-Augusto França), Lisboa: 1955.

TRICÓRNIO (Antologia de Inéditos de Autores Portugueses Contemporâneos), org. por José-Augusto França ("O *Orpheu* e a Literatura Portuguesa", por Fernando Pessoa; "Do Surrealismo", por Fernando Azevedo), Lisboa: 1952.

## XII. PRESENCISMO

CIDADE, Hernâni – *Tendências do Lirismo Contemporâneo*, Lisboa: Portugália, 1939.

GUIMARÃES, Fernando – *A Poesia da Presença e o Aparecimento do Neorrealismo*, 2ª ed., Porto: Brasília, 1981.

—————. *Simbolismo, Modernismo e Vanguardas*, Lisboa: Imprensa Nacional – Casa da Moeda, 1982.

LISBOA, Eugênio – *O Segundo Modernismo em Portugal*, 2ª ed., Lisboa: ICALP, 1984.

—————. *Poesia Portuguesa: do "Orpheu" ao Neorrealismo*, Lisboa: ICALP, 1980.

MONTEIRO, Adolfo Casais – *A Poesia da "Presença"*, Estudo e Antologia, Rio de Janeiro: MEC [1959].

OLIVEIRA, José Osório de – *Visão Incompleta de Meio Século de Literatura Portuguesa*, Lisboa: Portugália, 1950.

PIMENTEL, F. J. Vieira – *Em Torno do Movimento da "Presença": Modernismo e Vanguardas*, Lisboa: Fundação Calouste Gulbenkian, 1996.

————. *"Presença": Labor e Destino de Uma Geração (1927-1940)*. Estudos e Ensaios, Lisboa: Colibri, 2003.

SIMÕES, João Gaspar – *História do Movimento da "Presença"*, Coimbra: Atlântida, 1958.

TETRACÓRNIO (Antologia de Inéditos de Autores Portugueses Contemporâneos). Org. por José-Augusto França. MEIO SÉCULO XX DE LITERATURA PORTUGUESA. ("Tentativa de um Panorama Coordenado da Literatura Portuguesa de 1901 a 1950", por Jorge de Sena; *"Orpheu* ou a Poesia como Realidade", por Eduardo Lourenço; "Caracterização da *Presença*, ou as Definições Involuntárias", por David Mourão-Ferreira: "Ambições e Limitações do Neorrealismo Português", por João Pedro de Andrade; "Mil-Novecentos-e-Cinquenta", por José-Augusto França), Lisboa: 1955

# XIII. NEORREALISMO

ANDRADE, João Pedro de – *A Poesia da Moderníssima Geração*. Porto: Latina, 1943.

BRASIL, Jaime – *Os Nossos Escritores e o Movimento do Neorrealismo*, Lisboa: "O Primeiro de Janeiro", 1945.

CASTRO, E. M. de Melo e – *As Vanguardas na Poesia Portuguesa do Século XX*, 2ª ed., Lisboa: ICALP, 1987.

CRUZ, Duarte Ivo – *Introdução ao Teatro Português do Século XX*, Lisboa: Espiral, s. d.

GUIMARÃES, Fernando – *A Poesia da Presença e o Aparecimento do Neorrealismo*, 2ª ed., Porto: Brasília, 1981.

LISBOA, Eugênio – *Poesia Portuguesa: do "Orpheu" ao Neorrealismo*, Lisboa: ICALP, 1980.

MACHADO, Álvaro Manuel – *A Novelística Portuguesa Contemporânea*, Lisboa: ICALP, 1977.

MEDINA, Cremilda de Araújo – *Viagem à Literatura Portuguesa Contemporânea*, Rio de Janeiro: Nórdica, 1983.

NAMORA, Fernando – "Esboço Histórico do Neorrealismo", sep. das "Memórias", Classe de Letras, Lisboa: Academia das Ciências, 1961.

PAVÃO, José de Almeida – *Alves Redol e o Neorrealismo*, Lisboa: "Ocidente", 1959.

PEREIRA, Maria Idalina Cobra – *Tendências e Correntes do Moderno Romance Português*, Lisboa: 1956 (tese mimeografada).

PETRUS, org. – *Os Modernistas Portugueses*. Escritos Públicos – Proclamações e Manifestos, 6 vols., Porto: Textos Universitários, s. d.

PITA, Antônio Pedro – *Conflito e Unidade no Neorrealismo Português – Arqueologia de uma Problemática*, Porto: Campo das Letras, 2003.

QUADROS, Antônio – *Crítica e Verdade. Introdução à Actual Literatura Portuguesa*, Lisboa: Clássica, 1964.

REIS, Carlos – *O Discurso Ideológico do Neorrealismo Português*, Coimbra: Almedina, 1983.

BIBLIOGRAFIA • 559

TETRACÓRNIO (Antologia de Inéditos de Autores Portugueses Contemporâneos). Org. por José-Augusto França. MEIO SÉCULO XX DE LITERATURA PORTUGUESA. ("Tentativa de um Panorama Coordenado da Literatura Portuguesa de 1901 a 1950", por Jorge de Sena; *"Orpheu ou a Poesia como Realidade"*, por Eduardo Lourenço; "Caracterização da *Presença,* ou as Definições Involuntárias", por David Mourão-Ferreira: "Ambições e Limitações do Neorrealismo Português", por João Pedro de Andrade; "Mil-Novecentos-e-Cinquenta", por José-Augusto França), Lisboa: 1955.

TORRES, Alexandre Pinheiro – *O Movimento Neorrealista em Portugal na sua Primeira Fase,* Lisboa: ICALP, 1977.

————. *O Neorrealismo Literário Português,* Lisboa: Moraes, 1977.

## XIV. SURREALISMO

BRETON, André – *Oeuvres Complètes,* 2 vols., Paris: Gallimard,1988, 1992.

*COLÓQUIO/LETRAS,* Lisboa: Fundação Calouste Gulbenkian, nº 50, 55-60: "Perspectiva Actual do Surrealismo".

CUADRADO, Perfecto E. – *You Are Welcome to Elsinore. Poesia Surrealista Portuguesa. Antologia,* Santiago de Compostela: Laiovento, 1996.

FRANÇA, José-Augusto – *Balanço das Actividades Surrealistas em Portugal,* Lisboa: Cadernos Surrealistas, 1949.

————. *A Arte e a Sociedade Portuguesa no Século XX,* Lisboa: Livros Horizonte, 1972

———— *A Arte em Portugal no Século XX,* Lisboa: Bertrand, 1974

MARINHO, Maria de Fátima – *O Surrealismo em Portugal,* Lisboa: Imprensa Nacional-Casa da Moeda, 1987.

MARTINS, J. Cândido – *Teoria da Paródia Surrealista,* Braga: APPACDM Distrital, 1995.

MELO E CASTRO, E. M. de – *O Próprio Poético,* S. Paulo: Quíron, 1973.

*QUADERNI PORTOGHESI,* Pisa: Giardini, nº 3, 1978 (nº especial, dedicado ao Surrealismo)

PEDRO, Antônio – *Antologia Poética,* introd., sel. e notas de Fernando Matos Oliveira, Braga/Coimbra: Angelus Novus, 1998.

PETRUS, org. – *Os Modernistas Portugueses.* Escritos Públicos – Proclamações e Manifestos, 6 vols., Porto: Textos Universitários, s.d.

*REPÚBLICA,* Lisboa: 14 dez. 1972: "Surrealismo: Da exposição (1949) à posição (agora)".

ROSA, Antônio Ramos – *A Poesia Moderna e a Interpretação do Real, I e II,* Lisboa: Arcádia, 1979, 1980.

————. *Incisões Oblíquas,* Lisboa: Caminho, 1987.

SAMPAIO, Ernesto – *Luz Central,* Lisboa: ed. do autor, 1959.

————. *Para Uma Cultura Fascinante,* Lisboa: ed. do autor, 1959.

SIMÕES, João Gaspar – *Literatura, Literatura, Literatura...,* Lisboa: Portugália, 1964.

560 • A LITERATURA PORTUGUESA

SOBRAL, Luís de Moura – *Le Surréalisme Portugais*, Galerie UQAM, 16 set.-out. 1983, Montréal: 1984.

————. *Surréalisme Périférique*. Actes du Colloque *Portugal, Québec, Amérique Latine: un Surréalisme Périférique?*, présentés et edités par..., Montréal: Université de Montréal, 1984.

VASCONCELOS, Mário Cesariny de, org. – *Surrealismo, Abjeccionismo*, Lisboa: Minotauro, 1963.

————. org. *A Intervenção Surrealista*, Lisboa: Ulisseia, 1966.

————. *As Mãos na Água, a Cabeça no Mar,* Lisboa: Assírio & Alvim, 1985.

## XV. TENDÊNCIAS CONTEMPORÂNEAS

AGUIAR, Fernando e PESTANA, Silvestre, orgs. – *Poemografias. Perspectivas da Poesia Visual Portuguesa*, Lisboa: Ulmeiro, 1985.

————. e SILVA, Gabriel Rui, orgs. – *Concreta. Experimental. Visual. Poesia Portuguesa 1959-1989*, Lisboa: Instituto de Cultura e Língua Portuguesa, 1989.

AMARAL, Fernando Pinto do, *et al.*, orgs. – *Um Século de Poesia (1888-1998)*, A Phala (ed. especial), Lisboa: Assírio & Alvim, 1988.

ARNAUT, Ana Paula – *Post-Modernismo no Romance Português Contemporâneo. Fios de Ariadne. Máscaras de Proteu*, Coimbra: Almedina, 2002.

BRANDÃO, Fiama Hasse Pais, *et al.* – "Poesia 61", suplemento literário do *Diário de Lisboa*, 25 maio 1961: 13-14.

BUENO, Jayme Ferreira – *Távola Redonda: Uma Experiência Lírica*, Curitiba: EDUCA, 1983.

CAEIRO, Olívio, coord. – *Panorama da Literatura Universal*, 2 vols., Lisboa: Círculo dos Leitores, 1991.

CASTRO, E. M. de Melo e – *As Vanguardas na Poesia Portuguesa do Séc. XX*, 2ª ed., Lisboa: ICALP, 1987.

COELHO, Eduardo Prado – *O Reino Flutuante. Exercícios*, Lisboa: Edições 70, 1972.

CRUZ, Gastão – *A Poesia Portuguesa Hoje*, 2ª ed., Lisboa: Relógio D'Água, 1999.

*Estrada Larga*, Antologia do Suplemento "Cultura e Arte" de *O Comércio do Porto*, org. de Costa Barreto, Porto: Porto Ed., vol. 3, s. d.

GUIMARÃES, Fernando – *A Poesia Contemporânea Portuguesa e o Fim da Modernidade*, Lisboa: Caminho, 1989.

————. *A Poesia Contemporânea Portuguesa do Final dos Anos 50 aos Anos 90*, Vila Nova de Famalicão: Quasi, 2002.

HATHERLY, Ana – "Situação da Vanguarda Literária em Portugal (a propósito dum livro de Alberto Pimenta)", *Colóquio/Letras*, Lisboa: nº 45, set. 1978, 57-61.

BIBLIOGRAFIA • 561

————. e MELO E CASTRO, E. M. de – *PO.EX., Textos Teóricos e Documentos da Poesia Experimental Portuguesa*, Lisboa: Morais, 1981.

MACHADO, Álvaro Manuel – *A Novelística Portuguesa Contemporânea*, Lisboa: ICALP, 1977.

MARINHO, Maria de Fátima – *A Poesia Portuguesa nos Meados do Século XX. Rupturas e Continuidades*, Lisboa: Caminho, 1989.

————. *O Romance Histórico em Portugal*, Porto: Campo das Letras, 1999.

————. *Um Poço Sem Fundo. Novas Reflexões sobre Literatura e História*, Porto: Campo das Letras, 2005.

MARTINHO, Fernando J. B. – *Tendências Dominantes da Poesia Portuguesa da Década de 50*, Lisboa: Colibri, 1996.

MARTINS, Albano, org. – *Nos 50 Anos de "Árvore, Folhas de Poesia"*, Actas do Colóquio Realizado em 16 de março de 2003, Porto: Universidade Fernando Pessoa, 2005.

MELO E CASTRO, E. M. de – *A Proposição 2.01, Poesia Experimental*, Lisboa: Ulisseia, 1965.

————. *O Próprio Poético*, S. Paulo: Quíron, 1973.

MOURÃO-FERREIRA, David – *Vinte Poetas Contemporâneos*, Lisboa: Ática, 1960.

————. *Tópicos de Crítica e de História Literária*, Lisboa: União Gráfica, 1969.

NAVA, Luís Miguel – *Ensaios Reunidos*, Lisboa: Assírio & Alvim. 2004.

PEREIRA, Edgard – *Portugal: Poetas do Fim do Milênio*, Belo Horizonte / Rio de Janeiro: Faculdade de Letras UFMG / Sette Letras, 1999.

PETROV, Petar, org. – *O Romance Português Pós-25 de Abril*, Lisboa: Roma, 2005.

QUADROS, Antônio – *Crítica e Verdade. Introdução à Actual Literatura Portuguesa*, Lisboa: Clássica, 1964.

ROSA, Antônio Ramos – *Poesia, Liberdade Livre*, Lisboa: Morais, 1962.

————. *A Poesia Moderna e a Interrogação do Real – II*, Lisboa: Arcádia, 1980.

————. *Incisões Oblíquas. Estudos sobre Poesia Portuguesa Contemporânea*, Lisboa: Caminho, 1987.

SEIXO, Maria Alzira – *Outros Erros. Ensaio de Literatura*, Porto: Asa, 2001.

SENA, Jorge de – *Dialécticas Aplicadas da Literatura*, Lisboa: Edições 70, 1978.

————. *Estudos de Literatura Portuguesa – I*, Lisboa: Edições 70, 1982.

SILVEIRA, Jorge Fernandes da – *Portugal Maio de Poesia 61*, Lisboa: Imprensa Nacional-Casa da Moeda, 1986.

SOUSA, Carlos Mendes de e RIBEIRO, Eunice, orgs. – *Antologia da Poesia Experimental Portuguesa*, Coimbra: Angelus Novus, 2004.

V. A. – "Dez Anos de Literatura Portuguesa: 1974-1984", *Colóquio/Letras*, Lisboa: Fundação Calouste Gulbenkian, nº 78, mar. 1984.

# ÍNDICE DE NOMES

## A

A. Ruben: 424, 507, 541
ABELAIRA, Augusto: 505, 507, 541
ACOMPANIADO: 54
ADDISON, Joseph: 190
AFONSO III: 23, 30, 34, 47, 61, 197
AFONSO V: 47
AFONSO VI: 21, 312
AFONSO VII: 21
AGUIAR, João: 541
AGUIAR, Jorge de: 53
AIRES, Cristóvão: 258
AIRES, Matias: 125, 148
ALBERTO, Carlos: 225
ALCIPE (ver Alorna, Marquesa de): 155
ALCOFORADO, Diogo: 502
ALCOFORADO, Sóror Mariana: 106, 132-34, 356, 524
ALEGRE, Manuel: 457, 458-59
ALEXANDRE, Antônio Franco: 485
ALIGHIERI, Dante: 5, 87, 88, 459, 483
ALMADA-NEGREIROS, José Sobral de (ver Negreiros, José Sobral de Almada): 327, 329, 344, 362, 510, 544
ALMEIDA, Antônio José de: 176
ALMEIDA, Antônio Ramos de: 392
ALMEIDA, Fialho de: 262-63, 268-69, 272-73, 302-03
ALMEIDA, José Américo de: 391
ALMEIDA, Leonor de (ver Alorna, Marquesa de): 155, 426
ALMEIDA, Manuel Duarte de: 258
ALMEIDA, Manuel Lopes de: 98
ALMEIDA, Nicolau Tolentino de (ver TOLENTINO de Almeida, Nicolau): 153, 417
ALMEIDA, Padre Teodoro de: 148
ALMEIDA, Tomás de: 327
ALORNA, Marquesa de (ver Almeida, Leonor de) e (Alcipe): 155

ÁLVARES, Afonso: 60
ÁLVARES, Dr. Manuel: 35
ÁLVARES, Francisco: 101
ALVES, Antônio Frederico de CASTRO (ver Castro Alves, Antônio Frederico de): 203
ALVES, Hélio J. S.: 98
ALVES, Vasco de Mendonça: 543
AMADO, Jorge: 391, 393, 397, 405-06
AMARAL, Ana Luísa: 495
AMARAL, Fernando Pinto do: 419, 429, 466, 489
AMARAL, Luís Correa França e: 150
AMARO, Luís: 15, 321, 426, 439
AMORIM, Jorge: 442
ANACREONTE: 199
ANDEIRO, Conde de: 42, 45
ANDRADE CORVO, João de (ver Corvo, João de Andrade): 177, 181
ANDRADE, Carlos Drummond de: 18
ANDRADE, Celeste: 516
ANDRADE, Eugênio de: 463-64, 502
ANDRADE, Garibaldino de: 395, 407
ANDRADE, Gomes Freire de: 163
ANDRADE, Jacinto Freire de: 130
ANDRADE, João Pedro de: 544
ANDRESEN, Sofia de Melo Breyner: 462-63
ANRIQUES, Luís: 51
ANTERO, Tarqüínio de Quental (ver QUENTAL, Antero Tarqüínio de): 219, 223, 233, 246, 247
ANTÔNIO SÉRGIO de Sousa (ver Sérgio de Sousa, Antônio): 317
ANTUNES, Antônio Lobo: 528
ANTUNES DA SILVA, Armando (ver Silva, Armando Antunes da): 406
APOLLINAIRE, Guillaume: 327, 363
AQUINO, Tomás de: 48
ARAGÃO, Antônio: 450
ARANHA, Brito: 222
ARAÚJO, Hamilton de: 258
ARAÚJO, Joaquim de: 258

## ÍNDICE DE NOMES • 563

ARAÚJO, Matilde Rosa: 433
ARCHER, Maria: 515
ARFET, Ana d': 121
ARISTÓTELES: 70, 145, 165
ARNOSO, Conde de (ver Pinheiro, Bernardo): 226, 263, 273
AROUET, François Marie (ver Voltaire): 143, 154
ARRAIS, Frei Amador: 108
ARRIAGA, Manuel de: 223
ASENSIO, Eugenio: 52, 103
ASSIS ESPERANÇA, Antônio: 395, 407
ATAÍDE, Catarina de: 72
AVEIRO, João Afonso d': 53
ÁVILA, Carlos Lobo d': 226
ÁVILA, Norberto: 546
AVIS, Mestre de (ver João I, D.): 42
AYALA, Canciller (Pero López de Ayala): 61
AZEVEDO, D. João de: 181, 205
AZEVEDO, Diogo Lopes d': 53
AZEVEDO, Fernando: 409-10
AZEVEDO, Guilherme de: 223, 256, 258
AZEVEDO, Pe. Antônio de: 203, 247
AZURARA, Gomes Eanes de: 43, 46-47, 61, 273

### B

BACELAR, Antônio Barbosa: 128
BAENA, Juan Alfonso de: 48, 62
BAÍA, Jerônimo: 112, 128-29
BALZAC, Honoré de: 181, 209, 210, 226, 265, 268
BANDARRA: 116, 426, 427
BANDEIRA Filho, MANUEL Carneiro de Sousa: 33
BANDELLO, Matteo: 103
BAPTISTA, Antônio Alçada: 512
BAPTISTA-BASTOS, Armando: 532
BARBOSA, Aires: 66
BARBOSA, Domingos Caldas (ver Selinuntino, Lereno): 150
BARREIRA, João: 303
BARRENO, Maria Isabel: 521, 524, 541
BARRETO, Moniz: 276
BARROS, João de: 98-99, 104, 130

BASTO, Evaristo: 175
BATALHA, Ladislau: 238
BATISTA, José Agostinho: 484, 488
BAUDELAIRE, Charles: 214, 238, 242, 253, 264, 280-81, 284-85, 292, 297, 343, 344, 479
BECKETT, Samuel: 514, 546
BEIRÃO, Mário: 321, 327
BELCHIOR, Maria de Lourdes: 141
BELÉM, Cunha (ver Gaveta, Amaro Mendes): 222
BELO, Ruy: 471-72
BELTRÃO, Luísa: 542
BENTO, José: 492
BERESFORD, William Carr: 163
BERGSON, Henri: 283, 331
BERNARD, Claude: 228, 231
BERNARDES, Diogo: 85, 88-89, 90, 94, 222
BERNARDES, Padre Manuel: 122-24, 131, 137, 153, 178
BERTO, Al: 493-94
BESSA-LUÍS, Agustina: 208, 517-18, 524, 541, 547
BETTENCOURT, Edmundo de: 361, 363, 366, 376
BIESTER, Ernesto: 177
BINGRE, Francisco J.: 150
BOCAGE, Manuel Maria Barbosa du (ver Sadino, Elmano): 18, 150-53, 156-62, 199, 233, 246, 254, 256, 330, 387
BOCCACCIO, Giovanni: 103
BOCCALINI, Traiano: 122
BOILEAU, Nicolas: 145-46
BOLAMA, Marquês d'Ávila e de: 224
BONAMIS: 54
BONAPARTE, Napoleão: 163
BONAVAL, Bernardo: 31
BORDALO, Francisco Maria: 180
BORGES, Carlos: 222, 483
BORGES, Gonçalo: 72
BORGES, Jorge Luís: 483, 534
BORGONHA, Henrique de: 78
BORGONHA, Raimundo de: 21
BOSCÁN Almogáver, Juan: 72
BOTELHO, Abel: 207, 232, 260, 262, 286, 302

564 • A LITERATURA PORTUGUESA

BOTELHO, Fernanda: 426, 516
BOTTO, Antônio: 363, 364, 371-72
BOURGET, Paul: 280
BRAGA, Alexandre: 201
BRAGA, Guilherme: 258
BRAGA, Maria Ondina: 524
BRAGA, Mário: 406, 533
BRAGA, Marques: 89
BRAGA, Teófilo: 212, 219, 221-23, 233, 239, 246, 253, 256, 276, 286, 316
BRAGA, Vitoriano: 543
BRAGANÇA, Duque de: 51
BRAGANÇA, Nuno: 510
BRANCO, Camilo Castelo (ver Castelo Branco, Camilo): 171, 201, 203, 256, 268, 303, 320, 359, 384, 403, 518
BRANCUTI, Conde: 30
BRANDÃO, Diogo: 53
BRANDÃO, Fiama Hasse Pais: 442, 444-45, 547
BRANDÃO, Frei Antônio: 130
BRANDÃO, Frei Francisco: 130
BRANDÃO, Júlio: 286, 287, 312
BRANDÃO, Raul: 302, 307-11, 369, 385, 543
BRANQUINHO DA FONSECA, Antônio José (ver Madeira, Antônio): 361, 363, 366, 368-69, 534, 544, 546
BRETON, André: 347, 374, 377, 411, 416-17, 421, 423
BRITO, Bernardo Gomes de: 101
BRITO, Casimiro de: 443, 448-49, 525
BRITO, Duarte de: 53
BRITO, Francisco José Maria de: 154
BRITO, Frei Bernardo de: 130
BROWNE, Maria da Felicidade do Couto: 201
BRUNETIÈRE, Ferdinand: 277
BUERGER, Gottfried August: 155
BUGALHO, Francisco: 363, 378
BULHÃO PATO, Raimundo Antônio: 201, 211
BURNS, Robert: 167
BYRON, George Gordon, Lord: 164-65, 167, 171, 201

C

CABRAL, Alexandre: 395, 406
CABRAL, Filomena: 540

CABRAL, Paulino Antônio: 151-52
CABRAL, Rui Pires: 502
CABRAL DO NASCIMENTO (ver Nascimento, João Cabral do): 381-82
CABREIRA (Jr.), Tomás: 340, 544
CÁCEGAS, Frei Luís de: 131
CAEIRO, Alberto (ver Pessoa, Fernando): 334, 349
CALDWELL, Erskine: 391
CALPRENÈDE, Gauthier de Coste de: 540
CAMACHO, Diogo: 128, 144
CÂMARA, D. João da: 312
CAMILO, João: 496
CAMINHA, Pêro de Andrade: 68, 72, 85-87, 91-93
CAMÕES, Luís Vaz de: 18, 20, 51-53, 60, 62, 67, 70-77, 80-81, 86-87, 89, 90, 91-93, 97-98, 109, 111, 120, 128, 132, 151, 153, 156, 157-58, 162, 164-65, 182, 184-85, 213, 233, 246, 253-54, 275, 288, 319, 322, 323, 330, 331, 339, 359, 439, 442, 452, 473, 483
CAMPOS, Agostinho de: 279
CAMPOS, Álvaro de (ver Pessoa, Fernando): 333, 335-36, 338-39, 414, 433
CAMPOS, Fernando: 541
CAMPOS, J. S. Ferraz de: 150
CÂNDIDO Ribeiro da Costa, Antônio: 176, 226
CARDIM, Fernão: 101
CARLISLE, H. G.: 391
CARLOS, D.: 320
CARLOS, Luís Adriano: 376
CARLOS, Papiniano: 426
CARVALHAL, Álvaro do: 179, 494
CARVALHO, Armando Silva: 480
CARVALHO, Gil de: 496
CARVALHO, Maria Amália Vaz de: 257
CARVALHO, Maria Judite de: 518
CARVALHO, Mário de: 512-13, 541, 547
CARVALHO, Raul de: 426, 432
CARVALHO, Ronald de: 327, 348
CARVALHO, Teotônio Gomes de: 145
CASIMIRO, Augusto: 324
CASTANHEDA, Fernão Lopes: 100
CASTELA, D. Maria de: 54

CASTELO BRANCO, Camilo: 171, 201, 203, 256, 268, 303, 320, 359, 384, 403, 518
CASTELO-BRANCO, João Ruiz de: 52-53
CASTELVETRO, Ludovico: 145
CASTILHO, Antônio Feliciano de: 198-200, 211-12
CASTILHO, Augusto Frederico de: 175, 183, 198, 220, 221, 222, 255, 290
CASTILHO, Júlio de: 222
CASTILHO, Paulo: 513
CASTILLO, Hernando del: 48
CASTRO, Alberto Osório de: 279, 287
CASTRO, Anibal Pinto de: 71
CASTRO, Bento de Oliveira Cardoso e (ver Vila-Moura, Visconde de): 322
CASTRO, D. João de: 130, 286
CASTRO, E(rnesto) M(anuel) de Melo e: 411, 430, 450-51
CASTRO, Eugênio de: 222, 226, 240, 243, 255, 279, 284-87, 289-92, 296, 307, 374
CASTRO, Fernanda de: 460
CASTRO, Ferreira de: 392-93, 395-97
CASTRO, Gabriel Pereira de: 127
CASTRO, Inês de: 45, 52, 78-80, 88, 291, 349, 472, 542
CASTRO, Pe. João Batista de: 137, 179
CASTRO, José Cardoso Vieira de (ver Vieira de Castro, José Cardoso): 176, 220
CASTRO ALVES, Antônio Frederico de (ver Alves, Antônio Frederico de Castro): 203
CATARINA, Frei Lucas de Santa:145
CATARINA, Frei Simão Antônio de Santa: 142
CENTENO, Yvete Kace: 519-20, 547
CÉU, Sóror Maria do: 137, 147, 178
CÉU, Sóror Violante do: 128, 129-30, 147
CHAGAS, Frei Antônio das (ver Soares, Antônio da Fonseca): 128, 132, 147, 312
CHAGAS, Manuel Pinheiro: 199, 211, 212, 219, 225
CHAMILLY, Noël Bouton: 132
CHAMPFLEURY (ver Hudson, Jules): 227
CHAPLIN, Charles: 331
CHARINHO, Paio Gomes: 31
CHATEAUBRIAND, François René: 173, 174, 189
CHAUCER, Geoffrey: 103

CHIADO, Antônio Ribeiro: 60, 223
CHIANCA, Rui: 543
CÍCERO: 47
CIDADE, Hernâni: 154, 157
CINATTI, Ruy: 426, 427
CIRURGIÃO, Antônio: 137
CLÁUDIO, Mário (pseud. Costa, Rui Manuel Pinto Barbot): 498-99, 530, 532, 541, 547
COCHOFEL, João José: 393
COCTEAU, Jean: 363
CODAX, Martin: 29-30
COELHO, Adolfo: 223-25
COELHO, Eduardo Prado: 482
COELHO, Jacinto do Prado: 152, 318
COELHO, Joaquim Guilherme Gomes (ver Dinis, Júlio): 214
COELHO, José Maria LATINO: 182
COELHO, Rui: 327
COELHO, José Francisco Trindade (ver Trindade Coelho, José Francisco): 263, 302, 372
COELHO LOUSADA, Antônio José (ver Lousada, Antônio José Coelho): 181
COIMBRA, Leonardo: 316, 322
COLERIDGE, Samuel Taylor: 167
COLOCCI, Angelo: 30
COMTE, Auguste: 228, 230, 249, 263
CONCEIÇÃO, Alexandre da: 225
CONSCIÊNCIA, Pe. Manuel: 137, 179
CORDEIRO, Rodrigues: 201
CORPANCHO, Aires: 31
CORREIA GARÇÃO, Pedro Antônio: 145, 148, 149, 153, 175
CORREIA, Clara Pinto: 538
CORREIA, Gaspar: 100
CORREIA, Hélia: 537
CORREIA, João de Araújo: 503
CORREIA, Natália: 418-19, 423, 547
CORREIA, Romeu: 395, 406, 545
CORTE-REAL, Jerônimo: 97, 101
CORTESÃO, Jaime: 316, 317, 323-24
CORTES-RODRIGUES, Armando: 327, 352
CORTEZ, Alfredo: 543
CORVO, João de Andrade (ver Andrade Corvo, João de): 177, 181
COSTA, Carlos Eurico da: 410, 424

566 • A LITERATURA PORTUGUESA

COSTA, Cláudio Manuel da: 151
COSTA, Helder: 547
COSTA, J. E. Lobo da: 222
COSTA, Maria Velho da: 522-23
COSTA, Padre Manuel da: 126
COSTA, Rui Manuel Pinto Barbot (ver Cláudio, Mário): 498-99, 530, 532, 541, 547
COSTA LOBO, Antônio de Sousa da Silva: 274
COURBET, Jean Désire Gustave: 224, 227, 483
COUTINHO, Carlos: 547
COUTINHO, Manuel de Sousa (ver Sousa, Frei Luís de): 131, 190
COUTO, Diogo do: 72, 100
CRESPO, Manuel Grangeio: 546
CRISTINA, Rainha: 115
CRUZ, Frei Agostinho da: 94-97
CRUZ, Gastão: 442-43, 445-46, 480, 489-91
CRUZ, Mafalda Ivo: 540
CRUZEIRO SEIXAS, Artur do (ver Seixas, Artur do Cruzeiro): 410, 421
CUADRADO, Perfecto E.: 421-422
CUNHA, D. Antônio Álvares da: 114
CUNHA, José Anastácio da: 151, 153, 156
CURTO, Ramada: 543

D

D'ALEMBERT, Jean Le Rond: 143
D'ARCOS, Anrique Paço: 324
D'ARCOS, Joaquim Paço: 504, 543
DACOSTA, Antônio: 409-10
DACOSTA, Luísa: 516
DALMIRA, Dorothea Engrassia Tavareda (ver Orta, Teresa Margarida da Silva e): 148
DÂMASO, José Antônio dos Reis: 225
DANTAS, Júlio: 312, 345, 543
DARWIN, Charles: 225, 228
DEUS, João de: 178, 187, 203, 211, 212-14, 246, 288, 318, 330
DEVILLE, Adelaide: 184
DIAS, Antônio GONÇALVES: 201
DIAS, Augusto Malheiro: 222
DIAS, Baltasar: 60
DIAS, Carlos Malheiro: 303, 304-05

DIAS, João Pedro Grabato: 492
DIAS, Saul: 363, 375-76
DÍAZ, Juan: 63
DIDEROT, Denis: 143
DINIS, Antônio (ver Nonacriense, Elpino; Silva, Antônio Dinis da Cruz e): 145, 149
DINIS, D.: 30, 38, 47, 61, 323
DINIS, Júlio (ver Coelho, Joaquim Guilherme Gomes): 177-80, 189, 194, 211, 214-17, 225, 226, 267, 312
DIONÍSIO, Eduarda: 525
DIONÍSIO, Mário: 393
DIREITINHO, José Riço: 542
DOMINGUES, Afonso: 194
DOMINGUES, Antônio: 409
DORFLESS, Gillo: 455
DOSTOIEVSKI, Fiodor: 308, 385
DUARTE, Afonso: 33, 322, 327, 393
DUARTE, D.: 24, 34, 41-43, 46, 47
DUARTE, Luiz Fagundes: 103
DURANTY, Louis Edmond: 227
DURÃO, Américo: 324
DÜRER, Alberto: 100

E

EÇA DE QUEIRÓS, José Maria (ver Queirós, José Maria Eça de): 18, 180-81, 188, 208, 217, 222-25, 252, 260, 262, 263-70, 277, 293, 302, 304, 403, 504, 531
ECHEVARRÍA, Fernando: 437
EGAS MONIZ, Antônio Caetano de Abreu (ver Moniz, Antônio Caetano de Abreu Freire Egas): 78, 324
EINSTEIN, Albert: 331
ELÍSIO, Filinto (ver Nascimento, Francisco Manoel do): 100, 133, 151, 153, 255
ENCINA, Juan del: 53-55
ERICEIRA, Segundo Conde de (ver Meneses, D. Fernando de): 130, 145
ERIMANTEU, Córidon (ver Garção, Pedro Antônio Correia): 149
ESCALÍGERO, Júlio César: 145
ESCOBAR, Frei Antônio de (ver Escobar, Gerardo): 138

## ÍNDICE DE NOMES • 567

ESCOBAR, Gerardo: 138
ESOPO: 372
ESPANCA, Florbela: 106, 134, 324, 356, 517
ESPERANÇA, Antônio ASSIS: 395, 407
ESTAÇO, Aquiles: 66

### F

FALCÃO, Carlos Poças: 502
FALCÃO, Cristóvão: 97
FALCO, João (*ver* Lisboa, Irene): 387
FARIA, Almeida: 508
FARIA, Daniel: 502
FARIA E SOUSA, Manuel de (*ver* Sousa, Manuel de Faria e): 130
FAURE DA ROSA, José de Azevedo (*ver* Rosa, José de Azevedo Faure da): 395, 406
FEIJÓ, Álvaro: 393
FEIJÓ, Antônio: 257, 284, 374
FÉNELON, François de Salignac de la Mothe: 148
FERNANDO, D.: 42, 54, 130
FERRAZ, J. S. da Silva: 150, 201
FERREIRA, Antônio: 61, 67, 68, 85-88, 91, 107, 153
FERREIRA, Antônio Mega: 533
FERREIRA, Armando Ventura: 407
FERREIRA, Francisco Leitão: 114, 147
FERREIRA, José Gomes: 393, 461
FERREIRA, Manuel: 406
FERREIRA, Seomara da Veiga: 542
FERREIRA, Vergílio: 395, 402, 404, 464, 490, 508
FERRER, Joaquim: 407
FERRO, Antônio: 352
FERRÚS, Pedro: 62
FÉVAL, Paul: 205
FICALHO, Conde de: 226
FIELDING, Henry: 179, 215
FIGUEIREDO, Antero de: 303, 305
FIGUEIREDO, Fidelino de: 355
FIGUEIREDO, Manuel de: 145, 148
FIGUEIREDO, Tomaz de: 208, 363, 372-73, 375
FILIPE II: 109, 140
FILIPE, D. Luís: 316
FILIPE, Daniel: 460
FLAUBERT, Gustave: 209, 224, 227, 229, 260, 265

FOGAÇA, Antônio: 258
FONSECA, Branquinho da (*ver* Branquinho da Fonseca, Antônio José): 361, 363-64, 366, 368-69, 534, 544, 546
FONSECA, Eduardo Valente da: 424
FONSECA, Manuel da: 147, 393, 395, 400-01
FONTANA, José: 274
FONTES PEREIRA DE MELO, Antônio Maria: 176
FONTES, Amando: 391-92
FORTE, Antônio José: 422
FRANÇA, José Augusto: 409-10, 417, 426
FRANCE, Anatole: 359
FRANCO, Antônio Cândido: 321, 372, 542
FRANCO, João: 315
FREIRE, Francisco de Castro: 201
FREIRE, Francisco José (*ver* Lusitano, Cândido): 145
FREIRE, Maria da Graça: 516
FREIRE, Natércia: 460
FREITAS, Rogério de: 395, 407
FREUD, Sigmund: 331
FROISSART, Jean: 43
FUSCHINI, Augusto: 223, 225

### G

GAIO, Antônio de Oliveira Silva: 181
GALLIS, Alfredo: 232
GALVÃO, Antônio: 100
GAMA BARROS, Henrique da: 274
GAMA, Arnaldo: 181
GAMA, Paulo da: 78
GAMA, Sebastião da: 433-34
GAMA, Vasco da: 66, 77-78, 182, 531
GARÇÃO, Pedro Antônio Correia: 145, 148, 149, 153, 175
GARCILASO de la Vega (*ver* Vega, Garcilaso de la): 72, 472
GARIBALDI, Giuseppe: 219
GARRETT, João Batista da Silva Leitão de ALMEIDA: 18, 20, 88, 131, 154, 164-65, 170, 173, 176-78, 180, 183-93, 203, 253, 255, 263, 273, 288, 295, 296, 311, 319, 336, 482, 483, 543

GAUTIER, Théophile: 35, 285

GAVETA, Amaro Mendes (ver Belém, Cunha): 222

GEDEÃO, Antônio: 469

GERSÃO, Teolinda: 535, 541

GIDE, André: 363

GIL, Augusto: 287, 288

GIRALDI, Giambattista Cinzio: 103

GOETHE, Johann Wolfgang von: 155, 168, 199, 200

GÓIS, Damião de: 100, 542, 547

GOLD, Michael: 397

GOMES, Luísa Costa: 539

GOMES, Manuel TEIXEIRA (ver Teixeira – Gomes, Manuel): 303, 505

GOMES, Joaquim Soeiro Pereira: 395, 405-06

GOMES LEAL, Antônio Duarte (ver Leal, Antônio Duarte Gomes): 233, 237-40, 246, 256, 284, 344, 387, 409, 429

GONÇALVES CRESPO, Antônio Cândido: 256-57

GONÇALVES, Egito: 426, 440

GONÇALVES, Nuno: 345

GONÇALVES, Olga: 525

GÔNGORA Argote, Luís de: 112, 128

GOUVEIA, Aires de: 201

GOUVEIA, André: 66

GOUVEIA, Antônio: 66

GOUVEIA, Diogo: 66

GRAVE, João: 303

GRAY, Thomas: 167

GUEDES, Vicente (ver Pessoa, Fernando): 335

GUERRA JUNQUEIRO, Abílio Manuel (ver Junqueiro, Abílio Manuel Guerra): 226, 233, 234-39, 246, 256, 286, 288, 318, 365

GUERRA, Álvaro: 509, 541

GUILHADE, João Garcia de: 30

GUILLERAGUES: 132-33

GUIMARÃES, Fernando: 349, 351, 426, 436, 476

GUIMARÃES, Luís Barreto: 502

GUIMARÃES, Nuno: 496

GUISADO, Alfredo: 327, 346-48

GUIZOT, François: 181, 196

GUSMÃO, Alexandre de: 148

GUSMÃO, Manuel: 458, 496

# H

HALLER, Albrecht von: 167

HARTMANN, Eduard von: 281

HATHERLY, Ana: 450-54

HAUSER, Arnold: 71

HEGEL, Georg Wilhelm Friedrich: 179, 225, 249, 485, 501

HEINE, Heinrich: 238, 264

HELDER, Herberto: 422, 424, 470-71, 541

HEMINGWAY, Ernest: 391, 506

HENRIQUE, D.: 21, 43, 46, 78, 100, 109

HENRIQUES, Afonso: 21

HERCULANO, Alexandre: 38, 155, 174-75, 191-92, 225

HERDER, Johann Gottfried: 168

HOBBES, Thomas: 154

HOCKE, Gustav René: 71

HOFFMAN, E. T. A.: 238, 264

HOMERO: 72, 78, 98, 166

HOOK, David: 103

HORÁCIO: 70-72, 83, 85, 88, 132, 145, 165, 468

HORTA, Maria Tereza: 443, 447, 524

HUDSON, Jules (ver Champfleury): 227

HUGO, Victor: 172, 211, 235, 238, 258

HUMBERTO, Príncipe: 219

# I

INOCÊNCIO Francisco da Silva (ver Silva, Inocêncio Francisco da): 154, 157

IONESCO, Eugène: 546

ISABEL, D.: 54

# J

JACOB, Max: 327, 363

JAZENTE, Abade de (ver Cabral, Paulino): 151

JESUS, Frei Rafael de: 130

JESUS, Frei Tomé de: 108

JOÃO I, D.: 41-48, 130, 194-95, 275

JOÃO II, D.: 47-48, 182, 542

JOÃO III, D.: 54, 72, 91, 131, 198

JOÃO IV, D.: 115, 121, 126

JOÃO V, D.: 143, 144, 181

JOÃO VI, D.: 163, 183, 547

## ÍNDICE DE NOMES • 569

JORGE, João Miguel Fernandes: 477-78
JORGE, Lídia: 533-34
JORGE, Luísa Neto: 443-44
JOSÉ I, D.: 144, 183
JOSÉ, Fausto: 363, 384
JOYCE, James: 522, 534
JOYCE, Patrícia: 516
JÚDICE, Nuno: 138, 139, 142, 480, 482
JUNG, Carl Gustav: 283, 331
JUNQUEIRO, Abílio Manuel GUERRA
(*ver* Guerra Junqueiro, Abílio Manuel): 226,
233-39, 246, 256, 286, 288, 318, 365

### K

KAFKA, Franz: 518, 534
KARR, Alphonse: 271
KIM, Tomaz: 426, 428-30
KLINGER, Friedrich Maximilian von: 168
KLOPSTOCK, Friedrich Gottlieb: 168

### L

LA FONTAINE, Jean de: 372
LA ROCHEFOUCAULD, François: 125
LACERDA, Alberto de: 426, 439
LAFÕES, Duque de: 144
LAMARTINE, Alphonse M. L. de Prat de: 20, 253
LAPA, Manuel Rodrigues (*ver* Rodrigues Lapa,
Manuel): 62, 549
LARANJEIRA, Manuel: 303, 305-06, 367, 429
LARRA, Mariano de: 171
LEAL, Antônio Duarte GOMES (*ver* Gomes
Leal, Antônio Duarte): 233, 237-40, 246,
256, 284, 344, 387, 409, 429
LEAL, José da Silva MENDES (*ver* Mendes Leal,
José da Silva): 176-77
LEAL, Raul: 327
LEIRIA, Mário-Henrique: 410, 421
LEITÃO, Luís Veiga: 426
LEMOS, Ester de: 516
LEMOS, Fernando: 424
LEMOS, João de Seixas Castelo Branco: 201
LENCASTRE, Leonor de Almeida de Portugal
Lorena e (*ver* Alorna, Marquesa de): 155
LENTINO, Giacomo da: 29

LESSING, Gotthold: 168
LETRIA, José Jorge: 498-99
LEWIS, Sinclair: 391
LIMA, Ângelo de: 333, 349, 373
LIMA, Augusto José Gonçalves: 201
LIMA, Jaime de Magalhães: 263, 303-04
LIMA, Manuel de: 419, 420
LÍPSIO, Justo: 122
LISBOA, Antônio Maria: 409-10, 412, 415-16,
420
LISBOA, Eugênio: 379
LISBOA, Irene (*ver* Soares, Manuel): 363, 387-89
LÍVIO, Tito: 99
LLANSOL, Maria Gabriela: 536-37
LOBEIRA, João de: 61, 62
LOBEIRA, Vasco da: 61
LOBO, Antônio de Sousa da Silva Costa (*ver*
Costa Lobo, Antônio de Sousa da Silva): 274
LOBO, Francisco Rodrigues: 110, 127-29, 178
LOCKE, John: 167
LOPES, Adília: 496
LOPES, Fernão: 24, 39, 41-47, 99, 182, 187,
194, 472, 527
LOPES, Margarida: 154
LOPES, Óscar: 324, 346, 522
LOSA, Ilse: 516
LOUREIRO, Jacinto Heliodoro de Aguiar: 177
LOUREIRO, Urbano: 222
LOURENÇO, Eduardo: 480, 522
LOUSADA, Antônio José COELHO
(*ver* Coelho Lousada, Antônio José): 181
LUCENA, Vasco Fernandes de: 46
LÚCIO, João: 287
LUKÁCS, Georg: 540
LUSITANO, Cândido (*ver* Freire, Francisco
José): 145
LUTERO, Martinho: 100
LUZ, Viscondessa da (*ver* Montúfar, D. Rosa de):
184, 185, 186
LYRA, Pedro: 498

### M

MACEDO, Antônio de Sousa de: 126, 127
MACEDO, Duarte Ribeiro de: 126

# 570 • A LITERATURA PORTUGUESA

MACEDO, Helder: 441
MACEDO, Luís de: 426
MACEDO, Padre José Agostinho de: 150
MACHADO DE ASSIS, Joaquim Maria: 187
MACHADO, Antonio: 331
MACHADO, Dinis: 532
MACHADO, Júlio César: 175, 179, 273
MACHADO, Simão: 60
MACHIN, Roberto: 121
MACPHERSON, James (ver Ossian): 166, 167
MADEIRA, Antônio (pseud. de Branquinho da Fonseca, Antônio): 368
MÃE, Valter Hugo: 502
MAGALHÃES, Fernão de: 66
MAGALHÃES, Joaquim Manoel: 476
MAGALHÃES, José Estêvão Coelho de: 176
MAGALHÃES, Luís Cipriano Coelho de: 225
MAGNE, Augusto: 37
MAGNO, Carlos: 34
MAIA, João: 442
MAIA, Mariano Machado de Faria e: 222
MAIOR, Elói de Sá Sotto: 137
MAISTRE, Xavier de: 188
MALDONADO, Antônio José: 426, 442
MALDONADO, Fátima: 496
MALDONADO, Teodoro da Silva: 151
MANRIQUE, Gómez: 50
MANRIQUE, Jorge: 50, 81
MANSFIELD, Katherine: 518
MANUEL I, D.: 54, 66, 72, 78, 100, 131
MANUEL II, D.: 316
MANUEL, D. Juan: 103
MANUEL, José: 428, 442
MANUEL, Passos: 188
MAP, Gautier: 35
MARGARIDO, Alfredo: 509
MARIA II, D.: 176, 177, 184
MARIA, Infanta D.: 72
MARINETTI, Filippo Tommaso: 106
MARINHO, Maria de Fátima: 413-14, 421, 424, 531, 541, 546
MARQUES, Helena: 542
MARRECA, Antônio de Oliveira: 181
MARTINHO, Fernando J. B.: 443, 473, 476

MARTINHO, Virgílio: 420
MARTINS, Albano: 426, 430, 434-36
MARTINS, Joaquim Pedro de OLIVEIRA (ver Oliveira Martins, Joaquim Pedro de): 222, 223, 226, 234, 247, 252, 273, 274-77
MARX, Irmãos: 142
MATOS, Eusébio de: 119, 128-29
MATOS, Gregório de: 157, 492
MATOS, João Xavier de: 151-53
MAYER, Carlos: 226
MEIRELES, Germano Vieira: 223
MELANCHTON, Philipp Schwarzerd: 100
MELO, D. Francisco Manuel de: 72, 119-22, 126-27, 132, 135, 175, 176, 499, 542
MELO, João de: 511
MELO, Pedro Homem de: 363, 382-83
MENA, Juan de: 50
MENDES, Luís Filipe Castro: 497
MENDES LEAL, José da Silva (ver Leal, José da Silva Mendes): 176, 177
MENDES, Margarida Vieira: 129
MENDONÇA, Antônio Pedro Lopes de: 175, 181, 205, 273
MENDONÇA, José Tolentino: 501-02
MENDOZA, Iñigo López de (ver Santillana Marquês de ): 50
MENESES, D. Fernando de (ver Ericeira, Segundo Conde de): 130
MENESES, D. Francisco de Sá de: 127
MENESES, D. Francisco Xavier de: 129, 145
MENESES, D. Luís de: 130
MENESES, D. Manuel de: 121
MENINO, Pêro: 48
MESQUITA, José Caetano de: 94
MESQUITA, Marcelino: 312
MESQUITA, Roberto de: 287, 289
METASTÁSIO (Pietro Antonio Trapassi): 155
MEXIA, Pedro: 501
MEYRELLES, Isabel: 421, 423
MICÊNIO, Alcino (ver Quita, Domingos dos Reis): 149
MICHELET, Jules: 182
MIGUÉIS, José Rodrigues: 208, 363, 384-85
MIGUEL, D.: 164, 184
MILTON, John: 200

ÍNDICE DE NOMES • 571

MIRANDA, Francisco de SÁ DE (*ver* Sá de Miranda, Francisco de): 53, 67, 70, 81-87, 89, 91, 95, 107
MIRANDA, Jorge Gomes: 502
MIRANDA, Paulo José: 502
MOITA, Antônio Luís: 426, 432, 442
MOLIÈRE, Jean-Baptiste Pouquelin: 121, 199, 200
MONIZ, Antônio Caetano de Abreu Freire EGAS (*ver* Egas Moniz, Antônio Caetano de Abreu Freire): 78, 324
MONSARAZ, Conde de (*ver* Papança, Antônio de Macedo): 242, 258
MONTALE, Eugenio: 483
MONTALVO, Garci-Ordóñez de: 61, 63
MONTALVOR, Luís de: 298, 327, 328, 348
MONTEIRO, Adolfo Casais: 361, 363, 369-70, 383
MONTEIRO, Antônio Maria do Couto: 201
MONTEIRO, Domingos: 503
MONTEIRO, Luís de Sttau: 545
MONTÚFAR, D. Rosa de (*ver* Luz, Viscondessa da): 185
MORA, A. (*ver* Pessoa, Fernando): 335
MORAIS, D. José Ângelo de: 128
MORAIS, Francisco de: 104
MORAIS WENCESLAU, José de Sousa DE: 273, 297
MORAIS, Pina Graça de: 516
MORÉAS, Jean: 281, 282, 285
MOTA, Henrique da: 53
MOURA, Vasco Graça: 482-84
MOURÃO-FERREIRA, David: 324, 380-81, 426, 465, 466, 480, 545
MOUTINHO, José Viale: 421
MURALHA, Sidônio: 393
MURATORI, Ludovico Antonio: 145, 146
MURGER, Henri: 227

N

NAMORA, Fernando: 393, 395, 398, 399
NAMORADO, Joaquim: 392, 393
NASCIMENTO, Francisco Manuel do (*ver* Elísio, Filinto): 153

NASCIMENTO, João CABRAL DO (*ver* Cabral do Nascimento, João): 381-82
NASCIMENTO, Manuel do: 395
NAVA, Luís Miguel: 489-91
NAVARRA, Margarida de: 103
NAVARRO, Antônio de: 363, 379
NAVARRO, Antônio Rebordão: 426, 510, 541
NECKER, Germaine (*ver* Staël, Madame de): 155
NEGRÃO, Manuel Nicolau ESTEVES: 145
NEGREIROS, José Sobral de ALMADA (*ver* Almada-Negreiros, José Sobral de): 327, 329, 344, 362, 420, 510, 544
NEMÉSIO, Jorge: 426
NEMÉSIO, Vitorino: 363, 368, 386-87, 541
NERVAL, Gérard de: 171, 264
NEVES, Orlando: 492, 547
NISA, Marquês de: 116
NOBRE, Antônio: 279, 286-88, 291, 292-97, 301, 307, 318, 321, 323, 356, 366, 374, 380, 383, 433, 466
NÓBREGA, Isabel da: 509
NOGUEIRA, Albano: 439
NONACRIENSE, Elpino (*ver* Dinis, Antônio): 149
NORDAU, Max: 239, 308, 338
NORONHA, D. Tomás de: 128, 144
NOVAIS, Faustino Xavier de: 211
NOVAIS, Seabra: 392
NOVAIS, Xavier de: 211
NUNES, Aires: 31
NUNES, Irene Freire: 37
NUNES, Natália: 516
NUNES, Rui: 532

O

O'NEILL, Alexandre: 409, 410, 412, 416-17, 421, 426
OEYNHAUSEN, Conde de: 155
OLIVEIRA MARTINS, Joaquim Pedro de (*ver* Martins, Joaquim Pedro de Oliveira): 222, 223, 226, 234, 252, 273, 274-77
OLIVEIRA, Alberto de: 279, 286, 287
OLIVEIRA, Carlos de: 208, 393, 395, 401, 496
OLIVEIRA, Cavaleiro de: 124, 132

# 572 • A LITERATURA PORTUGUESA

OLIVEIRA, Francisco Xavier de (ver Oliveira, Cavaleiro de): 124, 132
OLIVEIRA, Paulino de: 258
OLIVEIRA SOARES, Antônio Duarte de (ver Soares, Antônio Duarte de Oliveira): 286, 287
OOM, Pedro: 409, 410, 411, 412, 415, 424, 545
ORIENTE, Fernão Álvares do: 137
ORTA, Teresa Margarida da Silva e (ver Dalmira, Dorothea Engrassia Tavareda): 148
ORTIGÃO, José Duarte Ramalho (ver Ramalho, Ortigão José Duarte): 222, 226, 264, 271, 273, 461
OSÓRIO, Antônio: 479
OSÓRIO, Jerônimo: 100, 132
OSÓRIO, João de Castro: 297, 298
OSSIAN (ver Macpherson, James): 155, 166, 167, 168
OVÍDIO: 50, 72, 149, 199, 486

## P

PACHECO, C. (ver Pessoa, Fernando): 335
PACHECO, Fernando Assis: 457, 458
PACHECO, Luiz: 421
PAÇOS, Fernando de: 426
PAGANINO, Rodrigo: 179, 215
PAIVA, João Soares de: 30
PALMA-FERREIRA, João: 147, 465
PALMEIRIM, Luís Augusto: 201
PAPANÇA, Antônio de Macedo (ver Monsaraz, Conde de): 258
PARREIRA, Carlos: 322
PASCOAES, Teixeira de (ver Vasconcelos, Joaquim Teixeira de): 306, 316, 317-24, 327, 347, 433
PASSOS, Antônio Augusto SOARES DE (ver Soares de Passos, Antônio Augusto): 178, 192, 201, 202-03, 246
PASSOS, John dos: 391, 397
PATO, Raimundo Antônio de BULHÃO: 201, 211
PATRÍCIO, Antônio: 303, 306-07, 311, 543
PEDRO D.: 45, 53
PEDRO D., Conde de Barcelos: 38
PEDRO da Costa, ANTÔNIO: 412
PEDRO I, D.: 42, 164, 187, 291

PEDRO II, D.: 222
PEDRO IV, D.: 184
PEDRO, Antônio: 409, 410, 412
PEDRO D., o Regente: 48
PEDROSA, Inês: 540
PEIXOTO, José Luís: 533
PELAYO, Marcelino MENÉNDEZ: 62
PENEDO, Leão: 395, 406
PENHA, João: 152, 244, 256, 257
PEREIRA, Antônio Vaz: 426
PEREIRA, Helder Moura: 487
PEREIRA, Henrique Risques: 409, 410, 415, 421
PEREIRA, João Moniz: 410
PEREIRA, Maria Idalina Cobra: 558
PESSANHA, Camilo: 240, 274, 286, 287, 289, 292, 297-301, 307, 330, 344, 366, 374, 429, 436, 516
PESSOA, FERNANDO Antônio Nogueira: 18, 27, 185, 237, 245, 246, 254, 300, 317, 319, 321, 324, 327, 328, 329, 330-39, 340, 344, 345, 348, 349, 362, 370, 371, 375, 381, 382, 426, 427, 483, 496, 499, 500, 519, 544, 547
PESTANA, Álvaro de Brito: 51
PETRARCA, Francesco: 48, 50-2, 72, 73, 83, 85, 86, 87, 88, 89, 91, 92
PETRUS: 339, 410, 413
PICASSO, Pablo: 331
PICCHIO, Luciana Stegagno: 455
PIEL, Joseph M.: 37
PIMENTA, Alberto: 450, 453
PIMENTEL, Antônio de Serpa: 201
PIMENTEL, José Freire de Serpa: 201
PIMPÃO, Álvaro Júlio da Costa: 105
PINA, Manuel Antônio: 487
PINA, Mariano: 242, 245
PINA, Rui de: 43, 46-47
PINHEIRO, Bernardo (ver Arnoso, Conde de): 263, 273
PINTO, Alberto Oliveira: 542
PINTO, Álvaro: 322
PINTO, Antônio José da SILVA: 225, 241, 242, 245
PINTO, Cândido da Costa: 409
PINTO, Fernão Mendes: 101-03, 141, 273
PINTO, Frei Heitor: 108

ÍNDICE DE NOMES • 573

PINTO, Júlio Lourenço: 225, 263
PINTOR, Guilherme SANTA-RITA: 327
PIRANDELLO, Luigi: 363
PIRES, José Cardoso: 505, 506-07, 547
PITTA, Eduardo: 496
PIZARRO, Inácio (ver Sarmento, Inácio Pizarro de Morais): 201
PLATÃO: 74, 468, 485
PLAUTO: 84, 87, 107
POE, Edgar Allan: 238
POMBAL, Marquês de: 144, 182, 183, 204, 517, 542
POPE, Alexander: 145, 155
PORTELA Fº, Artur: 509
PORTO, Manuela: 545
PORTO-CARRERO, Rui de: 222
PORTUGAL, D. Francisco de (ver Vimioso, Conde): 51, 53
PORTUGAL, D. João de: 131, 190
PORTUGAL, José Blanc de: 426, 427
PRESTES, Antônio: 60
PRIEBSCH. J.: 91
PROENÇA, Raul: 317
PROTÁGORAS: 66
PROUDHON, Pierre Joseph: 219, 224, 225, 228, 249, 263
PROUST, Marcel: 363, 375, 518

Q

QUEIRÓS, Carlos: 363, 380-81
QUEIRÓS, Eça de (ver Eça de Queirós, José Maria): 18, 180, 181, 188, 208, 217, 222, 223, 224, 225, 252, 260, 262, 263-77, 293, 302, 304, 403, 504, 526, 531
QUEIRÓS, Francisco TEIXEIRA DE (ver Teixeira de Queirós, Francisco): 262
QUEIRÓS, Raquel de: 391
QUENTAL, ANTERO Tarqüínio de (ver Antero Tarqüínio de Quental): 219, 223, 233, 246-54
QUEVEDO y Villegas, Francisco Gómez de: 122
QUEVEDO, Vasco Mouzinho de: 127
QUINET, Edgar: 219
QUINTAIS, Luís: 502

QUINTILIANO (Marcus Fabius Quintilianus): 118, 145
QUITA, Domingos dos Reis: 145, 148, 149

R

RABELAIS, François: 229
RAFAEL, Antônio Gil: 94
RAMALHA, Rosa: 531
RAMALHO ORTIGÃO, José Duarte (ver Ortigão, José Duarte Ramalho): 222, 264, 271-73, 461
RAMOS, Graciliano: 391, 397, 402, 513
RAMOS, Wanda: 525
RAMSAY, Allan: 166
RAVASCO, Bernardo Vieira: 129
REAL, Miguel: 542
REBELLO, Luiz Francisco: 312, 413, 545
REBELO DA SILVA, Luís Augusto (ver Silva, Luís Augusto Rebelo da): 176, 179, 181, 182
REBELO, Gaspar Pires de: 138, 139
REDOL, Antônio ALVES: 392, 393, 395, 397-98, 545
RÉGIO, José (ver Reis Pereira, José Maria dos): 246, 361-63, 364-66, 373, 375, 377, 380, 457, 544
REGO, José Lins do: 391, 397
REIS PEREIRA, José Maria dos (ver Régio, José): 364, 375
REIS, Jaime Batalha: 222, 223, 225, 256
REIS, Ricardo (ver Pessoa, Fernando): 335, 339, 527
REIS-SÁ, Jorge: 502
REMÉDIOS, Mendes dos: 94
RENAN, Ernest: 227
RESENDE, Garcia de: 41, 48-49, 52, 73, 88, 97, 542
REVERDY, Paul: 363
RIBAS, Tomás: 395, 407
RIBEIRO, Afonso: 395, 407
RIBEIRO, Aleixo: 395, 407
RIBEIRO, Antônio (O Chiado): 60, 223
RIBEIRO, Aquilino: 106, 207, 208, 355, 358, 541
RIBEIRO, Bernardim: 53, 97, 105, 106, 189, 442

# 574 • A LITERATURA PORTUGUESA

RIBEIRO, João Pinto: 126

RIBEIRO, Maria Pais: 21, 24

RIBEIRO, Tomás: 211

RIBEIRO SANCHES, Antônio Nunes (ver Sanches Antônio Nunes Ribeiro): 144

RIBERA, Páez de: 63

RICHARDSON, Samuel: 166, 180, 215

RIMBAUD, Arthur: 376, 415

ROCHA, Adolfo Correia da (ver Torga, Miguel): 366

RODRIGUES LAPA, Manuel (ver Lapa, Manuel Rodrigues): 549

RODRIGUES, Armindo: 393

RODRIGUES, Urbano Tavares: 347, 505

ROMERO, Sílvio: 222

ROSA, Antônio Ramos: 426, 430-32, 441, 443, 444, 448

ROSA, José de Azevedo FAURE DA (ver Faure da Rosa, José de Azevedo): 395, 406

ROTTERDAM, Erasmo de: 59, 515

ROUSSEAU, Jean-Jacques: 154, 168, 172, 173, 215

ROVISCO, Miguel: 547

## S

SÁ, Isabel de: 494

SÁ, Vítor Matos e: 442

SAA, Mário: 350

SÁ-CARNEIRO, Mário de: 95, 106, 245, 246, 297, 300, 317, 322-24, 327, 329, 333, 340-45, 350, 352, 355, 362, 374, 413, 433, 439, 449, 544

SÁ DE MIRANDA, Francisco de (ver Miranda, Francisco de Sá de): 53, 67, 70, 81-87, 89, 91, 95, 107

SABUGOSA, Conde de: 226

SADINO, Elmano (ver Bocage): 156

SALEMA, Teresa (pseud. de Teresa Maria Lourenço Rodrigues Cadete): 448, 525

SALGADO Jr., Antônio: 105

SALGADO, E. A.: 222

SALMON, André: 363

SAMPAIO, Alberto: 274

SAMPAIO, Antônio Rodrigues: 175

SAMPAIO, Jaime Salazar: 546

SANCHES, Afonso: 30

SANCHES, Antônio Nunes RIBEIRO (ver Ribeiro Sanches, Antônio Nunes): 144

SANCHES, Vicente: 546

SANCHO I, D.: 21, 47, 54

SANTARENO, Bernardo (pseud. de Antônio Martinho do Rosário): 18, 545

SANTILLANA, Marquês de (Iñigo López de Mendoza): 50

SANTOS, Fernando Alves dos: 422

SANTOS, Frei Manuel dos: 130

SANTOS, José Carlos Ary dos: 442

SANTOS, Políbio Gomes dos: 393, 407

SÃO LOURENÇO, Conde de: 149

SÁRAGGA, Salomão: 222, 224

SARAIVA, Antônio José: 394

SARAIVA, Arnaldo: 348, 353

SARAIVA, João: 258

SARAMAGO, José: 19, 526, 527, 541, 547

SARDINHA, Antônio: 316

SARMENTO, Inácio Pizarro de Morais (ver Pizarro, Inácio): 201

SARTRE, Jean-Paul: 56

SASPORTES, José Estêvão: 547

SAVIOTTI, Gino: 545

SCHILLER, Johann Friedrich von: 168

SCHOPENHAUER, Arthur: 228, 252, 281

SCOTT, Walter: 164, 174, 540

SCUDÉRY, Madeleine de: 540

SEABRA, José Augusto: 442

SEARCH, Alexander (ver Pessoa, Fernando): 335

SEBASTIÃO, D.: 66, 77, 104, 109, 116, 131, 190, 305, 364, 442, 544

SEIXAS, Artur do CRUZEIRO (ver Cruzeiro Seixas, Artur do): 410, 421

SEIXO, Maria Alzira: 522

SELINUNTINO, Lereno (ver Barbosa, Domingos Caldas): 150

SELVAGEM, Carlos: 543

SEMEDO, Belchior M. CURVO: 150

SENA, Jorge de: 424, 426, 429, 439, 461, 469, 545

SÊNECA: 48, 107

TICIANO, Courbet; 483
TOLENTINO de Almeida, Nicolau
(ver Almeida, Nicolau Tolentino de): 153, 417
TOLSTÓI, Leon: 304, 308
TORGA, Miguel (ver Rocha, Adolfo Correia da): 246, 324, 361, 363, 366-68, 381, 544
TORNEOL, Nuno Fernandes: 31
TORRES, Alexandre Pinheiro: 407, 426
TRANCOSO, Gonçalo Fernandes: 102, 103, 178, 504
TRAVA, Fernão Peres de: 21
TRIGUEIROS, Luís Forjaz: 503
TRINDADE COELHO, José Francisco
(ver Coelho, José Francisco Trindade): 263, 302, 372

## U

UNAMUNO, Miguel de: 96, 306
USQUE, Samuel: 108

## V

VALARINHO, Antônio Júlio: 547
VALENTE, Santos: 222
VALÉRY, Paul: 363, 514
VAN GOGH, Vincent: 343
VASCONCELOS, Carolina Michaëls de: 28-9, 81, 105
VASCONCELOS, Joaquim Teixeira de
(ver Pascoaes, Teixeira de): 317
VASCONCELOS, Jorge Ferreira de: 104, 107
VASCONCELOS, José Carlos de: 457-58
VASCONCELOS, Mário Cesariny de: 409-15, 421
VEGA, Garcilaso de la (ver Garcilaso de la Vega): 472
VEIGA, Teresa: 540
VEIGA, Tomé Pinheiro da: 126, 140-41
VENTURA, Mário: 533
VERBA, João: 48
VERDE, Cesário: 240-45, 257, 258, 284, 330, 371, 417, 442, 499

VERLAINE, Paul: 280, 281, 293
VERNEY, Luís Antônio: 143-45
VESPEIRA, Marcelino: 409, 410, 424
VIANA, Antônio Manuel Couto: 372, 426, 466
VICENTE, Gil: 18, 53-59, 65, 84, 98, 134, 136, 176, 189, 311, 323
VICENTE, Luís: 55, 56
VIDAL, Eduardo Augusto: 222
VIEGAS, Francisco José: 502
VIEIRA, Afonso Lopes: 287, 288
VIEIRA, José Augusto: 263
VIEIRA, Padre Antônio: 115-19, 123, 126, 132
VIEIRA DE CASTRO, José Cardoso
(ver Castro, José Cardoso Vieira de): 176, 220
VILA-MOURA, Visconde de (ver Castro, Bento de Oliveira Cardoso e): 322
VILHENA, Madalena de: 131, 190
VILLON, François: 240
VIMIOSO, Conde de (ver Portugal, D. Francisco de): 51, 53
VIRGÍLIO: 72, 78, 87, 88, 98, 199
VITÓRIA, Henrique Aires: 107
VOLTAIRE, Pseud. de Arouet, François Marie: 143, 154

## W

WAGNER, Richard: 281
WALPOLE, Horace: 540
WIELAND, Christoph Martin: 155
WORDSWORTH, William: 167

## Y

YOUNG, Edward: 155, 160, 166, 168

## Z

ZINK, Rui: 533
ZOLA, Émile: 209, 227, 228, 229, 230, 231, 260, 262, 537
ZORRO, João: 30-31

ÍNDICE DE NOMES • 575

SÉRGIO de Sousa, ANTÔNIO (*ver* Antônio Sérgio de Sousa): 317
SEROMENHO, Augusto: 223, 224
SERPA, Alberto de: 361, 363, 365, 377
SERRÃO, Joel: 241, 242, 244
SEURAT, Georges Pierre: 523
SÉVIGNÉ, Madame de (Rabutin – Chantal, Marie de): 132
SHAKESPEARE, William: 164, 168, 199, 200, 483
SHELLEY, Percy Bysshe: 167
SILVA, Antônio Dinis da Cruz e (*ver* Dinis Antônio): 145, 149
SILVA, Antônio José da: 18, 134-36, 139, 176
SILVA, Armando ANTUNES DA (*ver* Antunes da Silva, Armando): 406
SILVA, Inocêncio Francisco da (*ver* Inocêncio Francisco da Silva): 154, 157
SILVA, João Artur: 410
SILVA, José Marmelo e: 395, 406
SILVA, Luís Augusto REBELO DA (*ver* Rebelo da Silva, Luís Augusto): 176, 179, 181, 182
SILVA, Matias Pereira da: 128
SILVA, Tomás Antônio dos Santos e: 150
SILVA, Vitor Manuel de Aguiar e: 94
SILVEIRA, Luís: 50
SILVEIRA, Simão da: 50, 67, 85
SIMÕES, João Gaspar: 322, 361, 363, 364, 389, 410, 492
SIMÕES, Manuel Breda: 426
SINCLAIR, Upton: 391
SMOLLET, Tobias George: 180
SOARES DE PASSOS, Antônio Augusto (*ver* Passos, Antônio Augusto Soares de): 178, 192, 201, 202-03, 246
SOARES, Antônio da Fonseca (*ver* Chagas, Frei Antônio das): 128
SOARES, Antônio Duarte de OLIVEIRA (*ver* Oliveira Soares, Antônio Duarte de): 286, 287
SOARES, Bernardo (*ver* Pessoa, Fernando): 335
SOARES, Manuel (*ver* Guerra, Álvaro): 387, 509
SOBRAL, Augusto: 546
SÓFOCLES: 107
SORIANO, Simão José da Luz: 182
SOUSA, Américo Guerreiro de: 532

SOUSA, Antônio da Silva e: 126
SOUSA, Antônio de: 126, 127, 383
SOUSA, D. Margarida de: 51
SOUSA, Francisco Saraiva de: 53, 137, 178
SOUSA, Frei Luís de (*ver* Coutinho, Manuel de Sousa): 131, 176, 182, 189, 190-91, 483
SOUSA, João Rui de: 350, 460, 473-74
SOUSA, José Xavier Valadares e: 145
SOUSA, Manuel de FARIA E. (*ver* Faria e Sousa, Manuel de): 130
SOUSA-CARDOSO, Amadeo de: 531
SOUTHEY, Robert: 167
SOVERAL, Luís de: 226
SPENCER, Herbert: 225
STAËL, Madame de (*ver* Necker, Germaine): 155
STEINBECK, John: 391, 397
STENDHAL, Henri Beyle: 226
STERNE, Lawrence: 188
STORCK, Wilhelm: 249, 251, 253
STRAPAROLA, Gianfrancesco: 103
SUE, Eugène: 181, 205
SUGGIA, Guilhermina: 531

## T

TAINE, Hipólito: 225, 228, 230, 231, 261, 277
TAMEN, Miguel: 152
TAMEN, Pedro: 467-68
TAVARES, Gonçalo M.: 514
TAVARES, Miguel Sousa: 542
TAVARES, Salette: 450, 454-56
TAVEIRÓS, Paio Soares de: 21-22, 24, 30
TEIXEIRA DE QUEIRÓS, Francisco (*ver* Queirós, Francisco Teixeira de): 262
TEIXEIRA, Paulo: 500
TEIXEIRA-GOMES, Manuel (*ver* Gomes, Manuel Teixeira): 303, 505
TELES, Aires: 51, 53
TELES, Leonor: 42, 45, 305, 312, 542
TENREIRO, Francisco José: 393
TERCEIRA, Duque da: 164
TERÊNCIO: 84, 87, 107
TERRA, José: 426, 432, 440
THIERRY, Augustin: 182, 196, 198
THOMSOM, James: 166